FUNCIONALIDADES DE UN LIBRO ELECTRÓNICO EN **PROVIEW**

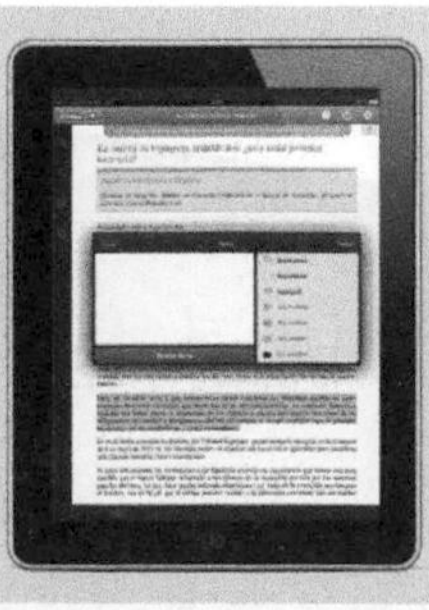

SELECCIONE Y DESTAQUE TEXTOS
Haga anotaciones y escoja los colores para organizar sus notas y subrayados

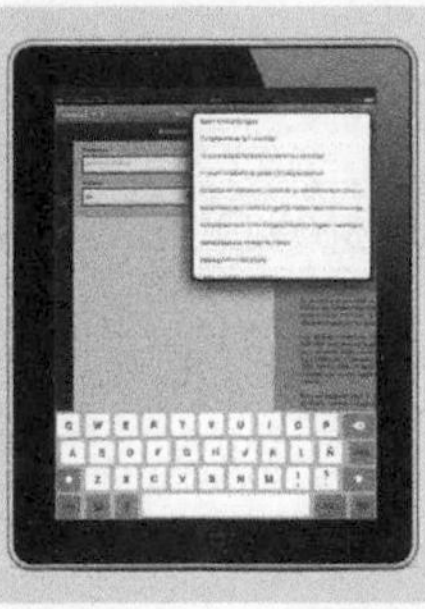

USE EL TESAURO PARA ENCONTRAR INFORMACIÓN
Al comenzar a escribir un término, aparecerán las distintas coincidencias del índice del Tesauro relacionadas con el término buscado

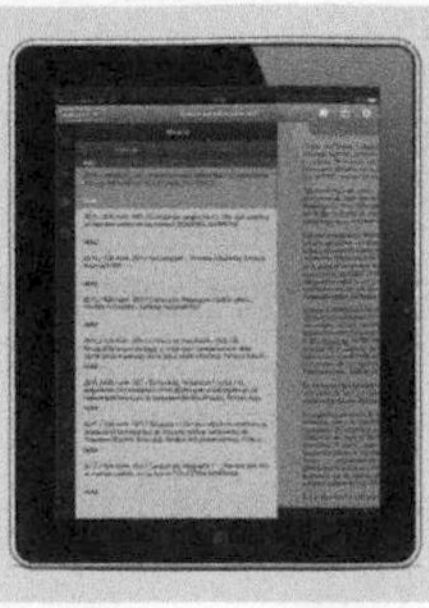

HISTÓRICO DE NAVEGACIÓN
Vuelva a las páginas por las que ya ha navegado

ORDENAR
Ordene su biblioteca por: Título (orden alfabético), Tipo (libros y revistas), Editorial, Jurisdicción o área del derecho, libros leídos recientemente o los títulos propios

CONFIGURACIÓN Y PREFERENCIAS
Escoja la apariencia de sus libros y revistas en ProView cambiando la fuente del texto, el tamaño de los caracteres, el espaciado entre líneas o la relación de colores

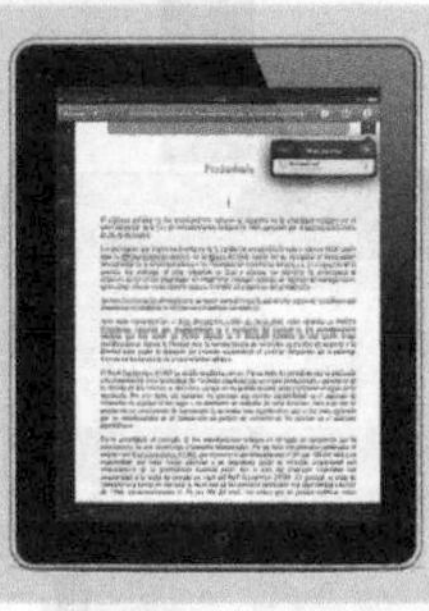

MARCADORES DE PÁGINA
Cree un marcador de página en el libro tocando en el icono de Marcador de página situado en el extremo superior derecho de la página

BÚSQUEDA EN LA BIBLIOTECA
Busque en todos sus libros y obtenga resultados con los libros y revistas donde los términos fueron encontrados y las veces que aparecen en cada obra

IMPORTACIÓN DE ANOTACIONES A UNA NUEVA EDICIÓN
Transfiera todas sus anotaciones y marcadores de manera automática a través de esta funcionalidad

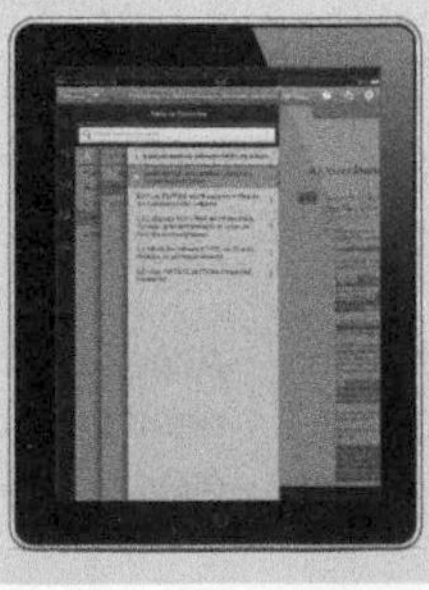

SUMARIO NAVEGABLE
Sumario con accesos directos al contenido

THOMSON REUTERS

INFORMACIÓN IMPORTANTE: Si ha recibido previamente un correo electrónico con el asunto **"Proview - Confirmación de Acceso"**, para acceder a Thomson Reuters Proview™ deberá seguir los pasos que en él se detallan.

Estimado cliente,

Para acceder a la versión electrónica de este libro, por favor, acceda a **http://onepass.aranzadi.es**

Tras acceder a la página citada, introduzca su dirección de correo electrónico (*) y el código que encontrará en el interior de la cubierta del libro. A continuación pulse enviar.

Si se ha registrado anteriormente en **"One Pass"** (**), en la siguiente pantalla se le pedirá que introduzca la contraseña que usa para acceder a la aplicación **Thomson Reuters ProView™.** Finalmente, le aparecerá un mensaje de confirmación y recibirá un correo electrónico confirmando la disponibilidad de la obra en su biblioteca.

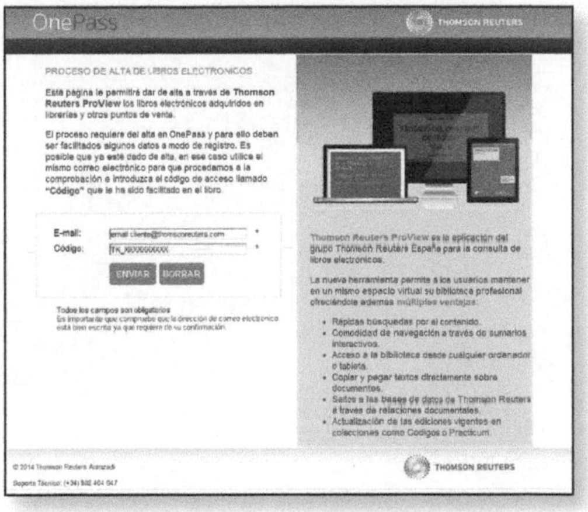

Si es la primera vez que se registra en **"One Pass"** (**), deberá cumplimentar los datos que aparecen en la siguiente imagen para completar el registro y poder acceder a su libro electrónico.

- Los campos **"Nombre de usuario"** y **"Contraseña"** son los datos que utilizará para acceder a las obras que tiene disponibles en **Thomson Reuters Proview™** una vez descargada la aplicación, explicado al final de esta hoja.

Cómo acceder a **Thomson Reuters Proview™:**

- **iPad:** Acceda a AppStore y busque la aplicación **"ProView"** y descárguela en su dispositivo.
- **Android:** acceda a Google Play y busque la aplicación **"ProView"** y descárguela en su dispositivo.
- **Navegador:** acceda a **www.proview.thomsonreuters.com**
- **Aplicación para ordenador:** acceda a **http://thomsonreuters.com/site/proview/download-proview** y en la parte inferior dispondrá de los enlaces necesarios para descargarse la aplicación de escritorio para ordenadores Windows y Mac.

(*) Si ya se ha registrado en **Proview™** o cualquier otro producto de Thomson Reuters (a través de One Pass), deberá introducir el mismo correo electrónico que utilizó la primera vez.

(**) **One Pass:** Sistema de clave común para acceder a Thomson Reuters Proview™ o cualquier otro producto de Thomson Reuters.

L'approche basée sur les droits de l'homme dans l'enseignement supérieur

Une étude comparative de l'Europe et du Maghreb

ANA MARÍA VEGA GUTIÉRREZ
Coordinateur

L'approche basée sur les droits de l'homme dans l'enseignement supérieur

Une étude comparative de l'Europe et du Maghreb

NAOUEL ABDELLATIF MAMI
ABDESSALAM EL OUAZZANI
JAMILA HOUFAIDI SETTAR
ABDESSATAR MOUELHI
FATEN BEN LAGHA
MICHELLE BRUNELLI
PARESH KATHRANI
ZOILA COMBALÍA SOLÍS
JAIME ROSSELL GRANADOS
JUAN FERREIRO GALGUERA

THOMSON REUTERS
ARANZADI

Primera edición, 2017

THOMSON REUTERS PROVIEW™ eBOOKS
Incluye versión en digital

Editorial Aranzadi, S.A.U.
Camino de Galar, 15
31190 Cizur Menor (Navarra)
ISBN: 978-84-9152-471-7
DL NA 1034-2017
Printed in Spain. Impreso en España
Fotocomposición: Editorial Aranzadi, S.A.U.
Impresión: Rodona Industria Gráfica, SL
Polígono Agustinos, calle A, nave D-11
31013 Pamplona

Sommaire

Page

Page

Page

Page

Page

Page

Page

Page

Page

Chapitre 1

Le projet ABDEM: une orientation indispensable

ESTHER RAYA DÍEZ
Université de La Rioja

SOMMAIRE: 1. OBJECTIFS. 2. PHASES DU PROJET. 3. CADRE CONCEPTUEL. 3.1. *Une approche de l'éducation basée sur les droits de l'homme.* 3.1.1. Droit à l'accès à l'éducation. 3.1.2. Droit à une éducation de qualité. 3.1.3. Droit au respect dans le milieu d'apprentissage. 3.2. *Le Programme Mondial des Nations Unies en faveur de l'éducation aux droits de l'homme.* 3.3. *Mesurer les engagements, les efforts et les résultats en matière de droits de l'homme: les indicateurs des droits de l'homme.* 4. MÉTHODOLOGIE DE RECHERCHE. 4.1. *Construction des indicateurs.* 4.2. *Rédaction d'un rapport national et de chaque institution universitaire.* 4.3. *Diagnostic de l'application de l'ABDH au moyen d'une analyse AFOM.*

1. OBJECTIFS

Le but principal du projet interuniversitaire ABDEM est de contribuer à la modernisation de l'enseignement supérieur au Maghreb par l'intégration de l'approche basée sur les droits de l'homme (ABDH), en application des dispositions du Programme mondial en faveur de l'éducation des droits de l'homme approuvé par les Nations unies et conformément aux suggestions et exigences exprimées par les partenaires concernés.

Douze universités collaborent au projet Approche basée sur les droits dans l'enseignement supérieur au Maghreb (ABDEM): L'université de La Rioja, leader du projet, ainsi que L'université de Bergame, L'université de Westminster, L'université de Saragosse, L'Université d'Estrémadure, L'université de La Corogne, l'Université Mohamed V Soussi, l'Université Hassan 2 Mohammedia-Casablanca, l'Université Sétif 2, l'École nationale supérieure de sciences politiques d'Alger, l'Institut national du travail et des études sociales de l'université de Carthage et l'Institut de presse et de sciences de l'information de l'université de la Manouba de Tunis.

ABDEM prend comme point de départ trois faits majeurs:

- Le développement social, culturel et politique en cours au Maghreb ainsi que l'intérêt porté aux droits de l'homme et à la démocratie dans ce nouveau contexte;
- Le rôle central de l'enseignement supérieur dans l'évolution vers des sociétés ouvertes et démocratiques;
- La mise en place dans les pays du Sud de la Méditerranée d'économies basées sur la connaissance, où l'enseignement supérieur jouera un rôle décisif.

Partant de ces faits, ce projet propose de contribuer à une réforme des programmes d'enseignement dans la région du Maghreb en introduisant l'approche basée sur les droits de l'homme. Cette approche –nouvellement introduite dans presque tous les pays– apportera un changement fondamental dans l'institution universitaire parce qu'elle touche non seulement les contenus scolaires, mais aussi un modèle pédagogique et de gestion qui garantit et promeut les droits de tous les membres de la communauté universitaire et donc des membres de la société. Le projet ABDEM ne se limite pas à une réflexion théorique sur l'ABDH: il cherche à contribuer à l'analyse des problèmes sociaux afin de faciliter les changements nécessaires et d'encourager la création de sociétés démocratiques. De ce projet surgit une volonté de réfléchir au concept de l'universalité des droits de l'homme et sa mise en contexte dans les cultures non occidentales. La *Déclaration des Nations unies sur l'éducation et la formation en matière de droits de l'homme*, adoptée par l'Assemblée générale le 19 décembre 2011, affirme à cet égard que l'éducation aux droits de l'homme doit comprendre la diversité des civilisations, des religions, des cultures et des traditions des différents pays.

2. PHASES DU PROJET

Le projet ABDEM comporte trois phases interconnectées:

- État des lieux et défis de l'ABDH dans les pays partenaires du Maghreb
- Une formation de formateurs en ABDH
- Création d'un Master interuniversitaire et interdisciplinaire en ABDH dans les politiques publiques.

L'objectif essentiel de la première phase consiste à établir un diagnostic qui permette de mieux connaître les atouts et les faiblesses de l'ABDH dans l'enseignement supérieur des pays du Maghreb qui participent au projet (l'Algérie, le Maroc et la Tunisie).

L'étude menée par les six partenaires du Maghreb en consultation avec les parties prenantes de leur pays, a permis d'établir un bilan de l'application et de la présence de l'ABDH dans ces trois pays. Elle a également permis de mettre en exergue leurs besoins en la matière afin d'optimiser l'impact de l'ABDH sur la formation universitaire et son rayonnement dans la société. Les partenaires européens ont étudié la situation dans les pays de l'UE et ils ont identifié les bonnes pratiques en matière d'ABDH autant au niveau de la gestion que des contenus. Cette réflexion s'appuie sur les rapports du Haut-Commissariat aux droits de l'homme sur l'avancement de la deuxième phase du Programme mondial sur l'éducation aux droits de l'homme.

Les partenaires ont ensuite partagé leurs besoins communs et leurs divergences. Ils ont identifié un premier cadre d'action en se basant sur les besoins régionaux et les bonnes pratiques qui sont repris dans cette publication. Ce diagnostic du contexte (du pays et de la propre institution universitaire) vise à identifier les principaux besoins en formation aux droits de l'homme des chercheurs et des enseignants des universités maghrébines, de manière à faciliter la conception et l'élaboration des contenus, de la méthodologie et des ressources didactiques du Programme de formation de formateurs, objet de la phase 2 du projet.

Partant de cette réflexion, un cursus de formation destiné à des formateurs a été élaboré sur la base du diplôme de spécialisation proposé par l'université de La Rioja et le collège universitaire Henry Dunant, tout en l'adaptant au contexte et aux besoins de pays bénéficiaires. Chaque université partenaire au Maghreb a sélectionné 4 participants parmi les futurs enseignants universitaires en formation des facultés suivantes: droit, travail social, sciences de l'éducation et sciences de la communication.

3. CADRE CONCEPTUEL

Pour atteindre ses objectifs, le projet ABDEM a adopté un cadre conceptuel constitué par trois instruments fruit d'un large consensus au sein de la communauté internationale: en primer lieu, l'*Approche basée sur les droits de l'homme* (ABDH) introduite à partir du Programme de réforme des Nations unies formulé en 1997 par le Secrétaire général pour orienter les droits de l'homme et les introduire d'une manière transversale dans ses diverses activités et programmes dans le cadre de ses mandats respectifs. En deuxième lieu, le *Programme mondial en faveur de l'éducation aux droits de l'homme* (WPHRE), approuvé par la Résolution 59/113 de l'Assemblée générale des Nations unies, le 10 décembre 2004, afin de promouvoir l'exécution de programmes d'éducation aux droits de l'homme dans tous les secteurs. Et, en troisième lieu, le Guide des *Indicateurs de droits de l'homme* établi par le Haut-commissariat des droits de l'homme[1].

Le recours à ces instruments suppose des avantages tant pour les équipes que pour la communauté internationale, car il facilite l'identification et, par conséquent, la compréhension de concepts et de cadres d'action définis et acceptés par la communauté internationale, d'une part, et puis, d'autre part, le projet ABDEM contribue à la validation et la mise en application de ces outils internationaux dans des contextes culturels et géopolitiques différents, où ils étaient exploités par les gouvernements et les institutions universitaires.

3.1. UNE APPROCHE DE L'ÉDUCATION BASÉE SUR LES DROITS DE L'HOMME

En application des dispositions du Haut-Commissariat des Nations unies aux droits de l'homme, l'ABDH est un cadre conceptuel de développement humain dont la base normative est constituée par les règles internationales définies pour ce domaine, et qui vise notamment à promouvoir et à protéger ces mêmes droits. Cette approche s'emploie à analyser les inégalités au cœur des problèmes de développement et à corriger les pratiques discriminatoires et les répartitions injustes du pouvoir qui entravent le processus de développement[2].

Dans une approche des droits de l'homme, les plans, les politiques et les processus de développement sont ancrés dans un système de droits et de devoirs correspondants établis par le droit international. C'est là que réside la différence substantielle avec l'approche basée sur les besoins. L'ABDH va bien au-delà de l'approche des «besoins» traditionnelle tant dans les politiques publiques que dans l'enseignement des disciplines. Comme le souligne Meyer Bisch, «une approche basée sur les droits de l'homme se distingue nettement des approches basées sur les besoins. Celles-ci, pour

---

1. *Cfr.* Haut-Commissariat des droits de l'homme (HCDH) *Les Indicateurs des droits de l'homme: Un Guide pour mesurer et mettre en œuvre,* New York et Genève, 2012 (UN Doc. HR/PUB/12/5). Disponible: *http://www.ohchr.org/FR/Issues/Indicators/Pages/HRIndicatorsIndex.aspx*
2. Haut-Commissariat des Nations unies aux droits de l'homme, *Questions fréquentes au sujet d'une approche de la coopération pour le développement fondée sur les droits de l'homme,* New York et Genève, 2006, p. 16 (UN Doc. HR/PUB/06/8). Disponible: *http://www.ohchr.org/Documents/Publications/FAQfr.pdf.* Pour une analyse des différentes conceptions de l'ABDH, voir: P. GREADY et J. ENSOR, *Introduction,* in P. GREADY & J. ENSOR (Éds.), *Reinventing Development? – Translating rights-based approaches from theory into practice,* London, New York, 2005, Zed Books Ltd, pp. 1-40; B. MEYER-BISCH, *Les approches basées sur les droits humains en développement,* Zürich, Nadel, 2008 *www.nadel.ethz.ch/Essays/MAS_2006_Essay_Meyer_Bisch.pdf*

raisons d'efficacité, méconnaissent trop souvent la complexité sociale, la durabilité et l'interdépendance des droits au profit des aides techniques par secteurs. Les approches basées sur les besoins qui reconnaissent cependant la complexité sont légitimes pour répondre à une nécessité vitale pour une durée limitée, mais elles doivent être soumises à une ABDH: l'objectif est d'augmenter les capacités et les libertés des personnes et non de réduire les besoins. Les ABDH concernent toute politique, quels que soient le secteur, le pays et le niveau de gouvernance»[3].

Une approche fondée sur les droits de l'homme confère solidité et légitimité aux programmes de développement et donne des assises solides aux mesures adoptées au niveau national parce qu'elle repose sur des obligations légales et non politiques. Cette approche tente de sensibiliser et d'encourager les gouvernements et autres institutions pertinentes à s'engager à soutenir et autoriser les personnes et les communautés pour qu'elles connaissent, exercent et réclament leurs droits.

En ce sens, l'ABDH apporte une valeur ajoutée essentielle pour la conception de toute politique publique parce que: a) elle légitime les demandes de lutte contre la pauvreté; b) elle se concentre sur la réalisation des droits des plus vulnérables; c) elle porte un regard intégral sur le contexte et tient compte de tous les acteurs, encourageant les consensus participatifs; d) elle aide à traduire les buts et les normes internationales en matière de droits en résultats nationaux applicables dans un délai déterminé; e) elle contribue à de meilleures transparence et responsabilité publiques, non seulement dans une optique économique, mais aussi du point de vue de l'engagement d'une coresponsabilité. Par conséquent, le niveau d'engagement est supérieur dans l'application de l'ABDH et oblige à relever les défis d'une manière plus complète. D'abord parce que l'ABDH accorde autant d'importance aux résultats qu'au processus de développement, qui doit être participatif, transparent et inclusif. Et ensuite, parce que dans la formulation des réponses il faut tenir compte des causes structurelles qui permettent qu'un environnement politique et social favorise l'exclusion et, en dernière instance, le refus de l'application des droits de l'homme.

---

3. *Cfr.* P. MEYER-BISCH, *L'approche basée sur les droits de l'homme en développement. Un renouveau grâce à la prise en compte des droits culturels?*, Documents de synthèse, DS 19, 16/02/2012, p. 2, Institut Interdisciplinaire d'éthique et des droits de l'homme, Université de Fribourg. Disponible: *http //www.unifr.ch/iiedh/assets/files/DS/DS19-ABDH-3.pdf*. Voir aussi *Principes d'éthique de la coopération internationale évaluée selon l'effectivité des droits de l'homme (Document de Bergamo)*, DS12, Disponible: *http://www.unifr.ch/iiedh/fr/publications/documents-de-synthese*, Programme mené conjointement avec les Chaires Unesco de Bergame, de Mexico et de Cotonou. Disponible: *www.unibg.it/struttura/struttura.asp?cerca=cattedra%20unesco_intro*

L'importance de cette approche pour les politiques éducatives est indiscutable, car elle porte un consensus unanime sur la pertinence de placer le droit à l'éducation au premier rang des considérations dans le programme de développement pour l'après-2015[4]. L'éducation est une pièce maîtresse du développement humain et présente une valeur inestimable pour la transformation individuelle et sociale. Tous les objectifs du développement touchent à l'éducation, et le droit à l'éducation est un levier indispensable du développement. C'est pourquoi ce droit, essentiel pour l'exercice de tous les autres droits de l'homme, revêt la plus haute importance dans les priorités nationales et internationales du développement, ainsi que dans les politiques menées par les pouvoirs publics et les partenariats mondiaux[5].

Comme il est établi par de nombreux instruments juridiques internationaux des droits de l'homme, le but de l'éducation est d'encourager l'épanouissement de la personnalité, de renforcer le respect des droits de l'homme et des libertés, de donner à tout le monde les moyens de jouer un rôle utile dans une société libre, de favoriser l'entente, la tolérance et l'amitié.

L'adoption d'une optique des droits de l'homme implique, entre autres, un examen minutieux des instruments juridiques nationaux qui encadrent les systèmes et les politiques d'éducation dans les pays et relient les engagements politiques pris par les gouvernements aux obligations internationales découlant du droit relatif aux droits de l'homme. Lorsque les États ratifient des instruments internationaux relatifs aux droits de l'homme, ils s'engagent, quel que soit le gouvernement au pouvoir, à respecter les droits exprimés dans ces instruments. Les États sont au premier chef responsables et redevables, envers les titulaires de ces droits, de leur application. Pour assurer la réalisation du droit de tous à l'éducation, les États ont trois niveaux d'obligations[6]:

a) **Réaliser le droit à l'éducation** en faisant en sorte que l'éducation soit disponible pour tous les étudiants et adopter des mesures pour qu'ils en bénéficient;
b) **Respecter le droit à l'éducation** en évitant toute action qui aurait pour effet d'empêcher les jeunes d'accéder à l'éducation comme, par

4. UNICEF, *L'éducation dans le programme de développement pour l'après-2015: projet de rapport de synthèse de la Consultation thématique globale sur l'éducation*, New York, 2013.
5. Sur l'intégration des droits de l'homme au programme de développement pour l'après-2015, en mettant l'accent sur le droit à l'éducation, cf. le rapport du Rapporteur spécial sur le droit à l'éducation, Kishore Singh, soumis à l'Assemblée générale des Nations unies (Soixante-huitième session), conformément aux résolutions 8/4 et 17/3 du Conseil des droits de l'homme, (UN Doc. A/68/294, pars. 28-43).
6. *Cfr.* Comité des droits économiques, sociaux et culturels, Observation générale n° 13, Le droit à l'éducation (art. 13), E/C.12/1999/10, 8 décembre 1999, pars. 43, 44, 50.

exemple, une législation qui catégoriserait comme inéducables certains groupes d'élèves handicapés;

c) **Protéger le droit à l'éducation** en prenant les mesures nécessaires pour supprimer les obstacles à l'éducation imposés par des individus ou des communautés, comme les barrières culturelles à l'éducation ou la violence et les mauvais traitements dans l'environnement académique.

La mise en place d'une approche de l'éducation fondée sur les droits de l'homme exige un cadre intégrant le droit à l'accès à l'éducation, le droit à une éducation de qualité et le respect des droits de l'homme dans l'éducation. Ces dimensions sont interdépendantes et une éducation fondée sur les droits exige la réalisation des trois[7].

Pour assurer une éducation de qualité conforme aux objectifs de l'éducation élaborés par le Comité des droits de l'homme, il convient de veiller à la pertinence des programmes académiques, au rôle des enseignants et à la nature et à l'éthique du milieu d'apprentissage. Une approche fondée sur les droits exige l'engagement à reconnaître et à respecter les droits de l'homme dont sont investis les étudiants lorsqu'ils sont à l'université, notamment le respect de leur identité, de leur action et de leur intégrité. Cette démarche contribuera à accroître les taux de rétention et à rendre le processus éducatif autonomisant, participatif, transparent et responsable.

Ce cadre conceptuel met en lumière la nécessité d'une approche holistique de l'éducation, qui reflète l'universalité et l'indivisibilité de tous les droits de l'homme d'une part, et, d'autre part, la cohérence entre les différents aspects de l'éducation aux droits de l'homme, tels que le programme de formation ainsi que le contenu, les pratiques et les stratégies d'enseignement et d'apprentissage. Les éléments essentiels qui doivent être pris en compte à cette fin sont les suivants[8]:

a) Droit à l'accès à l'éducation[9]

- *Éducation à tous les stades de la vie:* mettre en place des formes d'enseignement ouvertes et accessibles à tous et adopter des mesures visant

7. Fonds des Nations unies pour l'enfance (UNICEF) / Organisation des Nations unies pour l'éducation, la science et la culture (UNESCO), *Une approche de l'éducation pour tous fondée sur les droits de l'homme*, New York, 2007, p. 27. Disponible: *http://unesdoc.unesco.org/images/0015/001588/158891f.pdf*
8. Ibid., pp. 28-37.
9. Sources: Article 26, Déclaration universelle des droits de l'homme, 1948; articles 2, 22, 23, 27, 28 et 32, Convention relative aux droits de l'enfant, 1990; article 13, Pacte international relatif aux droits économiques, sociaux et culturels, 1966; article 10, Convention sur l'élimination de toutes les formes de discrimination à l'égard des femmes, 1989; articles 4 et 5, Convention de l'UNESCO concernant la lutte contre la discrimination dans le domaine de l'enseignement, 1960; article 24, Convention relative aux droits des personnes handicapées, 2007.

à assurer la gratuité de l'enseignement et une aide financière en cas de nécessité.

- *Une éducation disponible et accessible:* assurer l'accès à l'enseignement supérieur, en fonction des capacités de chacun, par tous les moyens appropriés; fournir une information et une orientation académique et professionnelle accessibles; assurer à chaque étudiant un niveau de vie suffisant qui lui procurera développement physique, mental, spirituel, moral et social.
- *Égalité des chances*: assurer le respect du droit à l'éducation sans discrimination d'aucune sorte, quel qu'en soit le motif; assurer des aménagements raisonnables et des mesures de soutien pour que les étudiants handicapés aient effectivement accès à l'éducation et en bénéficient pour leur intégration sociale aussi complète que possible.

b) Droit à une éducation de qualité[10]

- *Des programmes académiques amples, pertinents et inclusifs*: favoriser l'épanouissement de la personnalité de l'étudiant et le développement de ses dons et de ses aptitudes mentales et physiques, dans toute la mesure de leurs potentialités.
- *Un apprentissage et une évaluation fondés sur les droits:* prévoir des objectifs d'apprentissage qui couvrent les connaissances, les compétences, les attitudes et les comportements par rapport aux droits de l'homme et à l'éducation aux droits de l'homme et qui préparent les étudiants à assumer leurs responsabilités dans la vie dans un esprit de compréhension, de paix, de tolérance, d'égalité et d'amitié, et leur inculquent le respect de l'identité culturelle, de la langue, de leurs propres valeurs et de celles d'autrui. Prévoir une méthode d'enseignement des droits de l'homme qui soit participative, axée sur l'apprenant, sur un apprentissage par l'expérience et sur des activités de portée pratique, et qui tienne compte de considérations culturelles. Prévoir des évaluations formelles et non formelles des apprenants faites de manière régulière et pensées pour les encourager.
- *Des environnements accueillants, sûrs et sains:* inculquer à l'étudiant le respect du milieu naturel, veiller à ce qu'il ait accès à une information provenant de sources diverses, promouvoir le respect du développement des capacités des membres de la communauté universitaire dans l'exercice de leurs droits. Intégrer des éducateurs ayant

10. Sources: Article 26, Déclaration universelle des droits de l'homme, 1948; articles 3, 5, 6, 12, 17, 29, 31, Convention relative aux droits de l'enfant, 1990; articles 13 et 14, Pacte international relatif aux droits économiques, sociaux et culturels, 1966 et article 24, Convention relative aux droits des personnes handicapées, 2007.

un sens des relations humaines et un esprit d'initiative compatibles avec les principes de la démocratie et des droits de l'homme.

c) **Droit au respect dans le milieu d'apprentissage**[11]

- *Respect de l'identité:* respecter le développement des capacités de l'étudiant et de tous les membres de la communauté universitaire, respecter tous les membres de la communauté universitaire sans discrimination fondée sur quelque motif que ce soit, inculquer le respect des droits de l'homme et des libertés fondamentales, des différences et de la vie dans une société où doit prévaloir un esprit de compréhension, de paix, de tolérance, d'égalité et d'amitié.
- *Respect des droits en matière de participation:* respecter le droit de tous les membres de la communauté universitaire à exprimer leur opinion sur toute question les intéressant, leurs opinions étant dûment prises en considération, reconnaître le droit à la liberté d'expression, de religion, de conscience, de pensée et de réunion.
- *Respect de l'intégrité:* respecter l'intimité des élèves; adopter toutes les mesures appropriées pour veiller à ce que la discipline scolaire soit appliquée d'une manière compatible avec la dignité des étudiants et tous les autres droits énoncés dans les conventions internationales des droits de l'homme; protéger les étudiants contre toute forme de violence, d'atteinte ou de brutalité physiques, de mauvais traitements ou d'exploitation, y compris la violence sexuelle.

Selon l'UNESCO/l'UNICEF, «l'éducation n'existe pas dans le vide. Faire en sorte que chaque personne ait accès, durant toute sa vie, à des milieux d'apprentissage de qualité et respectueux exige une action qui dépasse de loin celle des ministères de l'éducation. Le droit à l'éducation ne peut être réalisé que dans un milieu politique et économique qui reconnaisse l'importance de processus transparents, participatifs et responsables, ainsi que d'une large collaboration au sein tant des pouvoirs publics que de l'ensemble de la société. Il nécessite un engagement stratégique à long terme à fournir les ressources adéquates, la mise en place de structures interministérielles, le contact avec l'énergie et les capacités des communautés locales et un partenariat avec les organisations non gouvernementales»[12]. Dans cette perspective, de bonnes stratégies de communication, visant à encourager la participation active de tous les milieux de l'éducation pour atteindre

11. Sources: Articles 2, 3, 5, 12, 13, 14, 15, 16, 19, 28, 29, Convention relative aux droits de l'enfant 1990; articles 1, 2, Déclaration universelle des droits de l'homme, 1948; articles 18, 19, 27, Pacte international relatif aux droits civils et politiques, 1966.
12. UNICEF / UNESCO, *Une approche de l'éducation pour tous fondée sur les droits de l'homme*, cit., p. 41.

l'objectif de l'éducation énoncé au programme de développement pour l'après-2015, ont une place importante.

Pour toutes les raisons exposées, le projet ABDEM prétend coresponsabiliser les autorités gouvernementales, mais surtout les communautés universitaires des membres du Consortium, dans les processus visant à une amélioration intégrale de la qualité de l'enseignement supérieur.

3.2. LE PROGRAMME MONDIAL DES NATIONS UNIES EN FAVEUR DE L'ÉDUCATION AUX DROITS DE L'HOMME

L'éducation aux droits de l'homme est un processus de toute la vie qui renforce les connaissances et les compétences –en même temps qu'il favorise des valeurs, des attitudes et des comportements– en vue de promouvoir et de soutenir les droits de l'homme dans la vie au quotidien. Dans ce processus, l'apprentissage est aussi important que ce que l'on apprend. Ces deux réalités doivent refléter les valeurs des droits de l'homme, stimuler la participation et favoriser des milieux d'apprentissage sans craintes ni carences.

Le concept d'éducation aux droits de l'homme est solidement établi désormais. Le *Programme mondial des Nations Unies pour l'éducation aux droits de l'homme* (WPHRE) et la *Déclaration des Nations Unies sur l'éducation et la formation aux droits de l'homme* (2011) sont des documents d'orientation de normes pour l'éducation aux droits de l'homme englobant les principes de paix, de non-discrimination, d'égalité, de justice, de tolérance, et le respect de la dignité humaine.

Comme le souligne le Rapporteur spécial des Nations unies sur le droit à l'éducation[13], l'importance donnée au droit à l'éducation dans le programme de développement pour l'après-2015 implique également que l'éducation et l'apprentissage en matière de droits de l'homme doivent figurer parmi les objectifs de l'éducation. Le futur programme de développement devrait tendre à créer une génération qui valorisera l'éducation en tant que «bien commun». Les États et les autres parties prenantes concernées devraient redoubler d'efforts au niveau national pour donner suite à la *Déclaration des Nations Unies sur l'éducation et la formation aux droits de l'homme* (2011) «afin de donner plein effet au droit à l'éducation dans le monde». Les valeurs universelles des droits de l'homme et les principes démocratiques universellement reconnus devraient les racines de tout système d'éducation.

Ce contexte permet de comprendre l'importance stratégique actuellement accordée par les Nations Unies et l'UNESCO à l'éducation aux droits

13. *Cfr.* Rapport du Rapporteur spécial sur le droit à l'éducation, Kishore Singh, cit. (UN Doc. A/68/294, par. 89).

de l'homme, matérialisée dans diverses actions, dont le *Programme mondial en faveur de l'éducation aux droits de l'homme.* Ce programme est une initiative mondiale de l'ONU qui, depuis 2005, encourage à prendre des mesures concrètes pour intégrer l'éducation aux droits de l'homme dans tous les secteurs. Il cherche «à promouvoir une conception commune des principes fondamentaux et des méthodes d'éducation dans ce domaine, à mettre en place un cadre concret d'intervention et à renforcer les partenariats et la coopération à tous les niveaux, depuis le niveau international jusqu'à l'échelon communautaire»[14].

Le Programme mondial comporte une série d'étapes non limitées dans le temps. Lors de sa première phase (2005-2009), il s'est concentré sur le système scolaire. Partant de l'acquis de ces cinq années, la deuxième phase (2010-2014) est axée sur les institutions qui, après l'école, forment les citoyens et leaders de l'avenir tels que les établissements d'enseignement supérieur[15]. Dans sa résolution 24/15, le Conseil a prié le Haut-Commissariat aux droits de l'homme d'établir le présent plan d'action pour la troisième phase (2015-2019) du Programme mondial, consacrée au renforcement de la mise en œuvre des deux premières phases et à la promotion de la formation aux droits de l'homme des professionnels des médias et des journalistes[16].

Le plan d'action de la deuxième phase donne aux gouvernements et autres parties prenantes des orientations pratiques sur la façon d'agir, aux niveaux des processus et des contenus.

Le paragraphe 21 de ce plan d'action établit que:

> *Les établissements d'enseignement supérieur, grâce à leurs fonctions essentielles (recherche, enseignement et service à la communauté), ont le devoir non seulement d'éduquer à une citoyenneté active, engagée dans la construction de la paix, la défense des droits de l'homme et les valeurs de la démocratie, mais aussi de produire des connaissances globales qui répondent aux problèmes actuels en matière de droits de l'homme, tels que l'élimi-*

14. *Cfr. Programme Mondial en faveur de l'éducation aux droits de l'homme. Deuxième phase, Plan d'action,* (UN Doc. A/HRC/15/28, p. 3).
15. Le Plan d'action (UN Doc. A/HRC15/28) a été adopté par la Résolution 15/11 du Conseil des droits de l'homme, le 30 septembre 2010: Cf. Haut-Commissariat des Nations unies aux droits de l'homme (HCDH) et l'Organisation des Nations unies pour l'éducation, la science et la culture (UNESCO), *Programme Mondial en faveur de l'éducation aux droits de l'homme. Deuxième phase, Plan d'action,* New York et Genève, 2012 (UN Doc. HR/PUB/12/3). Selon le Plan d'action, «on entend par enseignement supérieur tout type d'études assurées au niveau postsecondaire dans des universités ou autres établissements agréés par les autorités de l'État, y compris les instituts de formation et de certification de professionnels tels qu'enseignants, travailleurs sociaux, médecins et juristes» (ibid., p. 4).
16. *Cfr.* UN Doc. A/HRC/27/28.

nation de la pauvreté et de la discrimination, la reconstruction suite à un conflit, le développement durable et la compréhension multiculturelle[17].

Le plan d'action précise que l'enseignement supérieur promeut une conception de l'éducation holistique qui repose sur les droits de l'homme puisqu'elle prévoit à la fois une «éducation à travers les droits de l'homme» (où l'on s'assure que tous les éléments et processus de l'éducation –notamment les programmes d'étude, les supports éducatifs, les méthodes et la formation– sont bien propices à l'apprentissage des droits de l'homme), et «les droits de l'homme dans l'éducation» (où l'on s'assure que les droits de l'homme de tous les acteurs, ainsi que l'exercice de ces droits dans les milieux d'apprentissage et de travail sont bien respectés)[18].

Pour que cette approche soit effectivement intégrée dans l'enseignement supérieur –signale le plan d'action–, il faut intervenir dans au moins cinq domaines:

a) **Politiques et mesures d'application connexes.** Les politiques relatives à l'enseignement supérieur –textes de lois, plans d'action, programmes d'enseignement, politiques de formation, etc.– doivent promouvoir explicitement l'éducation aux droits de l'homme et en insuffler l'esprit dans tout le système. Les politiques doivent être élaborées sur un mode participatif en coopération avec toutes les parties prenantes et répondre aux engagements internationaux pris par le pays en matière de protection et de promotion du droit à une éducation de qualité. Pour être efficaces, les politiques nécessitent une stratégie de mise en œuvre cohérente; il faut notamment leur assigner des moyens adéquats et créer des mécanismes de coordination pour veiller à la cohérence, au suivi et à la fiabilité des politiques.

b) **Procédures et outils d'enseignement et d'apprentissage.** Pour introduire ou améliorer l'éducation aux droits de l'homme dans l'enseignement supérieur, il faut adopter une approche holistique de l'enseignement et de l'apprentissage qui exprime les valeurs propres aux droits de l'homme. Il faut amener ces droits comme une dimension transversale dans toutes les disciplines et mettre en place des cours et des programmes spécifiquement consacrés aux droits de l'homme, en particulier sous forme de programmes multidisciplinaires et interdisciplinaires. Les pratiques et les méthodes sont démocratiques et participatives. Les matériaux et manuels utilisés sont

17. *Programme mondial en faveur de l'éducation aux droits de l'homme. Deuxième phase, Plan d'action*, cit., par. 21.
18. Ibid., párr. 22.

au service des valeurs liées aux droits de l'homme. Un soutien et des ressources appropriés sont apportés.

c) **Recherche.** Les établissements d'enseignement supérieur font progresser les connaissances et la réflexion critique dans le domaine des droits de l'homme, inspirant ainsi des politiques et des pratiques en matière de droits de l'homme et d'éducation aux droits de l'homme. En procédant à une évaluation de l'expérience acquise et à des études comparatives, les activités de recherche peuvent contribuer au recensement et à la diffusion des bonnes pratiques ainsi qu'à l'élaboration de méthodes et d'outils novateurs reposant sur ces pratiques; les activités de recherche peuvent aussi éclairer les activités d'apprentissage et d'évaluation. La recherche peut être encouragée au moyen d'échanges et de bourses.

d) **Contexte de l'apprentissage.** Les libertés académiques sont au cœur de la vie des établissements d'enseignement supérieur où l'éducation aux droits de l'homme encourage leur mise en pratique au quotidien en favorisant le respect, la compréhension mutuelle et la responsabilité. Des déclarations de politique générale explicites et consensuelles protègent les droits de tous les acteurs. Le corps enseignant a pour mandat d'œuvrer à l'éducation aux droits de l'homme et les étudiants sont libres de faire connaître leur point de vue; ils participent à la vie universitaire et ont toute liberté d'établir des relations avec la communauté au sens large.

e) **Éducation et perfectionnement professionnel du corps enseignant de l'enseignement supérieur.** Pour que les établissements d'enseignement supérieur servent de modèles en matière d'apprentissage et d'application des droits de l'homme, tous les enseignants et autres membres du personnel doivent savoir à la fois transmettre les droits de l'homme et en offrir des modèles. Les programmes de formation initiale et de perfectionnement doivent renforcer chez les éducateurs la connaissance des droits de l'homme, leur attachement à ceux-ci et leur motivation à leur service. De surcroît, en tant que détenteurs de droits, les membres du corps enseignant doivent travailler et étudier dans un contexte où leurs droits et leur dignité sont respectés.

Ces cinq domaines ont été analysés dans la phase 1 du projet ABDEM afin d'établir le diagnostic des défis posés par l'ABDH aux politiques éducatives nationales et aux institutions d'enseignement supérieur de chaque partenaire européen et maghrébin.

Le projet ABDEM a peu de possibilités de modifier les opportunités et les menaces, en tant que variables externes, du moins à court ou à moyen terme; par contre, il peut avoir une action significative sur les atouts et les faiblesses sitôt que les interventions dans la propre institution universitaire semblent plus accessibles et il est aussi plus facile de mesurer son impact ou ses résultats.

3.3. MESURER LES ENGAGEMENTS, LES EFFORTS ET LES RÉSULTATS EN MATIÈRE DE DROITS DE L'HOMME: LES INDICATEURS DES DROITS DE L'HOMME

Le processus de réalisation des droits de l'homme dépend en grande mesure de l'existence d'outils appropriés en matière de formulation et d'évaluation des politiques. Les indicateurs –qu'ils soient quantitatifs ou qualitatifs– constituent l'un de ces outils essentiels concrets et pratiques permettant d'appliquer les droits de l'homme et de mesurer leur mise en œuvre.

Une approche de l'éducation fondée sur les droits se caractérisant par la responsabilité et la transparence, ses résultats doivent être mesurables. Les étudiants doivent savoir comment ils réussissent, comment ils peuvent s'améliorer et à quoi ils peuvent aspirer. Les familles et les communautés veulent savoir si l'université est prête à recevoir leurs enfants et à leur donner un bon départ pour l'apprentissage tout au long de la vie. Les enseignants ont besoin de savoir ce que les étudiants apprennent, quelles sont les formules efficaces et comment mesurer cet apprentissage. Les universités ont besoin de savoir si les enseignants font un travail efficace. Les ministères de l'éducation veulent savoir si l'apprentissage des élèves est conforme aux normes du programme, si la scolarité est efficace et si les élèves sont bien préparés pour relever les défis de la vie. Le marché du travail demande aussi une main d'oeuvre bien formée et techniquement spécialisée. Si l'éducation essaie de se convertir en catalyseur pour la croissance et la lutte contre la pauvreté, les plans d'étude doivent donner une réponse aux nécessités locales (spécialement dans des zones rurales, en connexion avec les activités économiques locales) et aux nécessités nationales. On a besoin d'instruments pour déterminer si les processus d'enseignement / apprentissage donnent réellement un pouvoir, en aidant les personnes à développer un esprit d'entreprendre, une pensée critique et l'habileté nécessaire pour résoudre des problèmes de manière autonome et responsable. Les gouvernements ont besoin de données pour planifier et assurer à tous une éducation de qualité. Les institutions internationales veulent des données comparables afin d'évaluer les progrès réalisés à l'échelle mondiale dans les résultats d'apprentissage[19].

19. *Cfr.* UNICEF / UNESCO, *Une approche de l'éducation pour tous fondée sur les droits de l'homme,* cit., p. 46.

Des mécanismes doivent donc être mis en place pour mesurer l'accès, la qualité et le respect des droits dans l'éducation et pour en assurer le suivi, tant pour chaque étudiant qu'à l'échelle de tout le système. S'il y a eu plusieurs initiatives dans ce sens, visant notamment à la construction d'indicateurs du droit à l'enseignement élémentaire et obligatoire[20], la création d'indicateurs dans le domaine de l'enseignement supérieur demeure à peine explorée.

Pour la construction d'indicateurs quantitatifs et qualitatifs qui permettent de mesurer le progrès dans l'application des normes et des principes des droits de l'homme dans l'enseignement supérieur, le Projet ABDEM a pris en compte les recommandations du Haut-Commissariat aux droits de l'homme recueillies dans «*Les indicateurs des droits de l'homme: Un guide pour mesurer et mettre en œuvre*»[21]. Le point de départ retenu était la définition d'indicateur des droits de l'homme employée par cet organisme international. Ainsi, dans le contexte du présent document, un indicateur des droits de l'homme est «une information spécifique faisant le point sur l'état ou la situation d'un objet, d'un évènement, d'une activité ou d'un résultat susceptible d'être rattaché aux règles et normes en matière de droits de l'homme; qui concerne et reflète les préoccupations et les principes relatifs aux droits de l'homme; et qui peut être utilisée pour évaluer et surveiller la promotion et la mise en œuvre des droits de l'homme»[22].

De même, le cadre conceptuel du projet ABDEM a utilisé la classification triple des indicateurs proposée par le Haut-Commissariat des Nations unies dans le but de mesurer cette acceptation ou cet engagement des États parties aux traités relatifs aux droits de l'homme de s'acquitter de leurs obligations en matière de droits de l'homme, et aussi les efforts nécessaires pour transformer cet engagement en réalité, ainsi que les résultats de ces efforts en termes d'amélioration de l'exercice des droits de l'homme au fil du temps[23].

Le tableau présenté ci-dessous expose de manière résumée les recommandations pour l'élaboration d'indicateurs des droits de l'homme selon les Nations unies.

---

20. Voir, par exemple: HRE 2020, *Indicator Framework. Key indicators to monitor and assess the implementation of human rights education and training on a national level*. Disponible: *http://www.hre2020.org/sites/default/files/HRET%20Indicators_long%20form%20Dec%202014.pdf*; UNESCO, *The right to education. Law and policy review guidelines*, Paris, 2014 (ED-2014/WS/18): *http://unesdoc.unesco.org/images/0022/002284/228491e.pdf*
21. *Cfr.* Haut Commissariat des droits de l'homme (HCDH), Les Indicateurs des droits de l'homme: Un Guide pour mesurer et mettre en œuvre, 2012 (UN Doc. HR/PUB/12/5). Disponible: *http /www.ohchr.org/FR/Issues/Indicators/Pages/HRIndicatorsIndex.aspx*
22. HCDH, *Les Indicateurs des droits de l'homme…*, cit., p. 19.
23. Ibid., pp. 38-42.

Tableau 1. Les reccomandations des Nations Unies pour l'élaboration d'indicateurs

Type d'indicateur	Caractéristiques
Indicateurs structurels: Traités / lois / règlementation Cadre temporel et couverture de la législation Entrée en vigueur	– Les indicateurs structurels mesurent le degré de consolidation d'un ou de plusieurs droits. Ils aident à mesurer l'acceptation, l'intention et l'engagement de l'État à prendre les mesures conformes à ses obligations en matière de droits de l'homme. – Ils renvoient à la ratification et à l'adoption d'instruments juridiques ainsi qu'à l'existence et la création des mécanismes institutionnels de base jugés nécessaires pour faciliter la réalisation du droit de l'homme considéré. – Ces indicateurs doivent avant tout mettre en évidence les aspects suivants: • La nature des textes législatifs internes applicables au droit considéré –montrer s'ils tiennent compte des normes internationales–; • Les mécanismes institutionnels qui assurent la promotion et la protection des normes; • Le cadre directif et les stratégies de l'État se rapportant au droit considéré.
Indicateurs de processus: Programmes publics Allocations budgétaires Couverture Processus	– Les indicateurs de processus sont un «intermédiaire contrôlable» entre l'engagement et les résultats. – Les indicateurs de processus mesurent les efforts continûment déployés par les détenteurs de devoirs, au moyen des mesures politiques et de programmes d'action mis en œuvre, pour que leurs engagements en matière de droits de l'homme débouchent sur les résultats escomptés. – Ils contribuent à surveiller directement la réalisation progressive d'un droit ou, selon le cas, des efforts entrepris par les États parties pour le protéger.
Indicateurs de résultat:	– Ils indiquent les succès ou les échecs (individuels et collectifs) qui montrent l'état de la réalisation des droits de l'homme dans un contexte donné. – Ils facilitent l'évaluation des résultats des efforts déployés par l'État pour renforcer la réalisation des droits de l'homme. – Ils traduisent les effets cumulés de divers processus sous-jacents.

Source: HCDH, *Indicateurs des droits de l'homme. Guide pour mesurer et mettre en oeuvre,* Genève et New York, pp. 39-43.

4. MÉTHODOLOGIE DE RECHERCHE

Pour appliquer le cadre conceptuel décrit précédemment, quatre instruments d'analyse sont déployés:

a) la construction d'*indicateurs;*

b) la rédaction d'un *rapport national* et d'un *rapport de chaque institution universitaire*, qui aidera à mettre en contexte et à enrichir l'information apparue au moyen des indicateurs;
c) la présentation d'un état des lieux, au moyen d'une analyse *AFOM*, des aspects positifs et négatifs de l'application de l'ABDH dans l'enseignement supérieur de chaque pays et de chaque université participante au projet ABDEM;
d) la rédaction d'un recueil de *bonnes pratiques* en matière d'application de l'ABDH dans chaque université.

4.1. CONSTRUCTION DES INDICATEURS

Comme le dit si bien l'éminent théoricien et praticien du développement, J.K. Galbraith, «si ce n'est pas compté, cela a tendance à passer inaperçu». Cette réflexion porte l'idée que pour gérer un processus de changement visant à atteindre certains objectifs socialement souhaitables, il est nécessaire de définir des cibles qui correspondent à ces objectifs, de mobiliser les moyens indispensables et d'identifier les instruments et les mécanismes politiques en mesure de traduire ces moyens en résultats concrets. En d'autres termes, il est nécessaire de disposer d'informations appropriées si l'on veut entreprendre une analyse de la situation, éclairer l'élaboration des politiques publiques, suivre les progrès réalisés et mesurer les performances et les résultats globaux.

Selon la définition de Lazarsfel (1973), les indicateurs sont les données observables de la réalité étudiée, relatives à la structure latente d'un concept. C'est donc «une information qui indique l'état d'un objet ou le niveau d'un événement ou d'une activité. Il fournit une indication des circonstances existant en un lieu et à un moment donné. Il repose souvent sur une forme de quantification (par exemple, la proportion d'enfants vaccinés) ou de catégorisation qualitative (par exemple, le fait qu'un traité soit ou ne soit pas ratifié)»[24]. En ce sens, les indicateurs sont des instruments utiles pour approcher la connaissance des phénomènes sociaux complexes et la conceptualisation abstraite. Une procédure méthodologique rigoureuse de recherche scientifique utilisant des indicateurs nous permet d'approcher la connaissance de ces réalités, en tentant d'établir des relations de plus en plus solides entre les données disponibles et les dimensions et les concepts que l'on cherche à étudier[25].

---

24. HCDH, *Indicateurs des droits de l'homme. Guide pour mesurer et mettre en oeuvre*, Genève et New York, p. 184.
25. *Cfr.* CASAS, F., *Técnicas de investigación social: los indicadores sociales y psicosociales*, Ed. PPU, Barcelona, 1989, p. 116.

L'utilisation d'indicateurs –conclut le Haut Commissaire aux droits de l'homme– peut contribuer à rendre nos communications plus concrètes et plus efficaces. Compiler des indicateurs permet d'enregistrer les informations de façon efficace et ceci a des effets positifs sur la surveillance et le suivi des problèmes et des résultats. Des indicateurs clairement définis permettent au public de mieux comprendre les contraintes et les avantages comparés des différentes politiques, et contribuent à dégager un plus large consensus sur les priorités sociales. Plus important encore: si elles sont utilisées de façon appropriée, les informations et les statistiques peuvent constituer de puissants outils d'instauration d'une culture de la responsabilité et de la transparence dans la poursuite d'un progrès socialement valorisé»[26].

En tant qu'outil d'évaluation, les indicateurs sont conçus au projet ABDEM comme un apport pour fournir des connaissances et des évidences en réalisation et bonnes pratiques aux décideurs dans le monde de l'Enseignement supérieur, qu'il soit national ou au niveau de l'institution universitaire correspondante. Ainsi entendus, les indicateurs devraient aider non seulement à évaluer des interventions mais aussi à fournir de la valeur ajoutée pour que les processus visant à des décisions contribuent à l'amélioration des activités, des projets, des programmes, des stratégies et des politiques présents et futurs liés à l'intégration de l'ABDH dans l'enseignement supérieur.

La définition des indicateurs part de la représentation littéraire du concept, qui spécifie ses dimensions importantes. À partir de celles-ci, il est possible d'établir des indicateurs observables de la réalité étudiée qui, à travers l'étude des relations entre eux, permettront d'identifier les indices qui synthétisent le concept plus ou moins exhaustivement[27]. Selon ces prémisses conceptuelles et les dispositions du plan d'action des Nations unies, l'éducation aux droits de l'homme dans l'enseignement supérieur doit être conçue comme un processus qui comprend les deux dimensions suivantes:

a) «"Les droits de l'homme par le canal de l'éducation": veiller à ce que tous les éléments et processus d'apprentissage, y compris les programmes d'étude, les supports éducatifs, les méthodes et la formation favorisent l'apprentissage des droits de l'homme;
b) "Les droits de l'homme dans le système d'enseignement": assurer le respect des droits de l'homme de tous les acteurs, ainsi que l'exercice de ces droits dans le système d'enseignement supérieur»[28].

---

26. HCDH, *Indicateurs des droits de l'homme…*, cit., Genève et New York, p. 1.
27. *Cfr.* LAZARSFELD, P., *De los conceptos a los índices empíricos*, en BOUDON, R. y LAZARSFELD, P. (ed), *Metodología de las Ciencias Sociales*, ed. Laia, 1973, p. 41.
28. HCDH, *Programme Mondial en faveur de l'éducation aux droits de l'homme. Deuxième phase, Plan d'action*, cit., paragr. 22.

Dans la construction du tableau d'indicateurs, nous avons considéré, comme dimension 1: «*les droits de l'homme dans le système d'enseignement*», et comme dimension 2: «*l'éducation à travers les droits de l'homme*». Nous avons choisi d'inverser l'ordre de présentation par rapport à celui du plan d'action afin de mettre en évidence qu'en matière de droits de l'homme dans l'éducation, la construction des systèmes d'enseignement sur la base essentielle du respect, de la protection, la garantie et l'assurance des droits de l'homme de tous les acteurs impliqués constitue une prémisse indispensable.

Pour établir les indicateurs, nous avons créé un tableau à double entrée, qui permet de centrer l'analyse sur les aspects essentiels de chaque dimension dans les cinq principaux axes de l'enseignement supérieur (cf. tableau 2):

Tableau 2. Structure du tableau d'indicateurs de l'ABDEM

A/HRC/15/28	Axe I	Axe II	Axe III	Axe IV	Axe V
Domaines	**Politiques et mesures permettant de les mettre en œuvre**	**Procédures et outils d'enseignement et d'apprentissage**	**Recherche**	**Contexte de l'apprentissage**	**Éducation et perfectionne-ment professionnel du corps enseignant de l'enseignement supérieur**
Dimension 1: Les droits de l'homme dans l'enseignement superieur	comment les politiques sont respectueuses des droits de l'homme	comment les droits de l'homme sont respectés dans les processus et les outils d'enseignement / d'apprentissage	comment les droits de l'homme sont respectés dans les activités de recherche	comment les droits de l'homme sont respectés dans le milieu d'apprentissage	comment les droits de l'homme sont respectés dans l'enseignement et le perfectionnement des enseignants
Dimension 2: Les droits de l'homme à travers de l'enseignement superieur	comment les politiques encouragent l'éducation aux droits de l'homme (ABDH) dans les universités	examiner les processus et les outils utilisés dans l'ABDH	mesurer la présence et la portée de la recherche dans les droits de l'homme	étudier le milieu d'apprentissage de les droits de l'homme	la formation du corps enseignant pour les droits de l'homme

Source: Développement propre.

Nous avons également défini des indicateurs de structure, de processus et de résultat pour chacun des axes de vertébration des deux dimensions. À partir du tableau d'indicateurs, nous avons préparé des questionnaires de collecte d'informations, à trois niveaux d'analyse: international, national et institution d'enseignement supérieur.

Au niveau international, il s'agissait de vérifier la souscription et la ratification des traités internationaux en matière des droits de l'homme et les réserves formulées par les États; notamment, celles qui concernent directement ou indirectement l'enseignement supérieur.

Au niveau national, on a extrait des informations des indicateurs de structure, de processus et de résultat de chacun des pays qui constituent le consortium ABDEM. À ce niveau, l'information concerne la législation, les politiques nationales et leurs résultats.

Au niveau de l'établissement, l'attention se concentre sur les statuts et les règlements de chacune des institutions d'enseignement supérieur du Consortium ABDEM, ainsi que leurs plans stratégiques et les activités relatives aux deux dimensions visées par l'étude et, finalement, les résultats obtenus.

En conclusion, conformément à la méthodologie employée, les indicateurs retenus sont vertébrés, en fonction de leur typologie (structurels, de processus et de résultat), sur:

- **Deux dimensions:** dimension 1: Protection des droits de l'homme dans l'enseignement supérieur et dimension 2: Éducation aux droits de l'homme dans l'enseignement supérieur.
- **Cinq axes ou domaines**: Axe I: Politiques et mesures d'application connexes; Axe II: Processus et instruments d'enseignement; Axe III: Recherche; Axe IV: Milieu d'apprentissage; Axe V: Éducation et perfectionnement professionnel du corps enseignant de l'enseignement supérieur, et
- **Trois sources,** qui, en fonction de la provenance de l'information obtenue, sont internationales, nationales ou propres à l'institution universitaire de rattachement du partenaire ABDEM.

Un **code d'identification** a été assigné à chacune de ces coordonnées:

- **I ou II:** selon si l'indicateur relève de la dimension 1 ou de la dimension 2
- **Int, N, C:** en fonction de la source d'information, l'indicateur peut être international (Int), national (N) (par exemple, Algérie, Espagne ou Tunisie) ou d'un établissement ou institution (C) universitaire concret (par exemple, université de Sétif2, université de Saragosse, université de la Manouba).
- **E, P, R:** en fonction du type d'indicateur dont il s'agit, ce sera un indicateur de structure (E), de processus (P) ou de résultat (R).
- **1, 2, 3, 4 5:** cette numérotation correspond à chacun des divers axes ou domaines auxquels se rapporte cet indicateur.

Ainsi, par exemple, le code 3 / IICR3 Setif2 signifie: indicateur de résultat de l'axe 3 de la dimension 2 de l'université de Sétif. Seuls les indicateurs d'établissement sont identifiés par le nom de l'université à laquelle ils correspondent.

Chaque membre du consortium ABDEM a repéré l'information des indicateurs et l'a saisie sur une plate-forme en ligne spécifique, accessible pour l'ensemble des partenaires à travers un mot de passe. Les informations devaient être brèves, concises et claires, et préciser la source d'information exploitée pour compléter l'indicateur.

Figure ci-après la classification de tous les indicateurs utilisés pour al recherche.

Classification des indicateurs utilisés dans le projet ABDEM
Dimension 1: Les droits de l'homme dans l'enseignement supérieur (années 2000, 2006 et 2013)

Axe I: Politiques et mesures d'application (Il s'agit de voir comment les politiques sont respectueuses des droits de l'homme)		International	National	Centre
Indicateurs structurels	Ratification des traités internationaux des droits humains, notamment ceux concernant l'éducation.	IINTSI.1		
	Date d'entrée en vigueur de la loi sur l'enseignement supérieur.		INSI.1	
	Législation nationale pour la mise en œuvre du droit à l'éducation (non-discrimination dans l'accès, élimination des barrières, éducation inclusive, personnes handicapées, personnes privées de liberté, minorités et autres groupes vulnérables).		INSI.2	
	Reconnaissance dans la législation nationale du droit à la création et à la gestion des institutions d'enseignement supérieur.		INSI.3	
	Principes directeurs de la législation en matière d'enseignement supérieur (participation, transparence, responsabilité).		INSI.4	
	Reconnaissance dans la législation nationale de la participation des principales parties prenantes (syndicats, société civile, ONG, Conférence des Recteurs, etc.) à l'élaboration des politiques éducatives.		INSI.5	
	Reconnaissance de l'autonomie universitaire dans la législation concernant l'enseignement supérieur.		INSI.6	
	Aspects de l'autonomie étant reconnus de manière explicite dans la législation nationale et/ou statuts de l'université dans: – l'élection, la désignation et la cessation des fonctions dans les organes de gouvernement. – l'élaboration et l'approbation des statuts. – l'élaboration et l'approbation des programmes d'enseignement et de recherche. – la sélection, la formation, la promotion et la rémunération du personnel académique et non académique. – l'admission des étudiants et leur continuation dans les études.		INSI.7	ICSI.1

	Axe I: Politiques et mesures d'application (Il s'agit de voir comment les politiques sont respectueuses des droits de l'homme)	**Interna-tional**	**National**	**Centre**
Indicateurs structurels	– la gestion des ressources, – l'établissement des droits d'inscription et des bourses d'étude, – la recherche de fonds (par exemple, au moyen des contrats-programme, etc.).		**INSI.7**	**ICSI.1**
	Reconnaissance du droit de participation à la gouvernance de l'établissement dans les statuts de l'université.		**INSI.8**	**ICSI.2**
	Exigence de l'obligation de rendre compte dans les statuts de l'université.		**INSI.9**	**ICSI.3**
Indicateurs de processus	Existence des procédures d'accréditation externe de la qualité des enseignements.		**INPI.10**	**ICPI.4**
	L'université rend publique et accessible l'information de son activité dans les aspects suivants: – Statuts et législation approuvés par les organes universitaires. – Composition des organes de gouvernement (nominaux et collégiaux). – Mission, vision et valeurs. – Règlementation concernant la sélection, la promotion et l'engagement du personnel (personnel enseignant et administratif). – Règlementation concernant le personnel et les étudiants dans le conseil universitaire. – Plan de formation pour le personnel (académique et administratif). – Tableau des effectifs de l'université. – Budget et rapport économique. – Plans et aides à la recherche. – Règlementation de l'accès, l'immatriculation et la permanence des étudiants. – Programmes des cours, guides de l'enseignant et critères d'évaluation des matières.			**ICPI.5**
	L'université reconnaît le respect des droits de l'homme dans ses valeurs.			**ICPI.6**
	L'université souscrit aux déclarations et aux énoncés sur les droits de l'homme.			**ICPI.7**
	L'université inclut des lignes d'action et des activités pour la promotion des droits de l'homme dans sa planification stratégique.			**ICPI.8**

	Axe I: Politiques et mesures d'application (Il s'agit de voir comment les politiques sont respectueuses des droits de l'homme)	**Interna-tional**	**National**	**Centre**
Indicateurs de processus	L'université inclut les principes de respect des droits de l'homme dans les conventions et les contrats qu'elle signe.			**ICPI.9**
	Dans les enquêtes de satisfaction auprès des membres de la communauté universitaire existent des questions sur le respect des droits de l'homme.			**ICPI.10**
	L'université promeut des actions visant à garantir l'accès à l'enseignement supérieur de tous les groupes sociaux ainsi que l'égalité hommes-femmes.			**ICPI.11**
Indicateurs de résultat	% PIB national consacré à l'enseignement supérieur (années 2000, 2006 et 2013).		**INRI.11**	
	% de financement public alloué en fonction des résultats.		**INRI.12**	
	Pourcentage des étudiants inscrits.		**INRI.13**	
	Nombre de diplômés pour chaque 1000 habitants (années 2000, 2006 et 2013).		**INRI.14**	
	Pourcentage d'étudiants ayant une bourse d'étude.		**INRI.15**	
	Nombre de diplômés (pourcentage des diplômés sur le nombre total des étudiants inscrits).			**ICRI.12**
	Pourcentage de professeurs selon la catégorie (pourcentage de professeurs par rapport au nombre total des étudiants inscrits).			**ICRI.13**
	Distribution des postes académiques par sexe.			**ICRI.14**
	Pourcentage de votes exprimés aux élections universitaires par secteurs. Veuillez indiquer les données de participation pour chaque secteur impliqué dans les élections au poste de recteur.			**ICRI.15**

	Axe II: Processus et outils d'enseignement et d'apprentissage (Il s'agit de voir comment les droits de l'homme sont respectés dans les processus et les outils d'enseignement/d'apprentissage)	**Interna-tional**	**National**	**Centre**
Indicateurs structurels	Existence d'une législation exigeant de manière explicite le respect des droits humains pour l'élaboration du matériel éducatif dans l'enseignement supérieur.		**INSII.16**	
	Les règles générales pour l'élaboration des programmes des cours du deuxième et troisième cycle promeuvent l'incorporation des compétences liées au respect envers les droits humains.		**INSII.17**	
	La législation nationale établit des obligations concernant les aides techniques pour faciliter l'apprentissage des personnes handicapées.		**INSII.18**	
Indicateurs de processus	La législation nationale exige ou prévoit que les universités incorporent des mesures d'adaptation des processus d'enseignement et d'apprentissage pour les personnes handicapées. Par exemple, l'adaptation des lieux de travail et des aides techniques. L'université prévoit des mesures d'adaptation des processus d'enseignement/d'apprentissage pour les personnes handicapées. Par exemple, l'adaptation des lieux de travail et l'intégration d'aides techniques.		**INPII.19**	**ICPII.16**
	La planification stratégique des matières est axée sur le développement de compétences (connaître, apprendre à être, apprendre à vivre ensemble).		**INPII.20**	**ICPII.17**
	La conception de la méthodologie didactique est cohérente avec les résultats d'apprentissage attendus dans l'acquisition de compétences.		**INPII.21**	**ICPII.18**
	Les systèmes d'évaluation de l'apprentissage sont transparents et les élèves les connaissent à l'avance.		**INPII.22**	**ICPII.19**
	L'université facilite la participation d'organisations à but non lucratif (notamment des ONG) à l'organisation des enseignements formels et informels.			**ICPII.20**
	Des procédures de respect des droits de l'homme ou une référence aux codes éthiques existent dans les activités extérieures.			**ICPII.21**
Indicateurs de résultat	Veuillez identifier des expériences de travail en réseau avec des institutions sociales dans le curriculum et des activités hors curriculum (*Vid*. Chapitre 6).			**ICRII.22**
	Nombre d'accords signés pour la réalisation de stages avec des entités à but non lucratif.			**ICRII.23**
	Nombre d'étudiants par diplôme réalisant des stages dans des entités à but non lucratif.			**ICRII.24**

	Axe III: Recherche (Il s'agit de voir comment les droits de l'homme sont respectés dans les activités de recherche)	**International**	**National**	**Centre**
Indicateurs structurels	Reconnaissance des droits cités ci-dessus dans la constitution et la législation nationales.		**INSIII.23**	
	Dispositions dans les appels nationaux à projets de recherche concernant le respect des droits de l'homme.		**INSIII.24**	
	Régime juridique national sur la promotion et le développement de la coopération et des relations internationales concernant les questions scientifiques et culturelles.		**INSIII.25**	
	La règlementation et les statuts des institutions d'enseignement supérieur reconnaissent: – la liberté de choisir le sujet et la méthodologie de recherche. – la liberté de consulter des archives et des publications scientifiques. – la liberté de collaborer avec des chercheurs d'autres pays ou d'autres groupes.			**ICSIII.25**
Indicateurs de processus	Les universités élaborent et approuvent leur politique de recherche.			**ICPIII.26**
	Existence de politiques de disponibilité et de libre accès aux diverses sources de recherche, en respectant le droit à l'intimité.			**ICPIII.27**
	Disponibilité des bases de données et des sources bibliographiques.			**ICPIII.28**
	Existence des appels à propositions concernant la promotion de la recherche.			**ICPIII.29**
	Existence de mesures au niveau de l'université pour la promotion de la mobilité internationale du personnel de recherche (dans la mesure des ressources disponibles).		**INPIII.26**	**ICPIII.30**
	Existence de mécanismes de reconnaissance du temps dédié à la recherche.			**ICPIII.31**
	Existence de mécanismes d'encouragement à la recherche.			**ICPIII.32**
Indicateurs de résultat	% du PIB destiné à la recherche (années 2000, 2006 et 2013).		**INRIII.27**	
	Nombre de docteurs (sexe).			**ICRIII.33**
	Nombre de chercheurs dans l'institution d'enseignement supérieur.			**ICRIII.34**
	Nombre de chercheuses en chef (dans des projets à caractère international, national et régional).			**ICRIII.35**

	Axe III: Recherche (Il s'agit de voir comment les droits de l'homme sont respectés dans les activités de recherche)	International	National	Centre
Indicateurs de résultat	Nombre de centres de recherche.			**ICRIII.36**
	Nombre de projets internationaux de recherche.			**ICRIII.37**
	% du budget de l'institution d'enseignement supérieur destiné à la recherche.			**ICRIII.38**
	Nombre de documents bibliographiques dans les bibliothèques universitaires.			**ICRIII.39**
	% du budget destiné à la bibliographie et à la documentation.			**ICRIII.40**
	Nombre d'accords de recherche avec des universités étrangères.			**ICRIII.41**

	Axe IV: Milieu de l'apprentissage (Il s'agit de voir comment les droits de l'homme sont respectés dans le milieu de l'apprentissage)	International	National	Centre
Indicateurs structurels	Référence explicite aux droits de l'homme, notamment aux principes de la non-discrimination et de la liberté académique, dans les Chartes des droits et obligations des membres de la communauté universitaire (enseignants, étudiants et personnel administratif).			**ICSIV.42**
	Reconnaissance dans la législation nationale de la participation des étudiants dans les aspects suivants: – Liberté d'expression. – Liberté de participation à l'adoption de décisions. – Organisation de leurs propres activités. – Représentation, médiation et défense de leurs intérêts.		**INSIV.28**	**ICSIV.43**
Indicateurs de processus	Existence de mécanismes visant à protéger le respect des droits de l'homme dans les organes de l'université, comme par exemple le défenseur de l'étudiant.			**ICPIV.44**
	L'université collabore avec des institutions visant à protéger le respect des droits de l'homme.			**ICPIV.45**
	Participation de la communauté universitaire à la planification stratégique et dans la gestion courante des institutions d'enseignement supérieur.			**ICPIV.46**

Axe IV: Milieu de l'apprentissage (Il s'agit de voir comment les droits de l'homme sont respectés dans le milieu de l'apprentissage)		**Interna-tional**	**National**	**Centre**
Indicateurs de processus	Les membres de la communauté universitaire peuvent participer activement dans la proposition et le développement d'activités qui les intéressent par des programmes spécifiques (extension universitaire, cours d'été, réunions scientifiques).			**ICPIV.47**
Indicateurs de résultat	Nombre de plaintes reçues au sujet d'atteintes aux droits de l'homme dans les institutions d'enseignement supérieur (années 2000, 2006 et 2013).			**ICRIV.48**
	Analyse de l'information disponible concernant les plaintes déposées pour lesquelles des mesures ont été prises pour y remédier.			**ICRIV.49**

Axe V: Enseignement et perfectionnement professionnel du personnel enseignant de l'enseignement supérieur (il s'agit de voir comment les droits de l'homme sont respectés dans l'enseignement et le perfectionnement des enseignants)		**Interna-tional**	**National**	**Centre**
Indicateurs structurels	La législation nationale reconnaît et respecte le statut professionnel du corps enseignant.		**INSV.29**	
Indicateurs de processus	L'université organise des programmes de formation pour ses enseignants.			**ICPV.50**
	L'université prévoit des procédures de consultations entre professeurs pour l'identification de leurs besoins et de leurs intérêts en formation.			**ICPV.51**
	L'université propose des activités pour l'amélioration et l'innovation de la fonction enseignante centrées sur l'apprentissage actif de l'étudiant par le financement de projets d'innovation pédagogique. Veuillez présenter des exemples de bonnes pratiques.			**ICPV.52**
Indicateurs de résultat	Moyenne d'heures de formation du personnel enseignant (années 2000, 2006 et 2013).			**ICRV.53**
	Degré de satisfaction des enseignants vis-à-vis des formations données.			**ICRV.54**
	Nombre d'heures de formation centrés sur l'apprentissage actif de l'étudiant par rapport au nombre total.			**ICRV.55**

Dimension 2. Éducation aux droits de l'homme

	Axe I: Politiques et mesures d'application: (Il s'agit de voir comment les politiques sont respectueuses des droits de l'homme)	**Interna-tional**	**National**	**Centre**
Indicateurs structurels	Ratification des accords internationaux en matière d'EDH.	**IIINTSI.1**		
	Le pays informe adéquatement sur la éducation aux droits de l'homme'(EDH) dans les rapports nationaux envoyés aux organes de traités des Nations Unies (spécialement le Comité des droits de l'enfant et le Comité des droits économiques, sociaux et culturels), aux procédures spéciales de l'ONU (notamment au rapporteur spécial sur le droit à l'éducation) et à l'Examen Périodique Universel.	**IIINTSI.2**		
	Les plans d'action nationaux des droits humains (plans contre le racisme, la discrimination raciale, la xénophobie, d'autres formes connexes d'intolérance) comprennent des programmes d'EDH.		**IINSI.1**	**IICSI.1**
	La législation nationale ou universitaire considère de façon adéquate l'EDH dans les processus de sélection du personnel enseignant.		**IINSI.2**	**IICPI.2**
Indicateurs de processus	L'université incorpore les règles et/ou normes visées par les indicateurs structurels par des projets d'innovation pédagogique, par la promotion de la recherche aux droits humains, par des cours et/ou des activités d'extension universitaire d'éducation aux droits de l'homme.			
Indicateurs de résultat	Prix et reconnaissances décernés à l'Université pour sa contribution à la promotion des droits de l'homme.			

	Axe II: Processus et outils d'enseignement et d'apprentissage (Il s'agit de voir comment les droits de l'homme sont respectés dans les processus et les outils d'enseignement/d'apprentissage)	**Interna-tional**	**National**	**Centre**
Indicateurs structurels	La législation nationale prend en compte l'EDH dans le système d'enseignement supérieur.		**IINSII.3**	**IICSII.3**
	L'éducation aux droits de l'homme est présente dans les programmes des cours.		**IINSII.4**	**IICSII.4**
Indicateurs de processus	L'université consacre des ressources à l'organisation et au développement d'activités interdisciplinaires spécifiques pour l'EDH (extension universitaire, coopération au développement (COOP), cours d'été, etc.).			**IICPII.5**
	Disponibilité de matériel on-line sur les droits de l'homme.		**IINPII.5**	
Indicateurs de résultat	Offre de programmes spécifiques sur les droits de l'homme (master et doctorat) dans l'université.			**IICRII.6**
	Nature de la matière des droits de l'homme dans les programmes des cours.		**IINRII.6**	**IICRII.7**
	Étudiants inscrits dans des programmes de master et de doctorat en droits de l'homme.			**IICRII.8**
	Existence de bourses d'aide aux études en droits de l'homme octroyées par l'université.			**IICRII.9**
	Nombre d'activités spécifiques d'EDH (extension universitaire, coopération au développement, cours d'été, etc.).			**IICRII.10**
	Nombre de participants d'activités spécifiques de l'éducation aux droits de l'homme.			**IICRII.11**
	Nombre de références bibliographiques dans le catalogue de la bibliothèque universitaire.			**IICRII.12**

	Axe III: Recherche (Il s'agit de voir comment les droits de l'homme sont respectés dans les activités de recherche)	Interna-tional	National	Centre
Indicateurs structurels	Ratification des traités internationaux reconnaissant les droits suivants: – droit à bénéficier du progrès scientifique et de ses applications. – droit à la protection des intérêts moraux et matériels de l'auteur en raison de ses productions scientifiques, littéraires ou artistiques. – droit à la liberté d'expression, y compris la liberté d'effectuer des recherches et de recevoir et de diffuser de l'information et des idées de tout genre. – droit à la liberté de recherche scientifique et d'activité créatrice. – droit à la propriété intellectuelle. – droits d'auteur, de brevets ou d'autres régimes de propriété intellectuelle.	IIINTS. III.3		
	Ratification des conventions internationales d'éthique dans la recherche.	IIINTS. III.4		
	Des mesures pour la promotion de la recherche en droits humains et de la recherche en éducation aux droits de l'homme son inclues dans les plans nationaux de recherche et développement.		IINSIII.7	
	Appels à projets de recherche pour contribuer au développement de méthodologies et d'outils innovants pour l'éducation aux droits de l'homme.		IINSIII.8	IICSIII.13
	Appels à subventions et bourses pour la promotion de la recherche concernant les droits de l'homme.		IINSIII.9	IICSIII.14
Indicateurs de processus	Centres/groupes de recherche spécilisés dans les droits de l'homme à l'université.			IICPIII.15
	Revues spécialisées et autres publications concernant les droits de l'homme.			IICPIII.16
	Existence d'accords bilatéraux ou multilatéraux entre l'université et des organisations nationales, internationales et des ONGs pour la réalisation de projets de recherche concernant les droits de l'homme.			IICPIII.17
Indicateurs de résultats	Nombre de professeurs liés à des centres/groupes de recherche sur les droits de l'homme par rapport à l'ensemble des chercheurs.			IICRIII.18
	Nombre de thèses soutenues sur des sujets en relation avec les droits de l'homme.			IICRIII.19

Axe III: Recherche (Il s'agit de voir comment les droits de l'homme sont respectés dans les activités de recherche)		**International**	**National**	**Centre**
Indicateurs de résultats	Nombre de travaux de fin de master sur des sujets en relation avec les droits de l'homme.			**IICRIII.20**
	Nombre de travaux de fin de Degré sur des sujets en relation avec les droits de l'homme.			**IICRIII.21**
	Nombre de projets de recherche sur les droits de l'homme accordés par rapport au nombre total des projets de recherche et développement.			**IICRIII.22**
	% du budget des projets de recherche sur les droits de l'homme par rapport au total du budget de recherche et développement.			**IICRIII.23**
	Nombre de projets de recherche sur les droits de l'homme de l'université accordés par rapport au nombre total des projets de recherche et développement accordés sur les droits de l'homme au niveau national.			**IICRIII.24**

Axe IV: Milieu d'apprentissage (Il s'agit de voir comment les droits de l'homme sont respectés dans le milieu d'apprentissage)		**International**	**National**	**Centre**
Indicateurs structurels	Les statuts et la réglementation de l'université encouragent des activités liées aux droits de l'homme, comme par exemple des actions de volontariat et d'aide internationale au développement.			**IICEIV.25**
Indicateurs de processus	L'université participe à des initiatives citoyennes de sensibilisation aux droits de l'homme (citer des exemples de bonnes pratiques).			**IICPIV.26**
	Facilitation de la réalisation de projets et d'activités hors du programme des cours ayant un rapport avec les droits de l'homme et effectuées à un niveau communautaire (cliniques juridiques, programmes de stage dans des institutions sociales, ONG, citer des exemples de bonnes pratiques).			**IICPIV.27**
Indicateurs de résultat	Nombre d'initiatives issues des membres de la communauté universitaire en rapport avec les droits de l'homme.			**IICRIV.28**
	Nombre d'associations, d'ONG ou d'autres types d'organisations présentes sur le campus universitaire ayant comme but la promotion des droits de l'homme.			**IICRIV.29**
	Nombre d'activités non académiques sur les droits de l'homme organisées par l'université.			**IICRIV.30**

Axe V: Enseignement et perfectionnement professionnel du personnel enseignant de l'enseignement supérieur (il s'agit de voir comment les droits de l'homme sont respectés dans l'enseignement et le perfectionnement des enseignants)		Interna-tional	National	Centre
Indicateurs structurels	La réglementation universitaire établit des procédures pour la formation du corps ensei-gnant aux droits de l'homme.		**IINSV.10**	
Indicateurs de processus	Les plans de formation du corps enseignant comprennent des cours spécifiques sur les droits de l'homme.			**IICPV.31**
	Les cours des droits de l'homme adressés aux enseignants comprennent les aspects suivants: – La connaissance et la compréhension des droits de l'homme et de leurs mécanismes de protection. – Les méthodologies d'enseignement et d'apprentissage de l'EDH (méthodes partici-patives, interactives, coopératives, fondées sur l'expérience et la prati-que et ayant à l'esprit le contexte culturel). – Les compétences sociales et les styles de leadership du personnel en-seignant sont démocratiques et cohérents avec les principes des droits de l'homme. – Les droits et les responsabilités des enseignants et des étudiants son sur un même pied d'égalité. – L'information concernant le matériel didactique à disposition pour l'EDH.			**IICPV.32**
	L'université garantit la formation aux droits de l'homme de son personnel enseignant au moyen de différentes manières (mobilité, bourses…).			**IICPV.33**
Indicateurs de résultat	Nombre de cours offerts par l'université pour la formation du corps en-seignant en ma-tière des droits de l'homme.			**IICRV.34**
	Durée moyenne des cours sur les droits de l'homme par rapport à la durée moyenne des cours offerts par le programme de formation pour les enseignants.			**IICRV.35**
	Nombre d'enseignants réalisant des séjours ou des programmes de for-mation aux droits de l'homme dans d'autres institutions.			**IICRV.36**
	Nombre de projets innovants réalisés autour de l'EDH.			**IICRV.37**

4.2. RÉDACTION D'UN RAPPORT NATIONAL ET DE CHAQUE INSTITUTION UNIVERSITAIRE

Les informations fournies par les indicateurs, nécessairement succinctes, mais bien choisies et documentées, ont été précisées et mises en contexte dans deux rapports établis par chaque membre du consortium, l'un national et l'autre au niveau de l'université. Ces rapports devaient mettre en lumière au moins quatre questions: a) la législation et la politique du pays en matière des droits de l'homme, b) la législation et la politique nationale en matière d'éducation et, notamment, en matière d'enseignement supérieur et d'éducation aux droits de l'homme, c) une présentation de la propre institution universitaire, et d) une description de la manière dont l'institution universitaire assure le respect et la promotion des droits de l'homme à travers ses statuts, ses cursus, ses activités hors-cursus et ses relations avec son environnement social.

4.3. DIAGNOSTIC DE L'APPLICATION DE L'ABDH AU MOYEN D'UNE ANALYSE AFOM

L'analyse AFOM (Atouts – Faiblesses – Opportunités – Menaces), connue comme SWOT (*Strengths – Weaknesses – Opportunities – Threats*) est un outil d'analyse stratégique. Elle combine l'étude des atouts et des faiblesses d'une organisation, d'un territoire, d'un secteur, etc. combinée avec celle des opportunités et des menaces de son environnement, afin d'aider à définir une stratégie de développement. Cette procédure permet d'établir le diagnostic et de proposer, programmer et évaluer de manière participative les résultats obtenus (saisis par le questionnaire des indicateurs de l'approche des droits de l'homme) entre tous les partenaires du projet ABDEM. C'est une bonne manière de réfléchir ensemble sur les résultats du diagnostic et de faire un pas supplémentaire vers l'amélioration des résultats visés par le projet: connaissance, sensibilisation et mise en application des droits de l'homme dans l'enseignement, la recherche et la gouvernance de nos universités.

L'étude AFOM se penche sur l'analyse des atouts, des faiblesses, des opportunités et des menaces d'un domaine ou thématique de travail. Son but est d'aider au choix des stratégies et des tâches les mieux adaptées pour réaliser la mission et la vision du projet. Les atouts et faiblesses considèrent des circonstances ou des variables internes (autodiagnostic de la situation, qui a des conséquences sur le déroulement et les résultats de notre projet), tandis que les opportunités et les menaces relèvent des contraintes externes imposées par l'environnement de notre activité (conditions et situations qui exercent une pression et qui peuvent influencer l'avenir). Le projet ABDEM a peu de possibilités de modifier les opportunités et les menaces, en tant que variables externes; par contre, il peut avoir une action significative sur les atouts et les faiblesses.

Une bonne conception de cette matrice doit permettre de tirer des conclusions sur la manière d'exploiter les atouts et les opportunités du contexte (axe positif), ainsi que sur l'urgence, pour le projet, de corriger ses faiblesses et de se protéger contre les menaces externes (axe négatif). La détermination de toutes ces variables nous permettra de définir les lignes stratégiques d'exécution des objectifs définis par le projet.

Figure 1. Comment appliquer la technique DAFO?

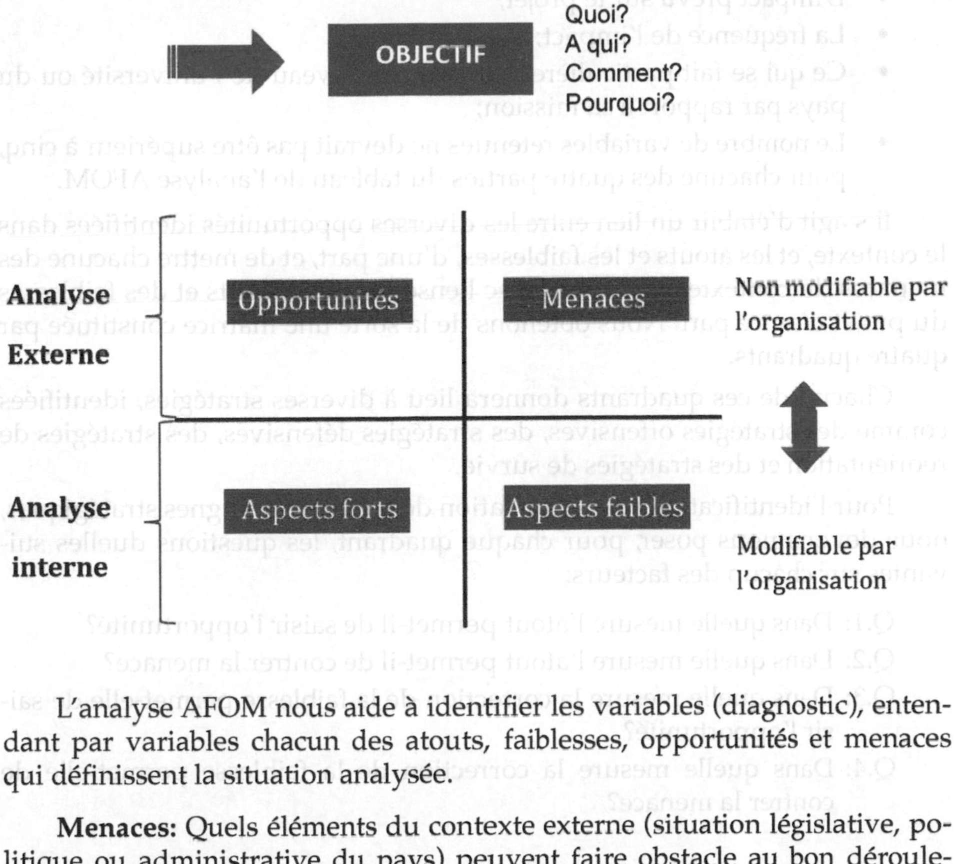

L'analyse AFOM nous aide à identifier les variables (diagnostic), entendant par variables chacun des atouts, faiblesses, opportunités et menaces qui définissent la situation analysée.

Menaces: Quels éléments du contexte externe (situation législative, politique ou administrative du pays) peuvent faire obstacle au bon déroulement du projet ABDEM, augmenter les risques ou réduire son succès?

Opportunités: Quels éléments du contexte externe (situation législative, politique ou administrative du pays) peuvent faciliter l'obtention de bons résultats ou se transformer en avantage?

Faiblesses: quels facteurs ou circonstances internes (de la propre équipe de recherche et/ou de la propre université) peuvent limiter le bon déroulement du projet ABDEM et sa capacité d'agir ou d'obtenir une amélioration des résultats?

Atouts: quels facteurs ou circonstances internes (de la propre équipe de recherche et/ou de la propre université) peuvent faciliter l'obtention de bons résultats ou se transformer en avantage?

Il est essentiel de bien définir chacune des variables à partir de toute l'information disponible. Il faut retenir les variables les plus importantes pour établir le tableau d'analyse AFOM en fonction des critères suivants:

- L'impact prévu sur le projet;
- La fréquence de l'impact;
- Ce qui se fait particulièrement bien au niveau de l'université ou du pays par rapport à sa mission;
- Le nombre de variables retenues ne devrait pas être supérieur à cinq, pour chacune des quatre parties du tableau de l'analyse AFOM.

Il s'agit d'établir un lien entre les diverses opportunités identifiées dans le contexte, et les atouts et les faiblesses, d'une part, et de mettre chacune des menaces du contexte en rapport avec l'ensemble des atouts et des faiblesses du projet d'autre part. Nous obtenons de la sorte une matrice constituée par quatre quadrants.

Chacun de ces quadrants donnera lieu à diverses stratégies, identifiées comme des stratégies offensives, des stratégies défensives, des stratégies de réorientation et des stratégies de survie.

Pour l'identification et la priorisation de chacune des lignes stratégiques, nous devons nous poser, pour chaque quadrant, les questions duelles suivantes sur chacun des facteurs:

Q.1: Dans quelle mesure l'atout permet-il de saisir l'opportunité?
Q.2: Dans quelle mesure l'atout permet-il de contrer la menace?
Q.3: Dans quelle mesure la correction de la faiblesse permet-elle de saisir l'opportunité?
Q.4: Dans quelle mesure la correction de la faiblesse permet-elle de contrer la menace?

Figure 2. La méthode AFOM
(Atouts – Faiblesses – Opportunités – Menaces)

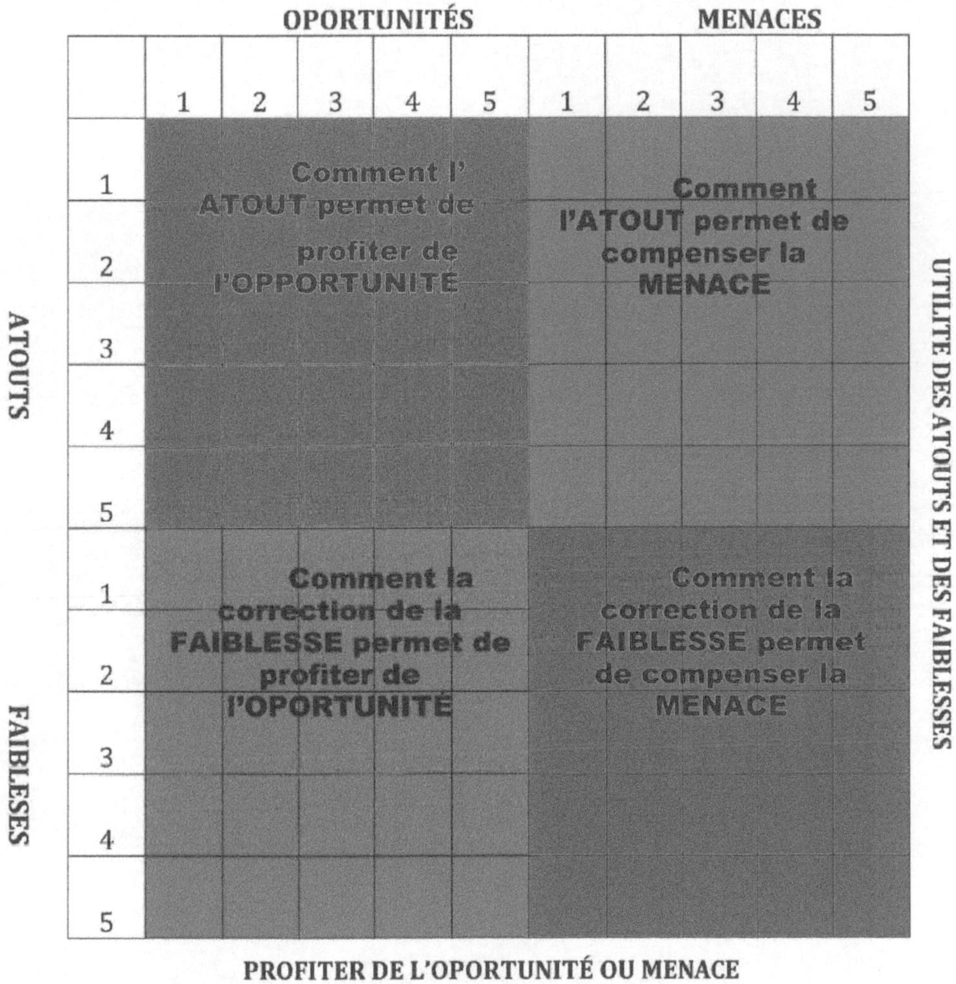

Chapitre 2

L'engagement juridique des états d'ABDEM envers le droit international des droits de l'homme: les indicateurs internationaux

Ana María Vega Gutiérrez
Université de La Rioja

1. INTRODUCTION

Le premier point de référence dans l'évaluation des mesures adoptées par un État pour respecter ses obligations en matière de droits de l'homme –respecter, protéger et garantir– est le niveau de son engagement envers le droit international des droits de l'homme. Une partie des indicateurs structurels reflète cette information, plus précisément celle qui montre la ratification et l'adoption d'instruments juridiques internationaux et l'existence ou la création de mécanismes institutionnels fondamentaux nécessaires à la promotion et la protection des droits de l'homme. Ces indicateurs internationaux apportent une information décisive pour évaluer la cohérence du reste des indicateur structurels d'ordre national d'un État déterminé. Ces indicateurs, que nous examinerons au chapitre suivant, doivent se centrer, avant tout et surtout, sur la nature de la législation interne par rapport à un droit déterminé –son incorporation ou pas de normes internationales requises– et sur les mécanismes institutionnels nationaux qui promeuvent et protègent ces normes. Ils doivent aussi tenir compte du cadre des politiques et des stratégies de l'État pour mettre en place ce droit.

Les pages suivantes montrent la situation (interposition ou pas de réserves et/ou de déclarations) et le type de lien (ratification, acceptation, approbation et adhésion) des États du Consortium ABDEM avec les différents instruments internationaux, européens et africains relatifs aux droits de l'homme ainsi que leur niveau d'engagement dans l'interprétation et la surveillance des organes créés en vertu des traités et de certains procédés spéciaux des Nations unies. Nous ferons aussi mention de l'adhésion ou de son manque de la part des États du consortium à d'autres instruments sans poids juridique obligatoire –tels que des déclarations, des directrices et des principes adoptés internationalement– qui contribuent à la compréhension, à l'application et au développement des droits de l'homme.

Les indicateurs internationaux sélectionnés sont au nombre de cinq: trois pour la dimension 1 et deux associés à la dimension 2. Les premiers rapportent le niveau d'engagement des États envers les droits de l'homme par le biais des indices suivants: d'une part, la ratification par l'État des principaux textes internationaux et régionaux sur les droits de l'homme, un fait révélateur. En ce sens nous portons une attention particulière aux préceptes qui régulent les procédés de dénonces, d'investigation et d'action urgente (IINT.I. a et b), car ce sont ceux qui engagent la souveraineté de l'État, ayant comme fonction la surveillance réelle et effective des obligations internationales assumées. D'autre part, il est intéressant aussi d'identifier si l'État a ratifié les textes internationaux et régionaux qui protègent les droits et les libertés directement concernés dans le domaines des principales activités du monde de l'éducation supérieure (IINT.III.1.), tels que les droits à jouir des bénéfices du progrès scientifique et de ses applications, la protection des intérêts moraux et matériels qui correspondent à l'auteur en raison de ses productions scientifiques, littéraires ou artistiques, la liberté d'expression, la liberté de recherche et de recevoir toutes sortes d'information et d'idées et de les transmettre, la liberté de recherche scientifique et d'activité créatrice, le droit à la propriété intellectuelle et les droits d'auteur, brevets ou autres régimes de propriété intellectuelle. Finalement, la dimension 1, inclut aussi l'indicateur relatif à la ratification des conventions internationales qui garantissent l'éthique dans la recherche (IINT.III.2).

L'engagement international des États dans la dimension 2 est mis en lumière à travers deux indicateurs: la ratification des accords internationaux en matière d'éducation aux droits de l'homme (IIINT.I.1) et l'information sur l'éducation aux droits de l'homme apportée par les États dans leurs rapports périodiques présentés aux organes de traités, aux procédés spéciaux des Nations Unies (IIINT.I.2). Cet indicateur reprend aussi les observations ou les recommandations sur l'éducation aux droits de l'homme que les organes ont faits aux États.

2. LES OBLIGATIONS INTERNATIONALES ASSUMÉES PAR LES ÉTATS DU CONSORTIUM ABDEM

2.1. LE VOLUME DES RATIFICATIONS DES INSTRUMENTS INTERNATIONAUX RELATIFS AUX DROITS DE L'HOMME

L'analyse du premier des indicateurs internationaux, en lien avec la ratification des principaux textes internationaux des droits de l'homme (IINT.I.1.a), souligne que les États du Consortium ABDH sont conformes aux modèles généraux de la communauté internationale. Ils ont tous adhéré aux instruments qui jouissent du plus grand soutien entre les 197 États concernés: la Convention relative aux droits de l'enfant (196 ratifications), la Convention sur l'élimination de toutes les formes de discriminations à l'égard des femmes (189 ratifications), la Convention sur l'élimination de toutes les formes de discrimination raciale (177 ratifications), le Protocole facultatif à la Convention relative aux droits de l'enfant (173 ratifications) et la Convention N°111 de l'OIT relative à la discrimination en matière d'emploi et de profession (173 ratifications). Cette même conduite se reproduit aussi en sens inverse car seule l'Espagne a ratifié le Protocole facultatif à la Convention relative aux droits de l'enfant établissant une procédure de présentation de communications (29 ratifications), deux pays du Consortium ABDH ont ratifié le Protocole facultatif du Pacte international relatif aux droits économiques, sociaux et culturels (45 ratifications) et deux autres, la Convention internationale sur la protection des droits de tous les travailleurs migrants et leur famille (48 ratifications). Seulment l'Espagne et le Royaume-Uni ont ratifié la Convention N°140 de l'OIT relative au congé-éducation payé (35 ratifications).

Il faut même souligner que les États du Consortium ABDH ont un niveau d'engagement supérieur à la moyenne de la communauté internationale. C'est le cas avec le Protocole facultatif de la Convention contre la torture et autres peines ou traitements inhumains ou dégradants (83 ratifications) ratifiés par cinq États du Consortium, ou avec des traités récents comme la Convention internationale pour la protection de toutes les personnes contre les disparitions forcées (53 ratifications), ratifié aussi par cinq membres du Consortium.

Si l'on veut approfondir l'analyse du degré d'engagement international avec le droit international des droits de l'homme acquis par chaque État du Consortium, l'Espagne est le pays qui a ratifié le plus de textes internationaux avec un total de 17 instruments principaux pour 18 examinés. Elle est suivie par l'Italie. L'Algérie est le pays qui a le moins ratifié (11). Les graphiques présentés ci-après reflètent la position de chaque membre du Consortium en ce qui concerne leur totalité, ainsi que celle de la communauté internationale.

Concernant les textes des droits de l'homme au niveau régional, il faut souligner que les trois États européens ont ratifié presque sans réserves la quasi-totalité des textes sélectionnés du Conseil de l'Europe. A l'inverse, les pays du Maghreb ne suivent pas le même modèle. D'une part, la Tunisie a ratifié peu de textes, et d'autre part, le Maroc est l'un des rares États africains à ne pas faire partie de l'Organisation de l'unité africaine (OUA). En 2002, cette organisation comptait 53 États membres, et elle a eté remplacée, le 9 juillet 2002, par l'Union africaine, composée de 54 États africains. C'est pourquoi, ce pays n'a adhéré à aucun des textes internationaux sélectionnés, à l'exception de la Convention régionale sur la reconnaissance des études et des certificats, diplômes, grades et autres titres de l'enseignement supérieur dans les États d'Afrique, ratifié par les trois membres du Maghreb. La Convention sur la reconnaissance des études, des titres, et des diplômes de l'éducation supérieure dans les États arabes a bénéficié du même appui.

La conclusion est la même si l'on analyse les textes des droits de l'homme des deux principales organisations arabes dont font partie les trois membres africains: l'Organisation de la coopération islamique (OCI) et la Ligue des États arabes. Cette charte s'inscrit dans la lignée de la Déclaration des droits de l'homme en islam adoptée le 5 août 1990, au Caire, lors de la 19e Conférence islamique des ministres des Affaires étrangères, et de la *Convention relatives aux droits de l'enfant* de 1994. La Charte de la Ligue arabe n'intègre aucune référence aux droits de l'homme, ni à son renforcement, ni à sa protection. Malgré cela, la Ligue s'est engagée à développer une ligne d'action conjointe pour soutenir les peuples du monde arabe, et elle a tenté de remédier à cette lacune moyennant la disposition et le développement de mécanismes afin de promouvoir le respect et la protection des droits de l'homme à l'échelle régionale, en créant en 1968 la Commission arabe permanente des droits de l'homme.

En 1994, la Ligue a adopté la *Charte arabe des droits de l'homme*, ratifiée uniquement par l'Irak parmi les 22 membres de cette organisation internationale. Le texte a été révisé et il est entré en vigueur le 15 mars 2008. L'Algérie et la Tunisie l'ont ratifié. Néanmoins, contrairement à la Déclaration des droits de l'homme en islam, la Charte ne comporte pas de référence à la Loi islamique. Elle dispose d'un mécanisme de surveillance, la Commission arabe pour les droits humains, établi dans l'article 45 de la Charte, et se limite à examiner les rapports périodiques des États. Après avoir accueilli de façon positive la signature de cette charte, le Haut Commissariat aux droits de l'homme a diffusé, le 30 janvier 2008, un communiqué critique soulignant que le texte reste incompatible avec les normes internationales[1]. Les critiques concernent plusieurs domaines abordés ou ignorés par la Charte arabe des droits de l'homme. Pour toutes les raisons évoquées, la Charte arabe des droits de l'homme est mort-née puis s'est surpassée dans ses capacités d'action et son potentiel afin de protéger et modifier le respect des droits de l'homme régionaux, par des systèmes beaucoup plus anciens mais aussi beaucoup plus ambitieux.

Le second indicateur international fait référence à la ratification des *instruments internationaux et régionaux qui protègent les droits et libertés impliqués directement avec les principales activités réalisées dans le cadre de l'éducation supérieure (IINT.III.1)*. Il s'agit des droits à bénéficier des avantages du progrès scientifique et de ses applications, de la protection des intérêts moraux et matériels qui correspondent à l'auteur à raison de ses productions scientifiques, littéraires ou artistiques, de la liberté d'expression, de la liberté de rechercher et recevoir des informations et des idées de toute catégorie et de les diffuser, de la liberté pour la recherche scientifique et l'activité créatrice, du droit à la propriété intellectuelle tels que les droits d'auteur, brevets ou autres régimes de propriété intellectuelle. Une évaluation d'ensemble nous mène à deux conclusions en ce qui concerne cet indicateur:

a) Les conventions internationales sélectionnées (26) qui garantissent ces droits comptent plus de ratifications européennes que maghrébines. Le Royaume-Uni est le pays européen qui a ratifié les moins de traités (5). Parmi les pays maghrébins, l'Algérie (11) occupe la première place, suivie de la Tunisie (9).
b) Les conventions du Conseil de l'Europe (17) sur ces droits sont ratifiés presque en totalité par l'Espagne (seuls 2 ne l'ont pas été) et à l'opposé se situe l'Italie, avec 9 textes non approuvés.

1. «La Charte arabe des droits fondamentaux incompatible avec les normes internationales», sur Centre d'actualités de l'ONU (consulté le 17 avril 2016).

Le troisième indicateur concerne la ratification des *Conventions internationales qui garantissent l'éthique dans la recherche (IINT.III2)*. Deux précisions sont à signaler à ce sujet: en premier lieu, plusieurs de ces conventions ne sont pas encore entrées en vigueur aussi bien dans le cadre international que dans le cadre européen, car elles n'ont pas atteint un nombre suffisant de ratifications. En second lieu, des déclarations et des recommandations, dont certaines de grande importance dans ce cadre, ont été incluses mais elles sont dépourvues de support légal. Pour cette raison, il n'existe aucune date de ratification. Néanmoins, les conventions internationales et européennes sur le sujet comptent un nombre élevé de ratifications européennes et maghrébines. Cela démontre la grande sensibilité et l'engagement acquis par les États du Consortium ABDH sur la question. La Tunisie et le Maroc ont même adhéré à la Convention européenne relative à la conservation de la vie sauvage et du milieu naturel de l'Europe. Le Royaume-Uni est le pays qui a ratifié le moins de textes, aussi bien internationaux (3) qu'européens (8).

La quatrième indicateur international correspond à la dimension 2 et fait référence à la ratification des *accords internationaux en matière d'éducation dans les droits de l'homme* (IIINT.I.1.) Il est vrai que plusieurs de ces instruments ont déjà été analysés dans d'autres indicateurs, mais nous le ferons cette fois-ci sous un point de vue différent. L'Espagne a ratifié tous les textes sélectionnés: la Convention N°169 de l'OIT sur les peuples indigènes et tribaux dans les pays indépendants et la Convention N°111 de l'OIT sur la discrimination en matière d'emploi et de profession où seul le Royaume-Uni se joint à elle. Les autres instruments juridiques ont été signés par tous les membres du Consortium ABDH.

2.2. RÉSERVES ET DÉCLARATIONS ÉMISES AUPRÈS DES INSTRUMENTS INTERNATIONAUX SUR LES DROITS DE L'HOMME

La mesure du degré d'engagement des États avec le droit international des droits de l'homme serait incomplète sans prendre en considération deux sources d'information supplémentaires: le nombre et le type de réserves ou déclarations émises par les États sur les instruments internationaux relatifs aux droits de l'homme, et leur coopération avec les mécanismes de surveillance de l'application des traités.

Notre analyse s'oriente uniquement sur les réserves et les déclarations sur les principaux instruments internationaux relatifs aux droits de l'homme émises par les États membres du Consortium ABDH, même si celles exprimées ont été soulignées dans chaque cas. Cette étude nous amène aux conclusions suivantes:

a) Les traités qui posent le plus de problèmes pour arriver à un accord international sur les questions de fond, comme le démontre le nombre de réserves émises, sont dans cet ordre: la Convention sur l'élimination de toutes les formes de discrimination à l'égard des femmes, la Convention relative aux droits de l'enfant, et le protocole facultatif à la Convention relative aux droits de l'enfant, concernant l'implication d'enfants dans les conflits armés. Cependant, la teneur et le fondement de ces réserves varient sensiblement dans les deux premières conventions. Concernant le Protocole facultatif de la Convention relative aux droits de l'enfant, les arguments et les raisons des réserves convergent, comme nous l'expliquerons ci-après.

b) Les pays du Consortium ayant émis le plus de réserves sont, dans cet ordre, l'Algérie, le Royaume-Uni et le Maroc. En général, les arguments des réserves se rapportent majoritairement à deux pays: l'Algérie et le Maroc font fréquemment allusion à la contradiction avec certaines dispositions de leurs droits positifs respectifs, principalement liées avec la condition juridique de la personne et la transmission de la nationalité, pour être «inspirées dans une interprétation rigoriste du droit musulman»[2]. Alors que la majorité des réserves du Royaume-Uni ont un lien direct avec sa relation constitutionnelle vis-à-vis des territoires d'outre-mer et des dépendances de la Couronne, ce qui, dans certains cas, exige une modulation dans l'engagement des obligations internationales contractées, et dans d'autres, la réserve du droit à ne pas établir de nouvelles dispositions légales pour les adapter à la Convention car il considère que les normes disponibles sont suffisantes et ne contredisent pas la Convention[3].

Une étude détaillée des réserves dépasse l'objectif de cette investigation. Pour cela, nous nous limiterons à exposer seulement une analyse comparative des réserves émises aux trois textes internationaux cités antérieurement.

2. Le Gouvernement algérien s'est exprimé ainsi dans son rapport périodique présenté à la Commission des droits de l'homme: voir République Algérienne Démocratique et Populaire, examen des rapports présentés par les états parties en vertu de l'article 40 du pacte, Troisième rapport périodique, 22 Septembre 2006 (UN Doc. CCPR/C/DZA/3, paragr. 120).
3. Voir, par exemple, les explications sur les déclarations, les réserves et les suspensions du Pacte international des droits civils et politiques de 1966 au Royaume-Uni de Grande-Bretagne et en Irlande du Nord, *Examen des rapports présentés par les États conformément à l'article 40 du Pacte. Sixième rapport périodique,* Novembre 2006 (UN Doc. CCPR/C/GBR/6, paragraphes 31-33). Voir aussi l'extrait du Ministère des Affaires Constitutionnelles, *Interdepartmental Review of International Human Rights Instruments*, juillet 2004 (consultable en ligne *http://www.dca.gov.uk/peoples-rights/human-rights/int-human-rights.htm#1*).

En ce qui concerne la *Convention contre toutes les formes de discrimination à l'égard des femmes*, les réserves et les déclarations peuvent se regrouper géographiquement compte tenu des arguments mis en avant et de leur fondement. D'un côté, l'Espagne et le Royaume-Uni invoquent la même déclaration interprétative en vertu de laquelle la ratification de la Convention ne touchera pas aux dispositions nationales relatives à la possession, à la jouissance et à la succession de la Couronne. Le Maroc a également invoqué une affirmation similaire. Le Royaume-Uni étend cette même prise de position à la noblesse, aux titres honorifiques ou aux armoiries, ainsi qu'aux questions liées aux dénominations ou aux ordres religieux[4].

Le second groupe est composé par les pays du Maghreb, même si l'on constate quelques divergences entre eux. Dans les trois pays, il faut souligner une évolution positive en faveur de la défense des droits de la femme et de la suppression des discriminations. Ces cinq dernières années, le retrait de certaines de leurs réserves ou la reformulation de leurs positions initiales en sont la confirmation[5]. La Tunisie s'éloigne du modèle des deux autres États car, en aucun cas, elle n'invoque la loi islamique comme fondement de sa position et ne maintient plus aucune réserve; elle a seulement émis une déclaration interprétative qui détermine la non-adoption de décisions administratives ou législatives conformément aux conditions de cette Convention lorsqu'elles entrent en conflit avec les dispositions du chapitre I

---

4. Le reste des réserves du Royaume-Uni ont un lien avec: A) l'acquisition, le changement et la conservation de la nationalité, la loi britannique ne permettant aucune discrimination à l'égard des femmes et donc, la ratification de la convention ne peut impliquer l'invalidité de certaines dispositions temporaires ou transitoires qui restent en vigueur. B) les régimes de retraite (retraite, prestations de survie et autres avantages liés à la mort) dont le Royaume-Uni se réserve le droit d'appliquer sa législation. C) les dispositions contractuelles discriminatoires, qui seront invalides mais sans que cela n'entraine nécessairement la nullité du contrat ou instrument dans son ensemble. D) la tutelle, la curatelle et l'adoption: le Royaume-Uni considère que la référence à la suprématie des intérêts des enfants n'ont pas de relation directe avec la suppression de la discrimination à l'égard des femmes.
5. Le 17 avril 2014, le Gouvernement tunisien a informé le Secrétaire Général de sa décision de retirer la déclaration concernant l'article 15 (4) de la Convention et les réserves des articles 9 (2), 16 (c), (d), (f), (g), (h) y 29 (1) de la Convention; la majorité de celles-ci concernent le statut personnel (noms de famille des enfants, héritage, droit de la femme à élire la résidence et le domicile, etc.) Pour sa part, le Gouvernement du Royaume du Maroc a informé le Secrétaire Général le 8 avril 2011 du retrait des réserves formulées aux articles 9 (2) et 16 de la Convention.
   Récemment, le Gouvernement algérien a déclaré que "les réserves exprimées par l'Algérie au moment de la ratification de la convention CEDAW n'ont aucune incidence sur la mise en œuvre des autres dispositions de la convention. La levée de certaines réserves pourrait intervenir en fonction de l'évolution en cours de la législation nationale" (Comité pour l'élimination de la discrimination à l'égard des femmes, Observations finales concernant les troisième et quatrième rapports périodiques (présentés en un seul document) de l'Algérie, 30 avril 2015, UN Doc. CEDAW/C/DZA/CO/3-4/Add.1, paragr.6).

de sa Constitution. L'Algérie et le Maroc présentent un certain parallélisme dans les réserves émises –sauf celle relative à l'égalité de droits dans le mariage, retirée par le Maroc– et leur fondement[6]. Les deux pays fondent leurs réserves et leurs critiques sur la contradiction des normes de la Convention avec la Loi islamique. Cependant, le Maroc est plus explicite que l'Algérie. Alors que le premier invoque directement la Loi islamique[7], l'Algérie met en avant son Code le la famille[8]. Les deux pays ont exprimé des objections à l'article 15.4 avec un argument similaire: ils déclarent qu'ils peuvent seulement être obligés par les dispositions du présent paragraphe, en particulier celles relatives au droit de la femme à élire sa résidence et son domicile, dans la mesure où elles ne sont pas incompatibles avec les articles 34 et 36 du Code civil marocain ou de l'article 37.4 du Code algérien de la Famille[9]. L'Algérie invoque de nouveau ce même argument dans sa réserve vis-à-vis

6. Plusieurs gouvernements (la Suède, le Portugal et le Danemark) ont informé le Secrétaire Général que les réserves émises par le Gouvernement algérien, au moment de l'adhésion, sont incompatibles avec l'objet et le but de la Convention et elles seront donc interdites en vertu de son article 28 (2).

7. La Maroc a interposé la déclaration interprétative suivante des normes de la Convention: «Le Gouvernement du Royaume du Maroc a manifesté sa disposition à appliquer les dispositions de cet article (2), à condition (…) de ne pas entrer en conflit avec les dispositions de la loi islamique. Il faut souligner que les dispositions contenues dans le Code Civil du Maroc, qui concèdent à la femme des droits qui diffèrent des droits conférés aux hommes, ne peuvent pas être violées ou abolies, car elles se joignent à la loi islamique, qui s'efforce, entre autres, d'établir un équilibre entre les conjoints afin de maintenir la cohérence de la vie familiale».

8. Le Gouvernement algérien a donné des précisions sur sa réserve émise à l'article 2 de la Convention, "Il est établi expressément que la non-discrimination figure parmi les grands principes consacrés par la constitution, la législation et la réglementation qui favorisent l'exercice des droits civils et politiques et les droits économiques sociaux et culturels des femmes dans toutes les sphères de la vie nationale, à l'exception de ceux qui se heurtent à la charia, notamment en matière de succession qui obéit à des règles d'essences divines auxquelles se soumettent tous les pays musulmans. Il s'agit là donc de règles impératives, incontournables et intangibles. (…) Il est à noter par ailleurs que la réserve à l'article 2 de la Convention devient quelque peu caduque depuis le 16 février 2014, date à laquelle l'article 5 du Code Pénal fut modifié et complété par les articles 295 bis 1, 295 bis 2 et 295 bis 3» (UN Doc. CEDAW/C/DZA/CO/3-4/Add.1, paragraphes. 8 et 10).

9. Cependant, le Gouvernement Algérien précise que cette réserve "tombe de facto depuis la révision du code de la famille. L'article 19 de l'ordonnance no 05-02- du 27 février 2005 prévoit que les deux conjoints ont toute latitude dans le cadre du code actuel d'établir un contrat de mariage ou un contrat authentique pour y inclure toute clause qu'ils jugeraient utile à propos de la résidence, de l'exercice d'une profession. En outre, aucune disposition légale ou réglementaire ne comporte d'effet contraignant en matière de choix du domicile conjugal. L'article 44 de la constitution consacre le droit pour chaque citoyen de choisir le lieu de sa résidence et de circuler librement sur le territoire national.
Par ailleurs, il y a également lieu de relever que l'élévation du niveau scolaire et intellectuel des femmes et du niveau de vie lié à l'exercice d'une profession, pour bon nombre d'entre elles, a eu comme conséquence d'introduire de nouvelles mœurs sociales et culturelles. En effet il n'est pas rare que les époux aient deux résidences distinctes en raison de l'éloignement du lieu de travail» (UN Doc. CEDAW/C/DZA/CO/3-4/Add.1, paragr. 12-14).

de l'article 16 sur l'égalité des droits des conjoints[10]. Enfin, les deux pays ont émis des réserves vis-à-vis de l'art. 29, paragr. 1, selon lesquelles leurs Gouvernements considèrent qu'aucune controverse entre deux ou plusieurs Parties sur l'interprétation ou l'application de la Convention ne peut être soumise à l'arbitrage de la Cour Internationale de Justice, sauf consentement de toutes les parties dans la controverse

Le schéma décrit antérieurement se répète en grande partie dans les réserves et déclarations émises à la *Convention relative aux droits de l'enfant*. La Tunisie, comme le Maroc, ont retiré toutes leurs réserves, même s'ils maintiennent quelques déclarations interprétatives[11]. En ce sens, on peut constater une évolution concernant la position du Maroc. À l'origine, ce pays a émis une réserve aux paragraphes 1 et 2 de l'art. 14 ayant un lien avec la liberté de penser, de conscience et de religion de l'enfant, et des droits et devoirs des parents de guider l'enfant dans l'exercice de son droit conforme à l'évolution de ses facultés. Par la suite, le Maroc a retiré la réserve et a formulé une déclaration interprétative[12] avec une teneur similaire à celle de l'Algérie[13]. Les deux pays ont invoqué leur Constitution et la Loi islamique

---

10. Conformément à l'évolution positive de l'Algérie en cette matière, le Gouvernement souligne que "les amendements apportés au code de la famille par ordonnance n° 05-02 du 27 février 2005 lèvent de facto la réserve à l'article 16 de la Convention. Ces modifications consacrent l'égalité en matière d'âge au mariage, dans les rapports entre époux ainsi que dans la gestion du ménage. Le mariage par procuration a été aboli, de même que la notion de chef de famille, le devoir d'obéissance (art 36). Il y a prise en compte des biens de la femme acquis pendant le mariage. Enfin la polygamie est soumise à un contrôle judiciaire; ce qui annihile la réserve à l'article 16" (Ibid., paragr. 17)
11. «Le Gouvernement de la Tunisie déclare que le préambule et les dispositions de la Convention, en particulier l'article 6, ne s'exécuteront pas de manière à s'opposer à l'application de la législation de la Tunisie relative à l'interruption volontaire de grossesse».
12. «Le gouvernement du Royaume du Maroc interprète les dispositions de l'article 14, paragraphe 1, de la Convention relative aux droits de l'enfant, à la lumière de la Constitution, du 7 octobre 1996 et des autres dispositions pertinentes de sa législation interne, de la manière suivante:
    – l'article 6 de la Constitution qui établit que l'Islam –la religion de l'État– garantit la liberté de culte pour tous.
    – l'article 54, paragraphe 6, de la Loi 70-03 (Code la la Famille), qui stipule que les parents ont droit à l'orientation religieuse et à l'éducation de leurs enfants basée sur la bonne conduite.

    Par ces déclarations, le Royaume du Maroc réaffirme son adhésion aux droits de l'homme reconnus universellement et son engagement avec les objectifs de la Convention».
13. «Les dispositions des paragraphes 1 et 2 de l'article 14 seront interprétées par le Gouvernement d'Algérie en accord avec les fondements de base du système juridique algérien, en particulier:
    – Avec la Constitution, qui stipule dans son article 2 que l'Islam est la religion de l'État et dans son article 35 qu'«il n'y aura pas d'infraction à l'inviolabilité de la liberté de conviction et à l'inviolabilité de la liberté d'opinion»;
    – Avec la Loi N°84-11, du 9 juin 1984, qui comprend le Code de la Famille, qui stipule que «l'éducation d'un enfant s'accomplira conformément à la religion de son père».

comme fondement. L'Algérie a également formulé des déclarations interprétatives aux articles 13, 16 et 17[14].

L'Espagne et le Royaume-Uni ont également émis des déclarations interprétatives avec une position qui reflète des priorités, des sensibilités et des contextes bien différents quant aux pays du Maghreb, mais aussi entre les deux pays européens[15].

Enfin, tous les États du Consortium ABDEM convergent pour faire des déclarations à l'article 3 du *protocole facultatif à la Convention relative aux droits de l'enfant, concernant l'implication d'enfants dans les conflits armés.* L'Espagne, la Tunisie et le Maroc déclarent que l'âge minimum pour le recrutement volontaire dans les forces armées est de 18 ans. Les autres pays admettent un âge inférieur: 17 ans pour l'Algérie et l'Italie, 16 ans pour le Royaume-Uni, mais dans ces cas-là, le consentement des personnes légalement responsables de la recrue est exigé.

2.3. COOPÉRATION AVEC LES MÉCANISMES DE SURVEILLANCE DES DROITS DE L'HOMME

La coopération avec les mécanismes de surveillance des traités apporte un intérêt particulier à cette étude, puisqu'elle nous éclaire sur le lien réel et effectif d'un État avec les obligations internationales acquises. Pour cette raison, elle est considérée comme un indicateur majeur (IINT.I.1.b).

14. Dans ses observations au rapport périodique pour l'Algérie, le Comité relatif aux droits de l'enfant a déclaré: «le Comité observe avec préoccupation que l'État partie a maintenu sa déclaration sur l'article 14, paragraphes 1 et 2, qui équivaut à une réserve à la Convention. Le Comité observe également avec préoccupation que l'État partie n'a encore pas modifié ses déclarations sur les articles 13, 16 et 17». Et il a recommandé au Gouvernement de les retirer. Comité relatif aux droits de l'enfant, *Examen des rapports présentés par les États parties en vertu de l'article 44 de la Convention. Observations finales: Algérie*, 18 juillet 2012 (UN Doc. CRC/C/DZA/CO/3-4, paragraphes 9 y 10).
15. Le Royaume-Uni, par exemple, interprète que seul un être humain peut bénéficier de la protection de la Convention après sa naissance et vivant; cependant, l'embryon ne bénéficierait pas de ces droits. Le Royaume-Uni interprète également les références de la Convention aux «parents» comme ces personnes qui, en accord avec la législation nationale, sont traités comme des parents. Cela inclut les cas où la loi considère qu'un enfant a un seul parent, par exemple, lorsqu'il a été adopté par une seule personne et dans certains cas où l'enfant est conçu comme n'étant pas le résultat de relations sexuelles de la femme qui accouche. Elle est ainsi considérée comme l'unique parent.
De son côté, l'Espagne comprend que «l'article 21, paragraphe (d) de la Convention ne peut pas être interprété pour permettre des bénéfices financiers différents de ceux couvrant les frais strictement nécessaires qui peuvent être engendrés à partir de l'adoption d'enfants qui résident dans un autre pays. 2. L'Espagne, souhaitant faire cause commune avec le États et les organisations humanitaires qui ont manifesté leur désaccord avec le contenu de l'article 38, paragraphes 2 et 3 de la Convention, tient également à exprimer son désaccord avec la limite d'âge fixée et manifeste que celle-ci ne paraît pas suffisante puisqu'elle permet le recrutement et la participation d'enfants ayant atteint l'âge de quinze ans, aux conflits armés».

Les organes des traités sont des comités d'experts indépendants, créés en vertu des traités des Nations-Unies avec des compétences significatives. D'abord, ils veillent sur la mise à jour constante des dispositions des traités grâce à leurs *observations générales*, qui constituent une interprétation autorisée, évolutive et théologique des textes. Ils sont aussi chargés de superviser la forme dans laquelle les États remplissent leurs obligations dans le respect des droits de l'homme, garantis par le traité qu'ils ont volontairement ratifié. Ils examinent les rapports des États régulièrement et émettent des observations finales sur le degré d'exécution du traité. Ils font aussi des recommandations aux États.

Certains d'entre eux peuvent également recevoir des dénonciations ou des communications individuelles en cas de violations des droits de l'homme[16]. Actuellement, huit des organes des traités des droits de l'homme (CCPR, CERD, CAT, la CEDAW, CDPD, CED, CESCR et le CRC) peuvent recevoir et examiner des communications individuelles sous certaines conditions. Certains organes peuvent également entamer des investigations sur des situations de violations graves ou systématiques des droits. Ces deux compétences sont précisément les seules référencées dans notre étude, étant celles qui reflètent le plus grand degré d'engagement de la part des États. Cela explique aussi que ces compétences soient celles suscitant le plus de réticences aux États, comme le démontre sa faible acceptation par une grande partie de la communauté internationale. C'est ce que l'on a constaté concernant les procédures d'investigation prévues dans l'article 11 du Pacte international relatif aux droits économiques, sociaux et culturels (CESCR-OP: art. 11), avec 4 acceptations, et dans l'article 13 du Protocole facultatif sur le procédure de communications de la Convention relative aux droits de l'enfant (CRC-OPIC: art. 13), accepté par 16 États, ou avec les dénonciations individuelles: seulement 19 États ont accepté ce mécanisme prévu dans la Convention internationale pour la protection de toutes les personnes contre les disparitions forcées (CED: art. 31) et 45 l'ont fait avec le Pacte international relatif aux droits économiques, sociaux et culturels (CESCR-OP).

Pour réaliser l'étude de cet indicateur, nous avons examiné comment est positionné chaque État membre du Consortium ABDH, en tenant compte du pourcentage d'acceptation que ce même mécanisme bénéficie, aussi bien dans la communauté internationale qu'entre les six membres du Consor-

16. La Commission des travailleurs migrants (CMW) supervise l'application de la Convention sur la protection des droits de tous les travailleurs migrants et des membres de leur famille. L'analyse des dénonciations des individus est également de son ressort. Cependant, cette procédure n'est pas encore entrée en vigueur car les exigences des déclarations de 10 États ne sont pas encore remplies.

tium. De cette manière, nous saurons distinguer si l'État s'est impliqué en suivant la règle majoritaire ou pas. Nous avons voulu reproduire cette conduite dans les tableaux suivants, de manière que les «grandes colonnes vertes» et les «petites colonnes rouges» signifient que le pays s'est impliqué comme la majorité. À l'inverse, les «grandes colonnes rouges» et «les petites colonnes vertes» indiquent que le pays a eu un comportement différent à la majorité[17].

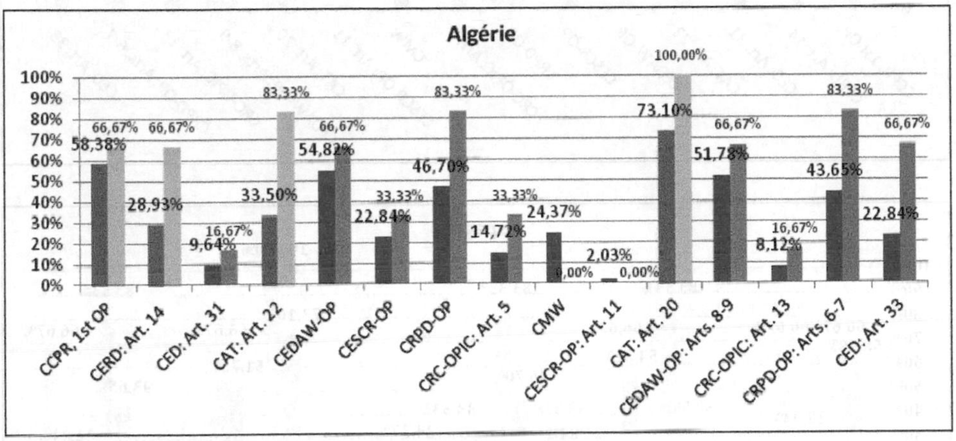

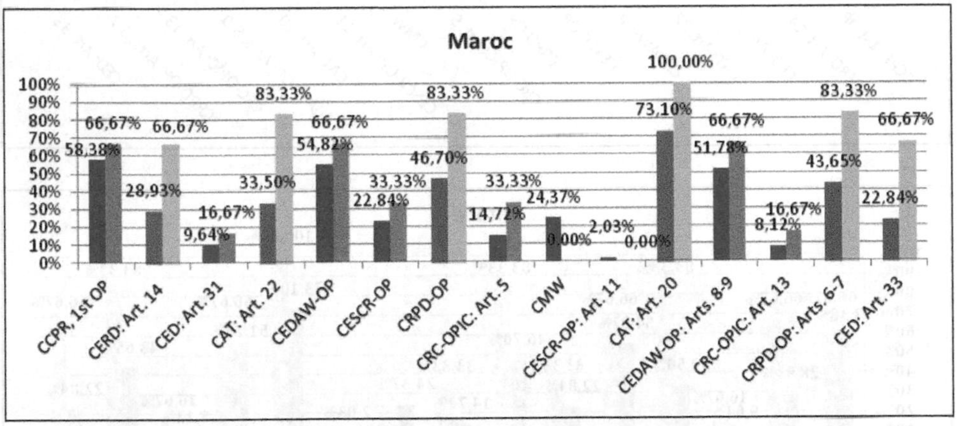

17. Légende: Les colonnes de couleur foncée font référence au total de États de la communauté internationale qui ont accepté ce mécanisme; les colonnes de couleur plus claire reflètent le total de la position adoptée par les 6 États du Consortium ABDH. Les colonnes en vert (foncé et clair) indiquent l'acceptation du mécanisme et les colonnes en rouge (foncé et clair), leur rejet.

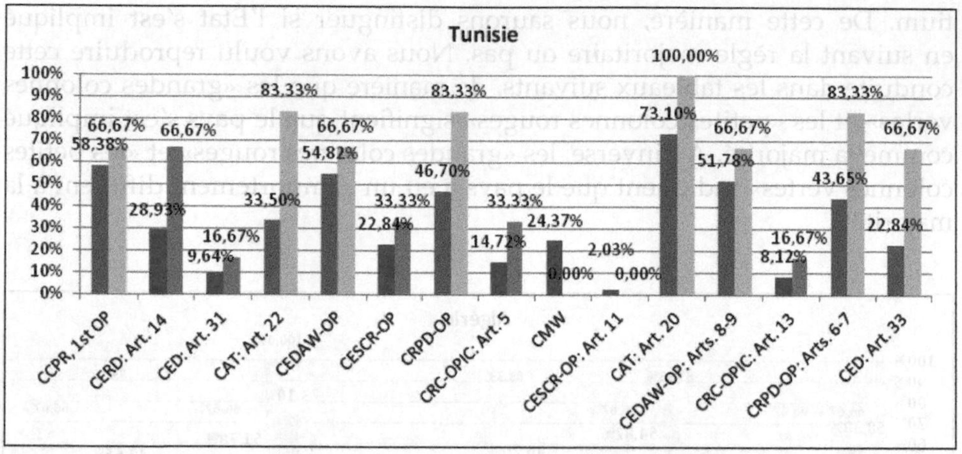
Tunisie
100%
90%
80%
70%
60%
50%
40%
30%
20%
10%
0%
58,38%
66,67%
28,93%
66,67%
9,64%
16,67%
33,50%
83,33%
54,82%
66,67%
22,84%
33,33%
46,70%
83,33%
14,72%
33,33%
24,37%
0,00%
2,03%
0,00%
73,10%
100,00%
51,78%
66,67%
8,12%
16,67%
43,65%
83,33%
22,84%
66,67%
CCPR, 1st OP
CERD: Art. 14
CED: Art. 31
CAT: Art. 22
CEDAW-OP
CESCR-OP
CRPD-OP
CRC-OPIC: Art. 5
CMW
CESCR-OP: Art. 11
CAT: Art. 20
CEDAW-OP: Arts. 8-9
CRC-OPIC: Art. 13
CRPD-OP: Arts. 6-7
CED: Art. 33

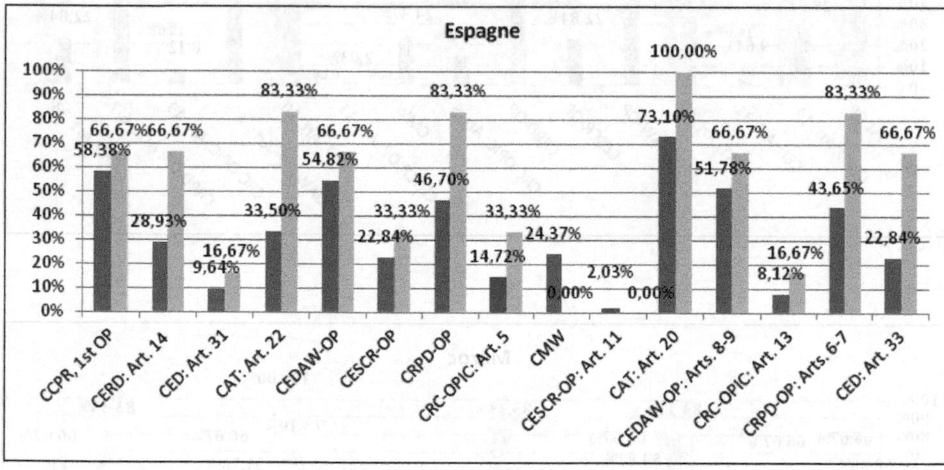
Espagne
100%
90%
80%
70%
60%
50%
40%
30%
20%
10%
0%
58,38%
66,67%
28,93%
66,67%
9,64%
16,67%
33,50%
83,33%
54,82%
66,67%
22,84%
33,33%
46,70%
83,33%
14,72%
33,33%
24,37%
0,00%
2,03%
0,00%
73,10%
100,00%
51,78%
66,67%
8,12%
16,67%
43,65%
83,33%
22,84%
66,67%
CCPR, 1st OP
CERD: Art. 14
CED: Art. 31
CAT: Art. 22
CEDAW-OP
CESCR-OP
CRPD-OP
CRC-OPIC: Art. 5
CMW
CESCR-OP: Art. 11
CAT: Art. 20
CEDAW-OP: Arts. 8-9
CRC-OPIC: Art. 13
CRPD-OP: Arts. 6-7
CED: Art. 33

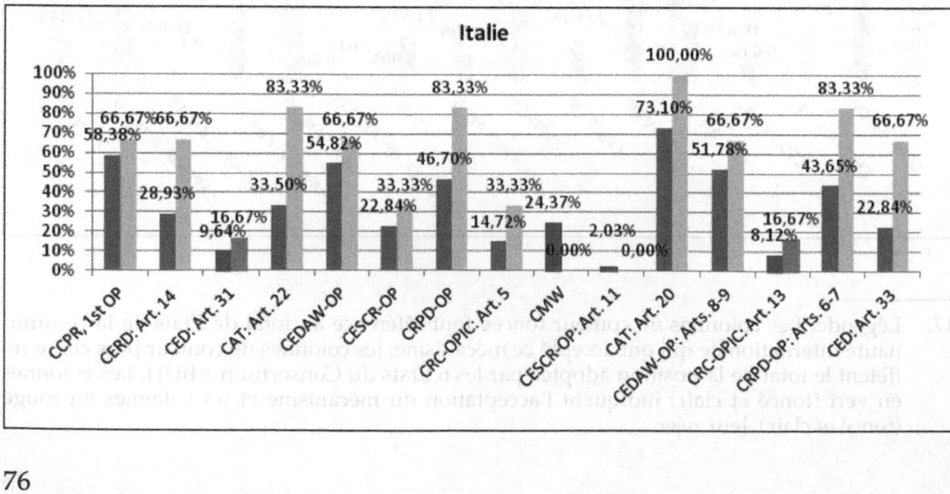
Italie
100%
90%
80%
70%
60%
50%
40%
30%
20%
10%
0%
58,38%
66,67%
28,93%
66,67%
9,64%
16,67%
33,50%
83,33%
54,82%
66,67%
22,84%
33,33%
46,70%
83,33%
14,72%
33,33%
24,37%
0,00%
2,03%
0,00%
73,10%
100,00%
51,78%
66,67%
8,12%
16,67%
43,65%
83,33%
22,84%
66,67%
CCPR, 1st OP
CERD: Art. 14
CED: Art. 31
CAT: Art. 22
CEDAW-OP
CESCR-OP
CRPD-OP
CRC-OPIC: Art. 5
CMW
CESCR-OP: Art. 11
CAT: Art. 20
CEDAW-OP: Arts. 8-9
CRC-OPIC: Art. 13
CRPD-OP: Arts. 6-7
CED: Art. 33

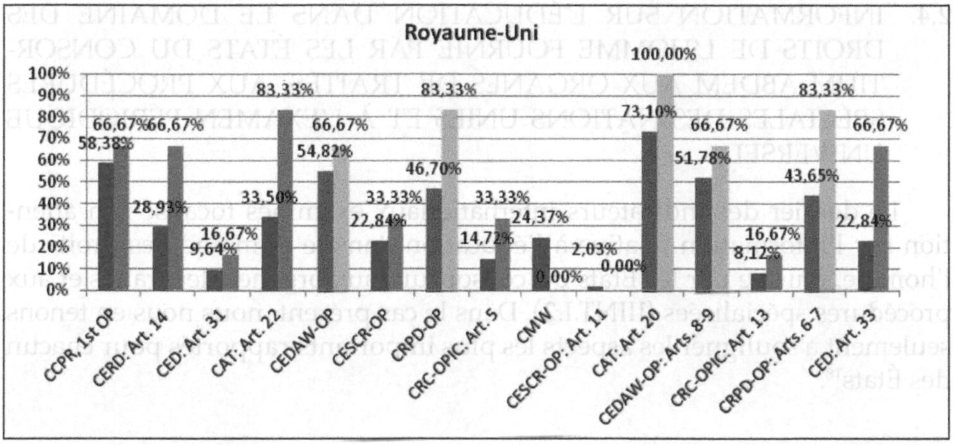

Les conclusions suivantes ont été déduites après analyse de ces données:

a) Les pays ayant adhéré à moins d'instruments sont l'Algérie (3) et le Royaume-Uni (5); à l'opposé se trouvent l'Espagne (12) et l'Italie (10).

b) Aucun État du Consortium ABDEM n'a signé les dénonciations ou communications individuelles face aux violations de droits commises par les États prévues dans l'art. 77 de la Convention des droits de tous les travailleurs migrants et de leur famille (CMW, art. 77) ni les procédures d'investigation de l'article 11 du Protocole facultatif du Pacte international relatif aux droits économiques, sociaux et culturels (CESCR-OP: art. 11). De même, l'Espagne est l'unique membre du Consortium qui a accepté la procédure d'investigation du Protocole facultatif sur la procédure de communications de la Convention relative aux droits des enfants (CRC-OPIC: art. 13). Dans tous les cas, les membres ABDH maintiennent la même règle de conduite que le reste de la communauté internationale, dont le soutien à ces trois mécanismes est très insuffisant, comme nous l'avons indiqué.

c) A l'opposé, nous avons constaté que le mécanisme le plus soutenu par les membres du Consortium, tout comme le reste de la communauté internationale, est la procédure d'investigation de la Convention contre la torture (CAT: Art. 20).

d) Nous ne constatons pas une différence significative entre les membres du Consortium concernant la préférence de chacun des deux types de mécanismes examinés. Il n'y a pas d'acceptation proportionnelle dans les deux cas.

2.4. INFORMATION SUR L'ÉDUCATION DANS LE DOMAINE DES DROITS DE L'HOMME FOURNIE PAR LES ÉTATS DU CONSORTIUM ABDEM AUX ORGANES DE TRAITÉS, AUX PROCÉDURES SPÉCIALES DES NATIONS UNIES ET À L'EXAMEN PÉRIODIQUE UNIVERSEL

Le dernier des indicateurs internationaux examinés focalise son attention sur l'information relative à l'éducation dans le domaine des droits de l'homme, fournie par les États du consortium aux organes des traités et aux procédures spécialisées (IIINT.I.2). Dans le cas présent, nous nous en tenons seulement à souligner les aspects les plus importants rapportés pour chacun des États[18].

2.4.1. Algérie

L'Algérie montre dans ses rapports les campagnes de publicité dans les médias nationaux, à l'occasion de l'examen et l'adoption, à l'Assemblée nationale, des instruments internationaux des droits de l'homme ratifiés par le pays.

La formation relative aux droits de l'homme dans le système éducatif algérien est enseignée par l'intermédiaire de l'éducation pour la population. Il s'agit d'une discipline clef qui depuis 1997, est enseignée dès la première année fondamentale et est intégrée dans les programmes officiels de l'éducation nationale. Cette matière inculque à l'enfant les valeurs nationales et universelles, à travers les différentes disciplines enseignées telles que l'histoire, les langues arabe et étrangères, l'éducation sanitaire, environnementale, civique, religieuse et de la population, dans le but de lui faire acquérir des comportements sains, des attitudes positives, et cela dès le premier cycle de l'enseignement fondamental.[19].

Le module intitulé «libertés publiques», qui était enseigné dans les facultés de droit, a été réintroduit à l'université avec un contenu actualisé qui tient compte des développements internationaux et des adhésions nouvelles. Certaines universités (celles d'Oran, de Tizi-Ouzou et d'Annaba, par exemple) ont déjà procédé à la création de modules spécifiques. Les droits de l'homme sont enseignés aux élèves de l'École supérieure de la Magistrature, à l'École supérieure de Police et à l'École nationale de l'Administration pé-

18. Deux sources d'information sont principalement utilisées: d'une part, les Documents de base qui font partie intégrante des rapports que les États parties présentent à tout mécanisme de surveillance et, d'autre part, les rapports périodiques présentés par les États aux Comités qui veillent à l'application des deux Pactes internationaux.
19. *Cfr.* UN Doc. E/C.12/DZA/4, paragraphes 399-401.

nitentiaire ainsi que dans les écoles de la Gendarmerie nationale. Une chaire UNESCO des droits de l'homme a également été créée à l'Université d'Oran en 1995. Cette structure pédagogique a pour vocation d'organiser et de promouvoir un système intégré de recherche, de formation, d'information et de documentation sur les droits de l'homme. La diffusion des notions et principes du droit international humanitaire dans les établissements scolaires figure parmi les questions prises progressivement en charge. À ce sujet, un Protocole d'accord a été conclu en mai 2004 entre le Ministère de l'Éducation nationale et la représentation du CICR à Alger, suivi, en juin 2004, de l'organisation d'un atelier de formation pour un groupe d'enseignants et d'un autre, en Juillet 2006, à destination des enseignants de l'enseignement supérieur[20].

Le pays a créé un centre chargé de la promotion et du développement de l'enseignement de la langue et la culture amazigh, au sein de laquelle des universités et des investigateurs de haut niveau se regroupent ayant pour objectif la réalisation des travaux d'investigation dans le domaine de l'ordre et la normalisation linguistique dans tous les aspects, liés avec l'enseignement de cette matière[21].

2.4.2. Maroc

Le Maroc est le pays du Consortium qui consacre le plus d'attention à détailler, dans ses rapports, ses progrès en matière de formation relative aux droits de l'homme. Cette préoccupation répond, sans doute, à son contexte particulier et sa progressive démocratisation. Ainsi, le pays en vient à renforcer la culture des droits de l'homme, tel qu'il le décrit dans son rapport, surtout des recommandations formulées en ce sens par l'Instance Équité et Réconciliation. Pour cela, "la Plateforme citoyenne de promotion des droits de l'homme, qui est à la fois un projet national pédagogique axé sur la culture et le droit et doté d'une dimension sociale, a été élaborée en 2007, visant à faire évoluer les mentalités et les comportements et fondé sur une approche participative. La Plateforme s'articule autour de trois axes interdépendants, à savoir l'éducation, la formation professionnelle et la sensibilisation, en tant que principaux moteurs d'une dynamique sociétale propre à permettre d'inculquer les valeurs et la culture des droits de l'homme aux différentes composantes de la société.

»En concrétisation de la ferme volonté du Royaume du Maroc de faire de la promotion des droits de l'homme un choix stratégique, une planifica-

20. *Cfr.* UN Doc. CEDAW/C/DZA/CO/3-4/Add.1, paragraphes 54-56.
21. *Cfr.* UN Doc. E/C.12/DZA/4, paragr. 399.

tion stratégique des droits de l'homme a été adoptée avec le lancement du Plan d'action national en matière de démocratie et de droits de l'homme qui englobe différents programmes, politiques et plans nationaux en matière de protection et de promotion des droits de l'homme. Ce plan d'action a pour but de doter l'État d'une stratégie nationale qui permette de placer la promotion et la protection des droits de l'homme au cœur des politiques publiques au moyen d'un cadre cohérent propre à assurer la coordination entre les différentes actions et mesures visant à mieux faire connaître et à diffuser la culture des droits de l'homme et les valeurs civiques, et à en promouvoir le respect. Ce processus a débouché à la fin de 2011 sur l'élaboration d'un projet de plan d'action actualisé qui doit être approuvé par le Gouvernement. Ce projet de plan comporte diverses mesures et recommandations portant sur les quatre axes stratégiques suivants: bonne gouvernance, démocratie, droits économiques, sociaux, culturels et environnementaux, droits catégoriels et cadre normatif et institutionnel. Le Maroc est doté en outre de plans sectoriels portant sur les divers aspects civils, politiques, économiques, sociaux, culturels et environnementaux des droits de l'homme.

»Les universités et certains instituts et écoles publics œuvrent à la promotion de la formation initiale et continue et de l'éducation dans le domaine des droits de l'homme au moyen de programmes et cursus spécifiques et d'accords de partenariat avec d'autres parties concernées par la promotion de la culture des droits de l'homme. En outre, la presse écrite et les moyens d'information audiovisuels et électroniques jouent un rôle essentiel dans la diffusion de la culture des droits de l'homme et la sensibilisation aux questions relatives aux droits de l'homme en produisant des programmes en la matière, en couvrant différents séminaires, journées d'études et ateliers de formation et en célébrant les journées internationales des droits de l'homme. (...)

»Les questions relatives aux droits de l'homme sont devenues prioritaires et jouissent d'une attention particulière de la part de toutes les parties concernées au niveau national, notamment les pouvoirs publics, le Parlement, les institutions nationales des droits de l'homme, les autorités judiciaires, les universités et les organisations de la société civile. (...)

»L'approche participative occupe désormais une place centrale dans la gestion des questions relatives aux droits de l'homme par les pouvoirs publics, notamment grâce au travail de coordination de la politique gouvernementale en la matière accompli par la Délégation interministérielle aux droits de l'homme, en particulier en ce qui concerne l'élaboration des rapports nationaux que le Maroc doit présenter en vertu de ses engagements internationaux relatifs aux droits de l'homme.

»Les institutions nationales contribuent, elles aussi, aux efforts consentis par l'État dans le domaine de la promotion des droits de l'homme, notamment grâce à leur savoir-faire en matière de protection et de promotion des droits de l'homme, de prévention, de médiation, d'intervention précoce, et au rôle qu'elles peuvent jouer dans le développement de la réflexion et du dialogue dans ce domaine.

»Les organisations de la société civile jouent, elles aussi, un rôle central dans le cadre des efforts de promotion des droits de l'homme, tant par la formulation de recommandations ou propositions que par la participation aux différents programmes, plans et activités exécutés dans ce domaine, certaines d'entre elles jouant un rôle pionnier dans le lancement de programmes et d'activités connexes. Il convient de signaler également les contributions et l'aide des organisations internationales gouvernementales et non gouvernementales aux efforts nationaux de promotion des droits de l'homme»[22].

2.4.3. Tunisie

La Tunisie est un pays plongé dans d'importantes transformations sociales et politiques qui affectent, de loin, beaucoup de matières en lien avec les droits de l'homme. Selon l'article 3 de la loi d'orientation relative à l'éducation et à l'enseignement scolaire (2002) dispose que «l'éducation a pour finalité d'élever les élèves dans la fidélité à la Tunisie et la loyauté à son égard, ainsi que dans l'amour de la patrie et la fierté de lui appartenir. Elle affermit en eux la conscience de l'identité nationale et le sentiment d'appartenance à une civilisation aux dimensions nationale, maghrébine, arabe, islamique, africaine et méditerranéenne, en même temps qu'elle renforce l'ouverture sur la civilisation universelle. L'éducation a aussi pour but d'enraciner l'ensemble des valeurs partagées par les Tunisiens et qui sont fondées sur la primauté du savoir, du travail, de la solidarité, de la tolérance et de la modération. Elle est garante de l'instauration d'une société profondément attachée à son identité culturelle»[23].

Concernant l'établissement de cours distincts sur les droits de l'homme, les programmes scolaires des différents cycles reposent sur l'étude, dans le cadre des cours d'éducation civique, instruments juridiques, tels que la Déclaration universelle des droits de l'homme, les pactes internationaux, la Convention relative aux droits de l'enfant et la Convention sur l'élimination de toutes les formes de discrimination à l'égard des femmes. Les droits de

22. UN Doc. HRI/CORE/MAR/2012, paragraphes 41-50.
23. *Cfr.* UN Doc. E/C.12/TUN/3, paragr. 233.

l'homme sont enseignés dans le cadre des cours de lettres et de sciences humaines et de langues. Ils sont présentés au moyen de documents juridiques, littéraires, historiques, religieux et autres, le but étant de renforcer les droits et d'éduquer les jeunes dans ce domaine[24]. Soucieuse de mettre l'accent sur le principe de l'égalité des chances et sur l'équité dans l'enseignement, elle a créé un réseau d'établissements scolaires inclusifs, adaptés aux besoins des élèves handicapés et mis au point un programme spécialisé visant à fournir à ces élèves les ressources matérielles nécessaires. Pour ce faire, l'État a construit et équipé des salles polyvalentes, aménagé des voies d'accès et bâti des structures sanitaires spécialement conçues pour les enfants handicapés[25].

Depuis 2000, des efforts sont déployés en Tunisie afin de mettre en place le «Programme national pour l'éducation des adultes» de façon à concrétiser le principe de «l'éducation pour tous» et du «droit à l'enseignement pendant toute la vie». Ce programme vise à former les catégories de personnes qui ont été privées d'études par des circonstances particulières ou ont été contraintes d'abandonner leurs études à un stade précoce et sont retombées dans l'analphabétisme. Ces catégories de personnes bénéficient d'une formation complète dans le domaine des relations sociales (famille, éducation, santé, citoyenneté, dialogue et environnement). La direction de la «lutte contre l'analphabétisme et pour l'éducation des adultes» s'intéresse aux conditions sociales des bénéficiaires et s'efforce de les appuyer au moyen de mesures d'incitation spéciales, telles que des aides matérielles et en nature à l'intention de ceux d'entre eux qui vivent dans le besoin (voir le tableau 1: Programme de lutte contre l'analphabétisme). Elle accorde en outre un grand intérêt à la situation des femmes et contribue à la promotion de leur rôle au sein de la famille et de la société et à leur sensibilisation, le but étant de donner effet au principe d'égalité entre les sexes. Elle assure aux jeunes bénéficiaires des cours de formation aux compétences de base et leur fournit, le cas échéant, des outils de travail, dans le cadre des projets relatifs aux moyens de subsistance[26].

Le législateur tunisien a consacré aux femmes de nombreuses mesures des droits de l'homme, en persévérant dans ses efforts, pour essayer d'éliminer toute forme de discrimination directe ou indirecte[27]. L'État a élaboré un programme pour tous les secteurs dans les années 90, dont l'objectif est d'assurer que les femmes jouissent de droits égaux avec les hommes. Actuellement, plus de 60% des étudiants universitaires sont des femmes. Le législateur a aussi veillé pour que les lois relatives aux femmes s'adaptent

24. Ibid., paragr. 22.
25. Ibid., paragr. 12.
26. Ibid., paragr. 241.
27. Ibid., paragr. 32.

à l'évolution des valeurs sociales, il s'est employé à abroger ou corriger les dispositions divergentes d'une autre époque, et il a promulgué de nouvelles normes qui répondent aux transformations sociales. En outre, il a élaboré des lois et des mesures exécutives qui ont permis d'adopter des mécanismes et des plans d'action orientés afin que les femmes exercent leur droit de participer à toutes les sphères de la société. En 2008, la Tunisie a élaboré la Stratégie nationale pour l'intégration de la perspective de genre dans les Politiques publiques, la planification et la programmation, dans l'objectif d'évaluer la situation dans ce domaine. Malgré tout, des avancées dans cette direction n'ont pas été constatées[28].

2.4.4. Espagne

Le Gouvernement espagnol a estimé «qu'il convenait de suivre l'idée lancée à la Conférence mondiale sur les droits de l'homme, tenue à Vienne en 1993, qui a recommandé aux États d'élaborer un plan d'action national prévoyant des mesures par lesquelles ils amélioreraient la promotion et la protection des droits de l'homme. Il a donc adopté, le 12 décembre 2008, un plan ouvert, qui sera évalué périodiquement et complété à chaque étape par de nouvelles propositions et de nouveaux engagements»[29]. Dans cette même logique, le Gouvernement espagnol a adopté successivement des plans s'adressant aux secteurs de population les plus vulnérables, comme le Plan stratégique pour la citoyenneté et d'intégration (2007-2010) et (2011-2014)[30], le Plan de prévention et de lutte contre la violence fondée sur le sexe parmi la population étrangère immigrante (2009-2012)[31] et le Plan stratégique national pour l'enfance et l'adolescence (2006-2009) et (2013-2016). Le gouvernement a également adopté la *Loi 27/2005, du 30 novembre, du Développement de l'éducation et la culture de la paix*, pour la résolution pacifique des possibles controverses, misant sur une éducation orientée et fondée sur la paix, de ma-

28. Ibid., paragr. 44.
29. UN Doc. HRI/CORE/ESP/2010, paragr. 125.
30. «Le Plan stratégique pour la citoyenneté et l'intégration qui vise l'ensemble de la population –espagnole et immigrée–, puisqu'il a pour objet de favoriser la cohésion sociale par la promotion de politiques publiques fondées sur l'égalité des droits et des devoirs et l'égalité des chances, de susciter chez la population immigrée un sentiment d'appartenance à la société espagnole et de promouvoir le respect de la diversité» (Ibid., paragr. 145).
31. Le Plan «tend à faciliter la lutte contre la violence fondée sur le sexe compte tenu de circonstances spécifiques propres à la population étrangère, en vue d'améliorer la prise en charge et la prévention dans une perspective globale. Les initiatives prises à cette fin visent à atténuer deux facteurs aggravants fondamentaux; l'un est les préjugés culturels, qui peuvent être corrigés par l'information, la sensibilisation et la prise de conscience, et l'autre est le manque d'appui extérieur qui requiert une assistance, des conseils et des aides renforçant les droits des femmes» (ibid., paragr. 167).

nière transversale, et pour la promotion des actions et des conduites nécessaires afin d'éliminer tout type de discrimination[32]. Deux ans plus tard, elle a adopté la Loi organique 3/07 pour l'Égalité effective entre les femmes et les hommes, faisant référence plus particulièrment, dans son Chapitre II (Action administrative pour l'égalité), au principe d'égalité entre les femmes et les hommes en rapport avec l'éducation dans ses articles 23[33], 24[34] et 25. Ce dernier prévoit, dans le cadre de l'éducation supérieure, les différentes actions: introduction dans les programmes d'études d'enseignement en matière d'égalité, création de master spécialisé, réalisation d'études et d'investigations en la matière. Le cadre de l'investigation sur le féminisme et des études de genre a été abordé traditionnellement par l'intermédiaire des cours de doctorat ou des matières à caractère volontaire. Pour cette raison, l'Association universitaire des études des femmes (AUDEM) a signé un document exigeant la pleine intégration des études pour les femmes, les féministes et le genre parmi les nouveaux titres universitaires qui s'établissent en Espagne pour s'adapter aux directives européennes[35]. L'Unité de l'égalité affectée au Ministère de l'éducation s'est également créée, et elle est chargée de mener à bien des mesures d'action positive dans le cadre scientifique, technologique et académique. Elle a pour mission de veiller à ce que les données émanant des institutions publiques d'investigation et d'éducation précisent la position des femmes dans chaque domaine, et d'orienter la promotion des environnements de travail, avec une organisation du travail scientifique et enseignant qui permette la conciliation de la vie professionnelle et de la vie de famille[36].

---

32. *Cfr.* UN Doc. E/C.12/ESP/5, paragr. 644.
33. L'article 23 stipule que «le système éducatif inclura dans ses objectifs l'éducation dans le respect des droits et des libertés fondamentales et dans l'égalité des opportunités entre les femmes et les hommes» et que «l'élimination des obstacles qui rendent difficile l'égalité effective entre les femmes et les hommes et le développement de l'égalité des sexes» est l'un des principes de qualité du système éducatif.
34. L'article 24 se réfère à l'intégration du principe d'égalité dans la politique d'éducation dans tous les objectifs et actions éducatives, et il prévoit une attention particulière au principe d'égalité concernant les curriculums, l'élimination et le rejet de comportements et contenus sexistes et stéréotypés discriminatoires, surtout dans les manuels scolaires et le matériel éducatif; l'intégration de l'étude du principe d'égalité dans la formation du corps enseignant; présence équilibrée des deux sexes dans les centres d'enseignement, le développement de la connaissance et la diffusion dans la communauté éducative des principes de coéducation et d'égalité effective, et la mise en place de mesures éducatives dirigées vers la reconnaissance et l'enseignement du rôle des femmes dans l'histoire.
35. Le 1er Congrès des études pour les femmes, le genre et les féministes, a eu lieu en novembre 2006. Deuxième et troisième cycle dans l'Espace européen d'éducation supérieure. Son principal objectif était la définition des contenus des futures et possibles matières des cours, qui dans ce domaine, peuvent s'introduire dans le système espagnol d'éducation supérieure, tout comme la mise en place d'une stratégie d'influence pour l'inclusion des Études féministes, du genre et des femmes dans la conception du nouveau système d'éducation supérieur. *Cfr.* UN Doc. E/C.12/ESP/5, paragr. 651-652.
36. Ibid., paragr. 654.

Par ailleurs, afin de garantir le respect des minorités dans l'éducation, le système éducatif espagnol prévoit la possibilité de choisir entre les études de religion catholique, d'autres études de confessions religieuses différentes avec lesquelles l'État a souscrit les Accords internationaux et de coopération en matière d'éducation, conformément à ces derniers, ou l'enseignement de l'histoire et la culture des religions, dans le but de connaître le fait religieux et d'être dans un climat de respect face aux autres religions et croyances[37].

L'Espagne a aussi souligné, dans ses rapports, le renforcement de la formation des membres des Forces et corps de sécurité de l'état, concernant la prévention des tortures ou mauvais traitements, et elle a programmé de nouveaux cours dans ces matières. Le Commissariat général des étrangers et des frontières, les agents de police (aussi bien d'admission que de promotion dans les différentes catégories), la *Guardia Civil* (pendant l'enseignement pour l'incorporation à l'échelon correspondant, ainsi que pendant l'enseignement de perfectionnement, suivi par le personnel du Corps, pendant toute sa carrière professionnelle) ont aussi incorporé des contenus relatifs aux droits de l'homme dans leurs différents cours d'action et de spécialisation du personnel[38].

Le pays indique également que, depuis 2008, de nouveaux accords interinstitutionnels et des protocoles de coordination pour assurer une conduite globale et intégrale des différentes administrations et services impliqués dans la lutte contre la violence domestique, ont été souscrits. En ce sens, un Accord-cadre de coopération pour l'éducation à l'amélioration de la sécurité scolaire a été souscrit, dans lequel la Secrétaire d'état aux services sociaux et d'égalité participe depuis l'année 2009, par l'intermédiaire de la réalisation de rôles de prévention de la violence domestique[39].

2.4.5. Italie

Tout au long de ces années, l'Italie a facilité les initiatives internationales, relatives à l'éducation dans les droits de l'homme, qui se sont terminées sur la déclaration pertinente des Nations Unies en 2011[40]. En ce sens, des activités de formation se sont organisées, parmi lesquelles sont compris des cours d'enseignement relatifs aux droits de l'homme pour tous les organismes policiers. Conformément à cela, une importance renouvelée a été

37. Ibid., paragr. 186.
38. *Cfr.* UN Doc. CCPR/C/ESP/CO/6/Add.1, paragr. 12.
39. *Cfr.* UN Doc. CCPR/C/ESP/6, paragr. 51.
40. La participation active des institutions universitaires dans leur élaboration représente un aspect important des rapports présentés par l'Italie, comme le révèlent beaucoup de sources d'information des données présentées par le pays.

attribuée à l'enseignement des droits de l'homme pour le personnel, qui se déploiera dans tout le pays.

La loi 169/2008 a introduit une nouvelle matière portant sur des questions comme la loi fondamentale italienne, la citoyenneté européenne ou les droits de l'homme, pour toutes les écoles du pays. Plus particulièrement, la connaissance par les élèves des droits et devoirs des citoyens est au cœur de l'éducation à la légalité. Dans le cadre du système scolaire, une attention particulière est accordée aux étudiants immigrés. Comme indiqué dans le cadre du deuxième EPU, le Ministère de l'éducation a entrepris un projet pilote destiné à former les enseignants et les directeurs d'école. Un autre projet, intitulé «Lingue di scolarizzazione e curricolo plurilingue e interculturale», vise à promouvoir le patrimoine linguistique et culturel des élèves d'origine étrangère à l'école primaire. Un Observatoire national pour l'intégration des élèves étrangers a d'autre part été créé. En 2014, de nouveaux Principes directeurs pour l'accueil et l'intégration des élèves étrangers ont été adoptés qui tiennent compte de la spécificité de la situation de ces élèves[41].

Dans le cadre de la présidence italienne de l'UE, une manifestation européenne de haut niveau sur la non-discrimination et l'égalité s'est tenue à Rome sur le thème «Construire l'avenir des politiques d'égalité dans l'Union européenne»; les discours publics ont été considérés comme problématiques dans plusieurs pays. À cette occasion, 14 engagements ont été pris, notamment l'engagement de renforcer les mesures en matière d'éducation aux droits de l'homme[42]. Dans ce contexte, et au plan institutionnel, il convient de mentionner le travail accompli par l'Observatoire pour la protection contre les pratiques discriminatoires (OSCAD) et par le Bureau national de lutte contre la discrimination (UNAR) du Département de l'égalité des chances[43]. Les deux institutions élaborent des modules de formation pour qualifier les agents de police dans les activités antidiscriminatoires; elles participent à des programmes d'enseignement avec des institutions publiques et privées, dont beaucoup d'entre eux sont destinés à des professionnels des médias, des membres des forces de l'ordre et des professionnels du droit;

41. *Cfr.* UN Doc. CCPR/C/ITA/6, paragr. 105.
42. Ibid., paragr. 99.
43. Établi en 2010 au sein du Ministère de l'intérieur, l'OSCAD est administré par la police et les carabiniers et est chargé de la prévention et de la répression des «crimes motivés par la haine». Dirigé par le Directeur adjoint du Département de la sécurité publique/ Directeur en chef de la police criminelle, il se compose de membres de la police et du Corps des carabiniers et a pour mission de signaler les actes discriminatoires, d'alerter la police et les carabiniers, de proposer des formations et d'échanger des informations et des bonnes pratiques en matière d'enquête au niveau international, de lutter contre la discrimination, d'accroître la sensibilisation de la population en synergie avec d'autres organismes compétents et de promouvoir la communication et les initiatives de prévention. *Ibid.*, paragr. 96.

elles diffusent des informations et sensibilisent le public sur la législation antidiscriminatoire et les rapports des tribunaux et supranationaux pour garantir la protection des victimes. En général, elles mettent au point des mesures adéquates pour prévenir et combattre la discrimination.

En 2012, l'Italie s'est associée au programme du Conseil de l'Europe intitulé «Combattre la discrimination fondée sur l'orientation sexuelle et l'identité de genre». Le DEO, par l'intermédiaire de l'UNAR en sa qualité de point de contact national, met actuellement en œuvre la «Stratégie nationale pour la prévention et la lutte contre les discriminations fondées sur l'orientation sexuelle ou l'identité de genre, 2013-2015» qui porte sur les questions suivantes: éducation (intégration, lutte contre les stéréotypes et contre les brimades), sécurité et prisons, communication et médias (des activités de sensibilisation et de formation dans ces domaines à l'intention des responsables des écoles, des centres pour l'emploi et des forces de l'ordre sont mises en œuvre dans le cadre de séminaires nationaux et de projets pilotes au niveau local, ainsi que via une plate-forme Web ad hoc). L'UNAR vient en outre de terminer l'élaboration d'un plan national d'action contre le racisme (approuvé en mai 2015 par la Conférence unifiée de l'État et des régions) qui, s'agissant du groupe visé et du champ d'action, concerne aussi bien les étrangers qui résident en Italie que les ressortissants italiens d'origine étrangère, y compris ceux qui appartiennent à des minorités religieuses, ethniques ou linguistiques[44].

Plusieurs actions ont également été entreprises pour lutter contre les stéréotypes. Depuis 2009, le Département de l'égalité des chances organise la «Semaine contre la violence et la discrimination», une initiative mise en place suite à un mémorandum d'accord conclu avec le Ministère de l'éducation, de l'université et de la recherche (MIUR). Pendant la semaine en question, les écoles mènent des activités de sensibilisation et des formations sur la prévention de la violence physique et psychologique à l'égard des femmes et de la violence fondée sur toutes les formes de discrimination. Le Ministère de l'éducation a pour sa part prévu des initiatives spéciales, notamment une révision des manuels scolaires[45].

Enfin, parmi les activités décrites par le pays sur l'éducation relative aux droits de l'homme, outre les cours ordinaires de haut niveau qui sont enseignés dans les principales universités italiennes, des stages et des échanges d'expérience sur la culture et les droits des femmes sont promus dans les agences publiques et institutionnelles, mais aussi à l'étranger[46].

44. Ibid., paragr. 108.
45. Ibid., paragr. 18.
46. *Cfr.* UN Doc. E/C.12/ITA/5, paragr 490.

2.4.6. Royaume-Uni

Comme l'indiquent les rapports présentés par l'État, «le Gouvernement est attaché à sensibiliser notamment, mais pas seulement, les pouvoirs publics (y compris les autorités nationales et locales, le Service national de santé, la police et les forces armées) aux droits de l'homme et à leur importance. La loi sur les droits de l'homme dispose qu'il est illicite pour un organisme public d'agir d'une manière qui soit incompatible avec un droit énoncé dans la Convention de sauvegarde des droits de l'homme et des libertés fondamentales, sauf à y être obligé par une loi votée au Parlement qui n'est susceptible d'aucune autre interprétation. Le caractère progressif de cette convention apparaît bien dans la prescription selon laquelle les droits qui y sont énoncés sont «reconnus à toute personne», ainsi que dans la doctrine des obligations positives élaborée par la Cour de Strasbourg et appliquée de plus en plus par les tribunaux britanniques. Il s'ensuit que les organismes publics sont tenus par la loi d'adopter une approche anticipative plutôt que réactive, s'agissant d'appliquer la loi sur les droits de l'homme. En pratique, cela veut dire que, lorsqu'ils prennent des décisions relatives aux droits des personnes, y compris celles qui concernent leur propre personnel, les autorités publiques doivent garder les principes des droits de l'homme à l'esprit dans la conception et la prestation de tous leurs services.

»Un examen stratégique interministériel de la place occupée par les droits de l'homme dans l'administration centrale a été effectué en 2004. L'occasion a ainsi été donnée de comparer les expériences à l'intérieur des ministères et entre les ministères. À la suite de cet examen, le Gouvernement a remis en place le réseau de contacts relatifs aux droits de l'homme dans les ministères, lequel a pris la tête des efforts visant à encourager l'extension des bonnes pratiques. Ce réseau constitue également un moyen de donner un poids accru aux messages essentiels et d'attirer l'attention des responsables de l'élaboration des politiques sur l'évolution des choses dans le domaine des droits de l'homme. Le Gouvernement envisage aussi de mettre sur pied une formation plus large relative aux droits de l'homme à l'intention des fonctionnaires.

»À la suite de la publication de l'«Examen de la mise en œuvre de la loi sur les droits de l'homme» en juillet 2006, les pouvoirs publics se sont lancés dans une vaste campagne de sensibilisation aux droits de l'homme, comportant la production d'un nouveau manuel destiné aux organismes publics: *Human Rights: Human Lives*[47] (Droits de l'homme: vie des hommes). Ce manuel a été diffusé auprès des autorités afin de sensibiliser aux droits

47. *http://www.dca.gov.uk/peoples-rights/human-rights/pdf/hr-handbook-public-authorities.pdf*

de l'homme les membres du personnel non judiciaire des organismes publics et de leur faire découvrir les façons de penser permettant de trouver un juste équilibre entre les droits de la personne, ceux d'autrui et les intérêts de l'ensemble de la communauté. Cette campagne comporte également une stratégie de communication plus volontariste dans le domaine des droits de l'homme destinée à remettre en cause les mythes relatifs à l'application des droits de l'homme au Royaume-Uni. Les autorités envisagent également de sensibiliser le public aux droits de l'homme en organisant diverses manifestations publiques en coordination avec les Archives nationales et en renforçant la coordination avec les ONG. Le Gouvernement a mis sur pied un groupe ministériel chargé de veiller à ce que les ministères et les organismes dont les travaux impliquent des décisions concernant la sécurité publique se livrent à une analyse et à une révision urgentes des recommandations faites à leur personnel et de la formation qu'ils lui assurent»[48].

En juillet 2006, le Gouvernement a publié une étude intitulée «Review of the Implementation of the Human Rights Act» (Examen de l'application de la Loi des droits de l'homme). L'objectif de cette étude était d'évaluer la Loi des droits de l'homme, en se concentrant sur ses répercussions relatives au droit britannique et la formulation de politiques, et en déterminant en même temps les mythes et les idées erronées sur les droits de l'homme au Royaume-Uni. Par cette étude, on conclut qu'il est nécessaire d'assurer des services d'orientation et de formation en matière de droits de l'homme plus satisfaisants et cohérents au sein du Gouvernement, en faisant référence plus particulièrement aux milieux qui en sont actuellement dépourvus[49].

Au début de 2005, le Gouvernement a pressenti le *British Institute of Human Rights* (Institut britannique des droits de l'homme, BIHR) pour procéder à une étude permettant d'en savoir plus sur les ressources pouvant être mises à la disposition des écoles et utilisées par elles pour promouvoir en particulier la loi sur les droits de l'homme, et plus généralement la réflexion sur ces droits, auprès des jeunes, et suggérer comment les pouvoirs publics pourraient renforcer leur concours dans ce domaine. Sur la base des recommandations contenues dans le rapport correspondant, le Gouvernement travaille maintenant avec le BIHR à la production d'une ressource pour usage dans le programme d'éducation civique au niveau 3 (élèves âgés de 11 à 14 ans), au matériel de formation des professeurs et aux directives applicables à tout le cycle d'enseignement pour permettre aux écoles de satisfaire aux deux engagements prescrits par la loi sur les droits de l'homme et leur permettre de mettre en place dans les écoles une culture basée sur les droits de

48. UN Doc. E/C.12/GBR/5, paragr. 34-36.
49. Ibid., paragr. 40.

l'homme. On escomptait que les maquettes soient disponibles avant la fin juillet 2007, pour essais à grande échelle à l'automne suivant. Un réseau de professionnels, pédagogues et experts en matière de droits de l'homme, a été créé pour donner un avis sur l'élaboration des ressources, et le Gouvernement continue à développer des partenariats stratégiques avec les principaux organes et prestataires de services éducatifs pour faciliter le développement, le pilotage et la mise en œuvre, et leur suivi[50].

En ce qui concerne la profession juridique[51], une formation en matière de droits de l'homme à l'intention des avocats est offerte dans les trois juridictions du Royaume-Uni. Des directives (produites par l'administration judiciaire elle-même) sont également disponibles sous la forme d'un guide intitulé *Equal Treatment Bench Book*, qui contient des indications concernant la non-discrimination (de même que la législation et les instruments internationaux sur les droits de l'homme qui y sont liés) pour les personnes exerçant des fonctions judiciaires en Angleterre et au Pays de Galles[52], en Écosse[53] et en Irlande du Nord[54].

2.5. RECOMMANDATIONS ET OBSERVATIONS RÉALISÉES PAR LES DIFFÉRENTS MÉCANISMES DE SURVEILLANCE DES TRAITÉS INTERNATIONAUX DES DROITS DE L'HOMME À CHACUN DES ÉTATS DU CONSORTIUM ABDH

Afin de compléter cette information et de présenter le tableau de la manière la plus objective possible, les recommandations et les observations réalisées par les différents mécanismes de surveillance des traités internationaux des droits de l'homme, à chacun des États du consortium ABDH, sur la formation et l'éducation relatives aux droits de l'homme, sont également comprises dans cet indicateur.

La principale conclusion est que beaucoup de recommandations se répètent avec différentes nuances dans plusieurs pays du Consortium, ce qui met en avant les priorités des Nations Unies sur ce sujet. Nous pouvons regrouper ces priorités en deux grandes parties: d'un côté, on aurait les recommandations relatives à une amélioration ou une intensification dans l'apprentissage et la formation sur les droits de l'homme dans certains collectifs concrets de professionnels dont les compétences sont directement liées avec les droits de l'homme. D'un autre, on retrouve de nombreuses recommandations invitant

50. Ibid., paragr. 48.
51. *Cfr.* UN Doc. HRI/CORE/GBR/2014, párr. 43.
52. *http://www.judiciary.gov.uk/publications/equal-treatment-bench-book/*
53. *http://www.scotland-judiciary.org.uk/60/0/JSC-Publications*
54. *http://www.jsbni.com/Publications/Pages/default.aspx*

les États à intensifier les campagnes de sensibilisation destinées à la société en général et à certains professionnels en particulier. Nous les détaillons ci-après.

Parmi les *recommandations relatives à une amélioration ou intensification dans l'apprentissage et la formation sur les droits de l'homme,* celles destinées aux collectifs de professionnels suivants sont mises en valeur:

a) Les fonctionnaires qui travaillent dans le domaine de l'immigration de travailleurs, en particulier les juges et procureurs de la République, les agents de police et de contrôle des frontières, les travailleurs sociaux, les professionnels de la santé, le personnel qui travaille dans les centres de détention ainsi que les personnes qui s'occupent des travailleurs immigrés au niveau local, et les fonctionnaires consulaires[55].
b) Les professionnels qui travaillent avec des enfants, en particulier des maîtres, les autorités de migration, les membres des forces du maintien de la paix, des policiers, des avocats, des juges, des professionnels de la médecine, des travailleurs sociaux et des journalistes internationaux[56].
c) Les fonctionnaires chargés de faire respecter la loi sur les règles et normes de traitement des mineurs en contact ou en conflit avec la loi (système de justice des mineurs basé sur la réparation et la réhabilitation de plein droit)[57].
d) Le personnel des forces de l'ordre, afin d'assurer que ces derniers respectent et défendent tous les droits de l'homme de toutes les personnes, sans discrimination, dans l'exercice de leurs fonctions[58]. Plus concrètement, il est suggéré à la Tunisie de renforcer encore plus l'éducation relative aux droits de l'homme dans les études de l'École supérieure des forces de sécurité nationale. C'est un élément important pour garantir que l'application des mesures, afin de lutter contre le terrorisme par les forces de sécurité, soient conforme aux droits de l'homme et pour rendre la confiance du peuple tunisien dans le dispositif de sécurité. En ce sens, il est indiqué au pays qu'une méthode particulièrement efficace est l'instruction de formateurs, car elle combine un haut niveau d'acceptation des pairs avec

55. Maroc (UN Doc. CMW/C/MAR/CO/1, paragraphes 17-18, 28, 30, 48.e); Tunisie (UN Doc. A/HRC/23/46/Add.1, paragraphes 83, 87 et 88).
56. Maroc (UN Doc. CRC/C/OPAC/MAR/CO/1); Royaume-Uni (UN Doc. CRC/C/OPSC/GBR/CO/1 UN Doc. CERD/C/GBR/CO/18-20, paragr. 23), Algérie (UN Doc. CRC/C/DZA/CO/3-4, paragr. 26), Italie (UN Doc. CRC/C/ITA/CO/3-4, paragr. 19) Espagne (UN Doc. CERD/C/ESP/CO/18-20).
57. Maroc (UN Doc. CRC/C/OPAC/MAR/CO/1); Algérie (UN Doc. CRC/C/DZA/CO/3-4, paragr. 82).
58. Italie (UN Doc. CERD/C/ITA/CO/16-18, paragr. 26), Royaume-Uni (UN Doc. A/HRC/24/52/Add.1, paragr. 105).

l'expérience professionnelle. La participation des cadres supérieurs des organismes respectifs de sécurité est aussi essentielle, dans ce type d'activités de formation[59].

e) Des instituteurs et des professionnels qui travaillent en classes intégrées et qui apportent un soutien individuel et l'attention adéquate aux enfants ayant des difficultés d'apprentissage spécialisé et un handicap[60]. Les États sont invités à prendre les décisions nécessaires pour améliorer la qualité de l'éducation, moyennant en particulier la formation d'un corps enseignant de qualité. Il est également demandé que les problèmes relatifs à l'égalité des sexes et l'apprentissage sur ces questions se convertissent en partie intégrante, substantielle et obligatoire de la formation de l'enseignant à tous les niveaux[61]. Enfin, les États sont invités à faire recevoir aux enseignants une formation sur les droits de l'homme, l'égalité, la non-discrimination et le multiculturalisme, de sorte qu'ils soient capables d'apporter une éducation inclusive qui affronte la discrimination dans des contextes multiculturels[62].

f) Les professionnels de la santé et de l'administration de la justice doivent renforcer leur apprentissage sur la détection, l'information et la prévention de la torture et des mauvais traitements par l'intermédiaire de cours obligatoires de formation sur les normes internationales relatives à l'interdiction de la torture, et les dispositions qui contrôlent les investigations en cas de torture et mauvais traitement[63].

g) Les professionnels des médias pour promouvoir des images plus positives et intégratrices des minorités et des migrants, et augmenter leur visibilité et leur contribution à l'économie, afin de mettre en valeur la richesse de la diversité et construire un discours sur la migration ouverte, équilibrée et dépolitisée[64].

h) Les juges et les fonctionnaires, en particulier ceux qui sont chargés des sollicitudes d'immigration et d'asile, doivent améliorer leur formation sur les points de vue sensibles concernant le genre dans le traitement des victimes de la violence[65].

---

59. Tunisie (UN Doc. A/HRC/20/14/Add.1).
60. Maroc (UN Doc. CRC/C/OPAC/MAR/CO/1); Algérie (UN Doc. CRC/C/DZA/CO/3-4, paragr. 56), Tunisie (UN Doc. CDPD/C/TUN/CO/1).
61. Italie (UN Doc. CEDAW/C/ITA/CO/6), Algérie (UN Doc. A/HRC/17/26/Add), Royaume-Uni (UN Doc. CERD/C/GBR/CO/18-20, paragr. 23).
62. Royaume-Uni (UN Doc. A/HRC/24/52/Add.1, paragr. 104), Algérie (UN Doc. CERD/C/DZA/CO/15-19), Maroc (UN Doc. CERD/C/MAR/CO/17-18).
63. Maroc (UN Doc. A/HRC/22/53/Add.2, paragr. 95.b), Royaume-Uni (UN Doc. CAT/C/GBR/CO/5).
64. Royaume-Uni (UN Doc. A/HRC/24/52/Add.1, paragr. 108).
65. Royaume-Uni (UN Doc. CEDAW/C/GBR/CO/7, paragr. 59), Tunisie (UN Doc. E/C.12/TUN/CO/3, paragr. 39.c).

i) Les défenseurs des droits de l'homme doivent améliorer leurs capacités afin d'être plus efficaces, avec pour objectif, la formation dans le domaine des droits de l'homme et sur la fonction des mécanismes régionaux et internationaux[66].

L'autre groupe de recommandations que les mécanismes adressent aux États du consortium ABDEM ont comme destinataire la société en général, et elles sont liées avec la promotion et la réalisation de campagnes de sensibilisation sur les différentes questions rattachées directement aux droits de l'homme, comme celles citées ci-dessous:

a) Des campagnes contre le racisme et toute discrimination raciale[67].
b) Des campagnes pour combattre la stigmatisation et les préjugés à l'égard des enfants handicapés, promouvoir une image positive des enfants et des adultes handicapés, et souligner l'importance de leur contribution en tant que membres actifs de la société[68].
c) Des campagnes dirigées vers l'industrie du tourisme et le public en général sur la prévention du tourisme sexuel infantile. Les États sont invités à diffuser largement, parmi les agences de voyages, le *Code de Conduite pour la protection des enfants contre l'exploitation sexuelle dans un contexte lié aux voyages et au tourisme* et le *Code mondial d'éthique du tourisme* adopté en 1999 par l'Assemblée générale de l'Organisation mondiale du tourisme[69].
d) Des campagnes afin de promouvoir la participation significative et la liberté de tous les enfants dans la famille, la communauté et les écoles, y compris les organes du conseil des étudiants, en prêtant une attention spéciale aux petites filles et aux petits garçons en situation de vulnérabilité[70]. Ces campagnes doivent également informer les enfants et les autres intéressés, y compris les parents et les professionnels de la justice, sur les droits des enfants à exprimer leurs opinions et sur les mécanismes et voies existantes pour cela[71].
e) Des campagnes de sensibilisation et des programmes de mobilisation sociale sur les effets nocifs, physiques et psychologiques du

66. Tunisie (UN Doc. A/HRC/22/47/Add.2, paragr. 102).
67. Maroc (UN Doc. CMW/C/MAR/CO/1, paragr. 20); Royaume-Uni (UN Doc. A/HRC/24/52/Add.1, paragr. 105); Algérie (UN Doc. CERD/C/DZA/CO/15-19).
68. Maroc (UN Doc. CRC/C/OPAC/MAR/CO/1); Algérie (UN Doc. CRC/C/DZA/CO/3-4, paragr. 56).
69. Maroc (UN Doc. CRC/C/OPAC/MAR/CO/1); Royaume-Uni (UN Doc. CRC/C/OPSC/GBR/CO/1).
70. Maroc (UN Doc. CRC/C/OPAC/MAR/CO/1); Royaume-Uni (UN Doc. CRC/C/OPSC/GBR/CO/1).
71. Algérie (UN Doc. CRC/C/DZA/CO/3-4, paragr. 36).

châtiment corporel, afin de modifier l'attitude générale vers cette pratique et promouvoir des formes positives, non violentes et participatives d'éducation et de discipline comme alternative à ces châtiments[72]. Ces campagnes doivent aussi informer les enfants sur les mécanismes de protection auxquels ils peuvent accéder[73].

f) Des campagnes pour lutter contre la stigmatisation des victimes d'exploitation et d'abus sexuel, y compris l'inceste, et garantir des canaux d'information confidentiels, accessibles et efficaces pour affronter de telles violences[74].

g) Des campagnes de sensibilisation au sujet de toutes les formes de violence faites à l'égard des femmes, y compris les femmes noires et les minorités ethniques[75].

h) Des campagnes avec pour objectif l'élimination des attitudes discriminatoires à l'égard des femmes et faire face aux stéréotypes sur les responsabilités et les fonctions des femmes et des hommes dans la famille, en société ou sur le lieu de travail, et prendre des mesures concrètes pour changer les attitudes, les traditions, les habitudes et les pratiques habituelles de comportement qui, bien souvent, servent de justification à la violence familiale, en particulier à l'égard des filles, des femmes noires et des minorités ethniques[76].

3. CONDITIONS ET MODALITÉS DE RÉCEPTION DES TRAITÉS INTERNATIONAUX DES DROITS DE L'HOMME DANS L'ORDRE INTERNE DES ÉTATS DU CONSORTIUM ABDEM

L'efficacité des traités internationaux dépend de leur valeur par rapport au droit interne, c'est-à-dire de la supériorité de leurs normes en cas de conflit avec les dispositions de l'ordre juridique interne. Le droit international prévoit qu'aucun membre d'un traité ne peut invoquer les dispositions de son droit interne pour justifier la non-application de dispositions dudit traité. Ce principe est confirmé par la doctrine de la Cour Permanente de Justice Internationale (CPJI) dans deux avis consultatifs[77]. En vertu de la

72. Maroc (UN Doc. CRC/C/OPAC/MAR/CO/1); Royaume-Uni (UN Doc. CAT/C/GBR/CO/5, paragr. 29).
73. Maroc (UN Doc. CRC/C/OPAC/MAR/CO/1); Espagne (UN Doc. CRC/C/OPSC/ESP/CO/1).
74. Maroc (UN Doc. CRC/C/OPAC/MAR/CO/1).
75. Royaume-Uni (UN Doc. CAT/C/GBR/CO/5, paragr. 39).
76. Maroc (UN Doc. CRC/C/OPAC/MAR/CO/1); Algérie (UN Doc. A/HRC/17/26/Add.3), Tunisie (UN Doc. CEDAW/C/TUN/CO/6), Royaume-Uni (UN Doc. CEDAW/C/GBR/CO/7, paragraphes 35, 39 et 45).
77. Le premier remonte au 21 février 1925, dans lequel la Cour déclare qu'«un État qui avait valablement contracté des obligations internationales (était) tenu d'apporter à sa législa-

Convention de Vienne sur les dispositions des traités de 1966; les engagements internationaux prévalent sur le droit interne. L'article 26 dispose que «tout traité en vigueur lie les parties et doit être exécuté par elles de bonne foi». L'article 27 précise qu'«une partie ne peut invoquer les dispositions de son droit interne comme justifiant la non-exécution d'un traité».

Les principaux textes internationaux relatifs aux droits de l'homme –en particulier, les deux Pactes de 1966– laissent aux États parties le choix de la méthode d'application des instruments juridiques internationaux dans leurs territoires et ordres juridiques respectifs, toutefois qu'ils adoptent graduellement des mesures pour rendre effectifs, sans discriminations, les droits qui y sont visés[78]. Les différents comités des droits de l'homme de l'ONU sont conscients de l'importance de la clarification de cette question par les États membres. Ainsi, le Comité des droits économiques, sociaux et culturels dans son observation générale intitulée «l'application du Pacte au niveau national»[79] a mis en évidence la place du Pacte dans l'ordre juridique interne. Il a proclamé que les questions relatives à l'application du Pacte au niveau national doivent être régies en vertu de l'article 27 de la Convention de Vienne mentionnée ci-dessus. Le Comité des droits de l'enfant va dans le même sens; il a demandé expressément, dans ses directives aux États, d'indiquer la place de la convention dans le droit interne[80].

Les modalités adoptées pour rendre les traités supérieurs aux lois nationales, varient selon les États. Certaines constitutions étatiques reconnaissent la supériorité des traités. En revanche, d'autres requièrent l'adoption de lois spécifiques pour donner à un traité international, même s'il a été ratifié, force de loi nationale. D'autres États ne reconnaissent la primauté des conventions

---

tion les modifications nécessaires pour assurer l'exécution des engagements pris» (CPJI, affaire Échanges de populations grecques et turques, avis consultatif, Série B, n° 10, p. 20). Le deuxième avis date du 4 février 1932, il déclare qu'«un État ne saurait invoquer sa propre constitution pour se soustraire aux obligations que lui imposent le droit international ou les traités en vigueur» (CPJI, affaire Traitement des nationaux polonais à Dantzig, avis consultatif, Série A/B, n° 44, p. 24).

78. Le paragraphe 5 de l'Observation générale n° 9 du Comité des droits économique, sociaux et culturels, 28 décembre 1998, (UN Doc. E/C.12/1998/24) reconnaît cette position: «Le Pacte ne définit pas concrètement les modalités de sa propre application dans l'ordre juridique national. De plus, il ne contient aucune disposition obligeant les États parties à l'incorporer intégralement au droit national ou à lui accorder un statut particulier dans le cadre de ce droit. Bien que les modalités concrètes pour donner effet, dans l'ordre juridique national, aux droits qui sont reconnus dans le Pacte soient laissées à la discrétion de chaque État partie, les moyens utilisés doivent être appropriés, c'est-à-dire qu'ils doivent produire des résultats attestant que l'État partie s'est acquitté intégralement de ses obligations». L'Observation générale n° 3 du Comité des droits de l'homme se prononce dans un sens très similaire.
79. Ibid., paragraphe 3.
80. Cf. MEUNIER, G., *L'application de la Convention des Nations Unies relatives aux droits de l'enfant dans le droit interne des États parties*, L'Harmattan, Paris, 2002, p. 115.

internationales que pour les lois antérieures à leur adoption tandis que les lois postérieures sont supérieures aux règles des traités. Pour résumer, les droits étatiques conçoivent la réception des traités de deux manières: par la transformation au moyen d'un acte formel de production normative interne (loi, décret, etc.) –le nommé régime de *réception spéciale* – ou au moyen de leur incorporation immédiate dès que les traités sont obligatoires internationalement, exigeant éventuellement l'acte matériel de leur publication officielle –régime de *réception automatique* –[81]. Le régime de réception spéciale est propre des systèmes dualistes et celui de réception automatique des systèmes monistes. Ainsi donc, la norme internationale en vigueur s'incorporerait au droit national, considérée comme une de ses parties, qu'il s'agisse d'une exception moniste ou dualiste. Son incorporation implique aussi son assise dans la hiérarchie normative de l'ordre juridique national.

Dans le premier cas, la convention est obligatoire et donc effective, non pas à partir de la date de sa ratification (pas d'effet direct) mais plutôt dès lors que le Parlement a voté une loi pour l'admission du traité dans le droit du pays. Cela signifie que la norme internationale n'est pas reconnue en tant que telle et quelle doit subir transformation, en loi nationale, pour qu'elle puisse déployer toute son effectivité. Il pourrait arriver que de nombreuses années s'écoulent avant que la convention ratifiée ne soit admise par le biais de la promulgation d'une loi. C'est ce système qu'a choisi, par exemple, le Royaume-Uni. En revanche, dans les pays au régime de réception automatique ces normes sont directement applicables dans l'État sans l'intervention de normes nationales. Cela signifie que la norme est acceptée en tant que source à part entière de droit, intégrée dans la hiérarchie des normes juridiques. Certains pays ont généralisé ce principe mais en considérant que dès lors que l'applicabilité de la convention internationale ratifiée a des incidences sur les finances publiques de l'État, le Parlement doit l'approuver par l'adoption d'une loi. On peut citer, notamment, le cas de la France et du Maroc qui ont fait de cette règle un principe constitutionnel. Dans le cas de ces pays il ne s'agit certainement pas de neutraliser la norme internationale mais bien plutôt de lui offrir une réelle assise financière. L'intégration de la norme internationale se fera en lui donnant une autorité supérieure à la loi du pays. La Constitution pourra être modifiée dans le sens de l'admission de l'ouverture du droit national au droit international.

Finalement, on se rend compte que la théorie générale des rapports de systèmes peut se révéler plus subtile et aborder les produits du système international selon les modes de formation. C'est pour cela qu'aucun État n'est

81. Cf. REMIRO BROTONS, A., Et. al., *Derecho Internacional*, Mc Graw Hill, Madrid, 1997, pp. 356 et 357.

totalement dualiste ou moniste. De fait, il est fréquent que les deux systèmes se côtoient, donnant ainsi un tertius genus *hybride où s'unissent des éléments du monisme et du dualisme et où certaines normes du droit international prennent place automatiquement tandis que d'autres sont écartées.*

Parmi les États du Consortium ABDEM on apprécie des différences dans les systèmes de réception des textes internationaux. En ce sens, il est intéressant de relever que «cette question n'est pas toujours tranchée d'une manière claire dans les législations internes des États de l'Orient arabe, tant sur le plan constitutionnel que jurisprudentiel»[82]. Et, bien que la position des États de l'Orient arabe n'est pas toujours la même envers les instruments internationaux des droits de l'homme, il faut souligner que tous les pays maghrébins du Consortium ABDEM maintiennent une position forte et claire quand ils donnent à ces textes internationaux une valeur supérieure à la loi nationale.

3.1. ESPAGNE

L'activité extérieure de l'État espagnol en matière de traités internationaux est régulée par les articles 56, 63.2 et 93 à 96 de la Constitution espagnole de 1978[83]. En général, dans une perspective constitutionnelle, on consi-

82. «En effet, –affirme l'auteur– la supériorité ou non des traités internationaux vis-à-vis des législations nationales, est ambiguëdans certains États d'Orient. Cela est dû à plusieurs raisons. Tout d'abord, certaines constitutions, comme celle de la Jordanie ne contiennent aucune disposition consacrée expressément au rapport entre les traités internationaux et les lois nationales. En outre, la valeur constitutionnelle de la charia rentre en conflit avec la valeur constitutionnelle des traités internationaux dans la mesure où il y a incompatibilité entre quelques dispositions islamiques et internationales» (NAEL GEORGES, *La valeur des instruments internationaux vis-à-vis du droit interne des États de l'Orient arabe,* Centre Arabe pour l'Éducation au Droit International Humanitaire et aux Droits Humains; Disponible: *https://www.acihl.org/articles.htm?article_id=24#note3*; consulté le 12 septembre 2016).

83. De même –comme il est détaillé au préambule de la loi 25/2014, du 27 novembre, relative aux Traités et autres accords internationaux–, «l'aménagement territorial réalisé après l'entrée en vigueur de la Constitution espagnole de 1978 a signifié la reconnaissance des Communautés autonomes à travers leurs différents statuts d'autonomie aux compétences importantes en matière d'action extérieure. De cette manière, et à conséquence de ce qui est prévu au point trois de l'article 149.1 de la Constitution espagnole, l'État jouit d'une compétence exclusive en matière de relations internationales ce qui inclut précisément la capacité de conclure des traités internationaux, le nommé ius ad tractatum. Les Communautés autonomes sont compétentes pour réaliser certaines activités extérieures parmi lesquelles, à titre d'exemple, la conclusion d'accords internationaux non normatifs. Elles ont aussi compétence pour conclure des accords internationaux administratifs, dans la concrétisation ou l'exécution d'un traité. Elles jouissent, en outre, de compétences dans d'autre aspects de l'action extérieure qui ont aussi des conséquences sur la propre politique extérieure de l'État en matière de conclusion de traités internationaux qui doivent faire l'objet de régulation pour garantir leur insertion adéquate dans la compétence exclusive de l'État découlant des articles 97 y 149.1.3.ª de la Constitution espagnole. C'est le

dère que les traités internationaux ont une position d'infra-constitutionnalité et de supra-légalité par rapport à l'ordre interne espagnol. Leur position *infra-constitutionnelle* découle d'abord de la clause qui établit que «La conclusion d'un traité international contenant des dispositions contraires à la Constitution devra être précédée d'une révision de celle-ci» (art. 95.1 CE). Par conséquent, si un traité international contient des clauses incompatibles avec la Constitution, sa ratification demande une réforme préalable de la Constitution pour garantir la compatibilité entre les deux textes. Son infra-constitutionnalité se retrouve, ensuite, dans la possibilité de contrôler la constitutionnalité des traités internationaux après leur ratification par le Tribunal constitutionnel.

De même, la primauté du droit international sur les normes de droit interne se dégage de l'art. 96.1 car «leurs dispositions ne pourront être abrogées, modifiées ou suspendues que sous la forme prévue dans les traités eux-mêmes ou conformément aux normes générales du droit international». En cas de contradiction avec une loi, c'est le traité qui prévaut et la loi ne s'appliquera pas, mais elle ne sera cependant pas annulée ni rejetée de l'ordre juridique[84]. Une dernière précision découle de l'art. 96.1 CE: «Les traités internationaux régulièrement conclus et une fois publiés officiellement en Espagne feront partie de l'ordre juridique interne»[85]. En conséquence, la seule condition exigée pour la réception des traités internationaux dans le droit interne espagnol consiste en leur publication selon les procédés formels établis par la législation nationale. Il n'est donc pas nécessaire d'adopter de norme qui incorpore expressément les traités internationaux à l'ordre interne. Sous cette perspective, le système espagnol peut être qualifié de système hybride, et certains le qualifient de dualiste modéré.

En ce qui concerne, spécifiquement, les instruments conventionnels internationaux ratifiés par l'Espagne en matière de droits de l'homme, ils assument un double rôle dans le système juridique espagnol. En effet, comme le reste des traités, il s'agit de normes d'interprétation constitutionnelle qui

---

cas, par exemple, du droit des Communautés autonomes de proposer l'ouverture de négociations pour la conclusion de traités sur des matières pour lesquelles elles démontrent un intérêt justifié, le droit à être informées de la négociation de traités internationaux qui affectent leurs compétences ou le droit de demander au Gouvernement de former partie de la délégation espagnole qui va négocier un traité international qui affectera les compétences des Communautés autonomes».

84. Cf. TORRES PÉREZ, A., El impacto del derecho internacional de los derechos humanos en España, en AA.VV., *Protección multinivel de derechos humanos. Manual*, Red de Derechos Humanos y Educación Superior, 2013, p. 420.

85. L'article 5.1 du Code civil dispose que: «Les normes juridiques contenues dans les traités internationaux se sont pas d'application directe en Espagne tant qu'elles ne forment pas partie de l'ordre juridique interne à partir de leur publication intégrale au Bulletin officiel de l'État».

doivent être prises en compte dans l'attribution de sens aux droits et libertés reconnus dans la Constitution[86]. En effet, conformément à ce qui est prévu à l'art. 10.2 CE, «Les normes relatives aux droits fondamentaux et aux libertés que reconnaît la Constitution seront interprétées conformément à la Déclaration Universelle des Droits de l'Homme et aux traités et accords internationaux portant sur les mêmes matières ratifiés par l'Espagne». Ce précepte dote les traités internationaux relatifs aux droits de l'homme d'une valeur ajoutée car il les considère comme un critère herméneutique et, de plus, comme une «source interprétative-intégratrice» du texte constitutionnel[87]. Cela n'implique cependant pas la constitutionnalisation de ces traités, de sorte qu'ils ne peuvent jamais servir de source supplétive ni intégrative. La reconnaissance d'un hypothétique droit fondamental reconnu dans ces traités et non dans le texte constitutionnel n'a donc pas de sens. Par contre, l'art. 10.2 garantit «un modèle herméneutique minimum et empêche l'adoption d'interprétations régressives par rapport à la conception des droits en vigueur dans la communauté internationale»[88].

Suivant l'interprétation la moins stricte, choisie expressément par le Tribunal Constitutionnel (TC), l'article 10.2 CE traite des droits reconnus aux articles 10 à 38 de la CE et, par conséquent, de tous les droits inclus au chapitre II du Titre I[89]. Le Tribunal Constitutionnel ne s'est toutefois pas prononcé d'une manière générale sur l'application de l'article 10.2 CE relatif aux droits visés comme «Principes directeurs de la politique sociale et économique» au chapitre III, qui sont ceux qui jouissent d'un niveau de protection inférieur[90]. Jusqu'à présent le Haut Tribunal n'a utilisé que de rares fois, et avec une importance décisionnelle presque nulle, les textes internationaux pour l'interprétation de ces préceptes. De fait, le Comité des droits économiques, sociaux

86. Cf. APARICIO PÉREZ, M., «La cláusula interpretativa del art. 10. 2 de la Constitución española, como cláusula de integración y apertura constitucional a los derechos fundamentales», dans *Jueces para la democracia*, 1133-0627, n° 6, 1989, p. 10.
87. Cf. ALONSO GARCÍA, E., La interpretación de la Constitución, Centro de Estudios Políticos y Constitucionales, Madrid, 1984, p. 400.
88. CUENCA GÓMEZ, P., La incidencia del derecho internacional de los derechos humanos en el derecho interno: la interpretación del artículo 10.2 de la Constitución española, Revista de Estudios Jurídicos n° 12/2012 (Segunda Época), p. 4.
89. Un autre courant, plus restrictif, considère que la clause interprétative contenue dans l'art. 10.2 CE s'applique exclusivement aux droits reconnus dans la Section I du Chapitre II du Titre I de la Constitution et à l'article 14 qui, on le sait, sont les droits reconnus qui jouissent du niveau maximum de garantie conformément aux dispositions de notre norme fondamentale. *Vid.*, dans ce sens, PRIETO SANCHÍS, L., «El sistema de protección de los derechos fundamentales: el art. 53 de la Constitución española», Anuario de Filosofía del Derecho, n° 2 (1983), pp. 367-425.
90. En ce sens, l'article 53.3 CE dispose que «La reconnaissance, le respect et la protection des principes reconnus au chapitre trois inspireront la législation positive, la pratique judiciaire et l'action des pouvoirs publics. Ils ne pourront être allégués devant la juridiction ordinaire que conformément aux dispositions des lois qui les développeront».

et culturels (CESCR) a manifesté son inquiétude du fait qu'en Espagne, les droits économiques, sociaux et culturels soient considérés comme de simples «principes directeurs» et a exhorté l'Espagne à garantir à ces droits un niveau de protection analogue à celui appliqué aux droits civils et politiques[91].

3.2. ROYAUME-UNI

La souveraineté et l'autonomie du Parlement est un principe constitutionnel fondamental du Royaume-Uni. Cela signifie que, conformément au droit britannique, les instruments internationaux ratifiés par le Royaume-Uni ne sont pas directement applicables par les tribunaux nationaux, excepté s'ils ont été incorporés expressément à la législation interne au moyen d'une loi du Parlement. Le Gouvernement britannique suit la politique de ne pas ratifier de traités s'il n'est pas sûr de leur compatibilité avec la législation et la pratique nationales[92]. Selon le principe de souveraineté parlementaire, le pouvoir judiciaire ne peut abroger une loi du Parlement britannique s'il la considère inconstitutionnelle ou si elle ne respecte pas les obligations en matière de droits de l'homme. La loi relative aux droits de l'homme de 1998 préserve la souveraineté parlementaire mais autorise les tribunaux à signaler les incompatibilités de la législation primaire. La Loi exige aux tribunaux d'interpréter, dans la mesure du possible, toute la législation d'une manière compatible avec la Convention européenne des droits de l'homme et des libertés fondamentales exposés dans cette loi. Cependant, si ce n'était pas possible, toute incompatibilité de la législation primaire pourra donner lieu à une «déclaration d'incompatibilité», alors que toute incompatibilité de la législation secondaire pourra conduire à sa révocation[93]. Il existe, en outre, le principe très ancré que les tribunaux, en interprétant ou en donnant effet à la législation interne promulguée après la date d'un traité, ont la volonté de donner effet aux obligations que les instruments internationaux imposent et que la législation nationale ne soit pas incompatible avec eux. Par ailleurs, si l'application du *common law* s'avérait nécessaire, les tribunaux trancheraient sur les affaires portées devant lui en vertu des obligations internationales assumées par le Royaume-Uni[94].

---

91. Cf. UN Doc. E/C.12/ESP/CO/5, paragr. 6.
92. Cf. Application du pacte international relatif aux droits économiques, sociaux et culturels, Cinquièmes rapports périodiques soumis par les États parties au titre des articles 16 et 17 du Pacte, Royaume-Uni de Grande-Bretagne et d'Irlande du Nord, août 2007 (UN Doc. E/C.12/GBR/5, paragr. 50).
93. Cf. COMITÉ DES DROITS DE L'HOMME, Examen des rapports présentés par les États parties conformément à l'article 40 du Pacte, Royaume-Uni de Grande-Bretagne et d'Irlande du Nord, Sixième rapport périodique, novembre 2006 (UN Doc. CCPR/C/GBR/6, paragr. 9).
94. Cf. UN Doc. E/C.12/GBR/5, paragr. 50.

En définitive, même dans le cas d'un système dualiste comme celui du Royaume-Uni, l'État partie a l'obligation d'appliquer ce qui est établi dans les textes internationaux qu'il a librement ratifiés et de leur donner effet dans le droit interne. C'est pourquoi, malgré le fait que les droits visés dans ces traités ne soient pas directement exigibles devant les tribunaux britanniques, ils constituent des obligations contraignantes[95]. En ratifiant les traités, le Royaume-Uni s'est engagé à assurer que ses lois et ses politiques nationales s'y ajustent. Cela signifie que la Commission, le Parlement et la société civile peuvent responsabiliser le Gouvernement d'agir contre ce qui est établi dans les traités internationaux relatifs aux droits de l'homme. À travers des mesures législatives et administratives adéquates, le Gouvernement britannique applique les droits protégés par ces instruments en leur donnant effet graduellement, sans discriminations[96].

La loi relative aux droits de l'homme de 1998[97], qui s'applique à l'ensemble du Royaume-Uni, permet que la plupart des droits prévus par la Convention de sauvegarde des droits de l'homme et des libertés fondamen-

95. Cependant, le fait que les droits prévus aux Pactes ne puissent être appliquées directement par les tribunaux nationaux peut restreindre l'accès aux recours juridiques efficaces pour la violation de ces mêmes droits.

96. En ce qui concerne la question de la «justiciabilité» des droits prescrits dans le Pacte, à savoir l'application par les tribunaux internes de ces droits, le Gouvernement n'est pas convaincu de pouvoir incorporer les droits prescrits dans le Pacte de manière significative dans l'ordre juridique britannique, pour les motifs exposés dans son rapport périodique: *vid.* UN Doc. E/C.12/GBR/5, paragr. 74.

97. «La loi sur les droits de l'homme est entrée pleinement en vigueur le 2 octobre 2000. Elle a essentiellement un triple effet. D'abord, elle place toutes les autorités publiques (y compris les instances centrales et locales, la police et les tribunaux) dans l'obligation d'agir d'une manière compatible avec les droits qui y sont énoncés, et permet aux citoyens de saisir un tribunal du Royaume-Uni contre un organisme public qui ne les aurait pas respectés. Ensuite, elle exige que tous les textes de lois soient interprétés et appliqués d'une manière compatible avec les droits susdits. Si la chose est impossible, les juridictions supérieures peuvent déclarer officiellement la loi concernée incompatible avec la Convention de sauvegarde (dans le cas de lois votées par le Parlement), ou l'annuler (dans le cas des actes de droit dérivé). Une déclaration officielle d'incompatibilité n'a aucune incidence sur la validité des lois ou la poursuite de leur application, mais peut entraîner le recours à une ordonnance correctrice, procédure spéciale permettant aux ministres d'amender les dispositions incriminées ou l'adoption d'une nouvelle loi modificative. Le dépôt, par un ministre, d'un projet de loi au Parlement doit être assorti d'une déclaration selon laquelle ce projet est, à son avis, compatible avec les droits énoncés dans la Convention de sauvegarde des droits de l'homme et des libertés fondamentales, ou indiquant que, malgré le fait qu'il ne soit pas en mesure de l'affirmer, il souhaite que la Chambre poursuive la procédure. Enfin, la Loi sur les droits de l'homme dispose que les tribunaux britanniques tiennent toujours compte de la jurisprudence de la Cour européenne des droits de l'homme de Strasbourg lorsqu'ils doivent statuer sur une question en rapport avec un droit énoncé dans la Convention de sauvegarde» (Royaume-Uni de Grande-Bretagne et d'Irlande du Nord, examen des rapports présentés par les États parties conformément à l'article 40 du Pacte, Sixième rapport périodique, novembre 2006, UN Doc. CCPR/C/GBR/6, paragr. 15).

tales soient invoqués directement devant les tribunaux du Royaume-Uni[98]. La Charte des droits fondamentaux de l'Union européenne a force obligatoire pour le Royaume-Uni lorsqu'il agit dans le cadre du droit européen[99]. De plus, elle exige que les lois soient toutes interprétées et appliquées, autant que faire se peut, d'une manière compatible avec les droits consacrés par la Convention européenne (et que le ministre qui présente un projet de loi au Parlement fasse une déclaration sur la compatibilité du texte avec les droits qui y sont énoncés); interdit à un organisme public d'agir d'une manière incompatible avec les droits énoncés dans la Convention et oblige les juridictions du Royaume-Uni à tenir compte de la jurisprudence de la Cour européenne des droits de l'homme lorsqu'elles sont saisies pour une question concernant les droits énoncés dans la Convention. En vertu de la loi relative à l'Écosse de 1998, de la loi relative à l'Irlande du Nord de 1998 et de la loi relative au Gouvernement du Pays de Galles de 2006, les administrations investies de compétences déléguées ne peuvent adopter des mesures ou des lois contraires à la Convention de sauvegarde des droits de l'homme et des libertés fondamentales[100].

Finalement, toute personne ou organisation qui estime avoir été lésée dans ses droits au regard de la Convention de sauvegarde des droits de l'homme et des libertés fondamentales par le Royaume-Uni peut faire appel auprès de la Cour européenne des droits de l'homme si: elle a épuisé tous les recours internes disponibles; si moins de six mois se sont écoulés depuis la date à laquelle la décision finale a été prise; si elle a subi un préjudice grave et sa demande n'est pas manifestement dénuée de fondement[101].

Cependant, plusieurs droits protégés par les Pactes internationaux de 1966 ne sont pas inclus au *Human rights Act*, Loi des droits de l'homme de 1998. Le Comité pour les droits de l'homme a manifesté son inquiétude au sujet de la lenteur dans l'introduction de la Charte des droits en Irlande du Nord et du manque d'un mécanisme global pour examiner les lacunes et les

98. En juillet 2006, le Gouvernement publiait l'étude intitulée «Review of the Implementation of the Human Rights Act» (*http://www.dca.gov.uk/peoples-rights/human-rights/pdf/full_review.pdf*). Le but de l'étude était d'évaluer la Loi relative aux droits de l'homme en se centrant sur ses répercussions sur le droit britannique et la formulation de politiques et de déterminer à la fois les mythes et les idées erronées sur les droits de l'homme au Royaume-Uni.

99. *Vid. European Union (Amendment) Act 2008* (loi de 2008 portant modification de la loi sur l'Union européenne; Disponible: *http://www.legislation.gov.uk/ukpga/2008/7/contents*) et *European Communities Act 1972* (loi relative aux Communautés européennes de 1972).

100. Cf. Document de base faisant partie intégrante des rapports présentés par les États parties. Royaume-Uni de Grande-Bretagne et d'Irlande du Nord, septembre 2014 (UN Doc. HRI/CORE/GBR/2014, paragr. 36).

101. Ibid., paragr. 39.

incohérences existantes entre le cadre juridique national relatif aux droits de l'homme et les droits protégés par le Pacte[102].

Finalement, des lois supplémentaires protègent des droits spécifiques ou des catégories de droits[103] C'est le cas, par exemple de la loi intitulée *Equality Act 2006*[104] (loi relative à l'égalité de 2006) et de la loi intitulée *Equality Act 2010*[105] (loi relative à l'égalité de 2010) (en Angleterre, au pays de Galles et en Écosse) qui renforcent les mesures antidiscriminatoires (voir aussi la section III, «Informations concernant la non-discrimination et l'égalité et les recours utiles», ci-dessous) tandis que la loi intitulée *Data Protection Act 1998*[106] (loi relative à la protection des données de 1998) (applicable à l'ensemble du Royaume-Uni), la loi intitulée *Freedom of Information Act 2000*[107] (loi relative à l'information de 2000) (en Angleterre, au pays de Galles et en Irlande du Nord) et la *Freedom of Information (Scotland) Act* 2002[108] (loi relative à la liberté de l'information (Écosse) de 2002 (en Écosse) renforcent les droits à l'information.

3.3. ITALIE[109]

Dans la jurisprudence italienne, la matière concernant les méthodes d'intégration des droits de l'homme dans le droit interne, doit être considérée à la lumière de deux articles de la Constitution de 1948. Il s'agit de l'article 10 et de l'article 117. L'article 10 établit que «l'ordre juridique italien se conforme aux règles du droit international généralement reconnues».[110] Les normes internationales communes et acceptées par un groupe nombreux d'États sont directement applicables par les juges et, plus en général, par des agents juridiques internes qui ont la tâche d'enregistrer leur existence et leurs contenus. L'adaptation au droit international à travers ce type de dispositif automatique est *immédiate, complète et continue*. Cela signifie qu'elle traduit dans l'ordre juridique interne, complètement et immédiatement, tout changement

102. Le Comité a aussi montré son inquiétude par rapport à la supposée existence d'un plan pour déroger la Loi relative aux droits de l'homme de 1998 et la remplacer par une nouvelle Charte de droits pour le Royaume-Uni de Grande-Bretagne et l'Irlande du Nord, et par rapport au fait que cela affaiblirait le grade de protection octroyé aux droits consacrés dans le Pacte dans l'ordre juridique interne. Comité de Derechos Humanos, Observaciones finales sobre el séptimo informe periódico del Reino Unido de Gran Bretaña e Irlanda del Norte, 2015, UN Doc. CCPR/C/GBR/CO/7, paragr. 5.
103. Ibid. paragr. 36.
104. *http://www.legislation.gov.uk/ukpga/2006/3/contents*
105. *http://www.legislation.gov.uk/ukpga/2010/15/contents*
106. *http://www.legislation.gov.uk/ukpga/1998/29/contents*
107. *http://www.legislation.gov.uk/ukpga/2000/36/contents*
108. *http://www.legislation.gov.uk/ukpga/2000/36/contents*
109. Je remercie le professeur MICHELE BRUNELLI pour ses apports.
110. *Vid.* l'article 117 de la Constitution italienne (traduction officielle disponible: *http://www.quirinale.it/qrnw/costituzione/pdf/costituzione_francese.pdf#page=29&zoom=auto,-107,262*).

des normes internationales. Si les normes internationales changent leur contenu, les normes internes d'adaptation suivent ces changements.

Une autre méthode à la disposition du législateur est fournie par l'article 117 qui dit à son premier alinéa que *«le pouvoir législatif est exercé par l'État et les régions dans le respect de la Constitution, aussi bien que les contraintes découlant de la réglementation communautaire et des obligations internationales»*[111]. Il s'agit d'un article qui a été soumis à une réforme radicale par la loi constitutionnelle n. 3/2001y[112] et qui a étendu le pouvoir législatif aux régions à statut ordinaire. Avant la loi de réforme, ces régions ne pouvaient exercer le pouvoir législatif que dans les domaines visés à l'ancien article cité plus haut et que dans des limites d'une loi cadre de l'État, ou bien dans le cadre de la *compétence concourante*. Avec la modification introduite en 2001, d'une part l'État a perdu sa centralité et donc sa puissance législative générale et dorénavant il ne peut légiférer que pour des matières prévues par la Constitution, et, d'autre part, les régions aussi deviennent sujet actif du point de vue du pouvoir législatif. L'article 117 alinéa 1 amène une autre conséquence fondamentale pour cet argument qui implique le devoir de respecter les obligations du droit international. Ce respect se réalise non seulement en évitant de promulguer des normes qui seraient contraires à l'obligation internationale ou contradictoires, mais aussi en adoptant rapidement toute norme requise par cette obligation.

Les principaux instruments d'incorporation sont prévus à l'article 10 de la Constitution. Il existe en Italie deux approches différentes aux normes du droit international: une approche formelle et une approche substantielle. La diversité des deux règlements a une expression particulière quand la norme internationale qui doit être élaborée, concerne la matière des droits de l'homme ou, plus en général, une matière constitutionnelle. L'approche formelle concerne le moyen par lequel le droit positif de l'État réalise l'adaptation à l'obligation juridique internationale. Il implique le mécanisme procédural qui rend possible formellement l'intégration efficace des règles internationales dans le droit de l'État.

L'approche substantielle contemple les valeurs juridiques que les règles du droit international expriment; des valeurs qui peuvent être reçues dans le droit interne, même sans procédure formelle d'adaptation.

D'après l'approche formelle, le législateur doit toujours disposer d'une norme, exprimée ou tacite, pour adapter une norme internationale au droit

111. *Ibidem*.
112. Legge costituzionale 18 ottobre 2001, n. 3, «Modifiche al titolo V della parte seconda della Costituzione», pubblicata nella Gazzetta Ufficiale, n. 248 del 24 ottobre 2001. Voir *http://www.parlamento.it/parlam/leggi/01003lc.htm*, consulté le 2 octobre 2016.

italien. Une norme ultérieure est aussi nécessaire pour la transformation ou la traduction de la norme internationale en norme interne. Il y a essentiellement deux procédures d'adaptation utilisées dans le cadre de l'ordre juridique: une procédure *ordinaire* et une procédure *spéciale* ou de *renvoi*. La procédure ordinaire implique que le législateur formule des normes qui permettent à l'ordre interne de réaliser les buts fixés par des accords internationaux. On utilise ce type de procédure quand il faut assimiler dans le droit interne une norme internationale considérée non *self-executing*, ou encore non directement applicable par le législateur italien. La procédure spéciale, par contre, introduit des normes dans l'ordre interne à travers un acte.

Au niveau des droits de l'homme, les normes de droit international qui pourraient avoir une efficacité directe et un impact sur le droit interne sont insuffisantes car les normatives internationales qui concernent les rapports interindividuels –c'est à dire la matière des droits de l'homme– sont encore elles-mêmes insuffisantes. Une fois que les normes considérées, grâce à leur contenu normatif, ont été intégrées dans l'ordre juridique de l'État, elles se situent au niveau constitutionnel, avec toute leur force jurisprudentielle, et sont donc prêtes à rendre effectif le respect des droits de l'homme dans le pays.

3.4. ALGÉRIE[113]

Le droit international jouit d'une force incontestable comme norme juridique à caractère normatif en Algérie, pour être admis en tant que tel et dans ce sens il n'est besoin d'aucune procédure spéciale de réception. La Constitution Algérienne est claire à ce sujet. Mais la réponse à la question de la position des conventions internationales par rapport au système juridique algérien exige de différencier 3 phases:

a. Première phase (1963-1976): Primauté du droit international sur le droit interne

La Constitution de 1963[114], la première de l'Algérie indépendante, a complètement ignoré ce problème. Elle ne contenait qu'une très brève dis-

113. Je remercie les professeurs Touabti Imène, Sourrour Ryme et Saffo Nardjesse de leurs apports et commentaires précieux.

114. Le 5 juillet 1962, le Gouvernement provisoire de la République algérienne (GPRA), dirigé par Ben Khedda, s'installe à Alger et proclame l'indépendance. Mais son autorité est contestée par la majorité du Conseil national de la révolution algérienne, qui le 20 juillet 1962 l'accuse de forfaiture et d'usurpation du pouvoir. Une nouveau bureau politique du FLN est désigné à Tlemcen sous la direction de Ben Bella, qui est soutenu par l'état-major de l'Armée de libération nationale (l'armée des frontières), commandée par le colonel Boumediene, qui refuse sa dissolution, décidée par le GPRA. Ben Bella contrôle Alger le 3 septembre, constitue les listes pour les candidatures uniques à l'Assemblée constituante

position, l'article 42, qui organisait la procédure d'introduction du traité dans l'ordre juridique national par le biais de sa ratification par le Chef de l'État.

En vertu des dispositions de l'article 42 de la Constitution Algérienne de 1963[115], les conventions internationales ratifiées par le Gouvernement algérien prenaient les devants et avaient primauté sur les lois internes. Ainsi le juge algérien était tenu de respecter le droit international et d'assurer son application. Cette primauté découlait de l'obligation d'exécuter les traités. Force est de dire cependant que même si les conventions internationales prévalent sur les lois internes émises par le Parlement, la Constitution reste dans tous les cas la loi suprême; elle prévaut sur toutes les lois.

b. Deuxième phase (1976-1989) [116]: Similarité de la force juridique entre droit international et droit interne

Les dispositions de l'article 159 de la Constitution de 1976 constatent que «les traités internationaux, dument ratifiés par le Président de la République, dans les conditions prévues par la Constitution, ont force de loi». Selon Bedjaoui, «cela veut simplement dire qu'ils s'imposent aux gouvernants et aux gouvernés, qu'ils sont appliqués en Algérie dans les mêmes conditions que le reste de la législation interne dont ils font désormais partie intégrante, et que leur application intervient d'office sans que les intéressés qui les invoquent aient même besoin d'en réclamer le bénéfice. Mais le traité ne possède pas toute la validité et rien que la validité du texte interne qui l'a introduit en Algérie. L'acte législatif ou réglementaire qui a rempli cette fonction intronisante est comme une fusée porteuse. Dès que cet acte a épuisé son rôle, le traité mène, dans l'ordre interne, une vie propre, aussi indépen-

---

élue le 20 septembre 1962. Ben Bella devient chef du Gouvernement et fait préparer un projet de Constitution, adopté le 28 août 1963 par l'Assemblée, approuvée par référendum le 8 septembre et promulguée le 10. Ben Bella est élu à la Présidence de la République le 15. La Constitution est suspendue dès le 3 octobre, lorsque Ben Bella s'attribue les pleins pouvoirs. Elle est abrogée lorsque le colonel Boumediene prend le pouvoir le 19 juin 1965. Le régime a fonctionné alors sans Constitution et sans élections jusqu'en 1976, où une deuxième Constitution a été adoptée, puis révisée en 1979, 1980 et 1988, sans rien changer à sa nature.

115. Article 42: «Le président de la République signe, ratifie après consultation de l'Assemblée nationale et fait exécuter les traités, conventions et accords internationaux».

116. La Constitution de 1989 tentait de répondre à la montée des tensions sociales et politiques en autorisant le multipartisme, mais l'armée n'entendant pas céder le pouvoir, les élections de 1991 sont annulées et la crise politique s'aggrave avec la démission du président Chadli, puis l'assassinat de Boudiaf. En fait, c'est le Haut Conseil de sécurité qui dirige le pays et désigne le général Liamine Zéroual à la présidence. La guerre civile et l'échec des militaires sont à l'origine de la Constitution adoptée par référendum le 28 novembre 1996 qui tente de rénover le régime en accroissant les pouvoirs du Président de la République, puis en acceptant un civil, très proche du système, à la présidence.

dante de celle du décret ou de la loi que l'est la course finale d'un satellite par rapport à sa fusée porteuse initiale»[117].

La deuxième Constitution –celle de 1976– a marqué, quant à elle, une nette évolution par rapport à sa devancière. Elle a non seulement prévu et reconnu l'éventuelle opposition entre le texte constitutionnel et les traités, mais elle a aussi prévu la solution. En effet, selon son article 160: «Si tout ou une partie des dispositions d'un traité est contraire à la Constitution, l'autorisation de ratification ne peut intervenir qu'après la révision de la Constitution». C'est une règle logique, Il faut d'abord une révision constitutionnelle, puis une approbation législative de l'engagement international avant sa ratification. Et, d'après le chapitre VI de la Constitution relatif à la «fonction constituante», la révision constitutionnelle, décidée à l'initiative de l'Exécutif, est le fait essentiel de l'Assemblée populaire nationale qui y procède à la majorité des deux- tiers de ses membres. Il est donc à présumer que, sitôt intervenue, la révision constitutionnelle qui adapte la loi fondamentale à l'engagement international, comporte déjà en elle-même l'approbation de ce traité. Mais sur le plan formel, l'approbation doit se réaliser par un acte distinct. Toutefois, la révision n'est pas permise si elle a pour effet de porter atteinte à la «forme républicaine du gouvernement», à «la religion d'État», à «l'option socialiste», aux «libertés fondamentales» ou à «l'intégrité du territoire».

Il faut noter que la procédure de révision de la Constitution est partagée entre le Président de la République et l'Assemblée Populaire Nationale. En effet, en vertu de l'article 191 seul le Président de la République peut prendre l'initiative de demander la modification de la Constitution. En revanche, le projet de la loi de révision constitutionnelle est adopté par l'Assemblée Populaire Nationale à la majorité des deux tiers de ses membres (article 192). Cette situation est, en réalité, quelque peu paradoxale. D'un côté, le traité est négocié et signé par le seul chef de l'exécutif, et d'autre part, ce même organe dispose seul de l'initiative en matière de révision constitutionnelle. De ce fait, il était difficile pour l'Assemblée de rejeter un projet de révision constitutionnelle, préparé par un organe aussi puissant à la suite de la signature d'un traité dont l'incompatibilité avec la Constitution a été constatée par les mêmes soins. A cet égard, on peut affirmer que l'absence d'un organe de contrôle indépendant, capable de dire si un traité est conforme ou pas à la Constitution constituait la faiblesse essentielle de la Constitution de 1976.

Par ailleurs, la loi n° 16-01 du 6 mars 2016 portant révision constitutionnelle, donne clairement et expressément à la Convention internationale rati-

117. BEDJAOUI MOHAMMED, *Aspects internationaux de la Constitution algérienne*, «Annuaire français de droit international», volume 23, (1977), p. 83.

fiée la primauté sur la loi algérienne. Cette supériorité de la Convention est soumise à deux conditions:

a) Elle doit être ratifiée par le Président de la République, et dans ce cadre, l'article 190 stipule que: «Lorsque le Conseil constitutionnel juge qu'un traité, accord ou convention est inconstitutionnel, sa ratification ne peut avoir lieu».

b) Elle doit être ratifiée dans les conditions prévues par la Constitution.

Cet examen de conformité a pour fondement l'article 186 de la loi n° 16-01 précitée selon lequel: «Outre les attributions qui lui sont expressément conférées par d'autres dispositions de la Constitution, le Conseil constitutionnel se prononce par un avis sur la constitutionnalité des traités, des lois et règlements». Et cet article n'est qu'une reprise fidèle de l'article 158 de la Constitution de 1989 qui disposait que «Lorsque le Conseil constitutionnel juge qu'un traité, accord ou convention est inconstitutionnel, sa ratification ne peut avoir lieu», et de l'article 168 de la Constitution de 1996 qui disposait que «Lorsque le Conseil constitutionnel juge qu'un traité, un accord ou une convention est inconstitutionnel, elle ne peut avoir lieu».

La loi n° 16-01 pose la condition préalable exigée pour la ratification du traité, de l'accord, de la convention, à savoir sa conformité avec la Constitution déclarée comme telle par le Conseil constitutionnel.

c. Troisième phase (depuis 1989): Primauté du droit international sur le droit interne

Après la ratification par le gouvernement algérien des dispositions du traité concernant l'apartheid, l'Algérie a entrepris un nouveau tournant sur le plan juridique, selon les dispositions de l'article 150 de la Constitution algérienne de 2016[118] qui reprennent l'essentiel des articles 123 et 132 de la Constitution algérienne de 1989 et qui régissent les relations entre le droit interne et le droit international conventionnel[119].Il apparaît clairement que «les traités ratifiés par le Président de la République dans les conditions prévues par la Constitution sont supérieurs à la loi» au sens formel. En d'autres termes, il s'agit de l'acte voté par le Parlement. Par extension, on peut considérer que cette solution est valable pour tous les actes à valeur législative.

---

118. La dernière Constitution algérienne été publiée au Journal officiel n° 76 du 8 décembre 1996 et modifiée par la loi n° 02-03 du 10 avril 2002 (Journal officiel n° 25 du 14 avril 2002), la loi n° 08-19 du 15 novembre 2008 (Journal officiel n° 63 du 16 novembre 2008) et la loi n° 16-01 du 6 mars 2016 (Journal officiel n° 14 du 7 mars 2016).

119. La décision du conseil constitutionnel du 20 août 1989 interprétant l'article 123 de la constitution de 1989 confirme la supériorité des traités et conventions internationales ratifiés, y compris en matière des droits de l'homme.

En conséquence, du fait que le contenu de l'article 123 de la Constitution de 1989 a été repris fidèlement par l'article 132 de la Constitution de 1996 et par l'article 150 de la Révision constitutionnelle de 2016, la position du Conseil constitutionnel précitée demeure toujours valable. C'est à dire que tout citoyen peut se prévaloir devant les juridictions nationales d'une convention internationale ratifiée par l'État au détriment d'une loi algérienne dont les dispositions lui seraient contraires, étant donné qu'elle lui est supérieure en vertu de la Constitution.

En résumé, l'analyse du texte de l'article 150 met l'accent sur deux aspects:

- Les traités internationaux ratifiés par le Président de la République selon les formes et les conditions prévues par la Constitution, sont supérieurs à la loi, ce qui signifie, en termes de classement, qu'ils sont incorporés au système juridique interne à venir après la Constitution mais avant la loi (ordinaire ou organique).
- Exclure la catégorie des traités exécutifs, avec une forme simplifiée, les traités et conventions qui ont été approuvés portant atteinte à la Constitution, de l'application du principe de supériorité.

La Constitution algérienne a confié au Président de la République la conclusion des traités internationaux qu'il ratifie après leur approbation expresse par chacune des chambres du Parlement, parce que l'établissement des relations internationales est une de ses fonctions exécutives. Et le texte de l'article 150 nous permet de faire la distinction entre les deux types de traités:

1. Traités internationaux qui ont besoin de: a) l'avis du Conseil constitutionnel et b) de l'approbation explicite des deux chambres du Parlement après avoir été signés par le Président de la République, concernant les accords d'armistice et les traités de paix.
2. Traités internationaux qui ont besoin du consentement explicite des chambres du Parlement après avoir été ratifiés par le Président de la République, qui sont: les accords d'armistice, les traités de paix, d'alliance et d'union, les traités relatifs à des frontières étatiques, les traités sur le droit des personnes, les accords qui ont déclaré des dépenses non prévues au budget de l'État. Cette série de traités met en lumière le rôle du Conseil constitutionnel dans la supervision de la constitutionnalité des Traités afin de maintenir un équilibre entre les autorités et d'assurer également la supériorité de la Constitution mais le Conseil constitutionnel a un précédent contrôlé uniquement par le traité constitutionnel.

Conformément de l'article 186[120], le Conseil constitutionnel se prononce par avis sur la constitutionnalité des traités, des lois et des règlements. Lorsque le Conseil constitutionnel déclare inconstitutionnelle la disposition dont il est saisi et constate, en même temps, que celle-ci est inséparable des autres dispositions du texte dont il est saisi, le texte contenant la disposition considérée est renvoyé au saisissant. Lorsque le prononcé sur la constitutionnalité d'une disposition implique l'examen d'autres dispositions pour lesquelles le Conseil constitutionnel n'est pas saisi et qui ont un lien avec les dispositions, objets de saisine, et lorsque la déclaration d'inconstitutionnalité des dispositions dont il est saisi ou qu'il a examinées et leur séparation du reste du texte affectent l'ensemble de sa structure, celui-ci est alors renvoyé au saisissant.

3.5. TUNISIE[121]

Soumis à la Constitution tunisienne du 1er juin 1959 et en vertu de son article 32 «les traités ratifiés par le Président de la République et approuvés par la Chambre des députés ont une autorité supérieure à celle des lois»[122]. Ainsi, en application de cet article, la suprématie des normes internationales semblait être assurée; elles avaient une valeur supralégislative dans la hiérarchie des normes. Toutefois, en l'absence d'une Cour constitutionnelle, les conventions ratifiées par la Tunisie échappent à tout contrôle et le Conseil constitutionnel institué en 1995 tel qu'il est conçu (dépendant, dépourvu de tout pouvoir et n'ayant qu'un avis (non publié) n'assurait aucune garantie d'application des normes internationales. Le juge ordinaire n'était pas non plus compétent pour contrôler la conformité du traité à la Constitution et aux normes internes. Ainsi, l'application de la suprématie des normes internationales n'était pas parfaitement respectée et ce pour plusieurs raisons. Outre l'absence d'une Cour constitutionnelle, on note que, d'une part, souvent les normes internationales ratifiées n'étaient pas intégrées au sein de l'ordre juridique interne, et parfois n'étaient pas publiées [123]; donc elles étaient souvent ignorées des citoyens. D'autre part, le pouvoir législatif et le

120. Art. 186: «Outre les autres attributions qui lui sont expressément conférées par d'autres dispositions de la Constitution, le Conseil constitutionnel se prononce par un avis sur la constitutionnalité des traités, des lois et des règlements».
121. Je remercie madame le professeur Aicha Sefi de ses précieux apports.
122. Même si l'article n'indique pas de quelles lois il s'agit, le concept de Constitution est absolu, et il s'agit donc des lois organiques et des lois ordinaires.
123. Il faut distinguer entre deux catégories de conventions: les conventions bilatérales qui sont généralement publiées au Journal officiel. Pour celles-ci, le juge semble les considérer opposables. Pour les autres, telles que les normes internationales se rattachant aux droits de l'homme et aux droits sociaux (norme de l'OIT), elles sont ignorées et non appliquées.

pouvoir exécutif lors de l'élaboration et la promulgation d'un texte juridique interne ignoraient, ou ne se conformaient pas à la norme internationale ratifiée qui traitait du même sujet.

Sous la Constitution du 1er juin 1959, le pouvoir judiciaire n'était soumis qu'à l'autorité de la loi[124] (qui l'appréhendait à travers les différents codes ou textes internes), et il semble que les normes internationales le gênaient dans leur application surtout celles qui traitaient les droits sociaux (absentes des textes internes). Quant au juge administratif, qui avait essentiellement pour tâche la soumission de l'administration au respect de la légalité, il avait plutôt tendance à appliquer le principe de la hiérarchie des normes et il accordait donc la primauté aux normes internationales sur les lois internes. Ainsi, si certains juges appliquaient cette suprématie[125] des normes internationales, d'autres ne l'appliquaient pas[126]. Notamment en matière sociale (telle que la convention internationale n° 98 et les conventions relatives au principe d'égalité de traitement –N° 100 et 111–, etc.). Les juges étaient réticents à recourir aux normes internationales, ou même les ignoraient, lorsqu'ils se trouvaient confronté à la non-conformité entre une règle nationale et une norme internationale qui traitait du même sujet. Du moins ils ne vérifiaient pas la conformité de la loi interne à la loi internationale[127].

Avec la Révolution de janvier 2011 et l'adoption d'une nouvelle Constitution, celle de janvier 2014[128], dessinant les contours d'un État démocra-

---

124. L'article 65 de la constitution du 1er juin 1959.
125. Exemple: Affaire de la ligue tunisienne des droits de l'Homme en 1992 où le tribunal administratif a décidé que le Pacte de 1966 relatif aux droits civils et politique prévaut sur la loi. Aussi le juge du tribunal de première instance déclare que «la non-discrimination religieuse compte parmi les principes fondant le système juridique tunisien. Elle découle de la liberté de culte garantie par l'article 5 de la Constitution, également consacrée par les articles 2, 16 et 18 de la Déclaration universelle des droits de l'Homme de 1948 et par l'article 2 paragraphe 2 du pacte international relatif aux droits civils, économiques, sociaux et culturels, ainsi que par l'article 2 paragraphe 1er du pacte international relatif aux droits politiques…».
126. Selon une étude qui a porté sur quinze (15) affaires, «le juge administratif n'a vérifié la publication au Journal Officiel la publication du traité invoqué par une partie que dans une seule affaire» TAREK MKADMI, *Les traités dans la jurisprudence tunisienne,* Mémoire DEA de Droit public et financier, année 2000.
127. De la lecture de certains arrêts on déduit que l'attitude des juges, judiciaire et administratif, vis à vis de l'article 32 de la Constitution n'est pas tout à fait la même.
128. Après le début des troubles et le départ du président Ben Ali, en janvier 2011, les autorités provisoires prennent un décret créant une institution dénommée «l'Instance supérieure pour la réalisation des objectifs de la révolution, de la réforme politique et de la transition démocratique». Une Assemblée constituante est élue le 23 octobre 2011. Elle adopte, par 141 voix contre 37, une loi constitutionnelle relative à l'organisation provisoire des pouvoirs publics, le 10 décembre 2011. Par ce texte, l'Assemblée constituante s'attribue les pleins pouvoirs constituant, législatif, de nomination et de contrôle, pour une durée indéterminée. Finalement, la nouvelle Constitution est adoptée le 26 janvier 2014, par 200 voix contre 12 et 4 abstentions. Le texte est signé le lendemain par le Président de la République.

tique et dotant le pays d'un cadre juridique et d'institutions pérennes qui garantissent sa promotion et la protection des droits et des normes internationales, quoiqu'il soit encore tôt pour s'exprimer sur le respect et l'application des normes internationales y compris leur intégration à l'ordre juridique interne, les premiers pas semblent positifs.

Voulant fonder un État démocratique, la Constitution tunisienne fait référence dans son préambule[129] à deux reprises, aux droits de l'homme. Parmi ceux-ci on trouve le PIDCP, le PIDESC et la DUDH, ce qui accorde à ces derniers une valeur constitutionnelle. Sa nature de mandat constitutionnel suppose une garantie de premier ordre de la mise à effet de ces droits et de leur protection car la Constitution occupe le sommet de la pyramide législative tunisienne. Toutes les lois et les normes promulguées avant ou après la Constitution doivent s'y ajuster sous peine d'être déclarées inconstitutionnelles et d'être dérogées[130].

Quant aux autres normes internationales, l'article 20 de la Constitution[131] leur accorde un rang inférieur à la Constitution et supérieur aux lois internes. Ainsi:

Du côté du législateur: la Constitution lui a imposé des normes à caractère directif et désormais le législateur (sous le cyclone de la société civile) veille à la conformité des lois internes aux normes internationales. Sachant qu'on est passé progressivement à la promulgation des lois (et des codes) pour lesquelles le législateur tunisien a respecté les normes internationales.

Du côté du pouvoir judiciaire[132]: la Constitution a imposé aux tribunaux des normes impératives, obligatoires, directement applicables.

Cette mission incombe essentiellement à la Cour constitutionnelle instituée par la nouvelle Constitution[133] (qui n'est pas encore mise en place, mais duquel le tribunal administratif et une institution provisoire ont assumé momentanément les fonctions). A celle-ci revient le rôle de diffuser les valeurs constitutionnelles, dont les normes internationales, à tout l'ordre juridique et d'être un rempart contre la transgression de ses valeurs. Nantie du pou-

129. L'article 145 de la Constitution dispose «Le préambule de cette Constitution fait partie intégrante de la présente Constitution».
130. UN Doc. E/C.12/TUN/3, paragr. 11.
131. Article 20 «Les Traités internationaux approuvés par l'Assemblée représentative puis ratifiés, ont un rang supra-législatif et infra-constitutionnel».
132. Le chapitre V de la Constitution intitulé «DU POUVOIR JUDICIAIRE» est composé de 23 articles dont l'article 102 qui dispose «Le pouvoir judiciaire est indépendant et garantit l'instauration de la justice, la suprématie de la Constitution, la souveraineté de la loi et la protection des droits et des libertés».
Le magistrat est indépendant. Il n'est soumis dans l'exercice de ses fonctions qu'à l'autorité de la loi.
133. Articles 118 et s. de la Constitution.

voir suprême, sa compétence s'étend aussi bien au contrôle des projets de loi qu'à celui des lois en vigueur que lui transmettent les tribunaux dans le cadre de l'invocation d'une exception d'inconstitutionnalité à la demande de l'une des parties à un litige[134]. Mais en dehors de ces mécanismes de contrôle de constitutionnalité, le respect des droits fondamentaux passe surtout par la possibilité de les invoquer devant les juridictions ordinaires qui sont également chargées d'assurer la protection de ces droits contre toute violation[135].

3.6. MAROC[136]

La Constitution de 2011 a introduit des innovations importantes qui ont marqué de leur empreinte l'évolution politico-constitutionnelle. Aussi bien son préambule[137], de caractère normatif en vertu de la norme fondamentale, que plusieurs de ses dispositions, affirment la suprématie des Traités internationaux dûment ratifiés sur le Droit interne infra-constitutionnel et l'engagement de l'État marocain avec les droits de l'homme, tels qu'ils sont reconnus et garantis dans le cadre international.

La suprématie de la Constitution sur les Traités est une question pacifique dans la doctrine constitutionnaliste –mais pas dans l'internationaliste– et elle est résolue clairement par l'article 55 de la Constitution marocaine, qui offre la possibilité aux Traités Internationaux d'être envoyés devant la Cour Constitutionnelle afin de s'assurer de leur constitutionnalité avant leur ratification[138].

L'effet direct des Traités internationaux souscrits et dûment ratifiés, au dire d'un important secteur doctrinal, ne doit susciter aucune polémique

134. Article 120 de la Constitution.
135. Conformément à l'article 102 de la Constitution, le pouvoir judiciaire garantit «la primauté de la Constitution, la souveraineté de la loi et la protection des droits et libertés». De même, selon l'article 49, «les instances juridictionnelles se chargent de la protection des droits et libertés contre toute violation».
136. Ce paragraphe a été rédigé par le professeur ABDELHAMID ADNANE de l'Université Mohamed V. Rabat (Maroc)
137. «Mesurant l'impératif de renforcer le rôle qui lui revient sur la scène internationale, le Royaume du Maroc, membre actif au sein des organisations internationales, s'engage à souscrire aux principes, droits et obligations énoncés dans leurs chartes et conventions respectives; il réaffirme son attachement aux droits de l'Homme tels qu'ils sont universellement reconnus, ainsi que sa volonté de continuer à œuvrer pour préserver la paix et la sécurité dans le monde»… «Le Maroc s'engage à protéger et promouvoir les dispositifs des droits de l'Homme et du droit international humanitaire dans leur indivisibilité et leur universalité».
138. «(…) Si la Cour Constitutionnelle, saisie par le Roi ou le Président de la Chambre des Représentants ou le Président de la Chambre des Conseillers ou le sixième des membres de la première Chambre ou le quart des membres de la deuxième Chambre, déclare qu'un engagement international comporte une disposition contraire à la Constitution, sa ratification ne peut intervenir qu'après la révision de la Constitution».

étant donné que sa force normative émane de la Constitution[139]. Or, la question qui a donné lieu à des débats doctrinaux, à propos de la force normative des Traités et leur application directe, tire son origine dans la réforme constitutionnelle de 2011. Cette réforme vient de l'extension du champ d'application de la Loi. De ce fait, le nouveau texte élargit sensiblement les compétences de l'organe législatif, stipulant que la réglementation des droits et des libertés sont du domaine de la Loi[140]. Cette innovation justifie le fait que la ratification des Traités sur les droits de l'homme, entre autres, soit de la compétence du législateur et non du pouvoir exécutif, comme c'était le cas dans la Constitution antérieure de 1996.

L'intervention de deux organes, dans l'adoption et la ratification des Traités, peut donner l'impression que le Maroc suit le modèle dualiste. Cependant, nous estimons que le critère, pour savoir s'il s'agit d'un modèle moniste ou dualiste, n'est pas le nombre d'organes intervenant dans cette procédure, mais la nature de la ratification parlementaire. En fait, l'organe à qui correspond la ratification –dans ce cas présent, le Parlement marocain–, doit se limiter à tolérer l'intégration, dans ses propres termes, de la régulation contenue dans le Traité dans l'ordre national. Ou bien il a la possibilité de mettre à exécution une transposition du contenu de la loi mentionnée, ce qui peut donner lieu à une adaptation des énoncés du Traité au contexte national. Si l'on s'en tient à la teneur de l'article 55 de la Constitution marocaine[141], nous devons en conclure que la compétence du Parlement se limite à «adopter» le texte du traité, et n'envisage pas la possibilité de transposer son contenu dans une loi. De ce qui précède, on en déduit que le modèle marocain suit le système moniste, par lequel la ratification d'un Traité, par l'organe compétent, le dote d'une force normative, qui lui permette de prendre effet dans l'ordre national, avec la possibilité d'invoquer ses dispositions devant le juge compétent.

Enfin, concernant la position des Traités dans le système des sources de droit, la Constitution est claire en ce sens et décrète la suprématie des Traités dûment ratifiés sur l'ordre juridique national (nous nous rapportons

139. La Convention de Vienne du 23 mai 1969 sur le Droit des Traités, ratifiée par l'État marocain, précise dans son article 26 que «tout traité en vigueur lie les parties et doit être exécuté par elles de bonne foi». Elle ajoute aussi dans l'article 27 que «une partie ne peut invoquer les dispositions de son droit interne comme justifiant de la non-exécution d'un traité».

140. Dans la Constitution antérieure, le cadre de la Loi était assez réduit, ce qui permettait au Gouvernement de pouvoir contrôler les droits et les libertés.

141. «Toutefois, les traités de paix ou d'union, ou ceux relatifs à la délimitation des frontières, les traités de commerce ou ceux engageant les finances de l'État ou dont l'application nécessite des mesures législatives, ainsi que les traités relatifs aux droits et libertés individuelles ou collectives des citoyennes et des citoyens, ne peuvent être ratifiés qu'après avoir été préalablement approuvés par la loi».

bien sûr, à l'ordre infra-constitutionnel). On peut penser à un possible conflit entre une norme législative et les dispositions d'un Traité. En cas de non-recours à la technique de la réserve admise en Droit international, l'adoption, par la Loi, du contenu du Traité doit être considérée abrogatoire de la loi nationale antérieure (ou d'une de ses dispositions) par simple application de la directive temporaire (la norme postérieure abroge la norme antérieure). De ce fait, un échelon intermédiaire entre la Constitution, et la Loi, n'est pas créé –il manque une prévision constitutionnelle qui établisse le contrôle de conventionnalité de la Loi–, mais il faut agir –à notre avis– par l'intermédiaire de la directive temporaire. Néanmoins, celle invoquée précédemment ne peut pas être utilisée pour abroger le contenu du Traité pour une réforme légale postérieure, la loi d'adoption des Traités étant une «fausse loi», dans le sens où elle est le fruit de la participation de deux organes: le Gouvernement, à sa négociation, et le Parlement, à son adoption. Sa réforme ou son abrogation ne peut se faire par l'unique volonté du Parlement mais, en application du principe de parallélisme des formes, elle demanderait alors la présence des deux organes (Gouvernement et Parlement).

En conclusion, une fois le contenu d'un Traité est adopté par une Loi, celui-ci intègre l'ordre juridique marocain, et tous les pouvoirs de l'État doivent s'y soumettre.

4. TABLEAU DES INDICATEURS INTENATIONAUX

Légende

Les pages suivantes montrent le statut et le type de lien des Etats partenaires Abdem avec les divers instruments internationaux : textes internationaux , européens et africains , ainsi que d'autres procédures spéciales : rapporteurs , experts indépendants et comités.

Instrument juridique (date d'adoption)	Date d'entrée en vigueur	S/P	État d'un texte international			
			Signature	T		Déclaration/Réserves
		Nombre d'Etats Signataires / Etats Parties*	Date	Type de l'instrument du dépôt	Date de l'instrument du dépôt	Dèclarations ou réserves déposée par l'Etat
	SV	N'a pas entré en vigueur				

	L'État n'a pas ratifié le texte
01/26/1972	L'État a ratifié le texte sans réserves
4/9/1968	L'État a ratifié le texte avec des réserves

* En signant une Convention, un Etat exprime, en principe, son intention de devenir Partie à la Convention. La signature ne préjuge en aucune manière l'éventuelle suite (ratification ou non) que donnera cet Etat.

T	Type et date de l'instrument du dépôt	
	R	Ratification
	A	Adhesion
	Ac	Acceptation
	Ap	Aprobation
	r	signature «ad referendum»
	S	Signature sans réserve de ratification
	T	Application territoriale (dans les textes européens)
	O	Objection
	C	Communication
		Il n'est pas disponible ou accessible

SOURCES		
Treaty Section, Office of Legal Affairs of the United Nations	https://treaties.un.org/Pages/ParticipationStatus.aspx	La version en ligne est actualisée tous les jours de manière incrémentielle et en temps réel.
Traités administrés par l'OMPI	http://www.wipo.int/treaties/fr/	
Conventions, recommandations et Déclarations administrés par l'UNESCO	http://portal.unesco.org/fr/ev.php-URL_ID=12025&URL_DO=DO_TOPIC&URL_SECTION=-471.html	
Bureau des traités du Conseil de l'Europe	http://conventions.coe.int/Treaty/Commun/ListeTraites.asp?CM=8&CL=FRE	

ETS	Conventions et accords ouverts à la signature entre 1949 et 2003 ont été publiées dans la «Série des traités européens» (STE n° 001 à 193 inclus)
CETS	Depuis 2004, cette série se poursuit par la série «Conseil de l'Europe traité» (STCE n ° 194 et suivants)

Glossaire des termes relatifs aux formalités se rapportant aux traités	
Ad	**Adoption**
	L'»adoption» est l'acte officiel par lequel la forme et la teneur du texte d'un traité sont fixées. En règle générale, l'adoption du texte d'un traité s'effectue par le consentement des États participant à son élaboration. Tout traité négocié dans le cadre d'une organisation internationale est habituellement adopté par une résolution d'un organe représentatif de l'organisation dont la composition correspond plus ou moins au nombre des États qui participeront éventuellement au traité en question. Un traité peut aussi être adopté par une conférence internationale spécialement convoquée à la majorité des deux tiers des États présents et votants, à moins que ces États ne décident, à la même majorité, d'appliquer une règle différente.
	[Art. 9, Convention de Vienne de 1969 sur le droit des traités]
Ac	**Acceptation et Approbation**
	Les instruments d'»acceptation» ou d'»approbation» d'un traité ont le même effet juridique que la ratification et expriment par conséquent le consentement d'un État à être lié par ce traité. Dans la pratique, certains États ont recours à l'acceptation et à l'approbation au lieu de procéder à la ratification lorsque, sur le plan national, la loi constitutionnelle n'exige pas la ratification par le chef de l'État.
	[Art. 2, par. 1, al. b) et art. 14, par. 2, Convention de Vienne de 1969 sur le droit des traités]
A	**Adhésion**
	L'»adhésion» est l'acte par lequel un État accepte l'offre ou la possibilité de devenir partie à un traité déjà négocié et signé par d'autres États. Elle a le même effet juridique que la ratification. L'adhésion se produit en général lorsque le traité est déjà entré en vigueur. Le Secrétaire général de l'Organisation des Nations Unies a cependant déjà accepté, en tant que dépositaire, des adhésions à certaines conventions avant leur entrée en vigueur. Les conditions auxquelles l'adhésion peut se faire et la procédure à suivre dépendent des dispositions du traité. Un traité peut prévoir l'adhésion de tous les autres États ou d'un nombre d'États limité et défini. En l'absence d'une disposition en ce sens, l'adhésion n'est possible que si les États ayant participé à la négociation étaient convenus ou sont convenus ultérieurement d'accepter l'adhésion de l'État en question.
	[Art. 2, par. 1, al. b) et art. 15, Convention de Vienne de 1969 sur le droit des traités]
	Acte de confirmation formelle
	L'expression «acte de confirmation formelle» est employée dans un sens équivalant au terme «ratification» lorsqu'une organisation internationale exprime son consentement à être liée par un traité.
	[Art. 2, par. 1, al. b) bis et art. 14, Convention de Vienne de 1986 sur le droit des traités entre États et organisations internationales ou entre organisations internationales]
Am	**Amendement**
	Le terme «amendement» désigne les modifications officielles apportées aux dispositions d'un traité, qui touchent toutes les parties à ce traité. Ces modifications s'effectuent suivant les mêmes modalités que celles qui ont présidé à la formation du traité. De nombreux traités multilatéraux spécifient les conditions qui doivent être remplies pour que les amendements puissent être adoptés. En l'absence de telles dispositions, tout amendement exige le consentement de toutes les parties.
	[Art. 9, Convention de Vienne de 1969 sur le droit des traités]
D	**Déclaration**
	Les États font parfois des «déclarations» pour indiquer la manière dont ils comprennent une question ou interprètent une disposition donnée. Contrairement aux réserves, les déclarations se bornent à préciser la position des États et n'ont pas pour objet d'écarter ou de modifier l'effet juridique du traité. Les déclarations sont faites habituellement au moment où un instrument est déposé ou au moment de la signature.
SS	**Signature définitive**
	Si le traité n'est pas soumis à ratification, acceptation ou approbation, la «signature définitive» établit le consentement de l'État à être lié par le traité. La plupart des traités bilatéraux traitant de questions plus courantes et de nature moins politique entrent en vigueur par le jeu de la signature définitive, sans que l'on ait recours à la procédure de ratification.
	[Art. 12, Convention de Vienne de 1969 sur le droit des traités]
De	**Dépôt**
	Lorsqu'un traité a été conclu, les instruments écrits qui apportent la preuve formelle du consentement à être lié, ainsi que les réserves et les déclarations, sont remis à un dépositaire. À moins que le traité n'en dispose autrement, les instruments de ratification, d'acceptation, d'approbation ou d'adhésion établissent le consentement d'un État à être lié par le traité. Pour les traités auxquels ne sont parties qu'un petit nombre d'États, le dépositaire sera habituellement le gouvernement de l'État sur le territoire duquel le traité a été signé. Il arrive parfois que plusieurs États soient désignés comme dépositaires. Dans les traités multilatéraux, on désigne d'ordinaire comme dépositaire une organisation internationale ou le Secrétaire général de l'Organisation des Nations Unies. Le dépositaire doit recevoir toutes notifications et tous documents ayant trait au traité, en assurer la garde, examiner si toutes les formalités ont été remplies et enregistrer le traité et notifier aux parties tous les actes susceptibles de les intéresser.
	[Art. 16, 76 et 77, Convention de Vienne de 1969 sur le droit des traités]

Glossaire des termes relatifs aux formalités se rapportant aux traités	
	Entrée en vigueur
	Les dispositions du traité fixent généralement la date de l'entrée en vigueur. Si le traité ne spécifie pas de date, on présume que les signataires désirent le voir entrer en vigueur dès que tous les États participant à la négociation auront exprimé leur consentement à être liés par lui. Les traités bilatéraux peuvent prévoir leur entrée en vigueur à une date donnée, le jour de la dernière signature, lors de l'échange des instruments de ratification ou encore lors de l'échange des notifications. S'agissant de traités multilatéraux, il est courant de disposer qu'un certain nombre d'États doivent exprimer leur consentement avant que le traité puisse entrer en vigueur. Certains traités prévoient en outre que d'autres conditions devront être remplies et précisent par exemple que des États appartenant à une certaine catégorie doivent se trouver parmi ceux qui doivent donner leur consentement. Le traité peut prévoir aussi qu'un certain laps de temps devra s'écouler une fois que le nombre voulu d'États aura donné son consentement ou que certaines conditions seront remplies. Un traité entre en vigueur à l'égard des États ayant exprimé le consentement exigé. Un traité peut disposer encore qu'il entrera en vigueur provisoirement, lorsque certaines conditions auront été satisfaites.
	[Art. 24, Convention de Vienne de 1969 sur le droit des traités]
	Échange de lettres/notes
	Le consentement des États à être liés par un traité peut être constitué par un «échange de lettres» ou un «échange de notes». La caractéristique essentielle de cette procédure tient à ce que les signatures figurent non pas sur une lettre ou sur une note mais sur deux lettres ou notes séparées. L'accord est donc constitué par l'échange des lettres ou des notes, chacune des parties ayant en sa possession une lettre ou une note signée par le représentant de l'autre partie. Dans la pratique, la deuxième lettre ou note, en général celle qui est envoyée en réponse, reproduira le texte de la première. Dans un traité bilatéral, des lettres ou notes peuvent être échangées pour signaler que toutes les procédures nécessaires sur le plan interne ont été menées à bien.
	[Art. 13, Convention de Vienne de 1969 sur le droit des traités]
M	**Modification**
	Le terme «modification» désigne les modifications apportées à certaines dispositions d'un traité par plusieurs parties à ce traité et applicables uniquement dans leurs relations mutuelles, les dispositions originelles restant applicables entre les autres parties. Si le traité ne dit rien des modifications, celles-ci ne sont autorisées que si elles ne portent pas atteinte aux droits et obligations des autres parties et ne contreviennent pas à l'objet et au but du traité.
	[Art. 41, Convention de Vienne 1969 sur le droit des traités]
	Notification
	Le terme «notification» désigne une formalité par laquelle l'État ou une organisation internationale communique certains faits ou certains événements ayant une importance juridique. On recourt de plus en plus à la notification comme moyen d'exprimer le consentement définitif. Au lieu de procéder à un échange de documents ou à un dépôt, les États peuvent se borner à notifier leur consentement à l'autre partie ou au dépositaire. Toutefois, tous les autres actes et instruments se rapportant à la vie d'un traité peuvent faire l'objet de notifications.
	[Art. 16, al. c), art. 78, etc., Convention de Vienne de 1969 sur le droit des traités]
Ob	**Objection**
	Tout signataire ou tout État contractant a la faculté de faire une objection à une réserve, notamment s'il considère que la réserve est incompatible avec l'objet et le but du traité. L'État ayant formulé une objection peut en outre déclarer que son objection empêche le traité d'entrer en vigueur entre lui-même et l'État auteur de la réserve.
	Art. 20 à 23, Convention de Vienne de 1969 sur le droit des traités]
R	**Ratification**
	La «ratification» désigne l'acte international par lequel un État indique son consentement à être lié par un traité, si elle est la manière dont les parties au traité ont décidé d'exprimer leur consentement. Dans le cas de traités bilatéraux, la ratification s'effectue d'ordinaire par l'échange des instruments requis; dans le cas de traités multilatéraux, la procédure usuelle consiste à charger le dépositaire de recueillir les ratifications de tous les États et de tenir toutes les parties au courant de la situation. L'institution de la ratification donne aux États le délai dont ils ont besoin pour obtenir l'approbation du traité, nécessaire sur le plan interne, et pour adopter la législation permettant au traité de produire ses effets en droit interne.
	[Art. 2, par. 1, al. b), art. 14, par. 1 et art. 16, Convention de Vienne de 1969 sur le droit des traités]
	Enregistrement et publication
	L'Article 102 de la Charte des Nations Unies est libellé comme suit : «Tout traité ou accord international conclu par un Membre des Nations Unies après l'entrée en vigueur de la présente Charte sera, le plus tôt possible, enregistré au Secrétariat et publié par lui». Les traités ou accords qui ne sont pas enregistrés ne peuvent être invoqués devant aucun organe de l'Organisation. L'enregistrement favorise la transparence et la mise à la disposition du public des textes des traités. L'Article 102 de la Charte et son prédécesseur, l'Article 18 du Pacte de la Société des Nations, ont pour origine l'un des 14 points de Woodrow Wilson où celui-ci a présenté une esquisse de la Société des Nations : «Traités de paix publics, publiquement préparés, après quoi il n'y aura plus d'ententes secrètes d'aucune sorte entre nations mais la diplomatie se fera toujours ouvertement et au vu de tous».
	[Art. 80, Convention de Vienne de 1969 sur le droit des traités]
R	**Réserve**

Glossaire des termes relatifs aux formalités se rapportant aux traités	
	Une «réserve» s'entend d'une déclaration faite par un État par laquelle il vise à exclure ou à modifier l'effet juridique de certaines dispositions du traité dans leur application à cet État. Une réserve permet à un État d'accepter un traité multilatéral dans son ensemble tout en lui donnant la possibilité de ne pas appliquer certaines dispositions auxquelles il ne veut pas se conformer. Des réserves peuvent être faites lors de la signature du traité, de sa ratification, de son acceptation, de son approbation ou au moment de l'adhésion. Les réserves ne doivent pas être incompatibles avec l'objet et le but du traité. En outre, un traité peut interdire les réserves ou n'autoriser que certaines réserves.
	[Art. 2, par. 1, al. d) et art. 19 à 23, Convention de Vienne de 1969 sur le droit des traités]
Rev	**Révision**
	Révision et amendement ont fondamentalement le même sens. Toutefois, certains traités prévoient une révision, en plus des amendements (Art. 109 de la Charte des Nations Unies). Dans ce cas, le terme «révision» désigne une adaptation profonde du traité au changement de circonstances alors que le terme «amendement» ne vise que les modifications portant sur des dispositions particulières.
	Signature sous réserve de ratification, acceptation ou approbation
	Lorsque la signature est donnée sous réserve de ratification, d'acceptation ou d'approbation, elle n'établit pas le consentement à être lié. Elle constitue cependant un moyen d'authentifier le traité et exprime la volonté de l'État signataire de poursuivre la procédure dont le but est la conclusion du traité. La signature donne à l'État signataire qualité pour ratifier, accepter ou approuver. Elle crée aussi l'obligation de s'abstenir de bonne foi d'actes contraires à l'objet et au but du traité.
	[Art. 10 et 18, Convention de Vienne de 1969 sur le droit des traités]
	Nations Unies, Collection des Traités
	https://treaties.un.org/Pages/Overview.aspx?path=overview/glossary/page1_fr.xml&clang=_fr

AXE I: POLITIQUES ET MESURES

INDICATEURS STRUCTURELS

IINTSI.1 Ratification des traités internationaux des droits humains, notamment ceux concernant l'éducation

Instrument juridique (date d'adoption)	Date d'entrée en vigueur	SS	Algerie				Maroc				Tunisie			
			Signature		T	Déclaration / Réserves	Signature		T	Déclaration / Réserves	Signature		T	Déclaration / Réserves
ICESCR, 1966	1976	71/164	1968	R	1989	Di: 1.3, 8, 13.3-4, 14	1977	R	1979		1968	R	1969	
ICESCR-OP, 2008	2013	45/22												
ICCPR, 1966	1976	74/168	1968	R	1989	Di: arts. 1.3, 22, 23.4	1976	R	1979		1968	R	1969	art. 41
ICCPR-OP1, 1966	1976	35/115		A	1989							A	2011	
ICCPR-OP2, 1989	1991	37/83												
ICERD, 1966	1969	88/177	1966	R	1972	arts. 1, 8, 13, 14, 23	1967	R	1970	art. 22	1966		1967	
CEDAW, 1979	1981	99/189		A	19 96	arts. 2, 15.4, 16, 29		A	1993	arts. 2, 15.4, 29	1980	R	1985	
CEDAW-OP, 1999	2000	80/106										A	2008	
CAT, 1984	1987	83/160	1985	A	1989	arts. 21 , 22	1986	R	1993	art. 30.1	1987	R	1998	arts. 21 y 22
CAT-OP, 2002	2006	75/83						A	2014	art. 22		A	2011	
CRC, 1989	1990	140/196	1990	R	1993	D: arts. 13, 14.1, 14.2, 16, 17	1990	R	1993	D: art. 14.1	1990	R	1992	D: arts. 2, 6, 7
CRC-OP AC, 2000	2002	130/165		A	2009	art. 3	2000	R	2002	art. 3	2002	R	2003	art. 3
CRC-OP SC, 2000	2002	121/173		A	2006		2000	R	2001		2002	R	2002	
CRC-OP IC, 2011	2014	50/29					2012	S						
ICRMW, 1990	2003	38/48		A	2005	art. 92.1	1991	R	1993	art. 92.1				
CRPD, 2006	2008	160/168	2007	R	2009		2007	R	2009		2007	R	2008	
CRPD-OP, 2006	2008	92/92	2007					A	2009		2007	R	2008	
ICPPED, 2006	2010	96/53	2007	S			2007	R	2013	art. 42.2	2007	R	2011	
ICER, 1951	1954	19/145		D	1963				1956			R	1957	
ICER-OP, 1967	1967	146			1967			R	1971			R	1968	
DEFIDRC, 1981	1981													
CDE, 1960	1962	103		A	1968			A	1968			R	1969	
CDE-OP, 1952	1954	37						A	1968					

Instrument juridique (date d'adoption)	Date d'entrée en vigueur	SS	Espagne				Italie				Royaume-Uni			
			Signature	T		Déclaration / Réserves	Signature	T		Déclaration / Réserves	Signature	T		Déclaration / Réserves
ICESCR, 1966	1976	71/164	1976	R	1977		1967	R	1978		1968	R	1976	Di: 1, 2.3., 6, 8, 10, 13.2-3
ICESCR-OP, 2008	2013	45/22	2009	R	2010		2009	R	2015					
ICCPR, 1966	1976	74/168	1976	R	1977	art. 41	1967	R	1978	arts. 15.1, 19.3	1968	R	1976	art. 41 Di: 10.2-3, 12-14, 21, 23.3-4, 24.3, 25,
ICCPR-OP1, 1966	1976	35/115		A	1985	art. 5.2	1976	R	1978	D: art. 5.2				
ICCPR-OP2, 1989	1991	37/83	1990	R	1991		1990	R	1995		1999	R	1999	
ICERD, 1966	1969	88/177		A	1968	art. 14	1968	R	1976	D: arts. 4, 6	1966	R	1969	
CEDAW, 1979	1981	99/189	1980	R	1984	DG	1980	R	1985	DG	1981	R	1986	art. 1, 9, 10.c, 11, 15, 16
CEDAW-OP, 1999	2000	80/106	2000	R	2001		1999	R	2000			A	2004	
CAT, 1984	1987	83/160	1987	R	1987	arts. 21 y 22	1985	R	1989	arts. 21 y 22	1985	R	1988	arts. 21 , 22
CAT-OP, 2002	2006	75/83	2005	R	2006		2003	R	2013		2003	R	2003	
CRC, 1989	1990	140/196	1990	R	1990	D: arts. 21.d, 38.2	1990	R	1991		1990	R	1991	D: arts. 22, 32b, 37c
CRC-OP AC, 2000	2002	130/165	2000	R	2002	art. 3.2	2000	R	2002	art. 3	2000	R	2003	art. 3
CRC-OP SC, 2000	2002	121/173	2001	R	2001		2000	R	2002		2000	R	2009	
CRC-OP IC, 2011	2014	50/29	2012	R	2013		2012		2016					
ICRMW, 1990	2003	38/48												
CRPD, 2006	2008	160/168	2007	R	2007		2007	R	2009		2007	R	2009	arts. 24, 27
CRPD-OP, 2006	2008	92/92	2007	R	2007		2007	R	2009		2009	R	2009	
ICPPED, 2006	2010	96/53	2007	R	2009	arts. 31, 32	2007	S	2015					
ICER, 1951	1954	19/145		A	1978	arts. 12, 26	1952	R	1954		1951	R	1954	arts. 8,9, 17.2, 24, 25
ICER-OP, 1967	1967	146		R	1978			R	1972			R	1968	
DEFIDRC, 1981	1981													
CDE, 1960	1962	103		A	1969			A	1966			A	1962	
CDE-OP, 1952	1954	37		A	1992			R	1966			A	1964	

Instrument juridique (date d'adoption)	Date d'entrée en vigueur	SS	Algerie				Maroc				Tunisie			
			Signature		T	Déclaration / Réserves	Signature		T	Déclaration / Réserves	Signature		T	Déclaration / Réserves
OIT nº 140, 1974	1976	35												
OIT nº 111, 1958	1960	173			1969				1963				1959	
CEDH, 1950 / STE nº 5	1953	47												
CEDH-OP, 1952 / STE nº 9	1954	45												
STE nº 15, 1953	1954	37												
STE nº 21, 1956	1957	29												
STE nº 32, 1959	1961	28												
STE nº 35, 1961	1965	27												
STE nº 49, 1964	1964	27												
STE nº 59, 1969	1969	11												
STE nº 69, 1969	1971	20												
STE nº 138, 1990	1991	16												
CSTE nº 148, 1992	1998	25												
CSTE nº 157, 1995	1998	39												
CSTE nº 160, 1996	2000	19												
CSTE nº 165, 1997	1999	53												
CESAE, 1976	1978	12	1984	R	1984		1988	R	1979		2005			
CEES, 1979	1982	33												
CDFUE, 2007	2009	28												
CADHP, 1981	1986	53	1986	R	1987							R	1983	
CADHP-OP, 2003	2005	36	2003											
CADHP-OP, 1998	2004	24	1999	R	2003						1998	R	2007	
CADEG, 2011	2012	10												
CADBN, 1990	1999	41	1999	R	2003						1995			
CRESAF, 1981	1983	22	1987	R	1989		1985				1985			
CESAR, 1978	1981	17	1984	R	1984		1978	R	1981		1983	R	1985	

Instrument juridique (date d'adoption)	Date d'entrée en vigueur	SS	Espagne				Italie				Royaume-Uni			
			Signature	T		Déclaration / Réserves	Signature	T		Déclaration / Réserves	Signature	T		Déclaration / Réserves
OIT nº 140, 1974	1976	35			1978								1975	
OIT nº 111, 1958	1960	173			1967				1963				1999	
CEDH, 1950 / STE nº 5	1953	47	1977	R	1979	arts. 5, 6, 10, 11, 15, 17	1950	R	1955		1950	R	1951	arts. 15, 34, 56
CEDH-OP, 1952 / STE nº 9	1954	45	1978	R	1990	art. 1	1952	R	1955		1952	A	1952	art. 2
STE nº 15, 1953	1954	37		A	1962		1953	R	1956		1953	R	1954	
STE nº 21, 1956	1957	29		A	1975		1956	R	1958		1956	R	1957	
STE nº 32, 1959	1961	28		A	1976		1959	R	1963		1959	R	1961	
STE nº 35, 1961	1965	27	1978	R	1980		1961	R	1965		1961	R	1962	
STE nº 49, 1964	1964	27					1964	R	1966		1964	R	1964	
STE nº 59, 1969	1969	11					1968	R	1974		1967	R	1967	
STE nº 69, 1969	1971	20		A	2001							R	1971	
STE nº 138, 1990	1991	16					1990	R	1994					
CSTE nº 148, 1992	1998	25	1992	R	2004		2000				2000	R	2001	
CSTE nº 157, 1995	1998	39	1995	R	2009		1995	R	1997		1995	R	1998	
CSTE nº 160, 1996	2000	19	1997	R	2004		1996	R	2003					
CSTE nº 165, 1997	1999	53	2009	R	2009		1997	A	2010		1997	R	2003	
CESAE, 1976	1978	12					1977	R	1981					
CEES, 1979	1982	33	1979	R			1980	R	1983		1979	R	1985	art. 7.1
CDFUE, 2007	2009	28	2007	R	2008		2007	R	2008		2007	R	2008	
CADHP, 1981	1986	53												
CADHP-OP, 2003	2005	36												
CADHP-OP, 1998	2004	24												
CADEG, 2011	2012	10												
CADBN, 1990	1999	41												
CRESAF, 1981	1983	22												
CESAR, 1978	1981	17												

Les conventions internationales et leurs protocoles additionnels:	
ICESCR, 1966	Pacte international relatif aux droits économiques, sociaux et culturels
OP-ICESCR, 2008	Protocole facultatif se rapportant au Pacte international relatif aux droits économiques, sociaux et culturels
ICCPR, 1966	Pacte international relatif aux droits civils et politiques
ICCPR-OP1, 1966	Protocole facultatif se rapportant au Pacte international relatif aux droits civils et politiques
ICCPR-OP2, 1989	Deuxième protocole facultatif se rapportant au Pacte international relatif aux droits civils et politiques, visant à abolir la peine de mort
ICERD, 1966	Convention internationale sur l'élimination de toutes les formes de discrimination raciale
CEDAW, 1979	Convention sur l'élimination de toutes les formes de discrimination à l'égard des femmes
OP-CEDAW, 1989	Protocole facultatif à la Convention sur l'élimination de toutes les formes de discrimination à l'égard des femmes
CAT, 1984	Convention contre la torture et autres peines ou traitements cruels, inhumains ou dégradants
OP-CAT, 1999	Protocole facultatif à la Convention contre la torture et autres peines ou traitements cruels, inhumains ou dégradants
CRC, 1989	Convention relative aux droits de l'enfant
OP-CRC-AC, 2000	Protocole facultatif à la Convention relative aux droits de l'enfant, concernant l'implication d'enfants dans les conflits armés
OP-CRC-IC, 2011	Protocole facultatif à la Convention relative aux droits de l'enfant, concernant la vente d'enfants, la prostitution des enfants et la pornographie mettant en scène des enfants
OP-CRC-IC, 2011	Protocole facultatif à la Convention relative aux droits de l'enfant établissant une procédure de présentation de communications
ICRMW, 1990	Convention internationale sur la protection des droits de tous les travailleurs migrants et des membres de leur famille
ICRDP, 2006	Convention relative aux droits des personnes handicapées
OP-ICRPD, 2006	Protocole facultatif se rapportant a la Convention relative aux droits des personnes handicapées
CPED, 2006	Convention international pour la protection de toutes les personnes contre les disparitions forcées
ICER, 1951	Convention relative au statut des réfugiés
OP-ICER, 1967	Protocole relatif au statut des réfugiés
DEFIDRC, 1981	Déclaration sur l'élimination de toutes formes d'intolérance et de discrimination fondées sur la religion ou la conviction
DDME, 1992	Déclaration des droits des personnes appartenant à des minorités nationales ou ethniques, religieuses et linguistiques
CDE, 1960	Convention concernant la lutte contre la discrimination dans le domaine de l'enseignement, 1960
CDE-OP, 1962	Protocole instituant une Commission de conciliation et de bons offices chargée de rechercher la solution des différends qui naîtraient entre États parties à la Convention concernant la lutte contre la discrimination dans le domaine de l'enseignement, 1962
OIT n° 140, 1974	Convention OIT n ° 140 sur les congés payés pour l'étude
OIT n° 111, 1958	Convention de l'OIT n° 111 concernant la discrimination dans l'emploi et la profession

CEDH, 1950 / STE nº 5	Convention de sauvegarde des Droits de l'Homme et des Libertés fondamentales
CEDH-OP, 1952 / STE nº 9	Protocole additionnel à la Convention de sauvegarde des Droits de l'Homme et des Libertés fondamentales
STE nº 15, 1953	Convention européenne relative à l'équivalence des diplômes donnant accès aux établissements universitaires
STE nº 21, 1956	Convention européenne sur l'équivalence des périodes d'études universitaires
STE nº 32, 1959	Convention européenne sur la reconnaissance académique des qualifications universitaires
STE nº 35, 1961	Charte sociale européenne
STE nº 49, 1964	Protocole additionnel à la Convention européenne relative à l'équivalence des diplômes donnant accès aux établissements universitaires
STE nº 59, 1969	Accord européen sur l'instruction et la formation des infirmière
STE nº 69, 1969	Accord européen sur le maintien du paiement des bourses aux étudiants poursuivant leurs études à l'étranger
STE nº 138, 1990	Convention européenne sur l'équivalence générale des périodes d'études universitaires
STE nº 148, 1992	Charte européenne des langues régionales ou minoritaires
STE nº 157, 1995	Convention-cadre pour la protection des minorités nationales
STE nº 160, 1996	Convention européenne sur l'exercice des droits des enfants
STE nº 165, 1997	Convention sur la reconnaissance des qualifications relatives à l'enseignement supérieur dans la Région Européenne, 1997
CESAE, 1976	Convention sur la reconnaissance des études, des diplômes et des grades de l'enseignement supérieur dans les Etats arabes et les Etats européens riverains de la Méditerranée, 1976
CEES, 1979	Convention sur la reconnaissance des études et des diplômes relatifs à l'enseignement supérieur dans les Etats de la région Europe, 1979
CADHP, 1986	Charte africaine des droits de l'homme et des peuples, 1981
CADHP-OP, 2004	Protocole relatif à la Charte africaine des droits de l'Homme et des peuples portant création d'une Cour africaine des droits de l'Homme et des peuples
CADHP-OP, 2005	Protocole à la Charte africaine des droits de l'Homme et des peuples relatif aux droits des femmes en Afrique
CADEG, 2012	Charte Africaine de la Democratie, des Elections et de la Gouvernance
CADBN, 1999	Charte Africaine des droits et du bien-être de l'enfant
CRESAF, 1981	Convention régionale sur la reconnaissance des études et des certificats, diplômes, grades et autres titres de l'enseignement supérieur, dans les Etats d'Afrique, 1981
CESAR, 1978	Convention sur la reconnaissance des études, des diplômes et des grades de l'enseignement supérieurs dans les Etats arabes, 1978
STE	Conventions et accords ouverts à la signature entre 1949 et 2003 ont été publiées dans la «Série des traités européens» (STE n° 001 à 193 inclus)
STCE	Depuis 2004, cette série se poursuit par la série «Conseil de l'Europe traité» (STCE n ° 194 et suivants)

AXE I: POLITIQUES ET MESURES

INDICATEURS STRUCTURELS

IIINTSI.1 Ratification des accords internationaux en matière d'Éducation aux droits de l'homme

Textes Internationaux	Algerie	Maroc	Tunisie	Espagne	Italie	Royaume-Uni
DUDH, 1948: art. 26	10/13/1963	01/24/1958	11/29/1956	09/13/1968	4/6/1952	01/30/1970
CESR, 1966: art. 13	12/9/1989	3/5/1979	03/18/1969	04/27/1977	09/15/1978	05/20/1976
CCPR, 1966: art. 2.2	12/9/1989	3/5/1979	03/18/1969	04/27/1977	09/15/1978	05/20/1876
CRC, 1989: arts. 4, 17, 19 y 29	04/16/1993	06/21/1993	01/30/1992	6/12/1990	5/9/1991	12/16/1991
OIT nº 169, 1989: arts. 7, 26, 27, 29, 30				02/15/2007		
OIT nº 140, 1974: arts. 2 y 3				09/18/1978		4/12/1975
OIT nº 111, 1958	12/6/1969	03/27/1963	09/14/1959	6/11/1967	12/8/1963	8/6/1999
DPT, 1995						
DRDH, 1998						
DNUDH, 2011						
DPV, 1993: arts. 33, 34 y 80-82						

ACRONYMES

DUDH, 1948	Déclaration universelle des droits de l'homme
ICESCR, 1966	Pacte international relatif aux droits économiques, sociaux et culturels
ICCPR, 1966	Pacte international relatif aux droits civils et politiques
CRC	Convention relative aux droits de l'enfant
OIT nº 169, 1989	Convention de l'OIT nº 169 relative aux peuples indigènes et tribaux dans les pays indépendants
OIT nº 140, 1974	Convention OIT n ° 140 sur les congés payés pour l'étude
OIT nº 111, 1958	Convention de l'OIT n° 111 concernant la discrimination dans l'emploi et la profession
DPT, 1995	Déclaration de principes sur la tolérance, 1995
DRDH, 1998	Déclaration sur le droit et la responsabilité des individus, groupes et organes de la société de promouvoir et protéger les droits de l'homme et les libertés fondamentales universellement reconnus
DNUDH, 2011	Déclaration des Nations Unies sur l'éducation et la formation aux droits de l'homme
DPV,1993	Déclaration et programme d'action de Vienne

IIINTSI.2a Le pays apporte de l'information sur l'Éducation aux Droits Humains dans les rapports nationaux envoyés aux les organes de Traités des Nations Unies et ceux envoyés aux procédures spéciales de l'ONU

	Algerie	Maroc	Tunisia	Espagne	Italie	Royaume-Uni
RS Education		2008	2013		2010	
RS Liberté d'expression	2012	2011	2011	2011	2005	2006
RS Liberté de religion	2007					2008
RS Racisme	2011			2013	2007	2003
RS Traite		2014		2011	2014	2007
RS Migrants		2009	2013	2009	2013	2010
RS Violence contre les femmes	2011	2007			2012	2011
RS El Droits culturels		2012		2009	2004	
RS El Minorités	2008	2002			2008	2005
RS Torture	2011	2013	2012	2006	2011	2012
CCPR	2006	2004	2007	2013	2004	2013
SPT	2006	2013	2010	2009	2010	2012
CESCR	2010	2014	1996	2013	2009	2014
CERD	2012	2009	2007	2014	2011	2009
CRPD	2015	2014	2010	2010	2013	2013
CRC	2011	2013	2008	2009	2010	2014
CEDAW	2010	2006	2007	2013	2010	2011
CMW	2015	2012				

IIINTSI.2b Information sur l'éducation aux droits de l'homme apportée par les États dans leurs rapports périodiques présentés aux organes de traités, aux procédés spéciaux des Nations Unies.

Instrument juridique (date d'adoption)	Date d'entrée en vigueur	SS	Algerie	Maroc	Tunisie	Espagne	Italie	Royaume-Uni
			Signature	Signature	Signature	Signature	Signature	Signature
Plaintes individuelles:								
ICCPR-OP1, 1966	1976	115	1989		2011	1989	1978	
CEDAW-OP, 1999	2000	108			2008	2001	2000	2004
CRPD-OP, 2006	2008	92		2009	2008	2007	2009	2009
ICESCR-OP, 2008	2013	45				2010	2015	
CRC-OP IC, 2011, art. 5	2014	29				2013	2016	
ICERD, 1966, art. 14	1969	57	1989	2006		1998	1978	
CAT, 1984, art. 22	1987	66	1989	2006	1998	1987	1989	
ICRMW, 1990, art. 77	2003	48						
ICPPED, 2006, art. 31	2010	19				2011		
Procédure d'enquête								
CEDAW-OP, 1999, arts. 8-9	2000	102			2008	2001	2000	2004
CAT, 1984, art. 20	1987	144	1989	1993	1 988	1987	1989	1988
ICPPED, 2006, art. 33	2010	46		2013	2011	2009	2015	
CRPD-OP, 2006, arts. 6-7	2008	86		2009	2008	2007	2009	2009
ICESCR-OP, 2008, art. 11	2013	4						
CRC-OP IC, 2011, art. 13	2014	16				2013	2016	
Plaintes inter-États								
ICCPR, 1966, art. 41	1976	168	1968	1976				
ICRMW, 1990, art. 76	2003	48		1991				
ICPPED, 2006, art. 32	2010	46		2007	2007	2011	2007	
CAT, 1984, art. 21	1987	160	1985	1986		1987	1985	1985
ICESCR-OP, 2008, art. 10	2013	45				2009	2009	
CRC-OP IC, 2011, art. 12	2014	29		2012		2012	2012	
ICERD, 1966, art. 11	1969	57	1989	2006		1998	1978	
Action urgent								
ICPPED, 2006, art. 30	2010	53	2007	2007	2007	2007	2007	

IIINTSI.2c Le pays informe adéquatement sur l'EDH dans les rapports nationaux envoyés aux organes de traités des Nations Unies (spécialement le Comité des droits de l'enfant et le Comité des droits économiques, sociaux et culturels), aux procédures spéciales de l'ONU (notamment au rapporteur spécial sur le droit à l'éducation)

Les procédures spéciales	Algerie		Maroc		Tunisie	
	Année		Année		Année	
RS Education	2015		2008	A/HRC/8/10/Add.2	2013	A/HRC/23/35/Add.1
RS Liberté d'expression	2011	A/HRC/20/17/Add.1	2012	A/HRC/19/61/Add.4	2012	A/HRC/19/61/Add.4
RS Liberté de religion	2007	A/HRC/4/21/Add.1				
RS Racisme			2011	A/66/312		
RS Traite			2014	A/HRC/26/37/Add.3		
RS Migrants			2004	E/CN.4/2004/76/Add.3	2013	A/HRC/23/46/Add.1
RS Violence contre les femmes	2010	A/HRC/17/26/Add.3	2007	A/HRC/4/34/Add.1		
RS El Droits culturels			2012	A/HRC/20/26/Add.2		
RS El Minorités	2008	A/HRC/7/23			2012	A/HRC/19/61/Add.1
RS Torture	2010	A/HRC/13/39/Add.1	2013	A/HRC/22/53/Add.2	2012	A/HRC/19/55/Add.2
CCPR	2007	CCPR/C/DZA/CO/3	2015	CCPR/C/MAR/6	2011	CCPR/C/TUN/CO/5/ADD.2
CESCR	2010	E/C.12/DZA/CO/4	2006	E/C.12/MAR/CO/3	1999	E/C.12/1/Add.36
CERD	2013	CERD/C/DZA/CO/15-19	2012	CERD/C/MAR/CO/17-18/ADD.1	2009	CERD/C/TUN/CO/19
CRPD	2015	CRPD/C/DZA/1	2015	CCPR/C/MAR/6	2011	CRPD/C/TUN/CO/1
CRC	2012	CRC/C/DZA/CO/3-4	2014	CRC/C/MAR/CO/3-4	2010	CRC/C/TUN/CO/3
CEDAW	2012	CEDAW/C/DZA/CO/3-4	2008	CEDAW/C/MAR/CO/4	2010	CEDAW/C/TUN/CO/6
CMW	2010	CMW/C/DZA/CO/1	2013	CMW/C/MAR/CO/1		
CED					2014	CED/C/TUN/1

Les procédures spéciales	Espagne		Italie		Royaume-Uni	
	Année		Année		Année	
RS Education			2010	A/HRC/14/25/Add.1	2003	E/CN.4/2003/9/Add.1
RS Liberté d'expression			2014	A/HRC/26/30/Add.3	2012	A/HRC/19/61/Add.4
RS Liberté de religion					2010	A/HRC/7/10/Add.3
RS Racisme	2013	A/HRC/23/56/Add.2	2011	A/HRC/17/40/Add.1	1996	E/CN.4/1996/72/Add.4
RS Traite	2011	A/HRC/16/52/Add.1	2014	A/HRC/26/37/Add.4	2015	A/HRC/29/27/Add.2
RS Migrants	2009	A/HRC/11/7/Add.1	2015	A/HRC/29/36/Add.2	2010	A/HRC/14/30/Add.3
RS Violence contre les femmes			2012	A/HRC/20/16/Add.2	2011	A/HRC/17/26/Add.1
RS EI Droits culturels	2009	A/HRC/10/60				
RS EI Minorités			2008	A/HRC/7/23/Add.1		
RS Torture	2004	E/CN.4/2004/56/Add.2				
CCPR	2016	CCPR/C/ESP/CO/6/Add.1	2006	CCPR/C/ITA/CO/5	2011	CCPR/C/GBR/CO/6/ADD.2
CESCR	2012	E/C.12/ESP/CO/5	2004	E/C.12/1/Add.103	2009	E/C.12/GBR/CO/5
CERD	2011	CERD/C/ESP/CO/18-20	2012	CERD/C/ITA/CO/16-18	2011	CERD/C/GBR/CO/18-20
CRPD	2011	CRPD/C/ESP/CO/1	2004	CCPR/C/ITA/2004/5	2013	CRPD/C/GBR/1
CRC	2010	CRC/C/ESP/CO/3-4	2011	CRC/C/ITA/CO/3-4	2014	CRC/C/OPSC/GBR/CO/1
CEDAW	2009	CEDAW/C/ESP/CO/6	2011	CEDAW/C/ITA/CO/6	2013	CEDAW/C/GBR/CO/7
CMW						
CED	2013	CED/C/ESP/1				

Les organes de traités:	
CAT	Comité contre la torture
CED	Comité contre les disparitions forcées
CEDAW	Comité pour l'élimination de la discrimination à l'égard des femmes
CERD	Comité pour l'élimination de la discrimination raciale
CESCR	Comité des droits économiques, sociaux et culturels
CMW	Comité des travailleurs migrants
CRC	Comité des droits de l'enfant
CRPD	Comité des droits des personnes handicapées
HRC	Comité des droits de l'homme
SPT	Sous-Comité pour la prévention de la torture

Les procédures spéciales:	
EI Droits culturels	Expert indépendant dans le domaine des droits culturels
EI Minorités	Expert indépendant sur les questions relatives aux minorités
RS Education	Rapporteur spécial sur le droit à l'éducation
RS Liberté d'expression	Rapporteur spécial sur la promotion et la protection du droit à la liberté d'opinion et d'expression
RS Liberté de religion	Rapporteur spécial sur la liberté de religion ou de conviction
RS Migrants	Rapporteur spécial sur les droits de l'homme des migrants
RS Racisme	Rapporteur spécial sur les formes contemporaines de racisme, de discrimination raciale, de xénophobie et de l'intolérance qui y est associée
RS Torture	Rapporteur spécial sur la torture et autres peines ou traitements cruels, inhumains ou dégradants
RS Traite	Rapporteur spécial sur la traite des êtres humains, en particulier des femmes et des enfants
RS Violence contre les femmes	Rapporteur spécial sur la violence contre les femmes, ses causes et ses conséquences

AXE III: RECHERCHE

INDICATEURS STRUCTURELS

IIINTSIII.3 Ratification des traités internationaux reconnaissant les droits suivants: droit à bénéficier du progrès scientifique et de ses applications, droit à la protection des intérêts moraux et matériels de l'auteur en raison de ses productions scientifiques, littéraires ou artistiques, droit à la liberté d'expression, y compris la liberté d'effectuer des recherches et de recevoir et de diffuser de l'information et des idées de tout genre, droit à la liberté de recherche scientifique et d'activité créatrice, droit à la propriété intellectuelle, droits d'auteur ou d'autres régimes de propriété intellectuelle

Instrument juridique (date d'adoption)	Date d'entrée en vigueur	SS	Algerie			Maroc			Tunisie		
			Signature	T	Instrument	Signature	T	Instrument	Signature	T	Instrument
CPEC, 2005	2007	134		R	26/02/2015		R	04/06/2013		R	15/02/2007
CSPCI, 2003	2006	161		A	15/03/2004		R	06/07/2006		R	24/07/2006
CPIBC, 1970	1972	127		R	24/06/1974		R	03/02/2003		A	04/10/1975
AIOCECC, 1950	1952	101					A	25/07/1968		A	14/05/1971
CUDA,1971	1974	100		A	18/05/1973		A	28/10/1975		A	03/10/1975
WCT, 1996	2002	93		A	31/10/2013		A	20/04/2011			
RO, 1961	1970	92		A	22/01/2007						
CPPF, 1971	1973	78									
WPPT, 1996	2002	94		A	31/10/2013		A	20/04/2011			
B, 1886		168		A	19/01/1998		A	16/06/1917		R	5/9/1877
S, 1974	1979	37				21/05/1974	R	31/03/1983			
P, 1883	1970	176		A	16/09/1965		A	27/02/1917		A	20/3/1884
PCT, 1970	2002	148	10/06/1970	R	12/08/1999		A	07/08/1999		A	09/10/2001
PLT, 2000	2005	36	02/06/2000								
BP, 1977	1980	79					A	20/04/2011		A	23/02/2004
MI, 1891	1996	36		A	24/03/1972		A	27/02/1917			
TLT, 1994	1996	55				05/10/1995	R	04/06/2009			
SG, 2006	2009	38									
W, 1967	1970	188	14/07/1967		16/01/1975	14/07/1967	R	27/04/1971	14/07/1967	R	28/08/1975
H, 1925	1960	64				06/11/1925	A	09/09/1930		A	09/09/1930
MM, 1891	1892	55		A	24/03/1972		A	30/04/1917		R	15/6/1892
MP, 1989	1995	94				28/06/1989	R	08/07/1999		A	16/07/2013
LI, 1979	2010	28		A	24/03/1972	31/10/1958				A	31/07/1973
PH, 1971	1973	78									
ITPGRFA, 2001	2004	135		A	13/12/2002	27/03/2002	R	14/07/2002	10/06/2002	R	08/06/2004
BEIJING, 2012	SV	65				26/06/2012			26/06/2012		

Instrument juridique (date d'adoption)	Date d'entrée en vigueur	SS	Espagne			Italie			Royaume-Uni		
			Signature	T	Instrument	Signature	T	Instrument	Signature	T	Instrument
CPEC, 2005	2007	134		R	18/12/2006		R	19/02/2007		R	12/07/2007
CSPCI, 2003	2006	161		R	25/10/2006		R	30/10/2007			
CPIBC, 1970	1972	127		R	01/10/1986		R	02/10/1978		A	08/01/2002
AIOCECC, 1950	1952	101		A	07/07/1955		R	26/11/1962		R	03/11/1954
CUDA,1971	1974	100		R	04/10/1974		R	25/10/1979		R	19/05/1972
WCT, 1996	2002	93	20/12/1996	R	14/12/2009	20/12/1996	R	14/12/2009	13/02/1997	R	14/12/2009
RO, 1961	1970	92	20/10/1961	R	14/08/1991	20/10/1961	R	01/08/1975	20/10/1961	R	30/10/1963
CPPF, 1971	1973	78		R	16/05/1974		R	20/12/1976		R	12/05/1972
WPPT, 1996	2002	94	20/12/1996	R	14/12/2009	20/12/1996	R	14/12/2009	13/02/1997	R	14/12/2009
B, 1886		168		R	9/5/1887		R	5/9/1887		R	9/5/1887
S, 1974	1979	37	21/05/1974			21/05/1974	R	04/07/1981			
P, 1883	1970	176	20/3/1883	R	6/6/1884		R	6/6/1884		A	6/6/1884
PCT, 1970	2002	148		A	16/08/1989	19/06/1970	R	28/12/1984	19/06/1970	R	24/10/1977
PLT, 2000	2005	36	20/06/2000	R	08/06/2013	20/06/2000			20/06/2000	R	22/12/2005
BP, 1977	1980	79	28/04/1977	R	19/12/1980	20/07/1977	R	23/12/1985	28/04/1977	R	29/09/1980
MI, 1891	1996	36	14/4/1891	R	15/6/1892		R	15/10/1894	14/4/1891	R	15/6/1892
TLT, 1994	1996	55	29/03/1995	R	17/12/1998	28/10/1994	R	26/01/2011	28/10/1994	R	05/01/1996
SG, 2006	2009	38	28/03/2006	R	18/02/2009	28/03/2006	R	21/06/2010	28/03/2006	R	21/03/2012
W, 1967	1970	188	14/07/1967	R	06/06/1969	14/07/1967	R	20/01/1977	14/07/1967	R	26/02/1969
H, 1925	1960	64	06/11/1925	R	01/05/1928		A	05/11/1987			
MM, 1891	1892	55	14/4/1891	R	15/6/1892	14/4/1891	A	02/05/1951			
MP, 1989	1995	94		R	17/04/1991		R	17/01/2000		R	04/06/1995
LI, 1979	2010	28	31/10/1958			31/10/1958	R	07/10/1968			
PH, 1971	1973	78	29/10/1971	R	16/05/1974	29/10/1971	R	20/12/1976	29/10/1971	R	05/12/1972
ITPGRFA, 2001	2004	135	06/06/2002	R	31/03/2004	06/06/2002	R	18/05/2004	06/06/2002	R	31/03/2004
BEIJING, 2012	SV	65	26/06/2012			26/06/2012			11/06/2013		

Instrument juridique (date d'adoption)	Date d'entrée en vigueur	SS	Algerie			Maroc			Tunisie		
			Signature	T	Instrument	Signature	T	Instrument	Signature	T	Instrument
CIPV, 2005	2005	181			10/01/1985			10/12/1972			22/07/1971
CDFUE, 2007	2009	28									
CADHP, 1981	1986	53	10/4/1986	R	3/1/1987					R	16/3/1983
STE nº 18	1955	4									
STE nº 26	1959	22									
STE nº 27	1961	16									
STE nº 34	1961	7									
STE nº 66	1970	41									
STE nº 81	1974	10									
STE nº 108	1985	46									
STE nº 109	1985	21									
STE nº 113	1985	10									
STE nº 123	1991	22									
STE nº 131	SV	7									
STE nº 143	1995	42									
STE nº 147	1994	43									
STE nº 153	SV	7									
STE nº 170	2005	20									
STE nº 185	2004	44									
STE nº 189	2006	23									
STCE nº 199	2011	17									

Instrument juridique (date d'adoption)	Date d'entrée en vigueur	SS	Espagne			Italie			Royaume-Uni		
			Signature	T	Instrument	Signature	T	Instrument	Signature	T	Instrument
CIPV, 2005	2005	181			18/02/1952			08/03/1955			09/07/1953
CDFUE, 2007	2009	28			2009			2009			2009
CADHP, 1981	1986	53									
STE nº 18	1955	4		A	28/02/1975		R	16/09/1974		R	12/08/1972
STE nº 26	1959	22	9/12/87	A	27/04/1989	15/12/1958	R	23/08/1961	21/11/63	R	12/08/1964
STE nº 27	1961	16		A	05/12/1973	15/12/1958			15/12/1958	R	15/12/1958
STE nº 34	1961	7		R	22/09/1971	22/06/1960			13/07/1960	R	09/03/1961
STE nº 66	1970	41		A	27/04/1989		R	31/05/1989		R	13/11/1987
STE nº 81	1974	10		A	02/08/1974				15/03/1974	R	15/03/1974
STE nº 108	1985	46	28/01/1982	R	31/01/1984	02/02/1983	R	23/03/1997	14/05/1981	R	26/08/1987
STE nº 109	1985	21		R	27/04/1989		R	23/08/1961		R	12/08/1964
STE nº 113	1985	10	12/11/1984	R	02/11/1984				04/07/1983	R	04/07/1983
STE nº 123	1991	22		R	09/12/1989					R	17/12/1999
STE nº 131	SV	7							18/12/1989	R	18/12/1989
STE nº 143	1995	42		R	31/03/2011					R	19/09/2000
STE nº 147	1994	43		R	09/02/1994					R	11/05/1992
STE nº 153	SV	7		R	16/01/2014						
STE nº 170	2005	20		R	17/11/2003					R	17/12/1999
STE nº 185	2004	44		R	06/03/2010		R	06/05/2008			
STE nº 189	2006	23		R	18/12/2014						
STCE nº 199	2011	17				27/12/2013					

CPEC, 2005	Convention sur la protection et la promotion de la diversité des expressions culturelles
CSPCI, 2003	Convention pour la sauvegarde du patrimoine culturel immatériel
CPIBC, 1970	Convention concernant les mesures à prendre pour interdire et empêcher l'importation, l'exportation et le transfert de propriété illicites des biens culturels
AIOCECC, 1950	Accord pour l'importation d'objSTE de caractère éducatif, scientifique ou culturel, avec annexes A à E et Protocole annexé, 1950
CUDA, 1952	Convention universelle sur le droit d'auteur, 1952
WCT, 1996	Traité de l'OMPI sur le droit d'auteur
RO, 1961	Convention de Rome pour la protection des artistes interprètes ou exécutants, des producteurs de phonogrammes et des organismes de radiodiffusion
CPPF, 1971	Convention pour la protection des producteurs de phonogrammes contre la reproduction non autorisée de leurs phonogrammes
WPPT, 1996	Traité de l'OMPI sur les interprétations et exécutions et les phonogrammes
B, 1886	Convention de Berne pour la protection des œuvres littéraires et artistiques
S, 1974	Convention de Bruxelles concernant la distribution de signaux porteurs de programmes transmis par satellite
P, 1883	Convention de Paris pour la protection de la propriété industrielle
PCT, 1970	Traité de coopération en matière de brevSTE
PLT, 2000	Traité sur le droit des brevets
BP, 1977	Traité de Budapest sur la reconnaissance internationale du dépôt des micro-organismes aux fins de la procédure en matière de brevets
MI, 1891	Arrangement de Madrid concernant l'enregistrement international des marques
TLT, 1994	Traité sur le droit des marques
SG, 2006	Traité de Singapour sur le droit des marques
W, 1967	Convention instituant l'Organisation Mondiale de la Propriété Intellectuelle
H, 1958	Arrangement de La Haye concernant l'enregistrement international des dessins et modèles industriels
MM, 189	Arrangement de Madrid concernant la répression des indications de provenance fausses ou fallacieuses sur les produits
MP, 1989	Protocole relatif á l'Arrangement de Madrid concernant l'enregistrement international des marques
LI, 1994	Arrangement de Lisbonne concernant la protection des appellations d'origine et leur enregistrement international
PH, 1971	Convention pour la protection des producteurs de phonogrammes contre la reproduction non autorisé de leurs phonogrammes
ITPGRFA, 2001	Traité international sur les ressources phytogénétiques pour l'alimentation et l'agriculture, 2001
BEIJING, 2012	Traité de Beijing sur les interprétations et exécutions audiovisuelles
CIPV, 2005	Convention internationale pour la protection des végétaux (CIPV)
CDFUE, 2007	Charte des droits fondamentaux de l'Union Européenne
CADHP, 1981	Charte africaine des droits de l'homme et des peuples, 1981
STE nº 18	Convention culturelle européenne
STE nº 26	Accord européen relatif à l'échange de substances thérapeutiques d'origine humaine
STE nº 27	Arrangement européen sur l'échange des programmes au moyen de films de télévision
STE nº 34	Arrangement européen pour la protection des émissions de télévision
STE nº 66	Convention européenne pour la protection du patrimoine archéologique
STE nº 81	Protocole additionnel au Protocole à l'Arrangement européen pour la protection des émissions de télévision
STE nº 108	Convention pour la protection des personnes à l'égard du traitement automatisé des données à caractère personnel
STE nº 109	Protocole additionnel à l'Accord européen relatif à l'échange de substances thérapeutiques d'origine humaine
STE nº 113	Protocole additionnel au Protocole à l'Arrangement européen pour la protection des émissions de télévision
STE nº 119	Convention européenne sur les infractions visant des biens culturels
STE nº 123	Convention européenne sur la protection des animaux vertébrés utilisés à des fins expérimentales ou à d'autres fins scientifiques
STE nº 131	Troisième Protocole additionnel au Protocole à l'Arrangement européen pour la protection des émissions de télévision
STE nº 143	Convention européenne pour la protection du patrimoine archéologique (révisée)

STE nº 147	Convention européenne sur la coproduction cinématographique
STE nº 153	Convention européenne concernant des questions de droit d'auteur et de droits voisins dans le cadre de la radiodiffusion transfrontière par satellite
STE nº 170	Protocole d'amendement à la Convention européenne sur la protection des animaux vertébrés utilisés à des fins expérimentales ou à d'autres fins scientifiques
STE nº 185	Convention sur la cybercriminalité
STE nº 189	Protocole additionnel à la Convention sur la cybercriminalité, relatif à l'incrimination d'actes de nature raciste et xénophobe commis par le biais de systèmes informatiques
STCE nº 199	Convention-cadre du Conseil de l'Europe sur la valeur du patrimoine culturel pour la société
STE	Conventions et accords ouverts à la signature entre 1949 et 2003 ont été publiées dans la «Série des traités européens» (STE n° 001 à 193 inclus)
STCE	Depuis 2004, cette série se poursuit par la série «Conseil de l'Europe traité» (STCE n ° 194 et suivants)

IIINTSIII.4 Ratification des conventions internationales de l'éthique dans la recherche

Instrument juridique (date d'adoption)	Date d'entrée en vigueur	SS	Algerie			Maroc			Tunisie		
			Signature	T	Instrument	Signature	T	Instrument	Signature	T	Instrument
Conventions											
CDB, 1992	1993	196	1992	**R**	1995	1992	**R**	1995	1992	**R**	1995
P. Cartagena, 2000	2003	170	2000	**R**	2004	2000	**R**	2011	2001	**R**	2003
P. Nagoya, 2010	SV	58	2011			2011			2011		
CPCI, 2003	2006	162		**Ap**	2004		**R**	2006		**R**	2006
CPSub, 2001	2009	50		**R**	2015		**R**	2011		**R**	2009
CHu, 1971	1975	169		**Ad**	1983		**R**	1980		**Ad**	1980
ITPGRFA, 2001	2004	193				2002	**R**	2006	2002	**R**	2004
BWC, 1972	1975	173		**A**	2015	1972	**R**	2002	1972	**R**	1973
CWC, 1993	1997	190	1993	**R**	1995	1993	**R**	1995	1993	**R**	1997
Déclarations / Recommandations											
DBDH, 2005	2005										
DHGD, 2003	2003										
DCD, 2001	2001										
DUGDH, 1997	1997										
DRDFG, 1997	1997										
DCSK, 1999	1999										
RSSC, 1974	1974										
RST, 1966	1996										
COE											
STE nº 26, 1958	1959	22									
STE nº 33, 1960	1960	24									
STE nº 38, 1962	1962	11									
STE nº 50, 1964	1974	38									
STE nº 84, 1974	1977	19									
STE nº 89, 1976	1977	18									
STE nº 102, 1979	1982	30									
STE nº 104, 1979	1982	51					**A**	2001	1996	**A**	1996
STE nº 109, 1983	1985	21									
STE nº 110, 1983	1985	20									
STE nº 111, 1983	1985	21									

Instrument juridique (date d'adoption)	Date d'entrée en vigueur	SS	Espagne			Italie			Royaume-Uni		
			Signature	T	Instrument	Signature	T	Instrument	Signature	T	Instrument
Conventions											
CDB, 1992	1993	196	1992	R	1993	1992	R	1994	1992	R	1994
P. Cartagena, 2000	2003	170	2000	R	2002	2000	R	2004	2000	R	2003
P. Nagoya, 2010	SV	58				2011					
CPCI, 2003	2006	162		R	2006		R	2007			
CPSub, 2001	2009	50		R	2005		R	2010			
CHu, 1971	1975	169		Ad	1982		R	1976		R	1976
ITPGRFA, 2001	2004	193	2004	R	2004	2002	R	2004	2002	R	2004
BWC, 1972	1975	173	1972	R	1979	1972	R	1975	1972	R	1975
CWC, 1993	1997	190	1993	R	1994	1993	R	1995	1993	R	1996
Déclarations / Recommandations											
DBDH, 2005	2005										
DHGD, 2003	2003										
DCD, 2001	2001										
DUGDH, 1997	1997										
DRDFG, 1997	1997										
DCSK, 1999	1999										
RSSC, 1974	1974										
RST, 1966	1996										
COE											
STE nº 26, 1958	1959	22	1987	A	1989	1958	R	1961	1963	R	1964
STE nº 33, 1960	1960	24		R	1974	1960	R	1963	1960	R	1960
STE nº 38, 1962	1962	11				1962	R	1969	1962	R	1962
STE nº 50, 1964	1974	38	1987	A	1987	1964	R	1974	1970	R	1974
STE nº 84, 1974	1977	19				1983	A	1983	1979	A	1979
STE nº 89, 1976	1977	18				1979	A	1979			
STE nº 102, 1979	1982	30				1980	R	1986	1979		
STE nº 104, 1979	1982	51	1979	R	1979	1979	R	1982	1979	R	1982
STE nº 109, 1983	1985	21	1989	R	1989	1984	R	1985	1985	R	1985
STE nº 110, 1983	1985	20	1985	R	1985	1984	R	1985	1985	R	1985
STE nº 111, 1983	1985	21	1985	R	1985	1984	R	1985	1985	R	1985

Instrument juridique (date d'adoption)	Date d'entrée en vigueur	SS	Algerie			Maroc			Tunisie		
			Signature	T	Instrument	Signature	T	Instrument	Signature	T	Instrument
STE nº 123, 1986	1991	28									
STE nº 134, 1989	1992	38									
STE nº 150, 1993	SV	9									
STE nº 164, 1997	1999	35									
STE nº 168, 1998	2001	33									
STE nº 170, 1998	2005	23									
STE nº 186, 2002	2006	22									
STCE nº 195, 2005	2007	22									
STCE nº 197, 2005	2007	44									
STCE nº 203, 2008	SV	8									
STCE nº 211, 2011	SV	23									
STCE nº 216, 2015	SV	14									

Instrument juridique (date d'adoption)	Date d'entrée en vigueur	SS	Espagne			Italie			Royaume-Uni		
			Signature	T	Instrument	Signature	T	Instrument	Signature	T	Instrument
STE nº 123, 1986	1991	28	1988	R	1989				1986	R	1999
STE nº 134, 1989	1992	38	1989	R	1992	1989	R	1992	1989	R	1991
STE nº 150, 1993	SV	9				1993					
STE nº 164, 1997	1999	35	1997	R	1999	1997					
STE nº 168, 1998	2001	33	1998	R	2000	1998					
STE nº 170, 1998	2005	23	2003	R	2003				1998	R	1999
STE nº 186, 2002	2006	22	2006	R	2014	2002					
STCE nº 195, 2005	2007	22				2005					
STCE nº 197, 2005	2007	44	2008	R	2009	2005	R	2010	2007	R	2008
STCE nº 203, 2008	SV	8									
STCE nº 211, 2011	SV	23	2012	R	2013	2011					
STCE nº 216, 2015	SV	14	2015			2015			2015		

Textes normatifs internationales de l'éthique dans la recherche

Conventions	
CDB, 1992	Convention sur la diversité biologique, 1992
P. Cartagena, 2000	Protocole de Cartagena sur la prévention des risques biotechnologiques, 2000
P. Nagoya, 2010	Protocole de Nagoya sur l'accès et le partage des avantages, 2010
CPCI, 2003	Convention pour la sauvegarde du patrimoine culturel immatériel 2003
CPSub, 2001	Convention sur la protection du patrimoine culturel subaquatique, 2001
CHu, 1971	Convention relative aux zones humides d'importance internationale particulièrement comme habitats de la sauvagine, 1971
ITPGRFA, 2001	Traité international sur les ressources phytogénétiques pour l'alimentation et l'agriculture, 2001
BWC, 1972	Convention sur l'interdiction de la mise au point, de la fabrication et du stockage des armes bactériologiques (biologiques) ou à toxines et sur leur destruction, 1972
CWC, 1993	La Convention sur l'interdiction de la mise au point, de la fabrication, du stockage et de l'emploi des armes chimiques et sur leur destruction, 1993
Déclarations / Recommandations	
DBDH, 2005	Déclaration universelle sur la bioéthique et les droits de l'homme, 2005
DHGD, 2003	Déclaration internationale sur les données génétiques humaines, 2003
DCD, 2001	Déclaration universelle de l'UNESCO sur la diversite culturelle, 2001
DUGDH, 1997	Déclaration universelle sur le génome humain et les droits de l'homme, 1997
DRDFG, 1997	Déclaration sur les responsabilites des générations présentes envers les générations futures, 1997
DCSK, 1999	Déclaration sur la science et l' utilisation du savoir scientifique 1999
RSSC, 1974	Recommandation concernant la condition des chercheurs scientifiques, 1974
REDPE, 1974,	Recommandation sur l'éducation pour la compréhension, la coopération et la paix internationales et l'éducation relative aux droits de l'homme et aux libertés fondamentales, 1974
RST, 1966	Recommandation concernant la condition du personnel enseignant, 1966
COE	Conseil de l'Europe
STE nº 26	Accord européen relatif à l'échange de substances thérapeutiques d'origine humaine
STE nº 033	Accord pour l'importation temporaire en franchise de douane, à titre de prêt gratuit et à des fins diagnostiques ou thérapeutiques, de matériel médico-chirurgical et de laboratoire destiné aux établissements sanitaires
STE nº 038	Accord européen concernant l'entraide médicale dans le domaine des traitements spéciaux et des ressources thermo-climatiques
STE nº 050	Convention relative à l'élaboration d'une pharmacopée européenne
STE nº 084	Accord européen sur l'échange de réactifs pour la détermination des groupes tissulaires
STE nº 089	Protocole additionnel à l'Accord européen sur l'échange de réactifs pour la détermination des groupes tissulaires
STE nº 102	Convention européenne sur la protection des animaux d'abattage
STE nº 104	Convention relative à la conservation de la vie sauvage et du milieu naturel de l'Europe
STE nº 109	Protocole additionnel à l'Accord européen relatif à l'échange de substances thérapeutiques d'origine humaine
STE nº 110	Protocole additionnel à l'Accord pour l'importation temporaire en franchise de douane, à titre de prêt gratuit et à des fins diagnostiques ou thérapeutiques, de matériel médico-chirurgical et de laboratoire destiné aux établissements sanitaires
STE nº 111	Protocole additionnel à l'Accord européen relatif à l'échange des réactifs pour la détermination des groupes sanguins
STE nº 123	Convention européenne sur la protection des animaux vertébrés utilisés à des fins expérimentales ou à d'autres fins scientifiques
STE nº 134	Protocole à la Convention relative à l'élaboration d'une pharmacopée européenne
STE nº 150	Convention sur la responsabilité civile des dommages résultant d'activités dangereuses pour l'environnement
STE nº 164	Convention pour la protection des Droits de l'Homme et de la dignité de l'être humain à l'égard des applications de la biologie et de la médecine: Convention sur les Droits de l'Homme et la biomédecine
STE nº 168	Protocole additionnel à la Convention pour la protection des Droits de l'Homme et de la dignité de l'être humain à l'égard des applications de la biologie et de la médecine, portant interdiction du clonage d'êtres humains
STE nº 170	Protocole d'amendement à la Convention européenne sur la protection des animaux vertébrés utilisés à des fins expérimentales ou à d'autres fins scientifiques

STE nº 186	Protocole additionnel à la Convention sur les Droits de l'Homme et la biomédecine relatif à la transplantation d'organes et de tissus d'origine humaine
STCE nº 195	Protocole additionnel à la Convention sur les Droits de l'Homme et la biomédecine, relatif à la recherche biomédicale
STCE nº 197	Convention du Conseil de l'Europe sur la lutte contre la traite des êtres humains
STCE nº 203	Protocole additionnel à la Convention sur les Droits de l'Homme et la biomédecine relatif aux tests génétiques à des fins médicales
STCE nº 211	Convention du Conseil de l'Europe sur la contrefaçon des produits médicaux et les infractions similaires menaçant la santé publique
STCE nº 216	Convention du Conseil de l'Europe contre le trafic d'organes humains

Chapitre 3

Diagnostic de la mise en œuvre de l'approche des droits de l'homme dans les ordres juridiques nationaux des états du consortium ABDEM

ANA MARÍA VEGA GUTIÉRREZ*
FERMÍN NAVARIDAS NALDA*
LEONOR GONZÁLEZ MENORCA*
Université de La Rioja

* Ana María Vega Gutiérrez est l'auteur des points 1 et 2 du chapitre.
* Fermín Navaridas est l'auteur du point 4 du chapitre.
* Leonor González Menorca est l'auteur du point 3 du chapitre.

1. INTRODUCTION

Les engagements assumés par les États qui ont ratifié les textes internationaux sur les droits de l'homme les obligent à rendre des comptes aux organismes internationaux, à approuver des législations, à renforcer les mécanismes juridictionnels indépendants, à établir des institutions démocratiques et à mettre en place les obligations qui découlent du respect des droits de l'homme. Nombreux sont les pays qui ont mis les droits de l'homme au centre de leur stratégie politique nationale. En ce sens, les universités s'alignent sur les politiques institutionnelles. Elles ne disposent cependant pas toujours d'instruments ni d'outils pour l'orientation et l'évaluation des effets que les mesures provoquent. Pour pallier cette carence, l'élaboration et l'analyse des indicateurs présentés ci-après s'avèrent nécessaires.

Quelques précisions méthodologiques sont indispensables. Il apparaît de la révision de l'information, apportée par les membres du consortium pour chacun des indicateurs établis, une absence d'information dans certains cas et il a donc fallu recourir à des sources d'information complémentaires, comme celles de la Banque Mondiale. Cela a son importance car l'accès public et aisé aux données sur les droits de l'homme est un indicateur qui révèle la volonté de reddition de comptes. En ce sens, le manque d'information dans certains cas est peut-être dû à l'absence d'un procédé systématique de collecte de données et/ou de procédé de reddition de comptes en matière de droits de l'homme. Une circonstance qui, en soi, est déjà significative et qui est prise en compte.

Aussi, certaines des réponses données par les partenaires du projet à certaines des questions, à la recherche d'une «vérité matérielle», pour ainsi dire, ont été modifiées lorsque la réalité des pays ne pose aucun doute sur l'existence d'une donnée. Le commentaire à certaines réponses permettra de distinguer la portée de cette affirmation. En effet, l'absence de normes statutaires claires sur certains indicateurs n'empêche pas une couverture des droits et des libertés basée sur des normes constitutionnelles ou légales, de caractère étatique, et d'application obligatoire pour les universités. En elles-mêmes, ces normes peuvent doter d'effectivité les droits ou les politiques qui importent pour le but de ce projet. Par ailleurs, les rapports des universités reprennent les bonnes pratiques qui n'ont pas nécessairement une base légale ou statutaire mais qui sont réelles et effectives.

2. RECONNAISSANCE, PROTECTION ET GARANTIES DES DROITS DE L'HOMME DANS LES ORDRES JURIDIQUES NATIONAUX

2.1. PROTECTION CONSTITUTIONNELLE DES DROITS DE L'HOMME

Tous les pays membres du projet ont des constitutions, écrites ou pas –comme dans le cas du Royaume-Uni– qui reconnaissent les droits fondamentaux et qui parfois sont proches des formulations de la Déclaration universelle des droits de l'homme de 1948. Leurs styles varient mais l'on apprécie entre elles une coïncidence dans les formes. Les cultures politiques qui leur servent de cadre sont cependant différentes et les conceptions du monde sous-jacentes dans les textes demandent, dans certains cas, une modification des données constitutionnelles et, dans d'autres, une interprétation qui permette de surmonter un formalisme qui peut induire en erreur. L'élément clé pour déterminer la valeur normative de chaque constitution par rapport aux droits qu'elle reconnaît réside dans la protection juridictionnelle qui les dispense car il y a de véritables droits sans garanties juridictionnelles effectives.

Exception faite du Royaume-Uni qui incorpore, pour ce qui nous occupe, la Convention de sauvegarde des droits de l'homme et des libertés de 1950 (CEDH), toutes les constitutions des États membres du Consortium ABDEM sont postérieures à la Seconde Guerre mondiale: Italie (1948), Espagne (1978), Algérie (1996, révisée en 2008), Maroc (2011) et Tunisie (2014).

Les *pays européens* membres du projet bénéficient du cadre constitutionnel qui reconnaît les droits de l'homme, avec des expressions différentes, sans qu'aucune discrimination ne soit faite à des personnes, des groupes ou des catégories sociales. De surcroît, ces droits ont la protection requise dans les constitutions et dans la loi, garantie par la juridiction ordinaire et, le cas échéant, par recours constitutionnel. Par ailleurs, les lois qui développent les mandats constitutionnels en matière de droits fondamentaux, quelle que soit leur qualification juridique, concrètent leur contenu (dans le cas qui nous intéresse celui des droits importants dans le domaine universitaire) et cela permet d'atteindre une certitude acceptable sur leur contenu et leur portée et permet une modulation adéquate.

L'exception à ce tableau européen vient du Royaume-Uni. «Il n'existe pas, au sens strict du terme, de droits fondamentaux dans l'aménagement constitutionnel britannique. Le Royaume-Uni n'a pas de Constitution normative rigide. La constitution non écrite du Royaume-Uni, de par son caractère intrinsèque, ne reprend pas les garanties classiques que le constitutionnalisme postérieur à la Seconde Guerre mondiale a donné aux droits fondamentaux, tels que l'existence de mécanismes de réforme constitutionnelle ou la prévision de la garantie de contenu essentiel. Par contre, il existe dans l'aménagement britannique, et c'est une de ses particularités, des droits d'ordre constitutionnel créés par la jurisprudence ("common law Rights"), comme la liberté personnelle, l'accès à la justice ou la non- soumission à des impôts qui ne seraient pas établis par loi. Le catalogue de ces droits qui peuvent être abrogés par le texte "clair" d'une loi, est celui d'une société libérale où l'on entend que le concept de liberté implique la possibilité de faire tout ce qui n'es pas interdit par la Loi»[1].

La «Human Rights Act» (o HRA), de 1998, est la Loi du Parlement britannique qui vise à octroyer au Royaume Uni la pleine efficacité de la Convention Européenne des droits de l'homme (ci-avant CEDH) de 1950. La CEDH était la seule norme de l'aménagement constitutionnel britannique proclamant une déclaration des doits fondamentaux pour sa coitoyenneté. L'HRA transforme la CEDH en droit contraignant pour les pouvoirs publics de l'État mais d'une valeur plus interprétative que «réelle» car les tribunaux ne peuvent pas ignorer une norme nationale qui contraste avec l'HRA. La loi sur les droits de l'homme est entrée pleinement en vigueur le 2 octobre 2000. «Elle a essentiellement un triple effet. Premièrement, elle place toutes les autorités publiques (y compris les instances centrales et locales, la police et les tribunaux) dans l'obligation d'agir d'une manière compatible avec les droits qui y sont énoncés, et permet aux citoyens de saisir un tribunal du Royaume-Uni contre un organisme public qui ne les aurait pas respectés. Deuxièmement, elle exige que tous les textes de loi soient interprétés et appliqués d'une manière compatible avec les droits susdits. Si la chose est impossible, les juridictions supérieures peuvent déclarer officiellement la loi concernée incompatible avec la Convention de sauvegarde (dans le cas de lois votées par le parlement), ou l'annuler (dans le cas des actes de droit dérivé). Une déclaration officielle d'incompatibilité n'a aucune incidence sur la

1. F. M., BOMBILLAR SÁENZ, *El sistema constitucional del Reino Unido*, Disponible en: *http://www.ugr.es/redce/REDCE15/articulos/03FMBombillar.htm#notabis*; última consulta: septiembre 2016.

validité des lois ou la poursuite de leur application, mais peut entraîner le recours à une ordonnance correctrice, procédure spéciale permettant aux ministres d'amender les dispositions incriminées ou l'adoption d'une nouvelle loi modificative. Le dépôt, par un ministre, d'un projet de loi au parlement doit être assorti d'une déclaration selon laquelle ce projet est, à son avis, compatible avec les droits énoncés dans la Convention de sauvegarde des droits de l'homme et des libertés fondamentales, ou indiquant que, malgré le fait qu'il ne soit pas en mesure de l'affirmer, il souhaite que la Chambre poursuive la procédure. Enfin, la loi sur les droits de l'homme dispose que les tribunaux britanniques tiennent toujours compte de la jurisprudence de la Cour européenne des droits de l'homme de Strasbourg lorsqu'ils doivent statuer sur une question en rapport avec un droit énoncé dans la Convention de sauvegarde»[2].

Les *pays du Maghreb* ont des constitutions récentes qui parfois n'ont pas encore eu le temps de se consolider ni de générer une législation de large développement (la Tunisie, par exemple). Leurs préambules établissent des principes aux caractères bien différents des européens. L'on y proclame, outre les valeurs humaines propres aux droits de l'homme, la fidélité aux préceptes de l'Islam et la reconnaissance d'une identité arabo-islamique. Ces éléments qui leur sont communs pourraient renforcer l'union des pays du Maghreb et faciliter une union arabe plus large en marge de celle qui doit exister entre les peuples musulmans. En même temps, la Constitution de l'Algérie et celle de la Tunisie, proclament la fierté de leurs révolutions respectives qui ont mené, dans le premier cas, à la décolonisation et donc à l'indépendance et, dans le second, à une profonde transformation sociale, culturelle et politique. Cette particularité de leur origine, la révolution, apporte un caractère singulier au panorama des droits reconnus dans la Constitution au point que la Constitution de l'Algérie affirme que les institutions interdisent les pratiques contraires à la morale islamique et aux valeurs de la Révolution de novembre[3].

Les textes constitutionnels maghrébins proclament que l'Islam est la religion de l'État, mais que ce dernier doit garantir le libre exercice des cultes[4] et la neutralité de l'enseignement public, comme dans le cas de la Tunisie[5].

2. *Cfr.* CONSEIL ECONOMIQUE ET SOCIAL DES NATIONS UNIES, Royaume-Uni de Grande-Bretagne et d'Irlande du Nord, Cinquièmes rapports périodiques soumis par les états parties au titre des articles 16 et 17 du Pacte international relatif aux droits économiques, sociaux et culturels, Session de fond de 2008, 31 janvier 2008 (UN Doc. E/C.12/GBR/5, para. 14).
3. Voir à ce propos art. 9.
4. Voir à ce propos Constitution du Maroc, art. 3; Constitution de l'Algérie (2008), art. 3; Constitution de la Tunisie, arts. 1 et 6.
5. Voir à ce propos art. 16.

De même, les libertés publiques d'expression, de réunion et d'association sont reconnues, ainsi que l'inviolabilité de la liberté de conscience et d'opinion dont la limite se trouve dans le respect de l'Islam. La Constitution du Maroc interdit, dans l'article 7, la fondation de partis politiques sur une base religieuse, ethnique ou régionale ou, de manière générale, sur toute autre base discriminatoire ou contraire aux droits de l'homme. Elle déclare cependant que ces partis ne peuvent porter atteinte à la religion musulmane, au régime monarchique, aux principes constitutionnels, aux fondements démocratiques ou à l'unité nationale et à l'intégrité territoriale du Royaume.

L'unanimité est totale dans tous les pays du Consortium ABDEM pour affirmer l'égalité entre hommes et femmes et leur équivalence face aux droits à la participation à la vie politique et sociale[6].

Toutes les constitutions garantissent le droit à l'instruction et l'enseignement fondamental obligatoire. L'État a le pouvoir d'organiser le système d'éducation auquel l'on accède dans des conditions d'égalité. Les responsabilités de l'État sont reconnues en matière d'éducation. Et, avec des nuances, les constitutions déclarent les droits des enseignants dans le domaine de l'éducation: droit à l'information, liberté de recherche, de pensée, d'opinion, d'expression, de création culturelle, etc.[7]

La protection et la sauvegarde de l'identité arabo-musulmane sont particulièrement présentes dans le monde de l'éducation. La **Tunisie**, après avoir affirmé que l'enseignement est obligatoire jusqu'à seize ans et gratuit à tous les niveaux, ajoute que l'État veillera à la consolidation de l'identité arabo-musulmane parmi les jeunes mais défend «l'ouverture aux langues étrangères, aux civilisations humaines et à la diffusion de la culture des droits de l'homme»[8]. Le **Maroc** reconnaît le droit à une éducation moderne, accessible et de qualité «associée à l'identité marocaine et aux constantes nationales immuables»[9]. Et la loi marocaine 01/00 de l'enseignement supérieur établit que «l'enseignement supérieur sera dispensé dans le cadre du respect des principes et valeurs de la foi islamique qui président à son développement et à son évolution» (art. 1). La **législation algérienne** est plus aseptique en ce sens et se montre, du moins formellement, plus ouverte. L'article 4 de la loi nº 99-05 du 9 avril 1999 établit que «Le service public de l'enseignement supérieur garantit à l'enseignement supérieur les conditions d'un libre développement scientifique, créateur et critique. L'enseignement supérieur tend

6. Voir à ce propos Constitution de la Tunisie, arts. 21 et 46; Constitution du Maroc, arts. 15 et 19; Constitution de l'Algérie, arts. 29 et 31 bis.
7. Voir à ce propos Constitution de la Tunisie, arts. 31-33 et 42; Constitution du Maroc, arts. 5, 27; Constitution de l'Algérie, arts. 36, 38, 41.
8. Voir à ce propos art. 39 de la Constitution de la Tunisie.
9. Voir à ce propos art. 31.

à l'objectivité du savoir et respecte la diversité des opinions». La question de fond qui se pose est de savoir jusqu'à quel point la sauvegarde de cette identité arabo-musulmane et amazighe peut limiter la mise en place d'une approche des droits de l'homme dans l'enseignement supérieur. Les partenaires maghrébins ne signalent pas de difficultés en ce sens et le considèrent opportun et nécessaire.

2.2. INSTITUTIONS NATIONALES DE PROTECTION ET PROMOTION DES DROITS DE L'HOMME

L'avènement ou le rétablissement de la démocratie dans de nombreux pays a mis en lumière l'importance des institutions démocratiques s'agissant de sauvegarder les fondements politiques et juridiques des droits de l'homme. Il est donc devenu de plus en plus apparent que la jouissance effective des droits de l'homme nécessite l'établissement d'infrastructures nationales de protection et de promotion. Des institutions officielles chargées des droits de l'homme ont été créées dans de nombreux pays ces dernières années. Si ces institutions ont des attributions qui varient considérablement d'un pays à l'autre, elles partagent le même objectif, et c'est pourquoi on les appelle collectivement «institutions nationales pour la protection et la promotion des droits de l'homme». Il s'agit «d'organes étatiques à mandat constitutionnel ou législatif de protéger et promouvoir les droits de l'homme. Ils forment partie de l'appareil de l'État et c'est l'État qui les finance».

Les institutions nationales des droits de l'homme ne sont pas seulement les éléments centraux d'un système national fort dans le domaine des droits de l'homme: elles doivent aussi constituer un «pont» entre la société civile et le gouvernement, faire la liaison entre les responsabilités de l'État et les droits des citoyens, et relier la législation nationale aux systèmes régionaux et internationaux des droits de l'homme. Dans le même temps, l'INDH se retrouve souvent dans un rôle de critique des actes du gouvernement même qui l'a créé, et qui le finance, ce qui ne doit point surprendre vu que l'État est fréquemment la cible de plaintes en matière de droits de l'homme. Les institutions nationales des droits de l'homme –du moins celles qui satisfont aux Principes de Paris[10]– sont la pierre angulaire des systèmes nationaux de

10. Les príncipes relatifs au statut des isntitutions nationales (dénnomés Principes de Paris) sont une forme généralement acceptée de mettre à l'épreuve la légitimité et la crédibilité d'une isntitution et ils sont incorporés à ce jour au vocabulaire des droits de l'homme. Ils ont été approuvés en 1991 par la résolution 48/134 de l'Assemblée générale. La Conférence mondiale sur les droits de l'homme tenue à Vienne en 1993 reconnaissait officiellement les institutions nationales qui appliquaient les Principes de Paris comme des acteurs importants et constructifs de la promotion et la protection des

protection des droits de l'homme et, de plus en plus souvent, ils servent de mécanisme relais entre les normes internationales des droits de l'homme et l'État[11].

Ces institutions sont à caractère administratif; il ne s'agit donc pas d'organismes judiciaires ni législatifs. Elles ont en général la compétence pour porter conseil en matière de droits de l'homme au niveau national et/ou international. Cette fonction se réalise, de manière générale, par le biais d'avis et de recommandations, ou par l'examen de dénonces présentées par des individus ou des groupes et un prononcement *a posteriori*. Ells ont aussi un rôle important dans l'éducation aux droits de l'homme, y compris dans le milieu universitaire. De fait, nombre de ces institutions élaborent des programmes pour aider les facultés et les universités à introduire des cours spécifiques sur les droits de l'homme ou à incorporer des éléments associés aux droits de l'homme dans les programmes existants. Elles peuvent aussi prêter leur appui pour des recherches et des thèses qui favorisent des progrès dans la compréhension des droits de l'homme[12].

Dans certains pays, l'établissement d'une institution nationale pour la promotion et la protection des droits de l'homme est prévu dans la Constitution. Dans la plupart des cas ces institutions sont établies par des lois ou décrets. Même si elles sont nombreuses à être adscrites, d'une manière ou d'une autre, au pouvoir exécutif des gouvernements, leur degré effectif d'indépendance dépendra de différents facteurs, tels que leur composition et leur fonctionnement.

Des six pays qui composent le Consortium ABDEM, seule l'Italie n'a pas d'Institution nationale pour la promotion et la protection des droits de l'homme. Tous les autres ont la catégorie A exceptées l'Algérie et la Tunisie.

---

droits de l'homme et elle encourageait officiellement leur établissement et renforcement (UN Doc. A/CONF.157/23, Parte I, paragr. 36). La Conférence mondiale de 1993 a aussi servi à consolider le Réseau d'institutions nationales créé à Paris en 1991 et elle a facilité les choses pour l'établissement de son successeur, le Comité international de coordination des institutions nationales pour la promotion et la protection des droits de l'homme.

11. HAUT COMMISARIAT DES NATIONS UNIES AUX DROITS DE L'HOMME, *Institutions nationales pour les droits de l'homme Historique. Principes, fonctions et attributions*, Série sur la formation professionnelle, N° 4, (Rev. 1), Nations unies, New York et Genève, 2010, p. 15. Disponible: *http://www.ohchr.org/Documents/Publications/PTS-4Rev1-NHRI_fr.pdf*
12. Ibid., p. 70.

Catégorie des institutions nationales pour la promotion et la protection des droits de l'homme[13]

	Institution nationale pour les droits de l'homme	Catégorie dans le cycle antérieur	Catégorie dans le cycle actuel[1]
Espagne	Defensor del Pueblo[2]	A (2007)	A (2012)
Italie	–	–	–
Royaume-Uni	Commission pour l'égalité et les droits de l'homme (EHRC)[3]	A (2010)-	A (2015)
	Commission des droits de l'homme d'irlande du Nord (NIHRC)[4]	B (2011)	A (2016)
	Commission des droits de l'homme d'Écosse (SHRC)[5]	A (2010)	A (2015)
Algérie	Commission nationale consultive de promotion et de protection des droits de l'homme (CNCPPDH)	A (2003)	B (2010)
Maroc	Conseil National des droits de l'homme	A (2007), comme Conseil consultatif des droits de l'homme	A (2015), comme Conseil national des droits de l'homme
Tunisie	Comité supérieur des droits de l'homme et des libertés fondamentales	–	B (2009)

1. *Vid.* la liste d'institutions nationales pour la promotion et la protection des droits de l'homme ayant ce statut reconnu par le Comité International de coordination d'institutions nationales pour la promotion et la protection des droits de l'homme (CIC), dans GLOBAL ALLIANCE OF NATIONAL HUMAN RIGHTS INSTITUTIONS (GANHRI), *Chart of the status of national institutions:* Status de acreditación a fecha de 14 de octubre de 2016. Disponible en: *http://nhri.ohchr.org/EN/Documents/Status%20Accreditation%20Chart%20.pdf*; consultado 18 octubre 2016.
2. *Vid. https://www.defensordelpueblo.es/*
3. *Vid. http://www.equalityhumanrights.com/*
4. *Vid. http://www.nihrc.org/*
5. *Vid. http://www.scottishhumanrights.com/*

2.2.1. Italie

Plusieurs organes conventionnels ont recommandé à l'Italie d'établir un mécanisme de consultation et de coordination avec les autorités locales

13. Selon l'article 5 du Règlement du Comité international de coordination d'isntitutions nationales pour la promotion et la protection des droits de l'homme (CIC), les classifications d'accréditation sont les suivantes: membres sans droit de vote A: (totalement conforme à chacun des príncipes de Paris), B: membre sans droit de vote (ils ne sont pas complètement d'accord avec tous les príncipes de Paris ou l'information est insuffisante pour qu'ils prennent une decisión), sans statut C: (ils ne sont pas d'accord avec les principes de Paris).

qui veillerait à l'application cohérente et effective des conventions [14] et ils ont invité le pays à impliquer activement les agents de la société civile dans le processus de création de cette institution afin de garantir sa légitimité et sa crédibilité. De même, différentes procédures spéciales des Nations unies ont regretté que l'Italie n'ait pas encore établi une isntitution nationale indépendante pour la promotion et la protection des droits de l'homme conformément aux Principes de Paris. Les projets de loi que le Parlement [15] traite ont été relevés et demande a été faite au pays pour qu'il donne priorité à la création de cette institution et à sa dotation d'un large mandat en droits de l'homme et en ressources humaines et financières, nécessaires pour un fonctionnement efficace, en veillant à ce qu'elle soit indépendante de l'État dans ses fonctions et financièrement[16].

2.2.2. Espagne

Conformément à la Constitution espagnole (art. 54 CE), le *Defensor del Pueblo* est le Haut-Commissaire du Parlement d'Espagne pour la garantie extrajudiciaire des droits et des libertés[17]. Il est légitimé pour saisir le Tribunal constitutionnel d'un recours d'amparo pour un cas individuel jugé au préalable ou pour une demande d'inconstitutionnalité de lois et de dispositions ayant force de loi (art. 162 CE). Le *Defensor del Pueblo* est élu par le Congrès des députés et le Sénat par une majorité des trois cinquièmes des suffrages et son mandat dure cinq ans. Il jouit d'inviolabilité et d'immunité dans l'exercice de ses fonctions.

Tout citoyen peut recourir au *Defensor del Pueblo* et demander son intervention, qui est gratuire, pour qu'il enquête sur une quelconque action de l'Administration publique ou de ses agents, présumée irrégulière. Il peut aussi intervenir de sa propre initiative dans des cas dont il aurait connaissance même s'il n'y a pas de plainte interposée. Le *Defensor del Pueblo* pré-

---

14. *Cfr.* UN Doc. CERD/C/ITA/CO/16-18, para. 27, UN Doc. CEDAW/C/ITA/CO/6, para. 17 et UN Doc. CRC/C/ITA/CO/3-4, para. 9 (b).
15. Le 20 mai 2013 un projet de loi était présenté à la Chambre des Députés pour l'établissement d'une commission nationale pour la promotion et la protection des droits de l'homme, suivi d'un autre projet de loi présenté au Sénat. En 2014, le CIDU promouvait une consultation publique avec la société civile et créait un groupe de travail spécial. En juin 2014 deux projets de loi était présentés.
16. *Cfr.* UN Doc. A/HRC/WG.6/20/ITA/2, paras. 14-17.
17. Conformément à l'article 54: "Une loi organique règlementera l'institution du *Defensor del Pueblo,* comme Haut Commissaire des *Cortes Generales,* désigné par celles-ci pour la défense des droits visés sous ce Titre, pouvant à cet effet superviser l'activité de l'Administration et en rendre compte aux *Cortes Generales* ". S'acquittant du mandat constitutionnel, le 7 mai 1981, le Bulletin Officiel de l'État publiait la Loi Organique 3/1981 du 6 avril, du Defensor del Pueblo.

sente chaque année aux *Cortes generales* un rapport sur son activité et il peut présenter des rapports monographiques sur des cas qu'il considère graves, urgents ou qui demandent une attention particulière. Après la ratification par l'État espagnol du Protocole facultatif de la Convention contre la torture et autres peines ou traitements cruels, inhumains ou dégradants, adopté par l'Assemblée des Nations unies à New York le 18 décembre 2002, les *Cortes generales* attribuaient au *Defensor del Pueblo* les fonctions de Mécanisme national de prévention de la Torture (MNP) en noviembre 2009.

2.2.3. Royaume-Uni

Le Royaume-Uni dispose de trois institutions nationales des droits de l'homme, toutes reconnues comme institutions de la catégorie «A» à différentes dates par le Comité international de coordination des isntitutions nationales: la Comission des droits de l'homme d'Irlande du Nord en 2006, la Commission pour l'égalité et les droits de l'homme en 2009 et la Commission des droits de l'homme d'Écosse en 2010. La Commission pour l'égalité et les droits de l'homme du Royaume-Uni (EHRC) a assumé les compétences et les fonctions des trois commissions spécialisées[18].

La loi de 2006 sur l'égalité prévoit la création de la Commission de l'égalité et des droits de l'homme. Après sa mise en place, ce nouvel organisme indépendant donnera des informations et prêtera des conseils, établira des codes de pratique et fera des enquêtes dans les domaines de l'égalité, de la diversité ainsi que des droits de l'homme [19]. Ainsi qu'en dispose la loi, cette commission aura pour objectif, d'une manière générale, de garantir que les personnes puissent s'épanouir sans être contraintes par les préjugés ou la discrimination, que les droits de l'homme de chaque individu soient respectés et protégés, que soient respectées la dignité et la valeur de la personne humaine, que toutes les personnes aient un droit égal de participer à la vie de la société, et qu'il existe entre les groupes sociaux un respect mutuel fondé sur la compréhension et la valorisation de la diversité, ainsi que sur le respect commun de l'égalité et des droits de l'homme.

La *Commission des droits de l'homme de l'Irlande du Nord* (NIHRC) a été établie par la loi de 1998 d'Irlande du Nord pour défendre et protéger les droits de l'homme en Irlande du Nord. Ses fonctions et ses pouvoirs sont notamment les suivants: porter conseil au Gouvernement et à l'Assemblée d'Irlande du Nord concernant les mesures qui devraient être prises pour la

18. La description des trois institutions nationales de droits de l'homme est relevée de UN Doc. E/C.12/GBR/5, paras. 17-20.
19. Au Royaume-Uni, les questions d'égalité et de droits de l'homme sont considérées séparément, mais le Comité pourra examiner ces deux domaines à sa guise.

protection des droits de l'homme; examiner l'efficacité de la loi sur les droits de l'homme en Irlande du Nord; mettre en œuvre des investigations; aider les individus à entreprendre des actions en justice pour des motifs d'atteinte à la Convention; soumettre des avis au Secrétaire d'État concernant la portée d'une déclaration des droits pour l'Irlande du Nord. En outre, la loi de 2007 sur la justice et la sécurité (Irlande du Nord) a donné à la NIHRC de nouveaux pouvoirs: saisir la justice en son propre nom, et lorsqu'elle le fait, s'appuyer sur la CEDH et avoir accès aux lieux de détention dans le cadre de ses investigations; et recueillir des éléments de preuves dans le cadre de ses investigations.

La *Commission a une vision de l'Irlande du Nord* en tant que lieu partagé, intégré et inclusif, en tant que société où la différence est respectée et prisée, basée sur l'égalité et l'équité pour la communauté entière. Elle a pour mission de faire progresser l'égalité, de promouvoir l'égalité des chances, d'encourager les bonnes relations et de combattre la discrimination par la promotion, le conseil et l'application de la loi. Les devoirs et les fonctions de la Commission sont prescrits dans la législation dans laquelle sa responsabilité est engagée et ses fonctions générales sont notamment les suivantes: œuvrer pour l'élimination de la discrimination; promouvoir l'égalité des chances et encourager les bonnes pratiques; mener des actions affirmatives/positives de promotion; promouvoir les bonnes relations entre personnes de différents groupes raciaux; superviser l'exercice et l'efficacité du devoir statutaire fait aux autorités publiques; et examiner de manière continue la législation appropriée. Depuis 1999, un certain nombre de nouveaux textes législatifs ont été présentés.

En 2008 une nouvelle institution nationale de droits de l'homme voyait le jour, la *Commission des droits de l'homme d'Écosse*. Son objectif est la promotion et la protection des droits de l'homme de toutes les personnes en Écosse pour tout ce qui relève du domaine de compétences du Parlement d'Écosse. Ses membres sont désignés par le Parlement et son président par le chef de l'État. Seule une majorité parlementaire des deux tiers peut les écarter de leurs fonctions.

2.2.4. Tunisie

Le législateur tunisien a élevé, en vertu de la loi nº 37 du 16 juin 2008, le Comité supérieur des droits de l'homme et des libertés fondamentales au rang d'institution nationale des droits de l'homme dotée de personnalité juridique et d'autonomie financière. Il a étendu sa compétence, l'habilitant par exemple à se saisir de toute question relative au renforcement des droits de l'homme et des libertés fondamentales, à apporter sa contribution à l'élaboration des rapports présentés par la Tunisie aux institutions et aux comités des droits de l'homme de l'ONU et à assurer le suivi des observations et des recommandations formulées par ces organes, ainsi qu'à élaborer un rapport national annuel sur la situation des droits de l'homme dans le pays et à le diffuser. En outre, la composition du Comité a été élargie.

Le Comité supérieur des droits de l'homme et des libertés fondamentales contribue à la consolidation des droits de l'homme comme suit:

- «Donner son avis sur les questions qu'on lui soumet et peut s'autosaisir de toute question portant sur la consolidation et la protection des droits de l'homme et des libertés fondamentales et attirer l'attention sur les cas de violation des droits de l'homme;
- Soumettre au Président de la République les propositions susceptibles de consolider les droits de l'homme et les libertés fondamentales sur le plan national et international y compris celles permettant d'assurer la conformité ou la compatibilité de la législation et pratiques aux instruments internationaux et régionaux relatifs aux droits de l'homme et aux libertés fondamentales;
- Accomplir toute mission qui lui serait confiée dans ce domaine par le Président de la République;
- Recevoir les requêtes et les plaintes concernant les questions ayant trait aux droits de l'homme et aux libertés fondamentales, les examiner, procéder, le cas échéant, à l'audition de leurs auteurs, les adresser à toute autre autorité compétente aux fins de saisine, informer les auteurs des requêtes et des plaintes des moyens de faire valoir leurs droits et soumettre les rapports y afférents au Président de la République;
- Réaliser des recherches et des études dans le domaine des droits de l'homme et des libertés fondamentales;
- Contribuer à la préparation des projets de rapports à présenter par la Tunisie aux organes et comités des Nations unies ainsi qu'aux organes et institutions régionales et d'y émettre un avis;
- Assurer le suivi des observations et recommandations émanant des organes et comités des Nations unies et des organes et institutions régionaux lors de la discussion des rapports de la Tunisie qui leur sont remis ainsi que la présentation de propositions pour en tirer toute conclusion utile;
- Contribuer à la diffusion de la culture des droits de l'homme et des libertés fondamentales, et ce, par l'organisation de séminaires régionaux, nationaux et internationaux, par la distribution de publications et la tenue de conférences portant sur les questions relatives aux droits de l'homme et aux libertés fondamentales;

- Contribuer à l'élaboration des plans et programmes relatifs à l'éducation aux droits de l'homme et la participation à l'exécution des plans nationaux y afférents;
- Consolider la promotion des acquis et les réalisations de la Tunisie dans le domaine des droits de l'homme et des libertés fondamentales;
- Coopérer, dans les limites de ses attributions, avec les institutions compétentes des Nations Unies, les institutions régionales ainsi que les institutions nationales des droits de l'homme dans les autres pays;
- Coopérer avec le comité international de coordination des institutions nationales pour la promotion et la protection des droits de l'homme, contribuer efficacement à ses travaux et coopérer avec les autres groupes régionaux des institutions nationales des droits de l'homme;
- Participer aux réunions organisées par les institutions nationales ou internationales des droits de l'homme;
- Visiter, sans préavis, les établissements pénitentiaires et de rééducation, les centres de détention, les centres d'hébergement ou d'observation des enfants, les organismes sociaux chargés des personnes ayant des besoins spécifiques, et ce, en vue de s'assurer de l'application de la législation nationale relative aux droits de l'homme et aux libertés fondamentales;
- Réaliser des missions d'enquête et d'investigation portant sur des questions ayant trait aux droits de l'homme et aux libertés fondamentales, et soumettre les rapports y afférent au Président de la République;
- Établir des relations avec les organisations non gouvernementales, les associations et organismes actifs dans les domaines de protection et de consolidation des droits de l'homme, du développement économique et social, de lutte contre toutes les formes de discrimination, de ségrégation raciale, de protection des catégories vulnérables et dans tout autre domaine»[20].

Le Comité a été inscrit dans la Constitution du 27 janvier 2014 sous l'appellation d'Instance des droits de l'homme en tant qu'organe constitutionnel indépendant. Le Ministère des droits de l'homme a en outre entrepris d'élaborer un nouveau projet de loi portant organisation de ce Comité. Ce projet de loi définira la compétence et la structure du Comité de sorte

20. Disponible: *http://www.droitsdelhomme.org.tn/fr/index.php/presentation-du-comite*; consulté le 18 octobre 2016.

qu'il soit conforme aux Principes de Paris, ce qui permettra d'améliorer son efficacité. Le Gouvernement a approuvé le projet de loi, qui doit être présenté au Parlement[21].

2.2.5. Maroc

Le Maroc s'est doté d'un important dispositif institutionnel assurant la protection et la promotion des droits de l'homme.

a. Le Conseil National des Droits de l'Homme (CNDH)

Créé en mars 2011 (Dahir n° 1.11.19), c'est une institution nationale indépendante œuvrant dans le domaine de la protection et la promotion des droits de l'homme[22]. Il vient concrétiser l'engagement du Royaume du Maroc envers la protection des droits et libertés des citoyens et affirmer l'attachement du pays au respect de ses engagements internationaux en matière de protection et de promotion des droits de l'homme. Enfant légitime du Conseil consultatif des droits de l'homme (CCDH), institution créée à la veille de l'alternance politique en 1990, le CNDH est une consécration du processus de consolidation de l'état de droit et des institutions. En effet, il vient se substituer au CCDH qui a été une des institutions majeures de la transition démocratique au Maroc notamment en matière de règlement du passé des violations graves des droits de l'homme après une première réforme en 2002.

Le CNDH est doté de prérogatives plus larges et d'attributions aux niveaux national et régional qui lui garantissent plus d'indépendance et d'impact dans la protection et la défense des droits de l'homme[23]. Le CNDH est particulièrement compétent pour examiner des cas de violation des droits de l'homme soit de sa propre initiative, soit sur plaintes, et pour faire les investigations et les enquêtes sur allégation de violation des droits de l'homme. Toute personne qui s'estime victime de discrimination peut déposer une plainte auprès du CNDH par courrier simple ou par dépôt direct auprès de ce dernier, sans préjudice des plaintes qu'elle peut déposer devant la justice.

21. *Cfr.* COMITÉ DES DROITS ÉCONOMIQUES, SOCIAUX ET CULTURELS, Examen des rapports soumis par les États parties en application des articles 16 et 17 du Pacte international relatif aux droits économiques, sociaux et culturels, 30 de juin 2015 (UN Doc. E/C.12/TUN/3, par. 16).
22. *Vid.* COMITÉ DES DROITS DE L'HOMME, Examen des rapports soumis par les États parties en application de l'article 40 du Pacte, Sixièmes rapports périodiques des États parties attendus en 2008, Maroc, 15 juin 2015, (UN Doc. CCPR/C/MAR/6, paragrs. 58-59).
23. *Vid.* Web officielle du Conseil National des droits de l'homme, disponible sur: *http://www.cndh.org.ma/fr/presentation/presentation-du-cndh*, dernière consultation: septembre 2016.

Parmi les attributions attribuées au Conseil national des droits de l'homme, nous remarquons les suivantes:

En matière de protection et défense des droits de l'homme et des libertés, le CNDH:

- Veille à l'observation, à la surveillance et au suivi de la situation des droits de l'homme aux niveaux national et régional;
- Surveille les cas de violations et peut procéder aux investigations et enquêtes nécessaires;
- Élabore des rapports sur ses observations et investigations et les soumet aux autorités compétentes accompagnées des recommandations y afférent;
- Le CNDH peut, dans le cadre des missions qui lui sont dévolues et en coordination avec les autorités concernées, intervenir par anticipation et urgence chaque fois qu'il s'agit d'un cas de tension qui pourrait aboutir à une violation individuelle ou collective des droits de l'homme;
- Contribue à la mise en œuvre des mécanismes prévus par les conventions internationales relatives aux droits de l'homme auquel le Maroc a adhéré;
- Visite les lieux de détention et les établissements pénitentiaires, les centres de protection de l'enfance et de la réinsertion, les établissements hospitaliers spécialisés dans le traitement des maladies mentales et psychiques et les lieux de rétention des étrangers en situation irrégulière et élabore des rapports sur les visites qu'il soumet aux autorités compétentes;
- Examine et étudie l'harmonisation des textes législatifs et réglementaires en vigueur avec les conventions internationales des droits de l'homme et au droit international humanitaire et propose les recommandations qu'il juge opportunes aux autorités gouvernementales;
- Contribue à l'élaboration des rapports du gouvernement à soumettre aux organes de traités;
- Apporte conseil et assistance au Parlement et au Gouvernement en matière d'harmonisation des projets ou propositions de lois avec les conventions internationales, sur leur demande;
- Encourage l'adhésion du Maroc aux conventions internationales des droits de l'homme et au droit international humanitaire.

En matière de promotion des droits de l'homme, le CNDH:

- Veille à la promotion des principes et des règles du droit international humanitaire et œuvre à leur consolidation;

- Contribue par tous les moyens à la promotion de la culture des droits de l'homme et de la citoyenneté;
- Soumet à Sa Majesté des rapports annuels et thématiques sur les droits de l'homme;
- Présente devant chacune des deux chambres du Parlement le contenu des rapports. Le rapport annuel sur la situation des droits de l'homme et les perspectives d'action du Conseil est publié dans le bulletin officiel.

Pour l'enrichissement de la réflexion et le débat sur les droits de l'homme et la démocratie, le CNDH:

- Organise des séminaires nationaux, régionaux et internationaux sur les droits de l'homme;
- Contribue au renforcement de la construction démocratique par le biais du dialogue social et le développement de tous les moyens et les mécanismes adéquats pour cette fin, y compris l'observation des opérations électorales;
- Contribue à la création de réseaux de communication et de dialogue entre les institutions nationales et étrangères similaires et les experts reconnus dans le domaine des droits de l'homme;
- Encourage et incentive les initiatives destinées à promouvoir la réflexion et toute action qui prétend déevlopper le domaine des droits de l'homme, aux niveaux national, régional et international;
- Décerne un Prix national des droits de l'homme aux personnes ou organismes le méritant.

Par ailleurs, le CNDH est doté de compétences régionales à travers treize commissions régionales des droits de l'homme dont les présidents sont nommés par Dahir. Ces commissions régionales ont pour mission d'assurer le suivi et le contrôle de la situation des droits de l'homme au niveau régional, de recevoir et d'examiner les plaintes et les violations qui leurs sont soumises et d'élaborer des rapports spéciaux ou périodiques sur les mesures prises pour le traitement des affaires et des plaintes à caractère régional ou local. Les commissions assurent la mise en œuvre des programmes et projets du Conseil en matière de promotion des droits de l'homme en coopération avec les acteurs locaux et elles contribuent à encourager et à faciliter la création d'observatoires régionaux des droits de l'homme qui assurent le suivi de l'évolution des droits de l'homme au niveau régional.

Le CNDH est doté de compétences en matière de droit international humanitaire. Ainsi, en coordination avec les autorités concernées, il veille à la coordination des activités des différentes autorités, fait le suivi de l'application des conventions internationales auxquelles le Maroc a adhéré, contribue au programme de formation et de sensibilisation y afférent et développe des relations de coopération et de partenariat en vue de favoriser l'échange d'expertises avec le comité international de la Croix Rouge et toutes les instances concernées par le droit international humanitaire.

b. L'Instance Équité et Réconciliation (IER)

L'Instance Équité et Réconciliation (IER) est une commission nationale pour la vérité, l'équité et la réconciliation disposant de compétences non judicaires[24]. Créée en 2004 en vertu de l'approbation royale d'une recommandation du Conseil consultatif des droits de l'homme, elle a exercé son mandat de janvier 2004 au 30 novembre 2005.

Elle a été chargée de 2004 à 2006 de compléter l'œuvre de l'Instance indépendante d'arbitrage pour la réparation des dommages subis par les victimes des disparitions forcées et de la détention arbitraire. Elle a examiné les violations graves des droits de l'homme au cours de la période allant de l'indépendance à 1999, afin de rétablir la vérité, réparer les préjudices subis et indemniser les victimes des violations de droits de l'homme. En moins de deux ans, l'IER a pu faire l'exposition détaillée des sévices subis par les victimes des violations graves des droits de l'homme qui ont revêtu un caractère systématique et/ou massif et a étudié environ 17 000 dossiers et indemnisé plus de 9 000 victimes. Elle s'est préoccupée de la réhabilitation physique et psychologique des victimes, et a procédé à des réparations communautaires au profit de certaines régions et communautés. Elle a effectué un travail de collecte de données sur les victimes, sur les contextes et les conditions des abus. L'IER a remis son rapport final au Souverain le 30 novembre 2005. Elle a accompli sa mission au moyen notamment d'investigations, de recueil de témoignages, d'auditions publiques des victimes, d'audiences à huis clos de témoins et d'anciens responsables et de l'examen d'archives officielles.

Le Médiateur peut aussi être saisi en cas de violations des droits de l'homme.

c. Institution du Médiateur

L'Institution du Médiateur du Royaume est une institution constitutionnelle, créée par dahir du 17 mars 2011, en vue de moderniser l'institution de Diwan Al Madhalim en la transformant en institution nationale, indépendante et spécialisée, en harmonie avec les standards internationaux. 61. La

24. *Vid.* UN Doc. CCPR/C/MAR/6, paragr. 1-2.

principale mission de cette institution consiste à procéder à la diffusion des valeurs de la moralisation et de la transparence dans la gestion des services publics et à veiller à promouvoir une communication efficiente entre, d'une part, les personnes qu'elles soient physiques ou morales, agissant à titre individuel ou collectif, et, d'autre part, les administrations publiques, les collectivités territoriales, les établissements publics, les organismes dotés de prérogatives du pouvoir public[25].

2.2.6. Algérie[26]

La fin de l'année 1988 a été marquée par une ouverture démocratique en Algérie, après les événements du 5 octobre et les demandes du mouvement associatif d'un plus grand respect des libertés et des droits civils, politiques, économiques, sociaux et culturelles. Cette ouverture s'est concrétisée dans l'adoption de la Constitution de 1989, qui a consacré le principe du pluralisme politique, ainsi que bon nombre de droits et libertés. Dans le cadre de ces réformes, les autorités publiques ont créé un département ministériel consacré aux droits de l'homme. Il s'agit du ministère Délégué chargé des droits de l'homme, mis en place entre le 18 juin 1991 et le 22 février 1992, dont les missions et les prérogatives ont été fixées par le décret exécutif n° 91-300, du 24 août 1991. Dans un autre registre, à l'image d'autres pays, l'Algérie a mis en place l'Observatoire national des droits de l'homme, en vertu du décret présidentiel n° 92-77 du 22 février 1992, conformément aux recommandations des Nations unies relatives aux institutions nationales des droits de l'homme, dont la création et les actions devraient s'inspirer des normes internationales contenues dans les Principes de Paris.

L'Observatoire national des droits de l'homme a été remplacé par la Commission nationale consultative de promotion et de protection des droits de l'homme, créée par le décret présidentiel n° 01-71 du 25 Mars 2001. Régie actuellement par l'ordonnance n° 09-04 du 27 août 2009, la Commission nationale est une institution indépendante dotée d'une autonomie administrative et financière et placée sous l'autorité du Président de la République, garant de la Constitution, des droits fondamentaux et des libertés publiques des citoyens. Elle dispose de cinq antennes régionales. La Commission nationale est un organe consultatif de contrôle, d'alerte précoce et d'évaluation dans le domaine du respect des droits de l'homme, chargé notamment de:

25. *Vid.* UN Doc. CCPR/C/MAR/6, paragrs. 60-61.
26. Information obtenue du site Web officiel de la Commission Nationale Consultative de Promotion et de Protection des droits de l'homme. Disponible sur: *http://www.cncppdh-algerie.org/index.php/2012-12-13-08-52-53/historique-de-la-commission;* consulté le 18 octobre 2016.

- Entreprendre toute action de sensibilisation d'information et de communication sociale pour la promotion des droits de l'homme;
- Promouvoir la recherche et de l'éducation dans le domaine des droits de l'homme dans tous les cycles de l'enseignement et dans les milieux sociaux et professionnels;
- Examiner la législation nationale relative aux droits de l'homme et formuler, le cas échéant, des avis pour son perfectionnement;
- Participer à l'élaboration des rapports périodiques soumis par l'État aux organes et comités des Nations unies et autres institutions régionales, conformément à ses obligations internationales;
- Développer la coopération dans le domaine des droits de l'homme avec les organes des Nations unies, les institutions régionales, les institutions nationales des autres pays ainsi qu'avec des organisations non-gouvernementales nationales et internationales;
- Mener des activités de médiation, dans le cadre de son mandat, pour améliorer les relations entre les administrations publiques et les citoyens.

La Commission nationale se compose de membres actifs dans le domaine des droits de l'homme, issus de la société civile, des organisations professionnelles et des différents départements ministériels concernés, en tenant compte des différents critères relatifs à l'équilibre dans la composition. Le Président et les membres de la Commission nationale sont désignés par le Président de la République, sur proposition des institutions nationales et des associations de la société civile à caractère national agissant dans le domaine des droits de l'homme, par décret présidentiel pour un mandat de quatre ans, renouvelable.

En plus des rapports thématiques, la Commission nationale soumet un rapport annuel au Président de la République, avec une évaluation complète de la situation des droits de l'homme en Algérie, ainsi que les recommandations de la Commission pour adapter les politiques publiques à la promotion et la protection des droits de l'homme.

La Commission Nationale assure un rôle de surveillance, d'alerte précoce et d'évaluation en matière de respect des droits de l'homme. Elle assume les tâches suivantes:

- Examiner toute situation d'atteinte aux droits de l'homme constatée ou portée à sa connaissance et entreprendre toute action appropriée en la matière en concertation et en coordination avec les autorités compétentes;
- Émettre des avis, des propositions et des recommandations sur toute question relative à la promotion et à la protection des droits de l'homme;

- Mener toute action de sensibilisation, d'information et de communication sociale pour la promotion des droits de l'homme;
- Élaborer un rapport annuel sur l'état des droits de l'homme qu'elle adresse au Président de la République.

Pour conclure cette présentation, la comparaison des données des pays et des universités européens et ceux du Maghreb exige de prendre en compte que les concepts et les réalités auxquels ils se réfèrent sont homologues mais ne coïncident pas tout à fait dans leur sens. À titre d'exemple, l'autonomie de l'institution universitaire a un sens et une portée différents dans les pays de l'un et l'autre continent sans qu'il n'existe de raisons absolues pour déterminer dans chaque cas le modèle qu'il faudrait suivre.

En Europe, l'autonomie universitaire implique la capacité des institutions à établir des normes sur leur structure et leur fonctionnement, sur l'élection des membres de leurs structures de gouvernement, et une certaine capacité financière plus définie pour le chapitre de la dépense ou la gestion des ressources que pour ce qui se réfère à la détermination de leurs revenus, toujours conditionnés par les politiques de l'État. L'autonomie universitaire garantit la liberté académique, de recherche et d'études, qui sont sa raison d'être. Ce cadre commun de référence facilite la comparaison entre les institutions universitaires européennes qui sont membres du projet.

Les *institutions universitaires du Maghreb* qui participent au projet présentent elles aussi des points communs qui permettent une analyse comparée entre elles. Par ailleurs, il y a des États comme la Tunisie qui ont vécu des changements radicaux dans leurs structures politiques telles que l'approbation d'une nouvelle constitution en 2014 et qui n'ont pas encore assimilé les normes et les pratiques dans la vie universitaire. Malgré les différences qui peuvent s'apprécier entre les institutions universitaires maghrébines il y a à la base, et c'est ce qui importe, une conception du monde qu'elles partagent même si le cadre constitutionnel varie. La culture a un fond commun de coïncidences.

Les paragraphes suivants présentent l'analyse de la situation de l'enseignement supérieur par rapport aux droits de l'homme selon les deux dimensions établies au Programme mondial. Les résultats obtenus, tant depuis la perspective nationale, que depuis celle de chacune des institutions universitaires ont été extraits à partir de l'information apportée par les membres du Consortium pour chacun des indicateurs définis par l'équipe de recherche, comme l'explique le paragraphe sur la méthodologie.

3. DIMENSION 1: LES DROITS DE L'HOMME *DANS* L'ENSEIGNEMENT SUPÉRIEUR

Cette dimension reprend un ensemble d'indicateurs qui tentent d'analyser le respect des droits de l'homme dans les différents axes ou domaines d'action des institutions d'enseignement supérieur. Cette information est d'importance pour une approche intégrale de l'éducation basée sur les droits de l'homme, en ce sens qu'elle révèle une cohérence institutionnelle et opérationnelle, condition nécessaire pour éduquer aux droits de l'homme.

3.1. AXE I: POLITIQUES ET MESURES D'APPLICATION CONNEXES

Les indicateurs contenus dans cet axe montrent comment ou dans quelle mesure les politiques d'enseignement supérieur sont respectueuses des droits de l'homme.

3.1.1. Indicateurs de structure

Tous les pays du Consortium ABDEM disposent d'une législation nationale spécifique sur l'enseignement supérieur. Même si toutes les parties du Consortium indiquent le moment d'entrée en vigueur de la norme fondamentale avec une date précise[27], cette norme a parfois été modifiée par une autre postérieure qui venait réguler un aspect partiel de l'éducation universitaire ou même introduire une régulation complète des droits fondamentaux, comme dans le cas du Royaume-Uni (Law by the Human Rights Act 1998). Plus que d'une norme concrète, l'on pourrait même parler d'un bloc normatif qui, dans son ensemble apporte, ou pas, une réponse aux questions posées dans les items (INEI.2-INEI.10).

La discrimination dans l'accès à l'enseignement supérieur, quels qu'en soient les motifs, est interdite dans tous les pays[28]. L'élimination des barrières architecturales pour les personnes à mobilité réduite ou l'éducation inclusive des personnes handicapées[29] sont aussi défendues dans tous les pays. Par contre, il n'en va pas de même avec les mesures relatives aux personnes privées de liberté car seules l'Italie et l'Espagne répondent positivement[30]. Les mesures d'inclusion des minorités et des groupes vulnérables existent dans tous les pays, excepté en Tunisie. Le Royaume-Uni et l'Algérie n'ont pas apporté de réponse[31]. La non-discrimination dans l'accès aux études universitaires est donc garantie. Il y a des limitations par rapport aux autres aspects abordés sur l'INEI.3, mais l'on peut entendre qu'elles dé-

---

27. Algérie: 1968; Royaume-Uni: 1992; Italie: 1999; Maroc: 2000; Espagne: 2002; Tunisie: 2008.
28. Il n'y a pas de référence expresse à cette question en Tunisie mais le thème de la discrimination est peut être couvert par ce qu'établit l'article 21 par rapport aux articles 8 et 15.
29. Seule l'Algérie a répondu négativement à la deuxième question.
30. Le Royaume-Uni et l'Algérie n'ont pas donné de réponse. La Tunisie et le Maroc donnent des réponses négatives.
31. Il y a une divergence dans les réponses apportées par UM5 et UHA2.

coulent du niveau de développement social et économique plus que d'une volonté d'exclusion.

Toutes les législations nationales, hormis celle de la Tunisie, reconnaissent le droit d'établir et de diriger des institutions d'enseignement supérieur, publiques et privées. Cette possibilité ouvre les portes au pluralisme dans l'éducation.

Les pays maintiennent comme principes recteurs de la législation en matière d'éducation supérieure: la participation [32]; la transparence; la responsabilité, manifestée dans la reddition des comptes; l'autonomie, sans exceptions; et la non-discrimination, exception faite de l'Algérie, quoique cette réponse doive être nuancée car le préambule de la Constitution et l'article 29 reprennent le principe d'égalité devant la Loi.

Les législations de tous les pays, exceptée celle de la Tunisie, reconnaissent le droit à participer au gouvernement de l'université autant pour l'élection de structures unipersonnelles que pour des organes professionnels. En ce qui concerne le Maghreb, l'analyse de ce qui se passe dans les centres montre cependant une forte dépendance administrative lors de la dotation de postes. Les législations nationales reconnaissent la participation des agents sociaux tels que les syndicats (l'Italie n'a pas apporté de réponse et celle du Royaume-Uni est négative); la société civile (l'Italie et le Royaume-Uni ne donnent pas de réponse); les ONG (seules les réponses de l'Espagne et de la Tunisie sont positives; le reste des pays ne répond pas à la question); les associations patronales[33]. La fonction qu'ils réalisent est délibérative dans le cas de l'Espagne et du Maroc et dans le cas de la Tunisie elle est consultative (l'Italie, le Royaume-Uni et l'Algérie n'apportent pas de réponse à cette question).

Il n'existe pas de législation sur l'obligation de reddition de comptes en Italie et en Tunisie. Cela ne veut pas dire qu'il n'existe pas de contrôle sur l'exécution budgétaire à charge de l'organisation de l'État.

La législation nationale des États membres reconnaît explicitement le droit à élire, désigner et démettre les titulaires des organes de gouvernement sans exception; à élaborer et approuver leurs statuts; à élaborer et approuver les plans d'études et de recherche[34]; la sélection, la formation, la promotion et la rétribution du corps enseignant et non enseignant[35]; l'admission et la permanence des élèves; la gestion des ressources; l'établissement des frais

32. Excepté l'Algérie et la divergence dans la réponse des deux universités marocaines.
33. Il n'y a pas de réponses du Royaume-Uni ni de l'Italie et le reste des réponses sont positives.
34. La réponse de l'UHA2 est positive et celle de l'UMOS est négative.
35. La réponse de l'UHA2 est positive et celle de l'UMO5 est négative.

d'inscription, des bourses et des aides à l'étude; la levée de fonds autres que ceux du budget de l'État.

Les réponses à tous les items du bloc INEI.8 sont affirmatives avec des nuances dans le cas des universités marocaines qui affichent une discordance dans leurs réponses. Cependant, lorsque l'on analyse les indicateurs de structure des centres d'enseignement, la réalité semble toute autre car les aspects de l'autonomie à laquelle se réfère INEI.8 ne se matérialisent pas en une norme particulière ni même en une pratique généralisée. Au contraire, l'on déduit des réponses des universités du Maghreb aux différents items l'absence d'une autonomie universitaire en tant que capacité de l'institution de se doter elle-même de statuts. Il est vrai, par ailleurs, qu'il existe dans les universités marocaines des règlements/statuts qui doivent être soumis à l'approbation de l'autorité administrative correspondante[36].

A différence de ce qui se passe dans les institutions européennes, les institutions du Maghreb ne reconnaissent pas la capacité de désigner, élire ou de démettre les organes de gouvernement de la communauté universitaire car l'administration joue un rôle décisif dans la dotation des postes académiques. Les réponses données à cette question sont parfois équivoques, comme celles de l'ENSS et de l'IPSI [37]; le reste des réponses se réfèrent à des normes étatiques qui indiquent, effectivement, l'existence d'une régulation sur les nominations mais cela ne veut pas dire que la décision dépende de la communauté universitaire[38].

Cela étant, toutes les réponses affirmatives données aux autres items dépendent directement de l'existence de normes de l'État, qu'elles soient constitutionnelles ou pas. Les droits et les libertés reconnus dans le contexte maghrébin dépendent de la Constitution ou de la Loi et, dans d'autre cas, de la praxis universitaire. Cette réserve étant faite il faut dire que les universités reconnaissent certains domaines d'autonomie très importants pour le projet:

a) Une certaine capacité d'inclure des matières d'étude et d'établir des lignes de recherche[39];

---

36. Les réponses apportées par l'USE2 et l'IPSI sont négatives; le fondement des réponses affirmatives de l'UMO2 et de l'ENSSP est une norme étatique.
37. Dans le premier cas, la norme se réfère à des institutions d'enseignement non universitaire; dans la seconde à la nomination par le Président du Gouvernement.
38. C'est pourquoi les réponses aux questions sur la reconnaissance du droit à la participation au gouvernement de l'université (structures unipersonnelles et académiques) sont négatives, en ce qui concerne les structures unipersonnelles dans l'UHA2, l'INTES et l'USE2, et restent sans réponse pour l'IPSI. La réponse, négative aussi, de l'UWE est étonnante. Les réponses sont négatives aussi en ce qui concerne les organes académiques de l'USE2, l'ENSSP, l'UHA2.
39. Toutes les réponses sont positives même si la norme sur laquelle se base la réponse positive de l'ENSSP, en plus d'être étatique, se réfère à des institutions non universitaires.

b) Une certaine autonomie dans la sélection, la formation, la promotion et la rétribution du corps enseignant et non enseignant. Les réponses des universités ont un sens global et ne rapportent pas les particularités de chacun de ces aspects. Il faut faire ici des précisions qui concernent autant les universités du Maghreb que les européennes: les universités doivent recruter un professorat qui, lorsqu'il est fonctionnaire, doit remplir des conditions qui dépendent essentiellement de la législation de l'État telles que diplômes, accès à la fonction publique, exigences pour la promotion et les contraintes concernant la rétribution soumise aux dispositions de l'État pour les différentes catégories de professorat, même si les universités peuvent dans certains cas compléter ces revenus avec des compléments à la rétribution[40].

Concernant la formation du corps enseignant, toutes les institutions ont répondu affirmativement. Celle de l'UHA2 est plus complète à tous les niveaux et conforme aux dispositions internes de l'université; l'IPSI cite l'énoncé des normes à ce sujet mais n'inclut pas la teneur des préceptes énumérés et l'ENSSP répond avec une règlementation ambigüe qui, en tout état de cause, fait référence aux institutions d'enseignement non universitaires.

c) Une capacité reconnue pour la gestion des ressources[41] et la levée de fonds[42]. Toutes les universités, européennes ou maghrébines, ont une autonomie limitée pour ce qui concerne les revenus car, étant l'enseignement universitaire un service public, il incombe aux pouvoirs publics de fixer le montant des frais d'inscription[43] qui établissent des prix qui ne correspondent pas au coût réel de l'enseignement. Il convient de faire une observation aux réponses affirmatives des institutions universitaires espagnoles: il relève de la responsabilité des communautés autonomes de l'enseignement supérieur,pagne de fixer les frais d'inscription et les bourses d'aide à l'étude, dans un système de coordination général de la gestion universitaire. Et il existe, en outre, un système national de bourses qui minimise le rôle des institutions universitaires à ce niveau. Il existe la possibilité d'alléguer des fonds d'une autre provenance mais ces revenus représentent un pourcentage très petit par rapport au total de la dépense universitaire.

40. La réponse apportée par l'ENSSP parle de norme étatique et se réfère aussi à des institutions d'enseignement non universitaires.
41. Seule la réponse de l'USE2 est négative.
42. Seule l'USE2 signale l'inexistence de règlementation.
43. L'INTES, l'USE2 et l'UMO2 offrent des réponses négatives. Celles des universités européennes doivent l'être aussi, excepté peut-être celle de l'UWE. En Espagne, même si les universités sont autonomes pour établir des taxes pour leurs propres inscriptions, la détermination des prix des inscriptions aux cours qui permettent d'obtenir des diplômes de validité nationale est établie par les Communauté autonomes, sans préjudice de la capacité de proposition des universités.

La formation du corps enseignant aux droits de l'homme et l'inclusion de matières afférentes aux plans d'études des différents cursus pourraient se faire sans augmenter le budget, partant de cette capacité de dépense reconnue, en redistribuant les budgets alloués.

En lien avec la gestion des ressources se trouve l'exigence de reddition des comptes ou contrôle externe de la dépense universitaire qui reflète la responsabilité sociale de l'institution. Elle est assurée par l'existence d'organes spécifiques de nature publique et aussi privée comme c'est le cas pour certaines institutions européennes telle que L'université de la Rioja. Elle est pratiquement inexistante dans les universités du Maghreb: elle n'est pas règlementée dans l'USE2, l'UHA2 et le MOS et l'IPSI n'a pas apporté de réponse à la question. Cela ne veut pas dire que l'administration ne contrôle pas la dépense. Bien au contraire, le fait de dépendre presque exclusivement du budget public implique un contrôle plus présent et exigeant. Mais il n'existe pas de structure externe indépendante qui se charge de cette activité de contrôle, sauf au Maroc, où la Cour des comptes procède par audit.

L'autonomie que reconnaissent toutes les institutions pour traiter de l'admission et de la permanence des élèves doit être entendue comme soumise toujours à une règlementation étatique –dans le cas des universités espagnoles elle dépend des communautés autonomes– que les centres doivent respecter en maintenant toujours le principe de non-discrimination.

3.1.2. Indicateurs de processus

Les cadres règlementaires et statutaires décrits plus haut sont renforcés par différents mécanismes pour le bon gouvernement des universités qui veillent à la reddition des comptes, à l'évaluation de la qualité, à la transparence et à l'accès à l'information, etc. et contribuent à la mise en place des dispositions règlementaires qui prévoient ces principes garants des droits de l'homme.

Les procédés pour la certification externe de la qualité des études dans les institutions d'enseignement supérieur existent dans tous les pays du Consortium. Dans le cas des universités européennes, les agences ANECA, ANVUR, QAA interviennent au niveau national et c'est le cas aussi pour celles du Maroc, de l'Algérie et de la Tunisie qui ont leurs équipes ou cellules de contrôle de la qualité.

Dans l'analyse des institutions au cas par cas, l'on remarque que les procédés internes et externes de certification de la qualité sont fortement implantés dans les universités européennes. Dans les universités du Maghreb, seul un des centres, l'IPSI, a répondu affirmativement à cette question (ICPI.11).

Un autre aspect significatif de la présence des droits de l'homme dans l'éducation supérieure fait référence à la transparence et à l'accessibilité de l'information relative à l'activité académique, scientifique et administrative.

La transparence par rapport au bon gouvernement est conçue comme «l'effort pour diffuser et publier de l'information importante sur l'organisation en la rendant visible et accessible à tous les groupes d'intérêt dans sa totalité et actualisée». Conformément à cette définition, une politique de transparence exige, au moins, quatre caractéristiques:

a) *visibilité:* le contenu peut s'obtenir aisément car il est bien visible sur les pages Web;
b) *accessibilité:* les consultations du contenu ne requièrent pas de permission ni d'enregistrement préalables;
c) *actualité*: les contenus sont actualisés; cela signifie que l'information demandée reçoit une réponse sur le dernier exercice légalement clos;
d) *intégralité*: l'information disponible doit être complète et exhaustive; une information partielle sur un contenu est insuffisante.

Conformément aux données analysées, on peut affirmer que les universités rendent publique et accessible la plupart de l'information de leur activité par différents moyens: Web, tableau d'annonces et bulletins. Sur le tableau ci-dessous figure, à mode de feux de couleurs, la publication des activités des universités dans les deux zones géographiques de l'étude, à partir de l'information enregistrée dans les centres du Consortium ABDEM:

Tableau 1. Transparence et facilité d'accès à l'information des activités des universités de l'ABDEM

Activité des universités	Europe	Maghreb
Composition des organes de gouvernement		
Statuts et normative approuvée par les organes universitaires		
Mission, vision et valeurs		
Règlementation propre au centre sur la sélection, la promotion et le recrutement de personnel (enseignant et administratif)		
Règlementation sur la représentation du personnel et des étudiants dans les organes professionnels		
Plan de formation pour le personnel (corps enseignant et personnel administratif)		
Liste de postes de travail		
Budget et mémoire économique annuel		
Règlementation de l'accès, de l'inscription et de la permanence des étudiants		
Plans d'étude, guides enseignants et critères d'évaluation des matières		
Plans et aides à la recherche		

Source: élaboration propre à partir de la batterie d'indicateurs ABDEM.

Légende: En vert figurent les activités publiques et accessibles avec certains des moyens analysés (web, tableau ou bulletin) dans tous les centres analysés. Le jaune signale l'absence de cette activité dans au moins deux universités de la zone géographique qui nous intéresse et le rouge signale que cet aspect n'est pas rendu public dans plus de trois centres.

Comme le montre le tableau, il y a trois activités des institutions publiques d'éducation supérieure qui sont publiques et accessibles dans tous les cas: la composition des organes de gouvernement, les statuts et la règlementation approuvée par les organes de gouvernement et les plans et aides à la recherche. Les aspects qui présentent le plus de déficiences au niveau de la publication de l'information sont la mission, la vision et les valeurs des universités et celle relative aux plans de formation du personnel. En ce qui concerne les autres aspects, les universités européennes rendent publique l'information sur leur activité alors que les universités du Maghreb montrent des carences sur certains aspects.

En ce qui concerne les moyens de diffusion, les universités européennes ont surtout recours à la page Web et, en moindre mesure, au tableau ou au bulletin. Quant aux universités maghrébines elles informent sur moins d'aspects et, même si le Web est utilisé, dans certains cas elles en priorisent d'autres comme le tableau. Malgré les données apportées par les universités espagnoles, le Rapport sur la transparence des universités 2013, montre qu'aucune des quatre universités espagnoles du projet ABDEM ne réunit les critères suffisants pour figurer parmi les universités transparentes[44]. Les universités de La Corogne, de Saragosse et d'Estrémadure sont qualifiées de translucides et l'université de la Rioja d'opaque.

L'année 2014 a cependant supposé un point d'inflexion important pour les politiques de transparence en Espagne à cause de l'entrée en vigueur de la loi 19/2013, du 9 décembre, relatif à la transparence, l'accès à l'information publique et le bon gouvernement, dont l'article 2.d) cite expressément les universités publiques dans son domaine d'application et dans son article 3 toutes les entités privées qui reçoivent durant un an des aides ou des subventions publiques d'un montant supérieur à 100.000 euros. Les principes de publicité active qui sont tous ceux qui font référence à la publication obligatoire d'une information déterminée sur le Web et qui figurent au titre I sont entrés en vigueur un an après la publication de la loi dans le Bulletin officiel de l'État, c'est-à-dire le 10 décembre 2014.

Il n'est donc pas étonnant que l'année 2014 et les premiers mois de l'année 2015 marquent un tournant important dans les efforts des universités pour encourager la transparence. Comme le montre le *Informe de transparen-*

44. *Informe de transparencia de las universidades 2013*, Fundación Compromiso y transparencia, 2014, p. 29.

cia voluntaria en la web de las universidades españolas 2014[45] (Rapport de transparence volontaire sur le Web des unievrsités espagnoles 2014) les derniers résultats ont dépassé les attentes, en particulier dans le cas des universités publiques qui ont progressé dans tous les domaines et les indicateurs. Pour la première fois un total de seize universités ont été qualifiées de transparentes, conformément aux critères de la FCyT. Toutes les universités espagnoles du Consortium ABDEM ont amélioré leur ponctuation précédente et toutes appliquent les indicateurs qui les font mériter la condition de transparentes. Une autre nouveauté importante de cette année est le nombre important d'universités qui ont créé une section spécifique sur la transparence sur leur site Web. Plus précisément, 35 universités publiques d'un total de 49 et cinq privées, d'un échantillon de 26, ont mis en marche cette nouvelle section.

Le degré d'engagement institutionnel des universités envers les droits de l'homme acquiert différents degrés et modalités, articulés par le biais de politiques et de mesures *ad hoc*. Toutes les universités du Consortium, excepté celle d'Estrémadure, reconnaissent le respect des droits de l'homme parmi les valeurs qu'elles promeuvent (ICPI.13). Dans certains cas, elles figurent dans les codes éthiques et déontologiques de l'université; dans d'autres, elles sont stimulées par la promotion du civisme ou de l'égalité des chances. Cependant, lorsque l'on analyse une autre série d'indicateurs, les réponses des universités sont divergentes, ce qui est chose possible. Ainsi, par exemple, seules trois universités du Consortium (l'UDC, l'UNBG, l'UR) ont souscrit aux déclarations ou aux prises de positions en matière de droits de l'homme (ICPI.14). Et la plupart des centres –exceptés l'UR, l'IPSI, l'INTES, l'USE2– incorporent à leur planification stratégique des lignes ou des actions visant à encourager les droits de l'homme (ICPI.15). En ce sens, l'on remarque comme exemple de bonnes pratiques la création d'une branche spécifique de Responsabilité sociale (l'UCO) ou le développement d'ateliers spécifiques de promotion, de sensibilisation et de formation en droits de l'homme (l'UHA2 et l'UMO).

La moitié des universités du Consortium (6) incorpore aux conventions et contrats qu'elles souscrivent des principes de respect des droits de l'homme par toutes les parties intervenantes (ICPI.16). Cependant, deux universités (l'UNBG et l'UR) signalent que cet aspect n'est pas repris de manière directe dans la règlementation du centre parce que la législation professionnelle nationale exige son application dans tous les contrats, quels qu'ils soient.

Seules les universités européennes réalisent des enquêtes de satisfaction auprès de leurs collectifs dans lesquelles les items concernant les droits

45. *Cfr.* Martín Cavanna, J. y Barrio, E., *Examen de transparencia. Informe de transparencia voluntaria en la web de las universidades españolas 2014*, Fundación compromiso y transparencia, Madrid, 2015, pp. 5 et 47.

de l'homme sont repris (ICPI.17). Les réponses affirmatives à cet indicateur doivent être abordées cependant avec précaution car il est possible que l'on ait répondu à l'existence d'enquêtes sur la satisfaction comme une pratique généralisée sur la qualité, sans prendre suffisamment en compte l'aspect important et significatif de la question qui est l'existence d'items associés au respect des droits de l'homme.

Finalement, toutes les universités promeuvent des actions pour garantir l'accès à l'enseignement supérieur de tous les groupes sociaux et l'égalité des genres (ICPI.18). L'on relève quelques exemples de bonnes pratiques, telle la création du Comité unique de garantie de l'égalité des chances (UNBG) ou la mise en place de mécanismes de garantie de l'égalité des chances des étudiants (l'UHA2).

3.1.3. Indicateurs de résultats

De manière générale, il y a très peu de données apportées par les membres du Consortium pour évaluer les résultats obtenus au niveau national[46]. En soi, ce fait est significatif car il montre soit que les États ne collectent pas d'information d'importance qui leur permette de mesurer leurs progrès, soit que cette information n'est pas accessible ou transparente pour l'ensemble des citoyens. Quoiqu'il en soit, cette réalité suppose un déficit dans l'application de l'approche aux droits dans la politique d'éducation. Pour combler cette lagune l'on a recouru à des sources sur l'éducation complémentaires.

Le pourcentage de PIB destiné à l'éducation dans l'enseignement supérieur (INRI.19), dans les pays du Consortium est similaire et correspond à l'information apportée par la Banque Mondiale (voir tableau et graphique 1):

Tableau 2. Dépense publique totale en fonction du pourcentage du PIB

Pays	2008	2009	2010	2012
Royaume-Uni	5,4	5,6	5,6	6,2
Italie	4,6	4,7	4,5	4,2
Espagne	4,6	5	5	4,4
Tunisie	6,3	6,5	6,2	6,2
Algérie	4,3			7,3
Maroc	5,6	5,4		6,2

Source: Élaboration propre à partir de données de la Banque Mondiale.

46. Excepté ceux de la Tunisie qui apporte de l'information relative aux indicateurs INRI.19, INRI.20, INRI.21, INRI.22 et INRI.27.

Graphique 1. Dépense publique totale en fonction du pourcentage du PIB

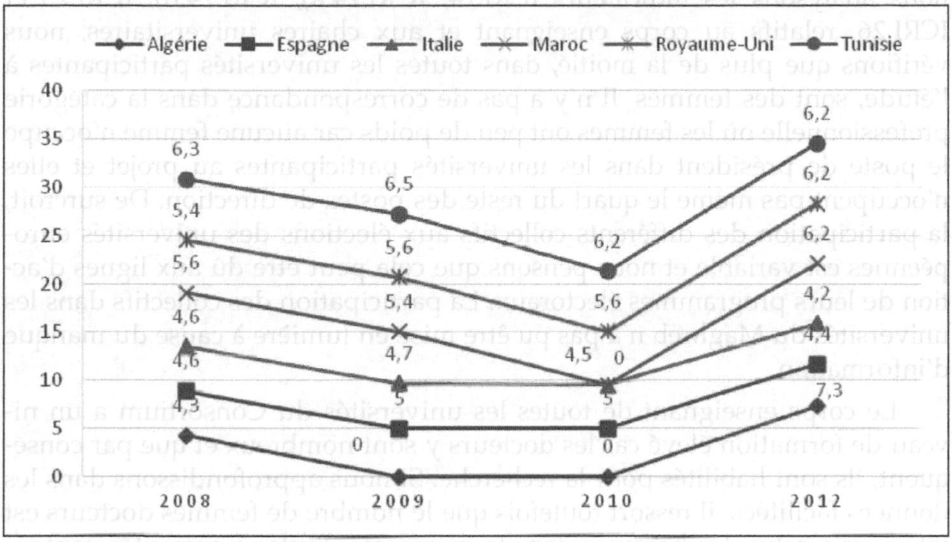

Source: Élaboration propre à partir de données de la Banque Mondiale.

Les données mettent en évidence que l'éducation constitue une des grandes priorités de tous les pays. L'investissement correspond à des paramètres considérés élevés ou très élevés par la Banque Mondiale, si l'on tient compte que, par exemple, en 2012 elle a représenté 3,7%. La dépense en Tunisie en 2013 est de 1,7%, de 1,4% au Royaume-Uni et de 1,3% en Espagne.

Par ailleurs, au moment de vérifier la présence dans les salles de cours de certains collectifs à risque de vulnérabilité plus élevé, l'on constate les différentes priorités ou sensibilités des pays du Consortium, du moins en ce qui concerne la disponibilité de l'information importante. Ainsi, par exemple, le pourcentage de femmes dans les classes (INR1.21.a) représente 55% environ des personnes inscrites dans les pays du Consortium. Le Maroc est le pays qui reflète les valeurs les plus basses car cette donnée est de 31% en 2013, bien qu'une seule donnée ne permette pas d'étudier la tendance. Ni l'Italie, ni l'Algérie, ne présentent d'information sous cet indicateur. Dans le cas du pourcentage de personnes handicapées (INRI.21b), seule l'Espagne apporte des données et l'on y observe une diminution. À côté de cela, seul le Royaume-Uni présente des données sur le pourcentage de minorités ethniques (INRI.21c), et nous constatons qu'il a augmenté de 25% de 2006 à 2013. Si nous nous centrons sur les personnes inscrites ayant peu de ressources (INRI.21.d), seuls la Tunisie et le Royaume-Uni montrent le pourcentage d'étudiants dans cette situation: 12% et 20% respectivement.

Si nous descendons à l'information apportée par les universités et que nous analysons les indicateurs ICRI.24, ICRI.24.a), ICRI.24.b), ICRI.25 et ICRI.26, relatifs au corps enseignant et aux chaires universitaires, nous vérifions que plus de la moitié, dans toutes les universités participantes à l'étude, sont des femmes. Il n'y a pas de correspondance dans la catégorie professionnelle où les femmes ont peu de poids car aucune femme n'occupe le poste de président dans les universités participantes au projet et elles n'occupent pas même le quart du reste des postes de direction. De surcroit, la participation des différents collectifs aux élections des universités européennes est variable et nous pensons que cela peut être dû aux lignes d'action de leurs programmes électoraux. La participation des collectifs dans les universités du Maghreb n'a pas pu être mise en lumière à cause du manque d'information.

Le corps enseignant de toutes les universités du Consortium a un niveau de formation élevé car les docteurs y sont nombreux et que par conséquent, ils sont habilités pour la recherche. Si nous approfondissons dans les données facilitées, il ressort toutefois que le nombre de femmes docteurs est inférieur à celui des hommes dans le même cas, toutes universités confondues.

Si nous allons davantage encore dans le détail et que nous nous centrons sur les diplômes analysés dans le projet ABDEM nous pouvons apprécier des différences entre les universités (ICRI.23, ICRI.23.1, ICRI.23.a) en référence au poids des études objets d'analyse sur le total des spécialités proposées. Mais l'analyse se limite aux universités européennes car celles du Maghreb n'apportent aucune information à ce sujet. Ce fait implique que les pourcentages de diplômés et d'enseignants peuvent varier approximativement de 14% à 73% parmi les diplômés et de 7% à 84% parmi les enseignants.

3.2. AXE 2: PROCESSUS ET INSTRUMENTS D'ENSEIGNEMENT APPRENTISSAGE

Sur cet axe, la volonté est de savoir comment les droits de l'homme sont présents et respectés lors des processus et dans les instruments d'enseignement apprentissage.

3.2.1. Indicateurs de structure

La législation nationale de l'Espagne et celle de l'Italie imposent de manière explicite le respect des droits de l'homme dans l'élaboration du matériel pour l'enseignement supérieur (INEII.1), mais pas au Royaume-Uni ni en Tunisie. Les réponses du Maroc et de l'Algérie sont équivoques.

L'évaluation des réponses pour savoir si les directrices générales pour l'élaboration des plans d'étude de grade et post-grade promeuvent l'incorporation de compétences associées aux droits de l'homme (INEII.2) doit être convenablement nuancée. Nous entendons que les compétences génériques incorporées sont tellement polyvalentes qu'il résulterait difficile d'établir s'il y a eu une intention véritable de les associer aux droits de l'homme. Par ailleurs, certaines de ces compétences, telles que la capacité d'analyse et de synthèse, sont tellement nécessaires dans le travail intellectuel qu'il est impossible de ne pas les avoir comme objectif même s'il ne figure rien à ce sujet dans les textes légaux[47]. L'on peut dire la même chose de la connaissance d'une langue étrangère. Alors que la capacité d'organisation et de planification est absente dans les directrices de plans d'étude du Maroc et de l'Algérie.

Il est étonnant cependant de constater l'absence de nombreuses références de l'Italie aux compétences génériques. Cette absence n'est pas significative dans certains cas comme, par exemple, l'incorporation des TIC, bien connue dans les niveaux non universitaires tant en Italie qu'au Royaume-Uni. Il faudrait dire aussi la même chose au sujet de la capacité de gestion de l'information. Toutefois, la conclusion n'est pas si évidente si nous faisons référence à la capacité de résoudre les problèmes ou à la préparation pour la prise de décisions, que tous les pays incluent, excepté l'Italie. Par rapport à ces questions, les réponses seraient plus significatives s'il y avait une évaluation de l'acquisition de ces compétences associées directement au domaine des droits de l'homme. Mais cette déduction est impossible à partir de la formulation des questions.

Quand aux compétences personnelles il y a unanimité dans les réponses affirmatives concernant les habiletés dans les relations interpersonnelles, la reconnaissance à la diversité et à la multiculturalité, le raisonnement critique et l'engagement éthique. Toutefois, la compétence pour travailler en équipe nous apporte des réponses négatives dans le cas de l'Italie et du Maroc. Il en va de même avec les questions sur la compétence pour réaliser des travaux en équipe de caractère interdisciplinaire, auxquelles l'Italie, le Royaume-Uni, le Maroc et l'Algérie ont répondu négativement. Seule l'Italie a répondu négativement à la question sur le travail dans un contexte international.

Tous les états incluent dans leurs plans d'étude les compétences systémiques suivantes: apprentissage autonome, adaptation à de nouvelles situations, créativité et connaissance d'autres cultures et coutumes; la sensibilité

47. La réponse à cette question est négative dans le cas de l'Algérie. Au Maroc, les orientations et les directives y afférent se trouvent dans le Cahier des normes pédagogiques nationales.

envers les thèmes environnementaux, la capacité de leadership. Ces deux dernières ne sont pas contemplées en Italie. La capacité d'initiative et l'esprit d'entreprise ne figurent pas dans les normes de l'Algérie et il en va de même avec la motivation pour la qualité. Cette absence révèle une carence significative dans des pays où la population jeune atteint un pourcentage élevé, des pays nécessitant plus de progrès économique et de développement humain. Au contraire, la réforme de l'enseignement marocain a exigé en 2009 l'introduction d'un module spécifique transversal: "culture entrepreneuriale". Les universités ont même créé des incubateurs d'entreprises. Aussi les universités marocaines accordent une grande importance à la question de la qualité, qui est devenue un paramètre essentiel dans l'évaluation des filières de formation. Par ailleurs, il ne semble pas y avoir de connexion directe entre la capacité d'initiative et l'esprit d'entreprise promus dans l'UE au niveau de l'enseignement obligatoire et les droits de l'homme. Parfois ils reflètent une vision très mercantiliste, compétitive et consumériste, éloignée de valeurs telles que la solidarité.

En définitive, même si les silences législatifs sur ces compétences signalées sont éloquents, il semble improbable que la pratique académique n'apporte pas son enseignement/apprentissage. Il est cependant évident que dans ces cas tout dépendra du savoir-faire du corps enseignant car il n'y a pas d'encadrement pédagogique défini en ce sens par les autorités.

3.2.2. Indicateurs de processus

Toutes les législations établissent des obligations pour l'incorporation de mesures d'adaptation des processus d'enseignement aux personnes handicapées comme, par exemple, au moyen de l'adaptation des postes d'étude et l'incorporation d'aides techniques (INPII.4). Cet aspect est aussi tenu en compte au niveau de centre. Excepté dans un cas (l'IPSI), tous répondent affirmativement à l'indicateur (ICPII.4).

Le reste des indicateurs de processus fait référence à la planification et à l'évaluation du processus d'enseignement par l'apprentissage. Tous les pays du consortium confirment que «la planification stratégique des matières cible l'obtention de compétences (apprendre, apprendre à être, apprendre à vivre ensemble)» (INPII5.1). Cependant les deux autres indicateurs n'obtiennent pas le même niveau de consensus. Pour une approche dans l'éducation supérieure basée sur les droits de l'homme il est important que la méthodologie didactique soit cohérente avec les résultats d'apprentissage attendus dans l'acquisition de compétences (INPII5.2.) et l'on doit en outre garantir que les systèmes d'évaluation de l'apprentissage soient transparents et connus au préalable par les élèves (INPII.6). Cet aspect est intégré dans toutes les institutions de l'enseignement supérieur européennes mais n'existe pas en Algérie. Au Maroc, le système d'évaluation est bien contenu dans les cahiers des charges de chaque filière et il est donc connu des étudiants. En plus, la grille d'évaluation et de pondération est décidée par le Conseil de l'université, sur proposition de la commission pédagogique, qui rend public les modalités d'évaluation des apprentissages. L'analyse par centres (ICPII.5.1, ICPII.5.2 et ICPII.6) permet d'observer que deux d'entre eux ne le font pas (l'UHA2 et l'USE2).

Deux autres aspects qui reflètent le respect des droits de l'homme dans les processus et les instruments d'enseignement/apprentissage concernent la participation d'organisations à but non lucratif (principalement les ONG) dans l'organisation d'enseignements non règlementés (ICPII.7) et, par ailleurs, si l'université incorpore des procédés de respect des droits de l'homme ou une référence à des codes éthiques lors de la réalisation de pratiques externes (CPII.8). Comme dans les indicateurs antérieurs, ces aspects sont présents dans la plupart des universités du Consortium. De manière générale dans les pays européens et un peu moins dans ceux du Maghreb. Il faut quand même relever que la rédaction de l'indicateur peut s'avérer confuse et les résultats doivent être interprétés avec prudence.

3.2.3. Indicateurs de résultats

L'approche de l'éducation basée sur les droits de l'homme demande une responsabilité sociale importante aux institutions d'éducation. Le degré d'engagement des universités envers la société civile dans le développement des carrières, avec l'effort conséquent de certaines compétences éducationnelles, se retrouve dans les conventions passées avec des entités a but non lucratif (ICRII.10) et dans le nombre d'élèves qui ont la possibilité de faire des stages pratiques dans ces entités (ICRII.11). L'UNBG est l'université qui ressort le plus dans le consortium: elle est au-dessus du reste des universités pour ce qui est des accords et en nombre de séjours. Il est étonnant de constater aussi l'absence d'information de certaines universités européennes et le faible nombre d'élèves des universités maghrébines qui réalisent des stages dans ces institutions malgré le nombre significatif de conventions.

3.3. AXE 3: RECHERCHE

Cet axe s'occupe d'analyser comment les droits de l'homme sont respectés dans les activités de recherche réalisées par l'université et par son corps enseignant et chercheur.

3.3.1. Indicateurs de structure

L'histoire démontre que dans la science et l'université habitent deux âmes: l'une repliée sur elle-même et l'autre ouverte à l'extérieur. Le blocage de l'accès à la connaissance est un levier essentiel pour le maintien et la consolidation des structures de pouvoir traditionnelles. Face à cette réalité, les universités peuvent faire beaucoup pour l'ouverture et le transfert de connaissances, en diminuant de beaucoup la fracture dans l'accès à l'information entre pays et régions et devenir elles-mêmes un moteur pour le développement humain. Cette ouverture de la production doit permettre, dans tous les cas, que les auteurs conservent la propriété des droits d'auteur sur leurs œuvres et qu'ils puissent en établir les conditions d'usage. Cela explique la transcendance qu'acquiert l'engagement éthique des institutions d'éducation supérieure dans ce domaine, ainsi que la création ou la consolidation de cadres normatifs qui respectent, promeuvent et garantissent les droits associés au progrès scientifique et leurs applications.

Tous les membres du consortium ABDEM, reconnaissent à l'unanimité la totalité des droits associés à l'activité scientifique (INEI.3), c'est à dire les droits à la protection des intérêts moraux et matériaux qui correspondent aux auteurs en raison de leurs productions scientifiques, littéraires ou artistiques; la liberté d'expression, y compris la liberté de recherche et de recevoir de l'information et des idées de toutes sortes et les diffuser; la liberté pour l'activité scientifique et l'activité créatrice; et le droit à la propriété intellectuelle. Seuls le Royaume-Uni et l'Italie apportent de l'information, respectivement, sur le droit à jouir des bénéfices du progrès scientifique et leur applications et aux droits d'auteur, brevets et autres régimes de la propriété intellectuelle[48].

De même, tous les pays, sauf l'Italie, affirment que les appels à projets nationaux de recherche exigent le respect des droits de l'homme tant sur l'objet que sur la réalisation des activités scientifiques (INEIII.4). Sont positives aussi –avec l'exception de l'Italie et l'Algérie– les réponses à la question sur l'existence d'un régime juridique national sur l'encouragement et le

48. Ni la constitution italienne ni la loi de l'éducation supérieure ne contemplent ces droits. Mais ils sont traités dans la Loi du 22 avril 1941, n. 633, sur "Protezione del diritto d'autore e di altri diritti connessi al suo esercizio" et les articles 2575-2583 du Code civil (Libro Quinto - Titolo IX: Dei diritti sulle opere dell'ingegno e sulle invenzioni industriali). La loi n° 633 ne dicte pas de règles claires sur la propriété des publications scientifiques dans le domaine académique. Et les articles 11 à 19 ne sont pas particulièrement clairs et, en l'occurrence, ils ont été conçus pour un contexte technologique et une pratique éditoriale qui appartiennent au passé. L'article 12-bis sur les logiciels et les bases de données ne se réfère pas explicitement au monde universitaire et génère des problèmes de coordination avec les normes déjà citées.

développement de coopération et des relations internationales sur des questions scientifiques et culturelles (INEIII.5)[49].

En ce qui concerne les indicateurs, au niveau de centre toutes les universités reconnaissent le droit des professeurs et des chercheurs à choisir le thème et la méthodologie de recherche même si parfois elles ne donnent pas des fondements très précis (l'UHA2), ni une réponse complète (l'UMO5)[50], ou encore elles expliquent le recours à des normes prévues pour des institutions d'éducation non universitaires (l'ENSSP)[51].

La production scientifique est un des principaux actifs pour mesurer leur qualité. Visible et accessible, elle aura davantage d'impact et permettra de mettre en lumière et de rendre des comptes à la société sur l'investissement public réalisé pour la recherche. Dans ce contexte, le droit à consulter des archives et des bibliothèques prend une importance particulière même si ces consultations peuvent être soumises à certaines démarches nécessaires pour garantir l'usage approprié des documents et l'ouverture des centres à tous les chercheurs en conditions d'égalité (ICIII.6). Dans le cas de l'Espagne, même si les statuts des universités UDC, UZA et UR ne contemplent pas cette liberté de manière expresse, il existe un engagement au niveau national envers la diffusion universelle de la connaissance en misant sur l'accès ouvert aux résultats de la recherche. Il est repris dans deux initiatives légales: la Loi 14/2011, du 1 juillet relative à la science, la technologie et l'innovation[52] et le décret royal 99/2011, du 28 janvier qui régule les ensei-

---

49. Cependant, la constitution de l'Algérie se réfère dans son article 28 au «renforcement de la coopération internationale et au développement des relations amicales entre les États […]».
50. Au Maroc, la recherche scintifique est normée par une loi promulguée en 2008 et qui adosse la recherche scientifique aux structures de recherche accréditées par la commission nationale d'accréditation
51. L'ENSSP invoque une norme qui se réfère aux institutions d'enseignement non universitaire.
52. Son article 37 établit que «Les agents publics du Système espagnol de science, technologie et innovation encourageront le développement d'archives, propres ou partagés, d'accès ouvert aux publications de son personnel chercheur, et établiront des systèmes qui permettront de les connecter avec des initiatives similaires nationales et internationales. 2. Le personnel chercheur dont l'activité de recherche est financée dans l'essentiel par des fonds des budgets généraux de l'État rendra publique une version numérisée finale des contenus acceptés pour leur publication dans des publications de recherche sériées ou périodiques, le plus tôt possible, mais pas plus tard que douze mois après la date officielle de publication. 3. La version électronique sera faite publique dans des archives libres d'accès reconnus dans le domaine de recherche où s'est fait le travail du chercheur, ou dans des archives institutionnelles ouvertes. 4. La version électronique pourra être employée par les administrations publiques dans leurs processus d'évaluation. 5. Le Ministère des sciences et de l'innovation facilitera l'accès centralisé aux archives et leur connexion à des initiatives similaires nationales et internationales. 6. Ce qui précède s'entend sans préjudice des accords en vertu desquels les droits sur les publications ont pu

gnements officiels de doctorat et établit que les thèses doctorales, une fois présentées, seront déposées et libres d'accès au répertoire institutionnel de l'université (articles 14.5 et 14.6). Un exemple de bonne pratique à ce sujet est la création d'une commission sectorielle de la Conférence des présidents des universités espagnoles (CRUE), dénommée Réseau de bibliothèques universitaires espagnoles (REBIUN), qui agglutine les bibliothèques des 76 universités membres de la CRUE (50 du monde universitaire public et 26 du monde universitaire privé) et le CSIC (Conseil supérieur des recherches scientifiques) dont la mission est de diriger, coordonner et donner des directrices aux bibliothèques universitaires et scientifiques en encourageant la coopération et la réalisation de projets conjoints pour apporter une réponse aux nouveaux défis que les universités doivent relever en matière d'apprentissage, enseignement, recherche et formation tout au long de la vie professionnelle.

Bien que quelques universités n'aient pas apporté de réponse ou fait allusion au fondement de la normative qui ne correspond pas à ceux des statuts, la constance dans les bonnes pratiques met en évidence que la collaboration avec des chercheurs d'autres pays est une réalité constatée. L'existence de réponses positives dans ces domaines ouvre des possibilités de rencontre avec des sociétés qui maintiennent des idées diverses sur la nature des droits de l'homme qui peuvent être contrastées avec la situation du propre pays.

3.3.2. Indicateurs de processus

Le respect des droits de l'homme dans l'axe de la recherche implique l'adoption d'une série de mesures d'action cohérentes avec cet objectif. La première d'entre elles fait référence à la conception et à l'approbation de la part des universités de leur politique de recherche (ICPIII.7), comme une manifestation de plus de leur autonomie universitaire. Toutes les universités du Consortium ont répondu affirmativement à cette question.

Le deuxième indicateur de processus fait référence à l'existence de politiques de disponibilité et de libre accès aux sources de recherche qui respectent le droit à l'intimité (ICPIII.8). Les universités ont répondu affirmativement à cette question. Les universités de Saragosse et d'Estrémadure sont deux des 26 institutions espagnoles de recherche qui ont développé leur propre politique institutionnelle, recommandation ou exigence d'application

être attribués ou transférer à des tiers, et cela ne sera pas applicable quand les droits sur les résultats de l'activité de recherche, de développement et d'innovation soient susceptibles de protection».

obligatoire. De même tous les centres du Consortium disposent de bases de données et de sources bibliographiques (ICPIII.9).

Par ailleurs, dans tous les pays du Consortium l'on retrouve des mesures, au niveau national, pour promouvoir la mobilité internationale du personnel chercheur conformément aux ressources disponibles (INPIII.11). Cet aspect est approuvé aussi par une partie des centres du Consortium, qui répondent affirmativement à l'indicateur équivalent au niveau des centres (ICPIII.11).

Les deux derniers indicateurs de processus de cet axe font référence à l'appui au travail scientifique des chercheurs, d'une part grâce à l'existence de mécanismes de reconnaissance du temps consacré à la recherche (ICPIII.12) et, d'autre part, à travers des mécanismes de recherche comme, par exemple, des compléments économiques (ICPIII.13). Toutes les universités européennes du Consortium reconnaissent le temps que les chercheurs consacrent à la recherche. Ce n'est pas le cas dans la zone géographique du Maghreb où ni l'UHA2, ni l'ENSSP tiennent en compte ce temps. Quand aux mécanismes destinés à encourager la recherche on les retrouve dans tous les centres du consortium, excepté dans trois (l'UEX, l'UHA2, l'USE2).

3.3.3. Indicateurs de résultats

La dépense en recherche et développement (% du PIB) (INR3.14) s'est maintenue au fil des ans dans les pays européens objets de l'étude mais nous n'avons que très peu d'information à ce sujet des pays du Maghreb (voir tableau 3 et graphique 2). Pour analyser cette information l'on a recouru à diverses sources, en particulier les données de la Banque Mondiale.

Tableau 3. Dépense en recherche et développement (% du PIB)

Pays	2008	2009	2010	2011	2012
Italie	1,20	1,26	1,26	1,25	1,26
Espagne	1,35	1,39	1,39	1,35	1,30
Royaume-Uni	1,75	1,82	1,77	1,78	1,72
Maroc	n.d.	n.d.	0,73	n.d.	n.d.
Algérie	n.d.	n.d.	n.d.	n.d.	n.d.
Tunisie	1	1,1	n.d.	n.d.	n.d.

Source: Banque Mondiale; élaboration propre. Nd: non respond.

Graphique 2. Évolution de la dépense en recherche et développement (% du PIB)

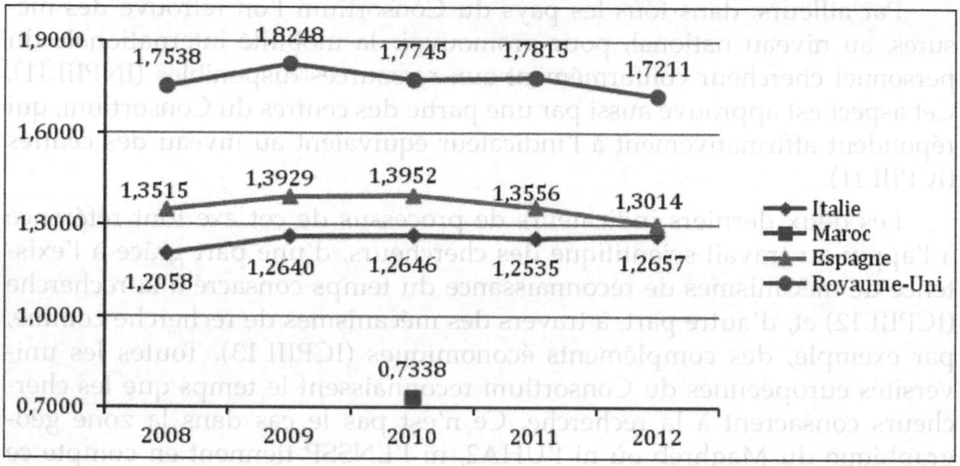

Source: Élaboration propre.

D'après l'information obtenue des pays participants, et une fois comparée avec l'information apportée de la Banque Mondiale, le nombre de chercheurs pour chaque million d'habitants a légèrement augmenté en Italie et au Maroc bien que nous ne disposions pas d'information sur ce dernier pour les dernières années. Cependant, l'Espagne et le Royaume-Uni montrent une légère diminution. Les données présentées vont jusqu'à l'année 2012 et force est de reconnaître l'impact négatif que la crise économique et ses coupes budgétaires ont eu sur la recherche, avec des intensités variables selon les pays. (Voir tableau 3 et graphique 2).

Tableau 4. Nombre de chercheurs par million d'habitants

Pays	2008	2009	2010	2011	2012
Italie	1599,46	1691,13	1709,24	1747,94	1820,22
Maroc	668,8	n.d.	735,72	864,46	n.d.
Espagne	2895,15	2924,39	2915,7	2799,9	2719,07
Tunisie	1836,7	n.d.	n.d.	n.d.	n.d.
Royaume-Uni	4107,59	4151,06	4134,04	4026,42	4024,2
Algérie	n.d.	n.d.	n.d.	n.d.	n.d.

Source: Banque Mondiale; élaboration propre. Nd: non respond.

Graphique 3. Évolution de chercheurs par million d'habitants

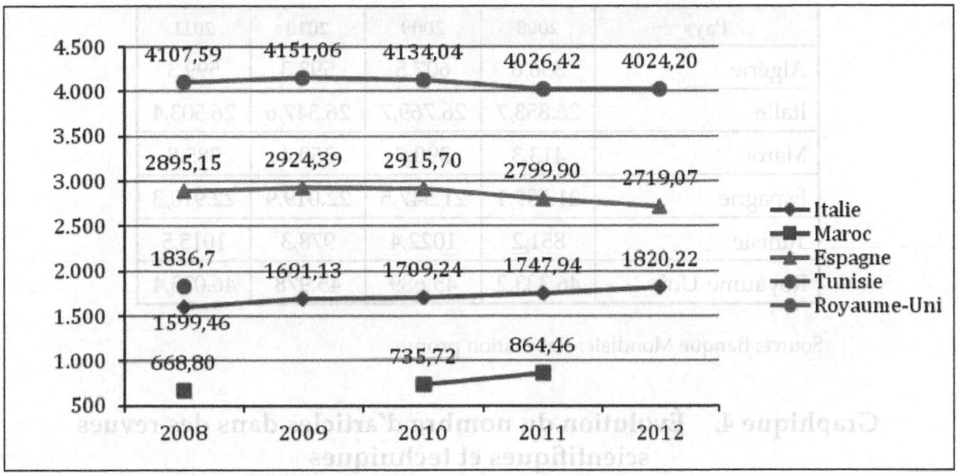

Source: Banque Mondiale; élaboration propre.

Le poids que représentent les chercheurs et docteurs dans les universités participantes est relativement faible (ICR3.15 e ICR3.16) et c'est peut être dû au fait que ces universités sont de petite et moyenne taille. Il aurait été intéressant de disposer du nombre de chercheurs principaux dans les projets, mais seules l'UR et l'ENSPP ont apporté quelques données à ce sujet (ICRIII.17). Il en va de même avec le nombre de projets de recherche internationaux (ICRIII.19).

Les centres de recherche doivent être pris comme un indicateur important car ils constituent des plateformes de dynamisation qui font de la recherche scientifique de manière autonome et indépendante. Tous ont un directeur et s'organisent en départements qui regroupent des équipes de chercheurs proches dans leurs thématiques de recherche. À l'UDC depuis 2006, le nombre de centres a augmenté de 6 et ils sont au nombre de 10 à ce jour alors que dans l'IPSI, l'UEX, UWE et l'UR ils en ont 3, 4, 5 et 6 respectivement et que leur croissance est rare toujours par rapport à l'année 2006. Le reste des universités n'a pas apporté de données (ICR3.18).

Le nombre d'articles dans des revues scientifiques et techniques montre une tendance à la hausse dans tous les pays ce qui prouve le progrès scientifique qui existe dans les pays objets de l'analyse (voir tableau 5 et graphique 4).

Tableau 5. Nombre d'articles dans des revues scientifiques et techniques

Pays	2008	2009	2010	2011
Algérie	536,6	607,5	598,3	599,3
Italie	26.853,7	26.769,7	26.347,6	26.503,4
Maroc	413,3	390,7	350,4	385,8
Espagne	21.509,1	21.547,5	22.019,9	22.910,3
Tunisie	851,2	1022,4	978,3	1015,5
Royaume-Uni	46.333,2	45.689	45.978	46.035,4

Source: Banque Mondiale; élaboration propre.

Graphique 4. Évolution du nombre d'articles dans des revues scientifiques et techniques

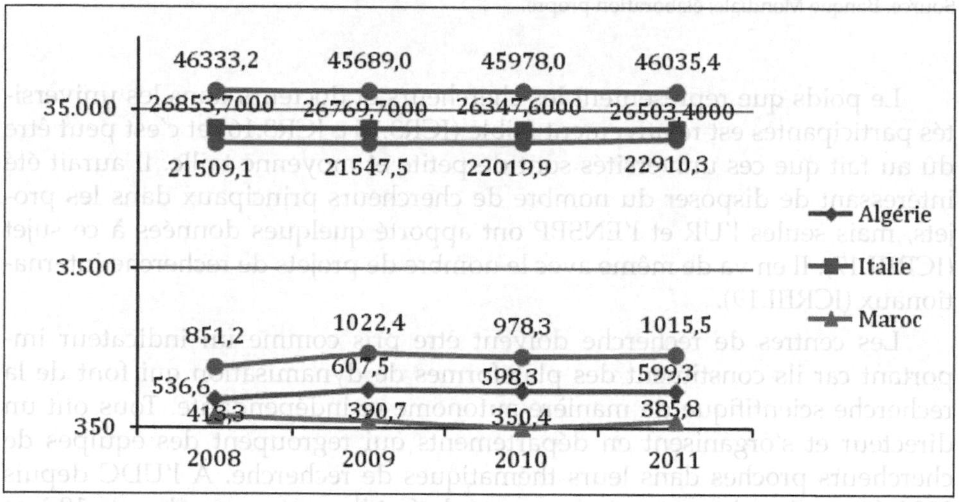

Source: Banque Mondiale; élaboration propre.

La recherche réclame aussi des fonds bibliographiques et un budget pour les acquérir. L'indicateur ICRIII.21 indique que les universités comptent sur des fonds physiques, dans certains cas toutefois d'évolution minimale, en partie grâce aux bases de données et aux politiques d'accès ouvert. L'UZA, la plus grande et ancienne, avec plus d'un million de documents est celle qui a le plus de fonds (l'UWE n'a pas présenté d'information). L'UHA2 est l'université du Maghreb qui a le plus de fonds (nous ne disposons pas d'information à ce sujet pour l'UMOS et l'USE2). Dans toutes les universités le budget destiné à la bibliographie (ICRIII.22) a diminué progressivement et cela est peut-être dû à des accords passés entre différentes universités qui facilitent l'accès à des documents et leur échange par des voies qui n'existaient pas jusqu'à ce jour.

La dépense en R+D représente un des principaux moteurs de croissance dans une économie basée sur les savoirs. Les universités participantes destinent des fonds à la recherche (ICRIII.19). L'UZA est celle qui a le pourcentage le plus élevé de celles qui facilitent de l'information, suivie de l'UEX et loin derrière viennent l'UR et la l'UWE et puis le reste des universités maghrébines. Le manque de budget met en évidence le besoin d'un encouragement au financement externe destiné à la recherche.

La construction de réseaux nationaux et internationaux de recherche stables encouragent et enrichissent l'activité scientifique, de là l'importance et l'intérêt de la signature d'accords bilatéraux ou multilatéraux entre les universités qui mettent à la disposition de tous des ressources matérielles et humaines. Les données de l'indicateur ICRIII.22 dont nous disposons pour l'Europe sont rares car seules l'UWE et l'UR apportent de l'information: la première avec un peu plus du double de conventions (125) que la seconde (58). Il y a davantage d'information disponible sur les universités du Maghreb: l'UHA2 avec 10 conventions, dépasse les autres.

3.4. AXE 4. MILIEU D'APPRENTISSAGE

Cet axe est consacré à l'analyse du respect des droits de l'homme dans le milieu d'apprentissage des institutions d'enseignement supérieur.

3.4.1. Indicateurs de structure

Tous les États du Consortium ABDEM reconnaissent le droit des étudiants à la représentation, la médiation et la défense de leurs intérêts. Il n'existe pas de normes spécifiques sur la liberté d'expression des étudiants en Italie même s'il est évident qu'ils l'ont à partir du moment où ils sont majeurs et que ce droit est reconnu dans leur Constitution. Toutes les réponses, celle du Royaume-Uni exceptée, sont affirmatives en ce qui concerne la participation des élèves à la prise de décisions. Et les réponses aux questions sur le droit à organiser leurs propres activités sont aussi affirmatives, sauf celles de l'Italie et du Royaume-Uni (INEIV.2).

L'existence d'un milieu favorable est essentielle pour les objectifs du projet. Ce milieu doit favoriser surtout le droit des étudiants à la participation à la vie universitaire, entendue comme une réalité plus large que le droit fondamental à l'éducation ou à la liberté d'études.

L'analyse par centres met en évidence que toutes les universités reconnaissent l'interdiction de discrimination quelle qu'elle soit (ICEIV.1). Tous les étudiants sont égaux dans l'accès à l'enseignement supérieur et sont protégés de toute sorte de discrimination même si les fondements de cette liberté sont excessivement génériques parfois (l'USE2)[53].

Dans les universités européennes la liberté académique (académique, de recherche et d'études), est règlementée par des dispositions de différents niveaux ou constitue une praxis universitaire bien assumée. Les universités du Maghreb répondent négativement à cette question[54] ou n'apportent pas de réponse comme l'UMO5, excepté l'USE2 qui s'appuie sur des affirmations très génériques et l'IPSI qui fait référence à une législation étatique. Même si la pratique universitaire était dans tous les cas positive, le fait qu'il n'y ait pas de reconnaissance formelle de cette liberté représente une carence.

Les étudiants trouvent, repris dans la loi ou dans la praxis universitaire, les droits à la représentation, à la médiation et la défense de leurs intérêts, à l'organisation de leurs propres activités, à la liberté de participer à la prise de décisions et à la liberté d'expression, même si dans certains cas ils s'appuient sur des normes de caractère étatique[55]. Cependant, l'USE2 a répondu négativement.

3.4.2. Indicateurs de processus

Le premier aspect considéré est l'existence de mécanismes qui veillent au respect des droits de l'homme dans le milieu d'apprentissage (ICPIV.3). Toutes les universités européennes comptent sur ce type de mécanismes comme par exemple les bureaux du médiateur des membres de la communauté universitaire[56]. Il n'y a que trois centres du consortium du Maghreb (l'IPSI, l'INTES et l'USE2) qui répondent affirmativement à cette question.

Le deuxième aspect considéré fait référence à la collaboration des universités avec des institutions qui veillent au respect des droits de l'homme (ICPIV.4). La plupart des centres du consortium ont répondu affirmativement à la question, exception faite de l'USE2 et de l'UMO5, ce qui révèle des carences par rapport à cet indicateur.

---

53. La réponse négative de l'université d'Estrémadure doit être comprise comme une absence de référence dans les statuts, mais cela n'enlève rien à sa validité effective: le principe de non discrimination est reconnu dans l'article 14 de la Constitution espagnole, dans la Loi organique des universités (LOU) et dans le Statut de l'étudiant universitaire.
54. L'ENSSP et l'UHA2.
55. L'ENSSP, l'UHA2 et l'IPSI.
56. Sur le Rapport de bonnes pratiques on peut élargir l'information sur les Bureaux des défenseurs des universitaires.

Nous pouvons interpréter dans le même sens les réponses données aux questions suivantes relatives à la participation de la communauté universitaire dans la planification et le gouvernement ordinaire des institutions d'enseignement supérieur (ICPIV.5) et à la proposition d'activités les intéressant à travers des programmes spécifiques (ICPIV.6). L'absence d'information générale de l'UMO5 par rapport à tous les indicateurs de cet axe IV est étonnante.

3.4.3. Indicateurs de résultats

Les universités doivent utiliser les droits de l'homme comme référence et pour ce faire les indicateurs d'atteinte portée à ces droits et surtout l'analyse des données obtenues, leur communication et les mesures adoptées a posteriori vont servir de garants de la transparence dans l'information et de l'envoi de signaux d'alerte.

Cependant, exception faite de l'UDC et de l'UZA, aucune université ne dispose d'information sur le nombre de dénonces présentées pour atteinte aux droits dans l'institution universitaire (ICRIV.7) ni sur des mesures adoptées à ce sujet (ICRIV.8). Cela met en évidence pour le moins, une absence de transparence et de reddition de comptes dans un milieu particulièrement sensible à l'approche basée sur les droits de l'homme, qui peut transmettre une image décourageante, car inopérante ou inefficace, dans l'éducation aux droits de l'homme.

3.5. AXE 5. ÉDUCATION ET PERFECTIONNEMENT PROFESSIONNEL DU CORPS ENSEIGNANT DE L'ENSEIGNEMENT SUPÉRIEUR

3.5.1. Indicateurs de structure

Tous les États reconnaissent et respectent le statut professionnel du corps enseignant dans leurs législations nationales, avec les nuances nécessaires dans le cas du Royaume-Uni.

3.5.2. Indicateurs de processus

La formation et le perfectionnement du corps enseignant (ICPV.2) sont présents en général dans toutes les universités. Dans beaucoup d'entre eux l'on articule les procédés de consultation entre le professorat pour l'identification de leurs besoins et les intérêts de formation (ICPV.3). Le troisième indicateur (ICPV.4) traite de la programmation d'activités pour l'amélioration et l'innovation de la fonction académique centrée sur l'apprentissage actif de l'étudiant, à travers des appels à projets et du financement de projets d'innovation académique. Dans ce cas, la majorité des universités donnent une réponse affirmative: le Rapport sur les bonnes pratiques montre des exemples concrets de ce type d'initiatives.

3.5.3. Indicateurs de résultats

Les professeurs universitaires ont besoin de se former en continu au vu des progrès technologique, social et des compétences, etc. qui se retrouvent aujourd'hui dans tous les domaines académiques. Des recommandations au niveau international ciblent l'amélioration de la qualité de l'enseignement et de l'apprentissage, parmi lesquelles figure la formation continue du professorat. Nous ne disposons cependant pas d'information à ce sujet.

En moyenne, les heures de formation du corps enseignant (ICR5.5) dans les universités l'UDC, l'UR et l'IPSI sont similaires (530, 430 et 450 respectivement), l'USE2 2 est celle qui emploie le moins d'heures (10). Il est étonnant de constater l'absence de formation dans l'UHA2 et que le reste des universités n'ait pas présenté cette information. Le degré de satisfaction du corps enseignant par rapport aux cours (ICR5.6) est élevé et frôle le degré maximum de l'échelle de mesure (car chaque université utilise une échelle différente). Cette appréciation élevée est peut être due au fait qu'ils comptent sur des plans de formation engagés, participatifs et adaptés à la réalité de chaque contexte, ainsi qu'au fait de prendre en compte, dans les offres de formation successives, les appréciations et les suggestions pour l'amélioration.

3.6. TABLEAU DES INDICATEURS

3.6.1. Indicateurs nationaux

AXE I: POLITIQUES ET MESURES

INDICATEURS STRUCTURELS

INS I.1. Date d'entrée en vigueur de la loi sur l'enseignement, en particulier sur l'enseignement supérieur

INSI.2. Législation nationale pour la mise en œuvre du droit à l'éducation

	ESPAGNE	ITALIE	ROYAUME-UNI	MAROC	ALGÉRIE	TUNISIE
INSI.1.	2002	1999	1992	2000	1968	2008
INSI.2						
Non-discrimination dans l'accès (discrimination fondée sur la race, la langue, la religion, le sexe, etc.)	Oui	Oui	Oui	Oui	Oui	Oui
Élimination des barrières physiques pour les personnes à mobilité réduite	Oui	Oui	Oui	Oui	Oui	Oui
Éducation inclusive: personnes handicapées	Oui	Oui	Oui	Oui	Non	Oui
Éducation inclusive: personnes privées de liberté	Oui	Oui	Oui	Non		Oui
Éducation inclusive: minorités et groupes vulnérables	Oui	Oui		Oui*		Oui

* Divergences entre UHA2 et UMO5

INSI.3. Reconnaissance dans la législation nationale du droit à la création et à la gestion des institutions d'enseignement supérieur

	ESPAGNE	ITALIE	ROYAUME-UNI	MAROC	ALGÉRIE	TUNISIE
Universités publiques	Oui	Oui	Oui	Oui	Oui	Oui
Universités privées	Oui	Oui	Oui	Oui	Oui	Oui

INSI.4. Principes directeurs de la législation en matière d'enseignement supérieur

	ESPAGNE	ITALIE	ROYAUME-UNI	MAROC	ALGÉRIE	TUNISIE
Participation	Oui	Oui	Oui	*Oui	Non	Oui
Transparence	Oui	Oui	Oui	Oui	Oui	Oui
Responsabilité	Oui	Oui	Oui	*Oui	Oui	Oui
Autonomie	Oui	Oui	Oui	Oui	Oui	Oui
Non-discrimination	Oui	Oui	Oui	Oui	Non	Oui
Autres (indiquer)		Oui				

* UHA 2 répond négatif et UMO 5 positif

INSI.5. Reconnaissance dans la législation nationale de la participation des principales parties prenantes (syndicats, société civile, ONG, etc.) à l'élaboration des politiques éducatives

	ESPAGNE	ITALIE	ROYAUME-UNI	MAROC	ALGÉRIE	TUNISIE
Syndicat	Oui		Non	Oui	Oui	Oui
Société civile	Oui			Oui	Oui	Oui
ONG	Oui					Oui
Associations patronales	Oui			Oui	Oui	Oui
Autres (indiquer)						
FONCTION	délibérative			délibérative		consultative

INSI.6. Reconnaissance de l'autonomie universitaire dans la législation concernant l'enseignement supérieur

	ESPAGNE	ITALIE	ROYAUME-UNI	MAROC	ALGÉRIE	TUNISIE
Oui/Non	Oui	Oui	Oui	Oui	Oui	Oui

INSI.7. Aspects de l'autonomie reconnus de manière explicite dans la législation nationale

	ESPAGNE	ITALIE	ROYAUME-UNI	MAROC	ALGÉRIE	TUNISIE
L'élection, la désignation et la cessation de fonctions des organes de gouvernement	Oui	Oui	Oui	Oui	Oui	Oui
L'élaboration et l'approbation des statuts de l'université	Oui	Oui	Oui	Oui	Oui	Oui
L'élaboration et l'approbation des programmes d'enseignement et de recherche	Oui	Oui	Oui	Oui*	Oui	Oui
La sélection, la formation, la promotion et la rémunération du personnel académique et non académique	Oui	Oui	Oui	Oui*	Oui	Oui
L'admission des étudiants et leur continuation dans les études	Oui	Oui	Oui	Oui	Oui	Oui
La gestion des ressources	Oui	Oui	Oui	Oui	Oui	Oui
La fixation des droits d'inscription et des bourses d'étude	Oui	Oui	Oui	Oui*	Oui	Oui
La recherche de fonds (par exemple, au moyen de contrats-programme, etc.)	Oui	Oui	Oui	Oui	Oui	Oui

* UHA2 dit oui y UMO5 dit non

INSI.8. Reconnaissance du droit de participation à la gouvernance de l'université dans la législation nationale

	ESPAGNE	ITALIE	ROYAUME-UNI	MAROC	ALGÉRIE	TUNISIE
Organes nominaux	Oui	Oui	Oui	Oui	Oui	Oui
Organes collégiaux	Oui	Oui	Oui	Oui	Oui	Oui

INSI.9. Exigence de l'obligation de rendre compte dans la législation nationale

	ESPAGNE	ITALIE	ROYAUME-UNI	MAROC	ALGÉRIE	TUNISIE
Oui/Non	Oui	Non	Oui	Oui	Oui	Oui

INDICATEURS DE PROCESSUS

INPI.10. Existence de procédures d'accréditation externe de la qualité des enseignements

	ESPAGNE	ITALIE	ROYAUME-UNI	MAROC	ALGÉRIE	TUNISIE
Il existe	Oui	Oui	Oui	Oui	Oui	Oui
Sont obligatoires	Oui	Oui	Oui	Non	Non	Non
Agence	ANECA	ANVUR	QAA	Commission nationale	Cellules assurance qualité	Équipes de ACRED

INDICATEURS DE RÉSULTATS

ANNÉE	ITALIE	ROYAUME-UNI	ESPAGNE	MAROC	ALGÉRIE	TUNISIE
INRI.11. Pourcentage du produit intérieur brut dédié à l'enseignement supérieur						
2000		1.6% (2002)	1,1%			1.4%
2006		1.7%	1,1%			1.7%
2013		1.4%	1,3% (2010)			1.7%
INRI.12. Pourcentage du financement public alloué en fonction des résultats						
2000						5.7%
2006						7%
2013				5%		5%
INRI.13. Pourcentage des étudiants inscrits						
2000		1,575,350 (2002/03)				96%
2006		1,694,695				97%
2013	17,80	1,872,547	53% (2011)	30%		95,50%
INRI.13.a) Pourcentage de femmes						
2000		55%				33.3%
2006		56%	54,3%			41.4%
2013		55%	54,3%	31%		62.3%
INRI.13.b) Pourcentage de personnes handicapées						
2000		6% (2002)				
2006		8%	0,52%			
2013		10%	21.942			

ANNÉE	ITALIE	ROYAUME-UNI	ESPAGNE	MAROC	ALGÉRIE	TUNISIE
INRI.13.c) Pourcentage de personnes appartenant aux minorités ethniques						
2000		15% (2002)				
2006		17%				
2013		20%				
INRI.13.d) Pourcentage de personnes d'un bas niveau socio-économique						
2000						4.2%
2006						3.8%
2013						11.95%
INRI.14. Nombre diplômés pour chaque 1000 habitants						
2000			290			1.63
2006			300			3.77
2013			320 (2011)	43 778		4.53
INRI.15. Pourcentage d'étudiants ayant une bourse d'étude						
2000						35.3%
2006						32.2%
2013			23,4% (2011)	8%		38.6%
INRI.15.a) Pourcentage de femmes						
2000						
2006						
2013						
INRI.15.b) Pourcentage de personnes handicapées						
2000						
2006						
2013						
INRI.15.c) Pourcentage de personnes appartenant aux minorités ethniques						
2000						
2006						
2013						
INRI.15.d) Pourcentage de personnes d'un bas niveau socio-économique						
2000						
2006						
2013						

AXE II: PROCESSUS ET OUTILS D'ENSEIGNEMENT ET D'APPRENTISSAGE

INDICATEURS STRUCTURELS

INSII.16. Existence d'une législation exigeant de manière explicite le respect des droits humains pour l'élaboration du matériel éducatif dans l'enseignement supérieur

INSII.17. Les règles générales pour l'élaboration des programmes des cours du deuxième et troisième cycles promeuvent de compétences liées au respect des droits humains

INSII.18. La législation nationale établit des obligations concernant les aides techniques pour faciliter l'apprentissage des personnes handicapées

Oui/Non	**ESPAGNE**	**ITALIE**	**ROYAUME-UNI**	**MAROC**	**ALGÉRIE**	**TUNISIE**
INSII.16.	Oui	Oui	Non*	*	*	*
INSII.17.	Oui	Oui	Oui	Oui**		Oui
Compétences génériques						
Capacité d'analyse et de synthèse	Oui	Oui	Oui	Non	Non	Oui
Capacité d'organisation et de planification	Oui	Oui	Oui	Oui	Oui	Oui
Connaissance d'une langue étrangère	Oui	Oui	Oui	Oui	Oui	Oui
Aptitudes en informatique concernant leur domaine d'étude	Oui	Non	Non	Oui	Oui	Oui
Capacité de gestion de l'information	Oui	Non	Oui	Oui	Oui	Oui
Résolution des problèmes	Oui	Non	Oui	Oui	Oui	Oui
Prise de décisions	Oui	Non	Oui	Oui	Oui	Oui
Compétences personnelles						
Travail en équipe	Oui	Non	Oui	Non	Oui	Oui
Travail en équipe dans un cadre interdisciplinaire	Oui	Non	Non	Non	Non	Oui
Travail dans un contexte international	Oui	Non	Oui	Oui	Oui	Oui
Compétences dans les relations interpersonnelles	Oui	Oui	Oui	Oui	Oui	Oui
Reconnaissance de la diversité et du multiculturalisme	Oui	Oui	Oui	Oui	Oui	Oui
Raisonnement critique	Oui	Oui	Oui	Oui	Oui	Oui
Engagement éthique	Oui	Oui	Oui	Oui	Oui	Oui
Compétences systémiques						
Apprentissage autonome: apprendre à apprendre	Oui	Oui	Oui	Oui	Oui	Oui
Adaptation à des situations nouvelles	Oui	Oui	Oui	Oui	Oui	Oui
Créativité	Oui	Oui	Oui	Oui	Oui	Oui
Leadership	Oui	Non	Oui	Oui	Oui	Oui
Connaissance d'autres cultures et d'autres coutumes	Oui	Oui	Oui	Oui	Oui	Oui
Esprit d'initiative et d'entreprise	Oui	Oui	Oui	Non	Non	Oui
Motivation envers la qualité	Oui	Oui	Oui	Non	Non	Oui
Sensibilité envers les questions d'environnement	Oui	Non	Oui	Oui	Oui	Oui

Oui/Non	ESPAGNE	ITALIE	ROYAUME-UNI	MAROC	ALGÉRIE	TUNISIE
INSII.18.	Oui	Oui	Oui	Oui	Oui	Oui

**UMO5 dit non à tous les cas.
* UK: Le gouvernement ne respecte pas explicitement aux droits de l'homme dans le développement du programme d'études de l'enseignement supérieur dépend de chaque centre.
* Les données de l'UHA2, UMO2 et USE2 ont une erreur.

INDICATEURS DE PROCESSUS

INPII.19. La législation nationale exige ou prévoit que les universités incorporent des mesures d'adaptation des processus d'enseignement et d'apprentissage pour les personnes handicapées. Par exemple, l'adaptation des lieux de travail et des aides techniques.

INPII.20. La planification stratégique des matières est axée sur le développement de compétences (apprendre à apprendre, apprendre à être, apprendre à vivre ensemble)

INPII.21. La conception de la méthodologie didactique est cohérente avec les résultats d'apprentissage attendus concernant l'acquisition de compétences

INPII.22. Les systèmes d'évaluation de l'apprentissage sont transparents et les étudiants les connaissent à l'avance

	ESPAGNE	ITALIE	ROYAUME-UNI	MAROC	ALGÉRIE	TUNISIE*
INPII.19.	Oui	Oui	Oui	Oui	Oui	Oui
INPII.20.	Oui	Oui	Oui	Oui	Oui	Oui
INPII.21.	Oui	Oui	Oui	Non	Non	Oui
INPII.22.	Oui	Oui	Oui	Non	Non	Oui

* INTES répond par la négative e IPSI par affirmative.

AXE III: RECHERCHE

INDICATEURS STRUCTURELS

INSIII.23. Reconnaissance des droits cités ci-dessous dans la constitution nationale ou dans la législation nationale concernant l'enseignement supérieur

INSIII.24. Dispositions dans les appels nationaux à projets de recherche concernant le respect des droits de l'homme

INSIII.25. Régime juridique national sur la promotion et le développement de la coopération et des relations internationales concernant les questions scientifiques et culturelles

	ESPAGNE	ITALIE	ROYAUME-UNI	MAROC	ALGÉRIE	TUNISIE
INSIII.23.						
Droit à bénéficier du progrès scientifique et de ses applications	Oui	Oui		Oui	Oui	Oui
Droit à la protection des intérêts moraux et matériels de l'auteur en raison de ses productions scientifiques, littéraires ou artistiques	Oui	Oui	Oui	Oui	Oui	Oui
Droit à la liberté d'expression, y compris la liberté d'effectuer des recherches et de recevoir et de diffuser de l'information et des idées	Oui	Oui	Oui	Oui	Oui	Oui
Droit à la liberté de recherche scientifique et de création	Oui	Oui	Oui	Oui	Oui	Oui
Droit à la propriété intellectuelle	Oui	Oui	Oui	Oui	Oui	Oui
Droits d'auteur, des brevets ou autres régimes de propriété intellectuelle	Oui	Oui	Oui	Oui	Oui	Oui
INSIII.24.	Oui		Oui	Oui	Oui	Oui
INSIII.25.	Oui		Oui	Oui		Oui

INDICATEURS DE PROCESSUS

INPIII.26. Existence de mesures au niveau national pour la promotion de la mobilité internationale du personnel de recherche (dans la mesure des ressources disponibles)

EXISTENCE DE MESURES	ESPAGNE	ITALIE	ROYAUME-UNI	MAROC	ALGÉRIE	TUNISIE
Oui/Non	Oui	Oui	Oui	Oui	Oui	Oui

INDICATEURS DE RÉSULTATS

INRIII.27. Pourcentage du produit intérieur brut destiné à la recherche

Année	ESPAGNE	ITALIE	ROYAUME-UNI	MAROC	ALGÉRIE	TUNISIE
2000	0,90%	1,07%	1,77%			
2006	1,19%	1,13%	1,68%	0,8%		
2013	1,30%	1,27% (2012)	1,72%	0,8%		

AXE IV: ENVIRONNEMENT D'APPRENTISSAGE

INDICATEURS STRUCTURELS

INSIV.28. Reconnaissance dans la législation nationale et dans les statuts de l'université de la participation des étudiants dans les domaines suivants:

	ESPAGNE	ITALIE	ROYAUME-UNI	MAROC	ALGÉRIE	TUNISIE
Liberté d'expression	Oui	Non	Oui	Oui	Oui	Oui
Liberté de participation à la prise de décisions	Oui	Oui	Oui	Oui	Oui	Oui
Organisation de leurs propres activités	Oui	Non	Non	Oui	Oui	Oui
Représentation, médiation et défense de leurs intérêts	Oui	Oui	Oui	Oui	Oui	Oui

AXE V: FORMATION ET PERFECTIONNEMENT PROFESSIONNEL DU PERSONNEL ENSEIGNANT

INDICATEURS STRUCTURELS

INEV.29. La législation nationale reconnaît le statut professionnel du corps enseignant

	ESPAGNE	ITALIE	ROYAUME-UNI	MAROC	ALGÉRIE	TUNISIE
Oui/Non	Oui	Oui	Oui*	Oui	Oui	Oui

* Contextualisée à la réalité anglo-saxonne

3.6.2. Indicateurs de centre

AXE I: POLITIQUES ET MESURES

Il s'agit de voir comment les politiques respectent les droits de l'homme

INDICATEURS STRUCTURELS

ICSI.1. Aspects de l'autonomie reconnus de manière explicite dans les statuts de l'université

AUTONOMIE DANS:	UDC	UZA	UEX	UNBG	UWE	UR	UMO5	UHA2	IPSI	INTES	ENSSP	USE2
L'élection, la désignation et la cessation de fonctions des organes de gouvernement	Oui	Oui	Oui	Oui	Oui	Oui	Oui*	Oui*	Oui*	Oui*	Oui**	Oui*
L'élaboration et l'approbation des statuts de l'université	Oui	Oui	Oui	Oui	Oui	Oui	Oui*	Oui*	Oui	Non	Non**	Non
L'élaboration et l'approbation des programmes d'enseignement et de recherche	Oui	Oui	Oui	Oui	Oui	Oui	Oui*	Oui	Oui*	Oui*	Non**	Non*
La sélection, la formation, la promotion et la rémunération du personnel académique et non académique	Oui	Oui	Oui	Oui	Oui	Oui	Oui*	Oui	Oui*	Non	Oui	Oui
L'admission des étudiants et leur continuation dans les études	Oui	Oui	Oui	Oui	Oui	Oui	Oui*	Oui	Oui*	Non	Oui	Non
La gestion des ressources	Oui	Oui	Oui	Oui	Oui	Oui	Oui*	Oui	Oui*	Oui	Oui	Oui
La fixation des droits d'inscription et des bourses d'étude	Non/ Oui	Non	Oui	Oui	Oui	Oui	Non	Oui*	-+	Non	Oui	Non
La recherche de fonds (par exemple, au moyen de contrats-programme, etc.)	Oui	Non	Oui	Oui	Oui	Oui	Oui*	Oui*	Oui*	Oui+	Oui	Non

* Reconnu par norme étatique.
** Fondé en norme d'État mais il désigne les institutions non universitaires.
\+ L'enseignement supérieur est gratuit.

ICSI.2. Reconnaissance du droit de participation à la gouvernance de l'établissement dans les statuts de l'université

	UDC	UZA	UEX	UNBG	UWE	UR	UMO5	UHA2	IPSI	INTES	ENSSP	USE2
Organes nominaux	Oui	Oui	Oui	Oui	Oui	Oui	Oui*	Non		Non	Oui**	Non
Organes collégiaux	Oui	Oui	Oui	Oui	Non	Oui	Oui*	Non		Non	Non	Non

* Reconnu par norme étatique.
** Concernant institutions non universitaires.

ICSI.3. Exigence de l'obligation de rendre compte dans les statuts de l'université

	UDC	UZA	UEX	UNBG	UWE	UR	UMO5	UHA2	IPSI	INTES	ENSSP	USE2
	Oui	Non	Oui	Oui	Oui	Oui	Non	Non	Oui	Oui*	Oui**	Non

* Reconnu par norme étatique.
** Concernant institutions non universitaires.
Cette obligation s'impose dans la plupart des statuts des universités européennes, tandis qu'il est pratiquement absent dans les universités du Maghreb.

INDICATEURS DE PROCESSUS

ICPI.4. Existence de procédures d'accréditation externe de la qualité des enseignements dans les centres d'enseignement supérieur

	UDC	UZA	UEX	UNBG	UWE	UR	UMO5	UHA2	IPSI	INTES	ENSSP	USE2
Procédure interne	Oui	Oui	Oui	Oui	Oui	Oui	Non	Non	Oui	Oui		
Procédure externe	Oui	Oui	Oui	Oui	Oui	Oui	Non	Non	Oui	Oui		

Dans les universités européennes des procédures internes et externes d'accréditation de qualité des études. Dans les pays du Maghreb, seule une université a répondu affirmativement à la question.

ICPI.5. L'université rend publique et accessible l'information dans les domaines suivants (W: WEB. T: TABLE, B: BULLETIN)

	UDC	UZA	UEX	UNBG	UWE	UR	UMO5	UHA2	IPSI	INTES	ENSSP	USE2
Composition des organes de gouvernement (nominaux et collégiaux)	Oui W	Oui WTB	Oui W	Oui WT	Oui W	Oui W B	Oui TB	Oui TB	Oui WTB	Oui	Oui WTB	Oui WTB
Statuts et législation approuvés par les organes universitaires	Oui WB	Oui WTB	Oui W B	Oui WT	Oui W	Oui WB	Oui TB	Oui TB	Oui WTB	Oui	Oui WTB	Oui WTB
Mission, vision et valeurs	Oui W	Oui W	Oui W	Non	Oui W	Non	Non	Non	Non	Oui	Oui WTB	Non
Réglementation concernant la sélection, la promotion et l'engagement du personnel (personnel enseignant et administratif)	Oui WB	Oui WTB	Oui WBT	Oui WT	Oui W	Oui WBT	Oui TB	Oui WTB	Oui WTB	Non	Oui WTB	Non
Réglementation concernant le personnel et les étudiants dans le conseil universitaire	Oui W	Oui WTB	Oui W	Oui WT	Oui W	Oui WBT	Non	Oui T	Oui WT	Oui	Oui TB	Oui WTB
Plan de formation pour le personnel (académique et administratif)	Oui WB	Oui TB	Oui W	Non	Non	Oui W	Oui	Oui T	Oui WB	Oui	Oui TB	Oui
Tableau des effectifs de l'université	Oui W B	Oui WTB	Oui R*	Oui W	Oui W	Oui WB	Non	Oui W	Oui WB	Oui	Oui W	Oui WTB
Budget et rapport économique	Oui W	Oui W	Oui R*	Oui WT	Oui W	Oui W	Oui T	Oui W	Non	Oui	Oui W	Non
Réglementation de l'accès, l'inscription et la continuation des étudiants dans leurs études	Oui WT	Oui WTB	Oui W	Oui WT	Oui W	Oui WB	Oui T	Oui W	Oui WT	Oui	Oui W	Non
Programmes des cours, guides de l'enseignant et critères d'évaluation des matières	Oui WBT	Oui WTB	Oui W	Oui WT	Oui W	Oui WB	Oui T	Oui WTB	Non	Oui	Oui WBT	Oui WTB
Plans et aides à la recherche	Oui W	Oui WT	Oui W	Oui WT	Oui W	Oui WBT	Oui T	Oui WTB	Oui WT	Oui	Oui WBT	Oui WTB

* Par un rapport

ICPI.6. L'université reconnaît le respect des droits de l'homme dans ses valeurs

RECONNAISSANCE DU RESPECT DES DROITS DE L'HOMME DANS SES VALEURS	UDC	UZA	UEX	UNBG	UWE	UR	UMO5	UHA2	IPSI	INTES	ENSSP	USE2
Oui/Non	Oui	Oui	Non	Oui	Oui	Oui	Oui	Oui	Oui	Oui	Oui	Oui
La promotion des droits de l'homme	Oui			Oui		Oui				Oui		
Charte d'éthique et de deontologie universitarie				Oui			Oui			Non	Oui	Oui
Promotion civisme et citoyenneté				Oui				Oui		Oui		
Promotion de l'égalité des chances				Oui				Oui		Oui		

ICPI.7. L'université souscrit aux déclarations et aux énoncés sur les droits de l'homme

Adhésion	UDC	UZA	UEX	UNBG	UWE	UR	UMO5	UHA2	IPSI	INTES	ENSSP	USE2
Oui/Non	Oui			Oui		Oui	Non	Non		Non	Non	

ICPI.8. L'université inclut des lignes d'action et des activités pour la promotion des droits de l'homme dans sa planification stratégique

ICPI.9. L'université inclut les principes de respect des droits de l'homme dans les conventions et les contrats qu'elle signe

ICPI.10. Dans les enquêtes de satisfaction auprès des membres de la communauté universitaire existent des questions sur le respect des droits de l'homme*

ICPI.11. L'université promeut des actions visant à garantir l'accès à l'enseignement supérieur de tous les groupes sociaux ainsi que l'égalité hommes-femmes

	UDC	UZA	UEX	UNBG	UWE	UR	UMO5	UHA2	IPSI	INTES	ENSSP	USE2
ICPI.8.	Oui	Oui	Oui	Oui	Oui	**	Oui	Oui	Oui	Non	Oui	
ICPI.9.	Oui	Non	Oui	Non*	Oui	Non*	Non	Oui	Oui	Non	Oui	
ICPI.10.	Oui	Oui		Oui	Oui	Non		Non	Non	Non	Non	
CPI.11.	Oui	Oui	Oui	Oui	Oui	Oui	Oui	Oui	Oui	Oui	Oui	Oui

* Non d'une manière directe parce que on suppose que la législation du travail exige leur respect en tout contrat.

** Dans ces moments n'il y a pas de plan stratégique à l'université.

INDICATEURS DE RÉSULTATS

Année	UDC	UZA	UEX	UNBG	UWE	UR	UMO5	UHA2	IPSI	INTES	ENSSP	USE2
ICRI.12. Nombre de diplômés (pourcentage des diplômés sur le nombre total des étudiants inscrits)												
2000	12.22					12.75			21.1	88.33		72.65
2006	12.99	12.9				12.77				66.76		
2013	13.97	15.3	56.82							43.01	88.88*	
ICRI.12.a) Nombre de diplômés dans les branches de notre recherche												
Droit												
2000					222	70				120		
2006		246	50		349	39				110		
2013	52	297	62		277					98		
Travail social	*			*								
2000						41				100		
2006			24			40				50		
2013		213	14							72		
Sciences de l'éducation												
2000						168						
2006		337	548			166						
2013	133	259	106									
Sciences de l'information	*	*		*		*						
2000					78							
2006			979		142							
2013			849		176							

* N'il y a pas de etude à l'université.

ICRI.13. Pourcentage de professeurs selon la catégorie (pourcentage de professeurs par rapport au nombre total des étudiants inscrits)

ICRI.13.a) Pourcentage de professeurs permanents sur le nombre total des professeurs

ICRI.13.b) Pourcentage de femmes professeurs sur le nombre total des professeurs

	Année	UDC	UZA	UEX	UNBG	UWE	UR	UMOS	UHA2	IPSI	INTES	ENSSP	USE2
ICRI.13	2000						4,67%				6,99%		
	2006			7,7%			5,89%				5,014%		
	2013		11.4%	7,7%			7,18%			16,4%	7,29%	84%	
ICRI.13.a)	2000	63,23%	7.5%				60,38%				8,92%		100%
	2006	77,00%				51,7%	57,4%				29,16%		
	2013	76,77%	5.3%			53,7%	71,76%		23.37%	45,5%	37%	40%	
ICRI.13.b)	2000	42,52%	36.4%			-	34,77%				45%		53.71 %
	2006	45,45%		36%		46,3%	39,24%				51%		
	2013	55,18%	42.7%.	36,5%		48,6%	42,23%		31.81%	61%	50%	40%	

ICRI.14. Distribution des postes académiques par sexe (veuillez en indiquer le nombre total et le nombre de femmes)

	UDC	UZA	UEX	UNBG	UWE	UR	UMOS	UHA2	IPSI	INTES	ENSSP	USE2
Recteur / Rectrice												
TOTAL	1	1	1		1	1			14	3	1	1
Femmes	0	0	0		0	0			0		0	0
Vice-recteurs / Vice-rectrice												
TOTAL	7	10	8		3	3			12		3	4
Femmes	4	4	3		2	1			2		0	1
Doyens/doyennes												
TOTAL	21	13	17		5	5		1	14		2	3
Femmes	3	4	2		3	1		0	2		0	0
Directeur/directrices de département												
TOTAL	43		40		25	11		2	8		4	
Femmes	9		7		9	4		0	3		2	

ICR1.15. Pourcentage de votes exprimés aux élections universitaires par secteurs. Veuillez indiquer les données de participation pour chaque secteur impliqué dans les élections au poste de recteur:

	UDC	UZA	UEX	UNBG	UWE	UR	UMO5	UHA2	IPSI	INTES	ENSSP	USE2
Année de la dernière élection du recteur	2011	2012	2010			2012			2014	2014		
Pourcentage de votes exprimés par le personnel enseignant et de recherche	89.84%	32.1%				63,83%				87%		
Pourcentage de votes exprimés par le personnel d'administration et des services	79.63%	19.2%				78,7%						
Pourcentage de votes exprimés par les étudiants	16.7%	48.6%				1,66%						

AXE II: PROCESSUS ET OUTILS D'ENSEIGNEMENT ET D'APPRENTISSAGE

Il s'agit de voir comment les droits de l'homme sont respectés dans les processus et les outils d'enseignement/d'apprentissage

INDICATEURS DE PROCESSUS

	UDC	UZA	UEX	UNBG	UWE	UR	UMO5	UHA2	IPSI	INTES	ENSSP	USE2
ICPII.16. L'université prévoit des mesures d'adaptation des processus d'enseignement/d'apprentissage pour les personnes handicapées. Par exemple, l'adaptation des lieux de travail et l'intégration d'aides techniques	Oui	Oui	Oui	Oui	Oui	Oui	Oui	Oui	Non	Oui	Oui	Oui
ICPII.17. La planification stratégique des matières est axée sur le développement de compétences (connaître, apprendre à être, apprendre à vivre ensemble)	Oui	Oui	Oui	Oui	Oui	Oui	Oui	Non	Oui	Oui	Oui	Non
ICPII.18. La conception de la méthodologie didactique est cohérente avec les résultats d'apprentissage attendus dans l'acquisition de compétences	Oui	Oui	Oui	Oui	Oui	Oui	Oui	Non	Oui	Oui	Oui	Non
ICPII.19. Les systèmes d'évaluation de l'apprentissage sont transparents et les élèves les connaissent à l'avance	Oui	Oui	Oui	Oui	Oui	Oui	Oui	Non	Oui	Oui	Oui	Non
ICPII.20. L'université facilite la participation d'organisations à but non lucratif (notamment des ONG) à l'organisation des enseignements formels et informels (veuillez présenter des exemples de bonnes pratiques)	Oui	Oui	Oui	Non	Oui	Oui	Oui	Non	Oui	Oui	Oui	Non
ICPII.21. Des procédures de respect des droits de l'homme ou une référence aux codes éthiques existent dans les activités extérieures	Oui	Oui	Oui	Oui	Oui	Oui	Oui	Non	Non	Non	Oui	Non

INDICATEURS DE RÉSULTATS

ICRII.22. Veuillez identifier des expériences de travail en réseau avec des institutions sociales dans le curriculum et des activités hors curriculum (Vid. Chapitre 6)

ICRII.23. Nombre d'accords signés pour la réalisation de stages avec des entités à but non lucratif

	UDC	UZA	UEX	UNBG	UWE	UR	UMO5	UHA2	IPSI	INTES	ENSSP	USE2
Nombre d'accords signés avec des entités à but non lucratif	40		73	368	60	86		6	9	13	22	
Nombre total d'accords signés	87			3.256		952		71	12	13	30	

ICRII.24. Nombre d'étudiants par diplôme réalisant des stages dans des entités à but non lucratif

	UDC	UZA	UEX	UNBG	UWE	UR	UMO5	UHA2	IPSI	INTES	ENSSP	USE2
Droit. Nombre des étudiants	6			28		20		0		237		
Travail social. Nombre des étudiants				141		67		0		470		
Sciences de l'éducation (ou similaire). Nombre des étudiants	51			76		180		0				
Sciences de l'information (ou similaire). Nombre des étudiants				88				0	85			

AXE III: RECHERCHE

Il s'agit de voir comment les droits de l'homme sont respectés dans les activités de recherche

INDICATEURS STRUCTURELS

ICSIII.25. La réglementation et les statuts des institutions d'enseignement supérieur reconnaissent:

Droit á:	UDC	UZA	UEX	UNBG	UWE	UR	UMO5	UHA2	IPSI	INTES	ENSSP	USE2
La liberté de choisir le sujet et la méthodologie de recherche	Oui	Oui	Oui	Oui	Oui	Oui	Oui+	Oui+	Oui**	Oui	Oui++	Oui*
La liberté de consulter des archives et des publications scientifiques	Non	Non	Non	Oui	Oui	Non		Oui	Oui	Oui	Oui	Oui*
La liberté de collaborer avec des chercheurs d'autres pays ou d'autres groupes	Oui	Oui*	Oui	Oui	Oui	Oui		Oui	Oui	Oui	Oui++	Oui*

* Reconnaît dans la pratique.
** Reconnu dans la Constitution et autorisation administrative.
+Reconnu par norme étatique.
++Citée comment une règle applicable aux institutions non universitaires.

INDICATEURS DE PROCESSUS

ICPIII.26. Les universités élaborent et approuvent leur politique de recherche
ICPIII.27. Existence de politiques de libre accès aux sources de recherche, en respectant le droit à l'intimité
ICPIII.28. Disponibilité des bases de données et des sources bibliographiques
ICPIII.29. Existence des appels à propositions concernant la promotion de la recherche
ICPIII.30. Existence de mesures au niveau de l'université pour la promotion de la mobilité internationale du personnel de recherche (dans la mesure des ressources disponibles)
ICPIII.31. Existence de mécanismes de reconnaissance du temps dédié à la recherche
ICPIII.32. Existence de mécanismes d'encouragement à la recherche

	UDC	UZA	UEX	UNBG	UWE	UR	UMO5	UHA2	IPSI	INTES	ENSSP	USE2
ICPIII.26.	Oui	Oui	Oui	Oui	Oui	Oui	Oui	Oui	Oui	Oui	Oui	Oui
ICPIII.27.	Oui	Oui	Oui	Oui	Oui	Oui	Oui	Non	Oui	Oui	Oui	Oui
ICPIII.28.	Oui	Oui	Oui	Oui	Oui	Oui	Oui	Oui	Oui	Oui	Oui	Oui
ICPIII.29.	Oui	Oui	Oui	Oui	Oui	Oui	Oui	Non	Oui	Oui	Oui	Oui
ICPIII.30.	Oui	Oui	Oui	Oui	Oui	Oui	Oui	Oui	Oui	Oui	Oui	Oui
ICPIII.31.	Oui	Oui	Oui	Oui	Oui	Oui	Oui	Non	Oui	Oui	Non	Oui
ICPIII.32.	Oui	Oui	Non	Oui	Oui	Oui	Oui	Non	Oui	Oui	Oui	Non

INDICATEURS DE RÉSULTATS

ICRIII.33. Nombre de docteurs (par sexe)

Année	UDC	UZA	UEX	UNBG	UWE	UR	UMO5	UHA2	IPSI	INTES	ENSSP	USE2
2000												
Hommes		1.018		3		132			15	12		
Femmes		541		1		67			11	1		
2006												
Hommes			753	8		159			14	7		
Femmes			392	6		107			12	1		
2013												
Hommes		1.190	751	45		166			17	11	27	73
Femmes		862	395	44		124			10	11		20

ICRIII.34. Nombre de chercheurs dans l'institution d'enseignement supérieur

Année	UDC	UZA	UEX	UNBG	UWE	UR	UMO5	UHA2	IPSI	INTES	ENSSP	USE2
2000		2.530				437			26			
2006			1.844			461			26			
2013		3.542	1.353			488		36	27		44	

ICRIII.35. Nombre de chercheuses en chef: dans des projets à caractère international , national et régional

Année	UDC	UZA	UEX	UNBG	UWE	UR	UMO5	UHA2	IPSI	INTES	ENSSP	USE2
2000												
projets à caractère international												
projets à caractère national						4						
projets à caractère régional						9						
2006												
projets à caractère international												
projets à caractère national						2						
projets à caractère régional						6						
2013												
projets à caractère international						1					1	
projets à caractère national											24	
projets à caractère régional											1	

ICRIII.36. Nombre de centres de recherche

Année	UDC	UZA	UEX	UNBG	UWE	UR	UMO5	UHA2	IPSI	INTES	ENSSP	USE2
2000	2					5			2	0		
2006	4					5			2	0		
2013	10		4		5	6		0	3	0		

ICRIII.37. Nombre de projets internationaux de recherche

Année	UDC	UZA	UEX	UNBG	UWE	UR	UMO5	UHA2	IPSI	INTES	ENSSP	USE2
2000										0		
2006						6				0		
2013						4		1	2	2	2	3

ICRIII.38. Pourcentage du budget de l'institution destiné à la recherche

Année	UDC	UZA	UEX	UNBG	UWE	UR	UMO5	UHA2	IPSI	INTES	ENSSP	USE2
2000												
2006		41.5%				4,13%						
2013		13%	10,79%		3%	4,33%		0	2,60%		10 millions de dinars algérien	

ICRIII.39. Nombre de documents bibliographiques dans les bibliothèques universitaires

Année	UDC	UZA	UEX	UNBG	UWE	UR	UMO5	UHA2	IPSI	INTES	ENSSP	USE2
2000	417.000			158.403		128.715				6.500		
2006	632.000		535.785	209.096		204.721				6.964		
2013	802.000	+1.000.000	561.103	258.031	+80.000	288.542		918800	23 254	7.450	8.900	

ICRIII.40. Pourcentage du budget destiné à la bibliographie et à la documentation

Année	UDC	UZA	UEX	UNBG	UWE	UR	UMO5	UHA2	IPSI	INTES	ENSSP	USE2
2000	57%			1,79%		2,6%						
2006	46%	2.5%.		1,37%		2,6%						
2013	37%	0.9%	989.000€	1,01%		1,4%		7,73%	6,25%		20 millions de d inars algérien	31.966 dinars algérien

ICRIII.41. Nombre d'accords de recherche avec des universités étrangères

Année	UDC	UZA	UEX	UNBG	UWE	UR	UMO5	UHA2	IPSI	INTES	ENSSP	USE2
2000						20						
2006						50						
2013					125	58		10	2	2	6	5

AXE IV: ENVIRONNEMENT D'APPRENTISSAGE

Il s'agit de voir comment les droits de l'homme sont respectés dans l'environnement d'apprentissage

INDICATEURS STRUCTURELS

	UDC	UZA	UEX	UNBG	UWE	UR	UMO5	UHA2	IPSI	INTES	ENSSP	USE2
ICSIV.42 Référence explicite aux droits de l'homme, notamment aux principes de la non-discrimination et de la liberté académique, dans les Chartes des droits et obligations des membres de la communauté universitaire (enseignants, étudiants et personnel administratif)												
Non-discrimination	Oui	Oui	Non**	Oui	Oui	Oui		Oui	Oui+	Oui	Oui	Oui*
Liberté académique	Oui	Oui	Non**	Oui	Oui	Oui		Non	Oui+	Oui	Non	Oui*
ICSIV.43. Reconnaissance dans les statuts de l'université de la participation des étudiants dans les domaines suivants:												
Liberté d'expression	Oui	Oui	Oui	Oui	Oui	Oui		Oui++	Oui++	Oui	Oui	Oui*
Liberté de participation à l'adoption de décisions	Oui	Oui	Oui	Oui	Oui	Oui		Oui++	Oui++	Oui	Oui++	Oui*
Organisation de leurs propres activités	Oui	Oui	Oui	Oui	Oui	Oui		Oui++	Oui++	Oui	Oui**	Oui*
Représentation, médiation et défense de leurs intérêts	Oui	Oui	Oui	Oui	Oui	Oui		Oui	Oui++	Oui	Oui	Non

* Admise dans la pratique

** Ne figure pas dans les statuts mais est une exigence constitutionnelle et de la loi organique des universités (LOU).

+Reconnu dans la Constitution.

++ Reconnu par norme étatique.

INDICATEURS DE PROCESSUS

ICPIV.44. Existence de mécanismes visant à protéger le respect des droits de l'homme dans les organes de l'université, comme par exemple le défenseur de l'étudiant

ICPIV.45. L'université collabore avec des institutions visant à protéger le respect des droits de l'homme

ICPIV.46. Participation de la communauté universitaire à la planification stratégique et dans la gestion courante des institutions d'enseignement supérieur

ICPIV.47. Les membres de la communauté universitaire participent activement dans la proposition et le développement d'activités qui les intéressent par des programmes spécifiques (extension universitaire, cours d'été, réunions scientifiques)

	UDC	UZA	UEX	UNBG	UWE	UR	UMO5	UHA2	IPSI	INTES	ENSSP	USE2
ICPIV.44.	Oui	Oui	Oui	Oui	Oui	Oui		Non	Oui	Oui	Non	Oui
ICPIV.45.	Oui	Oui	Oui	Oui	Oui	Oui		Oui	Oui	Oui	Oui	Non
ICPIV.46.	Oui	Oui	Oui	Oui	Oui	Oui		Oui	Oui	Oui	Oui	Non
ICPIV.47.	Oui	Oui	Oui	Oui	Oui	Oui		Oui	Oui	Oui	Oui	

INDICATEURS DE RÉSULTATS

ICRIV.48. Nombre de plaintes reçues au sujet de violations des droits humains dans les institutions d'enseignement supérieur

ICRIV.49. Analyse de l'information disponible concernant les plaintes déposées pour lesquelles des mesures ont été prises pour y remédier

	Année	UDC	UZA	UEX	UNBG	UWE	UR	UMO5	UHA2	IPSI	INTES	ENSSP	USE2
ICRIV.48.	2000										0		
	2006		194								0		
	2013	44	264	2							0		
ICRIV.49.	2000										0		
	2006										0		
	2013	13		*							0		

* La mémoire annuelle de Defensor Universitaire (les pages 21 et ss) publiée http://www.unex.es/organizacion/defensor_universitario/memoria

AXE V:FORMATION ET PERFECTIONNEMENT PROFESSIONNEL DU PERSONNEL ENSEIGNANT

Il s'agit de voir comment les droits de l'homme sont respectés dans l'enseignement et le perfectionnement des enseignants

INDICATEURS DE PROCESSUS

ICPV.50. L'université organise des programmes de formation pour ses enseignants
ICPV.51. L'université prévoit des procédures de consultations entre professeurs pour l'identification de leurs besoins et de leurs intérêts en formation
ICPV.52. L'université propose des activités pour l'amélioration et l'innovation de la fonction enseignante centrées sur l'apprentissage actif de l'étudiant par le financement de projets d'innovation pédagogique. Veuillez présenter des exemples de bonnes pratiques

	UDC	UZA	UEX	UNBG	UWE	UR	UMO5	UHA2	IPSI	INTES	ENSSP	USE2
ICPV.50.	Oui	Oui	Oui	Non	Oui	Oui		Oui	Oui**	Oui	Oui	Oui*
ICPV.51.	Oui	Non	Oui	Oui	Oui	Oui		Non	Oui**	Oui	Non	Oui*
ICPV.52.	Oui	Oui	Oui	Non	Oui	Oui		Oui	Oui	Oui	Oui	Oui*

* Reconnue par la pratique
** Réponse affirmative, mais ne le justifie; devrait être un non.

INDICATEURS DE RÉSULTATS

ICRV.53. Moyenne d'heures de formation du personnel enseignant
ICRV.54. Degré de satisfaction des enseignants vis-à-vis des formations données (score moyen)
ICRV.55. Nombre d'heures de formation centrés sur l'apprentissage actif de l'étudiant par rapport au nombre total

	Année	UDC	UZA	UEX	UNBG	UWE	UR	UMO5	UHA2	IPSI	INTES	ENSSP	USE2
ICRV.53.	2000						310						
	2006	364					470			80			
	2013	506					430		0	450			10
ICRV.54.	2000						4,2						
	2006	5.17					4,74			90%			
	2013	5.53	8.77				4,7			80%			
ICRV.55.	2000						200				10%		
	2006	84	35.63%				350			40	12%		
	2013	118	39.30%				320		0	350	14%		

4. DIMENSION 2: LES DROITS DE L'HOMME À TRAVERS DE L'ENSEIGNEMENT SUPÉRIEUR

Cette dimension reprend un ensemble d'indicateurs qui doivent aider à l'analyse de la situation des droits de l'homme dans l'enseignement supérieur, pour assurer que tous les composants et processus de l'enseignement, y compris les plans d'études, le matériel didactique, les méthodes pédagogiques et la formation incorporent l'apprentissage des droits de l'homme. L'on analysera pour ce faire les politiques, les mesures et les résultats de chaque axe de stratégie des institutions d'enseignement supérieur.

4.1. AXE I: POLITIQUES ET MESURES D'APPLICATION Y AFFÉRENT

Cet axe se centre sur l'analyse des politiques et des mesures adoptées par les états et les universités pour promouvoir la formation aux droits de l'homme dans l'enseignement supérieur.

4.1.1. Indicateurs de structure

La réponse à la question sur l'inclusion de programmes de formation aux droits de l'homme dans les plans nationaux (IINEI.1) est affirmative pour tous les pays en ce qui concerne le racisme et la discrimination sociale, excepté pour le Royaume-Uni dont la réponse est négative et l'Algérie qui n'a pas donné de réponse. Tous les pays, sauf l'Algérie qui n'a pas donné de réponse, répondent affirmativement à la question sur la xénophobie; l'Espagne et le Royaume-Uni ajoutent d'autres manifestations alors que le reste des pays ne répond pas.

À la question la plus importante qui fait référence à la législation nationale et *sa prise en compte dans la formation des droits de* l'homme comme un mérite pour les processus de sélection des enseignants (IINEI.2), tous les états répondent négativement et le Royaume-Uni ne fournit pas de réponse. Les réponses à cette question ont une importance capitale pour le projet dans la mesure où elles démontrent le besoin d'entreprendre un changement qui encouragerait à la formation du corps enseignant aux droits de l'homme, soit dans les études de grade, soit pendant les périodes de formation dispensée pour habiliter les futurs professeurs à l'enseignement.

En parallèle, les réponses apportées par les institutions à l'item IICE 1.2 montrent la même situation dans les universités européennes et dans celles du Maghreb: dans aucune la formation aux droits de l'homme n'est prise en compte au moment de la sélection des professeurs[57]. L'absence de cette

57. Bien que deux réponses soient positives, celles de l'UNBG et de l'USE2, leur justification est trop générique et ambigüe.

formation et la possibilité d'approuver des plans d'études réclament, par rapport au projet, une politique de formation du professorat qui incorpore, de la manière jugée opportune, une formation pertinente reconnue en matière des droits de l'homme, et l'inclusion de contenus relatifs aux droits de l'homme dans les plans d'études des diverses carrières. Cette situation justifie à elle seule l'opportunité du projet.

4.1.2. Indicateurs de résultat

Une des manières de mettre en évidence l'engagement et la transparence dans l'information aux droits de l'homme est la reconnaissance pour cette matière que reçoit une institution dans son milieu. La seule information dont nous disposons pour ce chapitre (IICRI.6) est celle que donne le Royaume-Uni qui a reçu le Prix "Canne d'argent" en 2006 décerné par le Conseil Territorial de l'Organisation nationale des déficients visuels d'Espagne (ONCE) et le Prix spécial Valeurs en 2012 du Groupe de mass media COPE Rioja.

4.2. AXE 2: PROCESSUS ET INSTRUMENTS POUR L'ENSEIGNEMENT / APPRENTISSAGE

Cet axe est conçu pour connaître quels sont les processus et les instruments de l'enseignement apprentissage dans l'éducation aux droits de l'homme.

4.2.1. Indicateurs de structure

L'indicateur IINEII.1 est lui aussi essentiel dans le projet car il analyse si la législation nationale assure l'inclusion de l'éducation aux droits de l'homme dans l'enseignement supérieur. Tous les pays européens apportent des réponses positives alors que des universités maghrébines seule la Tunisie répond affirmativement. Dans ce cas, il faudrait déterminer si l'inclusion de l'éducation aux droits de l'homme est dispensée de manière généralisée dans toutes les carrières qui existent à l'université ou uniquement dans les matières associées au droit dans certaines carrières telles que droit, sciences politiques, journalisme, travail social, etc. Si les réponses affirmatives se réfèrent à ce dernier cas, celles du Maghreb devraient être considérées positives.

4.2.2. Indicateurs de processus

Un premier indicateur de processus qui apparaît sur cet axe est l'existence de l'éducation aux droits de l'homme dans les carrières objets d'étude (droit, travail social, sciences de l'éducation et sciences de l'information) tant au niveau de grade ou de bachelier que pour les post-grades (IINP.2). Pour répondre à cet indicateur l'on a utilisé différentes sources d'information, en fonction du niveau analysé, national ou par centre. Dans le premier cas, les «livres blancs des carrières», les directrices nationales pour l'élaboration des plans d'études, etc. Dans le second cas, l'on a tenu compte des plans d'études propres à chaque université. L'information obtenue pour cet indicateur doit cependant être prise avec précaution car les données fournies par les membres du consortium présentent des divergences entre le niveau national et celui du centre. Cela peut s'expliquer par l'autonomie universitaire dans l'élaboration des plans d'études[58].

Au niveau national, aucun pays du Maghreb ne répond à cette question. Et, parmi les pays européens, le Royaume-Uni est celui qui incorpore le mieux l'éducation aux droits de l'homme dans l'enseignement supérieur, car elle est présente dans toutes les carrières analysées par le projet ABDEM, tant dans le cycle bachelier que pour les masters. L'Italie et l'Espagne n'incluent cette matière que dans la carrière de droit, dans le cycle de bachelier et pour le master: en Espagne l'éducation aux droits de l'homme ne figure pas dans les carrières de pédagogie et de maître des écoles et, en Italie, il n'y a pas de formation aux droits de l'homme dans la carrière de journalisme ou celle de sciences de l'information.

En ce qui concerne l'autonomie universitaire, chaque centre pourrait inclure, avec plus ou moins de liberté, l'éducation aux droits de l'homme dans ses plans d'études. Toutes les universités européennes du consortium dispensent de la formation aux droits de l'homme au niveau de bachelier et du master des études de droit. L'UWE et l'UR sont celles qui atteignent le degré d'engagement le plus fort dans l'enseignement des droits de l'homme car il se retrouve dans toutes les carrières sélectionnées par ABDEM et proposées dans les campus respectifs (les sciences de l'information ne sont dispensées que dans l'UWE).

Un autre aspect estimé est la disponibilité en ligne de matériel sur les droits de l'homme (IINPII.4). Même si les données apportées par les membres du consortium au niveau national sont incomplets (seuls l'Espagne et le Royaume-Uni ont répondu), l'on pourrait affirmer qu'il y a suffisamment de matériel en ligne et libre d'accès sur les droits de l'homme.

Le dernier indicateur de processus de cet axe fait référence aux ressources consacrées par l'université à l'organisation et au développement d'activités

58. Il n'y a pas de règle commune pour l'incorporation de l'éducation aux droits de l'homme dans l'enseignement supérieur. L'information apportée par les partenaires au niveau national (l'on ne dispose d'information sur cet indicateur que venant des pays européens) ne coïncide pas avec les données obtenues au niveau des centres.

interdisciplinaires spécifiques à l'éducation aux droits de l'homme, telles que des journées, des cours d'été, de la coopération au développement, etc. (IICPII.3). La plupart des universités du consortium répondent affirmativement. Par conséquent, nous pouvons assurer que l'éducation aux droits de l'homme est présente dans les activités hors-cursus et complémentaires organisées par les universités et que, par conséquent, leur réalisation dépend de la volonté et de l'intérêt pour le sujet que manifestent les acteurs concernés par l'enseignement supérieur (essentiellement le corps enseignant).

4.2.3. Indicateurs de résultats

La **transmission de connaissances en matière de droits de l'homme dans l'éducation supérieure** devrait être présente dans les trois niveaux académiques: bachelier ou grade, master et doctorat. Une analyse des résultats au niveau national (INRII.6), ne montre aucune information venant des pays du Maghreb; à côté, les pays européens montrent des résultats dissemblables: le Royaume-Uni est le pays qui a le niveau le plus élevé d'engagement car l'éducation aux droits de l'homme comme matière obligatoire est dispensée dans toutes les carrières et sur les trois grades académiques. Par contre en Italie et en Espagne, cet enseignement n'est dispensé que dans la carrière de droit, comme matière optative dans le premier pays et obligatoire dans le second. Dans le reste des carrières, il s'agit d'une matière optionnelle ou non proposée.

Toujours dans ce sens, l'offre de programmes de master et/ou de doctorat spécifiques sur les droits de l'homme dans les universités du consortium est quasi inexistante (IICRII.5 et IICRII.6). Seules l'UEX, l'UR et l'ENSSP apportent des informations sur le sujet. Le nombre d'élèves qui reçoivent cette formation (IICRII.7) va dépendre de la taille de l'université et du poids des études objets de l'analyse dans cette même université. Mais le peu d'information fournie empêche d'obtenir un diagnostic pertinent.

Cette situation a été dénoncée il y a des années en Espagne où la matière des droits de l'homme est conçue comme un domaine exclusif des carrières de droit, exclue de carrières aussi décisives que celles de pédagogie, maître des écoles ou journalisme[59]. Le seul progrès en ce sens a été l'approbation d'une norme nationale qui établit comme principe général que les plans

59. Voir à ce sujet les rapports d'AMNISTIE INTERNATIONALE, *Educación en derechos humanos: asignatura suspensa (Informe sobre la formación en las escuelas y facultades de pedagogía y ciencias de la educación en materia de derechos humanos)*, febrero, 2003 (disponible sur: *http://www.amnistiacatalunya.org/edu/pdf/asignatura/informe-asig-dh-03.pdf*) et *Las universidades españolas, a la cola de Europa en formación obligatoria en derechos humanos*, mars 2008 (disponible sur: *https://www.es.amnesty.org/uploads/media/Informe_universidades.pdf*).

d'études doivent inclure des matières associées aux droits fondamentaux, à l'égalité entre hommes et femmes, à l'égalité des chances, à la non-discrimination et à l'accessibilité universelle pour les personnes à mobilité réduite, ainsi que les valeurs propres à une culture de paix et des valeurs démocratiques[60]. Mais en aucun cas il n'est établi que des contenus spécifiques ni généraux en droits de l'homme dans les grades ni les post-grades universitaires soient obligatoires. De cette manière, le gouvernement espagnol délègue totalement dans les universités une décision qui lui incombe. Et l'on peut dire qu'en général les universités espagnoles ont à peine fait usage de cette possibilité.

Il n'y a pas d'information sur les aides spécifiques accordées pour le suivi d'études associées aux droits de l'homme (IICRII.8), excepté dans le cas de l'UR qui rapportent l'existence de bourses pour l'étude décernées par le Parlement autonomique aux élèves en droit qui souhaitent réaliser un stage pratique aux Nations unies. Aucune information n'est fournie non plus sur les activités en matière de droits de l'homme (IICRII.9 et IICRII.10): seule l'UR confirme la réalisation d'activités de ce genre: des cours internationaux en été (à titre d'exemple: *Le monde que nous voulons après 2015: une révision de l'agenda international sur le développement humain durable* (2013); des projets de coopération universitaire au développement au Pérou, en Équateur et en Côte d'Ivoire ainsi que des expositions.

Pour avancer dans les connaissances il faut compter sur des ressources bibliographiques qui servent d'aliment et de base au processus d'enseignement-apprentissage (IICRII.11). Les universités du Maghreb, comme celles de l'Europe, comptent sur des références en droits de l'homme et l'on constate que l'accès aux bases de données en ligne est plus élevé dans les institutions européennes. Cinq universités (l'UMO5, l'IPSI, l'INTES, l'UNBG et l'UWE) ne donnent pas d'information relative à cet indicateur.

4.3. AXE 3: RECHERCHE

Par rapport à cet axe les indicateurs tentent de mesurer la présence et l'apport de la recherche en droits de l'homme et dans l'éducation aux droits de l'homme dans les institutions d'enseignement supérieur.

4.3.1. Indicateurs de structure

Un indicateur important sur la priorité qui est donnée aux droits de l'homme dans la politique et la stratégie d'un pays est de savoir si les plans

60. *Cfr.* art. 3.5 du décret royal 1393/2007, du 29 octobre qui fixe l'aménagement des enseignements universitaires officiels.

nationaux pour la recherche et le développement incluent des mesures pour l'encouragement à la recherche en droits de l'homme (IINEIII.1). Aucun pays du consortium ABDEM ne répond affirmativement à la question, excepté l'Espagne. En général, cette absence de réponse est justifiée par l'argument de la faible rentabilité économique de ce genre de recherches, ce qui transmet une vision très mercantiliste de la recherche et un appauvrissement du savoir dans l'ensemble.

Au contraire, les appels à projet de recherche pour contribuer au développement de méthodologies et d'instruments innovateurs et efficaces pour l'éducation aux droits de l'homme sont considérés comme plus positifs (IINEIII.2). Les pays européens et l'Algérie appuient ce genre de projets; le Maroc ne dispose pas de ce type d'appels et la Tunisie n'a pas apporté de réponse à la question. Les résultats sont similaires quant à l'existence de bourses et d'aides à la promotion de la recherche sur les droits de l'homme (IINEIII.3).

Au niveau des centres, les réponses que donnent les membres du consortium montrent des résultats plutôt négatifs qui décrivent un panorama à faible sensibilité scientifique envers les droits de l'homme car il n'y a que trois universités (l'UZA, l'UWE et l'USE2) qui ont des appels à projets spécifiques pour développer des méthodologies et des instrument innovateurs et efficaces pour l'éducation aux droits de l'homme (IICEIII.2) et pour la recherche relative aux droits de l'homme (IICEIII.3). Cela n'empêche pas que, dans le cadre d'appels à projets généraux, apparaissent des projets de cette nature et qu'ils soient choisis pour être réalisés.

4.3.2. Indicateurs de processus

Malgré l'absence d'appels à projets spécifiques sur la recherche en droits de l'homme, toutes les universités européennes du consortium et une maghrébine, l'USE2, disposent de groupes et/ou de centres de recherche spécialisés en droits de l'homme dans leurs universités).

Outre les ressources humaines, toutes les universités disposent de revues spécialisées et autres publications sur les droits de l'homme (IIICPIII.5); et seule l'Algérie, parmi les universités du Maghreb apporte une réponse positive.

Un troisième indicateur qui favorise stratégiquement la recherche en droits de l'homme est l'existence d'accords bilatéraux ou multilatéraux entre l'université et les organisations nationales et internationales, les ONG (IICPIII.6). Ce genre d'accords rapprochent la recherche des problèmes réels du milieu ce qui fait que les universités assument leur responsabilité sociale et rendent plus significatif et utile leur transfert de connaissances. Et, par ailleurs, ces accords contribuent à ce que la société perçoive la recherche comme un investissement vraiment rentable qu'il vaut la peine d'appuyer. Ces accords sont généralisés dans les universités européennes alors que seule l'UHA2 au Maghreb a répondu affirmativement à la question.

4.3.3. Indicateurs de résultats

Les informations apportées sur les résultats obtenus sur cet axe sont en général rares parce que les conclusions sont à peine significatives. Seules quatre universités apportent de l'information au sujet du nombre de chercheurs intégrés dans des groupes ou des centres de recherche qui travaillent sur les droits de l'homme (IICRIII.7): l'UEX (12), l'UNBG (7), l'USE2 (4) et l'UR (11). Quant au nombre de thèses défendues sur cette matière (IICRIII.8), nous n'avons que les réponses de l'UDC (4), de l'UEX (6) et de l'USE2 (26). Néanmoins, les termes de la rédaction de l'indicateur sont excessivement vagues et peuvent induire à des interprétations de portée différente (le thème de la thèse peut ne pas s'occuper directement d'un droit de l'homme ou ne pas inclure ce terme dans le titre mais s'occuper indirectement de cette matière). Les travaux de fin de master ou de fin de grade ou bachelier sont relativement plus fréquents (IICRIII.9 et IICRIII.10).

L'absence d'instruments qui recueillent et canalisent l'information sur l'activité de recherche dans les universités explique, en partie, le manque de données sur plusieurs indicateurs traités (IICRIII.11, IICRIII.12 et IICRIII.13). Par exemple, seules l'UEX, l'UR et l'USE2 signalent la participation à des projets sur les droits de l'homme (2, 1 et 1 respectivement). Il existe très peu d'information sur des aides à des projets de recherche en matière de droits de l'homme, ni sur le nombre de projets de recherche sur les droits de l'homme accordés, excepté l'UEX et l'UNBG dans lesquelles ce type de projets représentent, respectivement, 2,9% et 7% du total.

4.4. AXE 4. MILIEU D'APPRENTISSAGE

Nous analysons sur cet axe le milieu d'apprentissage de l'éducation aux droits de l'homme dans les institutions universitaires.

4.4.1. Indicateurs de structure

L'éducation formelle et non formelle aux droits de l'homme prend à chaque fois davantage d'importance du fait qu'elle renforce et/ou complète la formation des compétences reçues dans les institutions universitaires. Fréquemment, ces apprentissages sont plus significatifs pour les étudiants parce qu'ils les aident à faire face à des situations réelles, à résoudre des problèmes, prendre des décisions, à travailler en équipe et avec une approche pluridisciplinaire, etc. C'est le motif pour lequel les universités ont incorporé peu à peu dans leurs plans d'études la reconnaissance académique de ce genre d'activités ou qu'elles ont favorisé leur développement dans leurs campus respectifs. Dans le cas de l'Espagne, la législation universitaire reconnaît de manière explicite la participation des étudiants dans les activités culturelles, sportives, de représentation d'étudiants, solidaires et de coopération[61]. Conformément à cela, il est établi que les plans d'études devraient contempler «la possibilité que les étudiants obtiennent une reconnaissance d'au moins six crédits sur le total du plan d'études, pour leur participation aux activités citées». La coopération au développement compte aussi sur des structures d'organisation tant dans le milieu étatique que dans celui des institutions partenaires dans le consortium.

Si nous nous en tenons aux normes statutaires (ICIV.1), la moitié des universités européennes (l'UZA, l'UWE et l'UR) reconnaît les activités de bénévolat et toutes reconnaissent celles de coopération au développement, sauf l'UDC. Les universités USE2 et IPSI du Maghreb répondent affirmativement mais le fondement des réponses est peu consistant car ambigu[62]. Quoiqu'il en soit, les bonnes pratiques sont plus importantes que les législations des états et les normes statutaires à ce sujet comme le corroborent les indicateurs de processus reflétés sur le rapport de bonnes pratiques.

4.4.2. Indicateurs de processus

Les indicateurs de processus de cet axe analysent la connexion entre l'université et la société dans le développement d'activités associées aux droits de l'homme. D'une part, il est demandé si les universités participent à des initiatives citoyennes de sensibilisation aux droits de l'homme (IICPIV.2), et d'autre part, si l'on facilite aux étudiants la réalisation au niveau communautaire de projets et d'activités hors-cursus sur les droits de l'homme (IICPIV.3).

En termes généraux, l'on peut affirmer que les universités du consortium participent à des projets et des initiatives de promotion des droits de l'homme. D'une manière assez généralisée les universités européennes (toutes, sauf l'UEX) répondent affirmativement aux deux indicateurs et, avec des différences, dans celles du Maghreb[63]. Certains exemples de ce type

61. Voir à ce sujet l'article 46.2.i) de la Loi Organique 6/2001, du 21 décembre, des universités.
62. L'IPSI répond affirmativement mais n'apporte pas la justification de la norme. Les réponses de l'USE2 et l'ENSSP se basent, comme dans le reste des réponses, sur des normes de caractère étatique, non autonomes.
63. L'UHA2 et l'USE répondent affirmativement à l'indicateur IICPIV.2. Pour l'indicateur IICPIV.3 l'IPSI –qui signale qu'il existe une norme d'état–, l'INTES et l'ENSSP répondent affirmativement.

de participations sont expliqués avec davantage de détails dans le Rapport de bonnes pratiques.

4.4.3. Indicateurs de résultats

Malgré l'existence de norme étatique ou statutaire propice à la reconnaissance d'activités académiques et non académiques en matière de droits de l'homme (IICRIV.4 et IICRIV.6), et pour la création d'associations de bonnes pratiques à ce sujet, les universités du consortium ne recueillent pas ce type d'information. Seules l'UZA, l'UR, l'UHA2 et l'ENSSP ont présenté des données. L'UHA2 a réalisé en 2013 sept activités non académiques et six activités ont été mises en place par des membres de la communauté universitaire; elle compte aussi sur sept associations. Au contraire, l'UZA ne rapporte qu'une seule activité non académique malgré la présence de quinze associations sur son campus. L'UR est celle qui apporte, proportionnellement, le plus d'activité: la présence de trois ONG sur le campus et huit activités non académiques associées aux droits de l'homme; et les membres de la communauté universitaire ont réalisé dix activités autour de cette thématique.

4.5. AXE 5. ÉDUCATION ET PERFECTIONNEMENT PROFESSIONNEL DU CORPS ENSEIGNANT DE L'ENSEIGNEMENT SUPÉRIEUR

Sur cet axe, la question objet de l'étude est une analyse d'en quoi consiste la formation en droits de l'homme du corps enseignant des institutions de l'enseignement supérieur.

4.5.1. Indicateurs de structure

Il est très important pour le projet ABDEM que la norme nationale sur les universités établisse des procédés pour la formation du professorat aux droits de l'homme (INEV.1). Toutes les réponses des partenaires sont cependant négatives. Cette situation exige une intervention énergique des états qui mène à la préparation adéquate du corps enseignant, ce qui met en évidence le besoin d'aborder une expérience pilote en ce sens, telle que la formation de formateurs prévue pour la deuxième phase du projet.

4.5.2. Indicateurs de processus

Les indicateurs de processus pour ce cinquième axe s'occupent des mesures adoptées par les universités concernant la formation du professorat en matière de droits de l'homme.

Le premier indicateur se réfère à l'inclusion de cours spécifiques sur les droits de l'homme dans les plans de formation du professorat (IICP.2 et IICP.3). Toutes les universités du consortium, excepté l'UDC, ont répondu négativement à cette question. Cela met en lumière, une fois de plus, la carence généralisée en formation et d'intérêt pour les plans de formation et de perfectionnement professionnel du corps enseignant.

En ligne avec l'indicateur antérieur, peu d'universités garantissent la formation aux droits de l'homme de leur corps enseignant au moyen de différents mécanismes: mobilité, bourses, etc. (IICP.4). Seules deux universités du consortium (l'UNBG et l'UWE) répondent affirmativement à cette question.

4.5.3. Indicateurs de résultats

Conformément à la tendance générale négative que manifestent les autres indicateurs par rapport à la formation des enseignants aux droits de l'homme, l'on constate une absence quasi totale de données sur des mesures concrètes adoptées par les universités pour encourager ce type de formation: seules l'UDC, l'UEX et l'UR offrent des cours au professorat de formation aux droits de l'homme (IICRV.5), mais il n'y a pas d'information au sujet de la durée moyenne de ces cours (IICRV.6), ce qui permettrait de connaître le poids ou l'importance qui leur est donnée par rapport au reste de l'offre en formation dans les universités.

De la même manière, seule l'UR dispose d'information –quoique incomplète à cause du manque de données– sur le nombre de professeurs qui ont participé à des séjours ou des formations spécifiques sur les droits de l'homme (IICRV.7). Et, finalement, seules trois universités, l'UR, UMOV et l'UHA2, constatent l'existence de projets d'innovation dans l'enseignement associés à l'éducation aux droits de l'homme: 9 et 1, respectivement (IICRV.8).

4.6. TABLEAU DES INDICATEURS

4.6.1. Indicateurs nationaux

AXE I: POLITIQUES ET MESURES

INDICATEURS STRUCTURELS

IINSI.1. Les plans d'action nationaux des droits humains (plans contre le racisme, la discrimination raciale, la xénophobie, d'autres formes connexes d'intolérance…) comprennent des programmes d'éducation aux droits de l'homme

IINSI.2. La législation nationale considère de façon adéquate l'éducation aux droits de l'homme dans les processus de sélection du personnel enseignant

IINSI.1.	ESPAGNE*	ITALIE	ROYAUME-UNI	MAROC	ALGÉRIE	TUNISIE
Contre le racisme	Oui	Oui	Non	Oui		Oui
Contre la discrimination raciale	Oui	Oui	Non	Oui		Oui
Contre la xénophobie	Oui	Oui	Oui	Oui		Oui
Autres (indiquer)	Oui		Oui			
IINSI.2.	Non	Non		Non	Non	Non

* Dans le rapport on marque quelques plans qui sont rattachés entre eux.

AXE II: PROCESSUS ET OUTILS D'ENSEIGNEMENT ET D'APPRENTISSAGE

INDICATEURS STRUCTURELS

IINSII.3. La législation nationale prend en compte l'éducation aux droits de l'homme dans le système d'enseignement supérieur (indiquer la réglementation et le texte de l'article)

	ESPAGNE	ITALIE	ROYAUME-UNI	MAROC	ALGÉRIE	TUNISIE
Oui/Non	Oui	Oui	Oui	Non	Non	Oui

INDICATEURS DE PROCESSUS

IINPII.4. L'éducation aux droits de l'homme est présente dans les programmes des cours:

(Oui/Non)	ESPAGNE	ITALIE	ROYAUME-UNI	MAROC	ALGÉRIE	TUNISIE
De manière générale dans les études de bachelor en:						
Droit	Oui	Oui	Oui			
Travail social	Oui	Non	Oui			
Sciences de l'éducation (ou similaire)	Non	Oui	Oui			
Sciences de l'information (ou similaire)	Oui	Non	Oui			
De manière générale dans les études de master en:						
Droit	Oui	Oui	Oui			
Travail Social	*	Non	Oui			
Sciences de l'éducation (ou similaire)	Non	Oui	Oui			
Sciences de l'information (ou similaire)	Non	Non	Oui			

* Ces études ne sont pas offertes

IINPII.5. Disponibilité de matériel on-line sur les droits de l'homme

matériels on-line	ESPAGNE	ITALIE	ROYAUME-UNI	MAROC	ALGÉRIE	TUNISIE
Oui/Non	Oui					

INDICATEURS DE RÉSULTATS

IINRII.6. Nature de la matière des droits de l'homme dans les programmes des cours

Obligatoire: Ob; Facultative: f; Inexistante: N

	ESPAGNE*	ITALIE	ROYAUME-UNI	MAROC	ALGÉRIE	TUNISIE
De manière générale dans les études de bachelor en:						
Droit	Ob	F	Ob			
Travail social	F	N	Ob			
Sciences de l'éducation (ou similaire)	N	F	Ob			
Sciences de l'information (ou similaire)	F	N	Ob			
De manière générale dans les études de master en:						
Droit	Ob	F	Ob			
Travail Social	**	N	Ob			
Sciences de l'éducation (ou similaire)	F	F	Ob			
Sciences de l'information (ou similaire)	F	F	Ob			

* Les programmes dépendent de chaque universitté

** Ces études ne sont pas offertes

AXE III: RECHERCHE

INDICATEURS STRUCTURELS

IINSIII.7. Des mesures pour la promotion de la recherche en droits humains et de la recherche en éducation aux droits de l'homme sont inclues dans les plans nationaux de Recherche et Developpment

IINSIII.8. Appels à projets de recherche pour contribuer au développement de méthodologies et d'outils innovants pour l'éducation aux droits de l'homme

IINSIII.9. Appel aux subventions et bourses pour la promotion de la recherche concernant les droits de l'homme

Oui/Non	ESPAGNE	ITALIE	ROYAUME-UNI	MAROC	ALGÉRIE	TUNISIE
IINSIII.7.	Oui	Non	Non	Non	Non	
IINSIII.8.	Oui	Oui	Oui	Non	Oui	
IINSIII.9.	Oui	Oui	Oui	Non	Oui	Non

AXE V: FORMATION ET PERFECTIONNEMENT PROFESSIONNEL DU PERSONNEL ENSEIGNANT

INDICATEURS STRUCTURELS

IINEV.10. La réglementation nationale concernant les universités établit des procédures pour la formation du corps enseignant aux droits de l'homme

	ESPAGNE	ITALIE	ROYAUME-UNI	MAROC	ALGÉRIE	TUNISIE
Oui/Non	Non	Non	Non	Non	Non	Non

4.6.2. Indicateurs de centre

AXE I: POLITIQUES ET MESURES

Il s'agit de voir comment les politiques encouragent l'éducation aux droits de l'homme (EDH) dans les universités

INDICATEURS STRUCTURELS

IICSI.1. La législation universitaire considère de façon adéquate l'EDH dans le processus de sélection du personnel enseignant

	UDC	UZA	UEX	UNBG	UWE	UR	UMO5	UHA2	IPSI	INTES	ENSSP	USE2
			Non	Non	Oui*	Non		Non	Non	Non	Non	Oui*

INDICATEURS DE PROCESSUS

IICPI.2. L'université incorpore des normes signalées dans les indicateurs structurels par des projets d'innovation pédagogique, par la promotion de la recherche en droits de l'homme, par des cours et/ou des activités d'extension universitaire sur l'EDH

	UDC	UZA	UEX	UNBG	UWE	UR	UMO5	UHA2	IPSI	INTES	ENSSP	USE2
Présente bonnes pratiques		Non		Oui	Oui	Oui		Non	Oui	Oui	Non	Oui

INDICATEURS DE RÉSULTATS

IICRI.3. Prix et reconnaissances décernés à l'Université pour sa contribution à la promotion des droits de l'homme

	UDC	UZA	UEX	UNBG	UWE	UR	UMO5	UHA2	IPSI	INTES	ENSSP	USE2
Oui/Non					Oui	Oui				Non		
Présente bonnes pratiques					Oui	Oui				Non		

AXE II: PROCESSUS ET OUTILS D'ENSEIGNEMENT ET D'APPRENTISSAGE

Il s'agit d'examiner les processus et les outils utilisés dans l'EDH

INDICATEURS DE PROCESSUS

IICPII.4. L'EDH est présente dans les programmes de cours:

	UDC	UZA	UEX	UNBG	UWE	UR	UMO5	UHA2	IPSI	INTES	ENSSP	USE2
IICPII.4.1. De manière générale dans les études de degré en:												
Droit	Oui	Oui	Oui	Oui	Oui	Oui		Non	Oui	Oui	Oui	Oui
Travail social	Non	Non	Oui	Non	Oui	Oui		Non	Oui	Oui	Oui	Oui
Sciences de l'éducation (ou similaire)	Oui	Non	Non	Oui	Oui	Oui		Non	Oui		Oui	Oui
Sciences de l'information (ou similaire)	*	*	*	*	Oui			Non	Oui		Oui	Non
IICPII.4.2. De manière générale dans les études de master en:												
Droit	Oui	Oui	Oui	Oui	Oui	Oui		Non	Oui	Oui	Oui	Oui
Travail social	Oui	Non	Non	Non	Oui			Non	Oui	Oui	Oui	Oui
Sciences de l'éducation (ou similaire)	Oui	Non	Non	Oui	Oui	Oui		Non	Oui		Oui	Oui
Sciences de l'information (ou similaire)	*	*	*	*	Oui			Non	Oui		Oui	Oui

* Non offert le degré

IICPII.5. L'université consacre des ressources à l'organisation et au développement d'activités interdisciplinaires spécifiques pour l'EDH (extension universitaire, coopération au développement (COOP), cours d'été, etc.)

	UDC	UZA	UEX	UNBG	UWE	UR	UMO5	UHA2	IPSI	INTES	ENSSP	USE2
Oui/Non	Oui	Oui	Oui	Oui	Oui	Oui		Non	Oui	Oui	Oui	Oui
IICPII.5.1. Présente bonnes pratiques	Oui	COOP	COOP	Oui	Oui	Oui			Oui			

INDICATEURS DE RÉSULTATS

IICRII.6. Offre de programmes en droits de l'homme (master et doctorat)
IICRII.7. Nature de la matière des droits de l'homme dans les programmes des cours
IICRII.8. Étudiants inscrits dans des programmes de master et de doctorat en droits de l'homme (2013)
IICRII.9. Existence de bourses d'aide aux études en droits de l'homme octroyées par l'université
IICRII.10. Nombre d'activités spécifiques de l'éducation aux droits de l'homme
IICRII.11. Nombre de participants d'activités spécifiques de l'éducation aux droits de l'homme

	UDC	UZA	UEX	UNBG	UWE	UR	UMO5	UHA2	IPSI	INTES	ENSSP	USE2
IICRII.6.			Oui		Oui	Oui					S	
IICRII.7.			OB*		OB*	OB*						
IICRII.8.												
Nombre total des étudiants inscrits dans des programmes de droits de l'homme						323		0				
Nombre total des étudiants inscrits en master et en doctorat			1067					0			296	
Nombre total des étudiants finalisant des programmes des droits de l'homme						254		0				
Nombre total des étudiants finalisant les études de master et de doctorat			669					0			102	
IICRII.9.					5	5		5	2			
IICRII.10.					5	6		6				
IICRII.11.						200		200				

* Obligatoire

IICRII.12. Nombre de références bibliographiques dans le catalogue de la bibliothèque universitaire

	UDC	UZA	UEX	UNBG	UWE	UR	UMO5	UHA2	IPSI	INTES	ENSSP	USE2
Nombre de références aux droits de l'homme disponibles on-line	49.000[1]	1 (*)	12.451		297	1.602		175				
Nombre total de références aux droits de l'homme	302.000[2]	1.727 (**)	13.303		1.248	9.079		165			94	264
Nombre de références à l'éducation aux droits de l'homme disponibles on-line	2.400[3]	0	1.036		12	71		0				
Nombre total de références à l'éducation aux droits de l'homme	403.000[4]	151	1.054		43	436		0	112		94	
Nombre total des références dans la bibliothèque	2.614[5]	628.000	561.103		+20.000	2.834.095		9.188	112		8.900	15.740

1 Recherche: HUMAN RIGHTS comme SUBJECT: 37.000 (EBSCO) + 12.000 (PROQUEST).
2 Recherche: HUMAN RIGHTS comme FULL TEXT: 190.000 (EBSCO) + 103.000 (PROQUEST) + 9.000 (PUBMED).
3 Recherche: HUMAN RIGHTS como FULL TEXT: 1700 (EBSCO) + 700 (PROQUEST).
4 Recherche: HUMAN RIGHTS AND EDUCATION como FULL TEXT: 48.000 (EBSCO) + 350.000 (PROQUEST) + 5.000 (PUBMED).
5 Cfr. Catálogo Universidad de A Coruña.

AXE III: RECHERCHE

Il s'agit de mesurer la présence et la portée de la recherche dans les droits de l'homme

INDICATEURS STRUCTURELS

IICSIII.13. Appels à projets de recherche pour contribuer au développement de méthodologies et d'outils innovants pour l'EDH

IICSIII.14. Appel à subventions et bourses pour la promotion de la recherche concernant les droits de l'homme

	UDC	UZA	UEX	UNBG	UWE	UR	UMO5	UHA2	IPSI	INTES	ENSSP	USE2
IICSIII.13.		Oui	Non*	Non	Oui	Non*		Non				Oui
IICSIII.14.		Non*	N*	Non*	Oui	Non*		Non				Oui

* Il existe des appels génériques, dans lesquelles il faut faire la recherche sur droits de l'homme.

INDICATEURS DE PROCESSUS

IICPIII.15. Centres/groupes de recherche spécialisés dans les droits de l'homme à l'université

IICPIII.16. Revues spécialisées et autres publications concernant les droits de l'homme

IICPIII.17. Existence d'accords bilatéraux ou multilatéraux entre l'université et des organisations nationales, internationales et des ONG, pour la réalisation de projets de recherche concernant les droits de l'homme

	UDC	UZA	UEX	UNBG	UWE	UR	UMO5	UHA2	IPSI	INTES	ENSSP	USE2
IICPIII.15.	Oui	Oui	Oui	Oui	Oui	Oui		Non		Non	Non	Oui
IICPIII.16.	Oui	Oui	Oui	Oui	Oui	Oui		Non		Non	Non	Oui
IICPIII.17.	Oui	Oui	Oui	Oui	Oui	Oui		Oui		Non	Non	

INDICATEURS DE RÉSULTATS

	UDC	UZA	UEX	UNBG	UWE	UR	UMO5	UHA2	IPSI	INTES	ENSSP	USE2
IICRIII.18. Nombre de professeurs liés à des centres/groupes de recherche sur les droits de l'homme par rapport à l'ensemble des chercheurs			12	7		11		0		0	0	4
IICRIII.19. Nombre de thèses soutenues sur des sujets en relation avec les droits de l'homme	4		6	15				0	0	0	0	26
IICRIII.20. Nombre de travaux de fin de master sur des sujets en relation avec les droits de l'homme				18		1		3		0	0	
IICRIII.21. Nombre de travaux de fin de Degré sur des sujets en relation avec les droits de l'homme			18	7				3		0	0	
IICRIII.22. Nombre de projets de recherche sur les droits de l'homme accordés par rapport au nombre total des projets de recherche et développement (Recherche et Developpment)			2	7		1		0		0	0	1
IICRIII.23. Pourcentage du budget des projets de Recherche et Developpment sur les droits de l'homme par rapport au total du budget de recherche Recherche et Developpment			*	4%				0				
IICRIII.24. Nombre de projets de Recherche et Developpment sur les droits de l'homme de l'université accordés par rapport au nombre total des projets Recherche e t Developpment accordés aux les droits de l'homme au niveau national			2,9	7				0				

* Pas de données

AXE IV: ENVIRONNEMENT D'APPRENTISSAGE

Il s'agit d'étudier l'environnement de l'apprentissage de l'éducation aux droits de l'homme

INDICATEURS STRUCTURELS

IICSIV.25. Les statuts et la réglementation de l'université encouragent des activités liées aux droits de l'homme, comme par exemple des actions de volontariat et d'aide internationale au développement

	UDC	UZA	UEX	UNBG	UWE	UR	UMO5	UHA2	IPSI	INTES	ENSSP	USE2
Volontariat		Oui	Non	Non	Oui	Oui		Oui	Oui	Oui	Non	Oui
Coopération internationale		Oui	Oui	Oui	Oui	Oui		Oui	Oui	Oui	Oui	Oui

INDICATEURS DE PROCESSUS

IICPIV.26. L'université participe à des initiatives citoyennes de sensibilisation aux droits de l'homme

IICPIV.27. Facilitation de la réalisation de projets et d'activités d'extension universitaire ayant un rapport avec les droits de l'homme

	UDC	UZA	UEX	UNBG	UWE	UR	UMO5	UHA2	IPSI	INTES	ENSSP	USE2
IICPIV.26.	Oui	Oui	Non	Oui	Oui	Oui		Oui	Oui	Non	Non	Oui*
IICPIV.27.	Oui	Oui	Non	Oui	Oui	Oui		Non	Oui*	Oui	Oui*	Non*

* Reconnu par norme d'État

INDICATEURS DE RESULTATS

IICRIV.28. Nombre d'initiatives issues des membres de la communauté universitaire en rapport avec les droits de l'homme

IICRIV.29. Nombre d'associations, d'ONG ou d'autres types d'organisations présentes sur le campus universitaire ayant pour but la promotion des droits de l'homme

IICRIV.30. Nombre d'activités non académiques sur les droits de l'homme organisées par l'université.

2013	UDC	UZA	UEX	UNBG	UWE	UR	UMO5	UHA2	IPSI	INTES	ENSSP	USE2
IICPIV.28.						10		6		0	1	
IICPIV.29.		15				3		7		0	0	0
IICPIV.30.		1				8		7		0	0	0

AXE V: FORMATION ET PERFECTIONNEMENT PROFESSIONNEL DU PERSONNEL ENSEIGNANT

Il s'agit de voir la formation du corps enseignant pour l'EDH

INDICATEURS DE PROCESSUS

IICPV.31. Les plans de formation du corps enseignant comprennent des cours spécifiques sur les droits de l'homme

En cas de réponse affirmative:

IICPV.32. Les cours des droits de l'homme adressés aux enseignants comprennent les aspects suivants:

	UDC	UZA	UEX	UNBG	UWE	UR	UMO5	UHA2	IPSI	INTES	ENSSP	USE2
IICPV.31.	Oui	Non	Non	Non	Non	Non		Non	Non		Non	Non
IICPV.32.												Oui
Connaissance et compréhension des droits de l'homme, de leur caractère universel, indivisible et interdépendant, et des mécanismes créés pour les protéger	Oui											
Méthodes d'enseignement et d'apprentissage dans le domaine de l'EDH et rôle du personnel enseignant (méthodes participatives, interactives, coopératives, fondées sur l'expérience et la pratique et ayant à l'esprit le contexte culturel)	Oui											
Sens des relations humaines et esprit d'initiative du personnel enseignant, ancrés dans le respect des principes démocratiques et des droits de l'homme	Oui											
Droits et responsabilités des enseignants et des étudiants	Oui											
Information sur les supports pédagogiques existant dans le domaine des droits de l'homme	Oui											
IICPV.33. L'université garantit la formation aux droits de l'homme de son personnel enseignant de différentes manières (mobilité, bourses, etc.)		Non	Non	Oui	Oui				Non			

INDICATEURS DE RESULTATS

IICRV.34. Nombre de cours offerts par l'université pour la formation du corps enseignant en droits de l'homme

IICRV.35. Durée moyenne des cours sur les droits de l'homme par rapport à la durée moyenne des cours offerts par le programme de formation pour les enseignants

IICRV.36. Nombre d'enseignants réalisant des séjours ou des programmes de formation aux droits de l'homme dans d'autres institutions

IICRV.37. Nombre de projets innovants réalisés autour de l'éducation aux droits de l'homme

	UDC	UZA	UEX	UNBG	UWE	UR	UMO5	UHA2	IPSI	INTES	ENSSP	USE2
IICRV.34.	3		5			8		0	0		0	
IICRV.35.								0	0		2	
IICRV.36.						3*			0			
IICR V.37.			0			9		1	0		0	

* Informations incomplètes par manque de données.

5. CONCLUSIONS

1. Un nombre important d'items, surtout ceux associés à des indicateurs de résultats, n'ont pas obtenu de réponse des universités européennes et du Maghreb. Cette réalité démontre le besoin de mettre en place des processus effectifs et intégrateurs de suivi et d'évaluation du travail de l'éducation aux droits de l'homme basés sur des indicateurs et des mécanismes de collecte de données et faciliteraient de l'information pour l'amélioration constante des programmes.
2. Occasionnellement, la rigueur dans les réponses aux questions formulées ne donne pas une vision exacte de la réalité. C'est ainsi que l'absence, parfois, de dispositions statutaires ne signifie pas qu'il existe des normes de l'état qui appliquent les exigences découlant d'une approche basée sur les droits de l'homme. Pour répondre, les universités européennes ont recouru parfois dans leurs explications à des normes constitutionnelles ou légales mais non à des normes statutaires.
3. La sélection d'items ne permet pas de déterminer l'existence de garanties administratives et juridictionnelles pour corriger de possibles atteintes aux droits –même si c'est le cas– ce qui rend difficile de déduire l'état des droits et des libertés importants pour ce projet au quotidien.
4. Dans l'ensemble, il se dégage de l'analyse des données une dépendance de l'état plus forte des institutions universitaires du Maghreb que dans les universités européennes. Mais la centralisation du gouvernement des universités du Maghreb et cette forte dépendance du gouvernement ne signifie pas, en principe, qu'il existe une restriction aux libertés académiques ni à la jouissance d'autres droits pour la communauté universitaire.
5. Les réponses données à certains items démontrent l'importance de la pratique universitaire comme source normative. Les traditions universitaires universelles, une fois effectués les changements nécessaires, ont une force considérable dans le fonctionnement de l'institution, ce qui fait d'elles un important moteur de changements.
6. Il existe une disproportion entre la réalité des bonnes pratiques et les données normatives. Cela signifie qu'il existe un faible niveau d'institutionnalisation de ces bonnes pratiques qui dépendent, dans certains cas, des initiatives indépendantes d'enseignants et de chercheurs. C'est ainsi que les universités du Maghreb et les européennes montrent un même niveau dans les bonnes pratiques. Il existe cependant en Europe une hypertrophie normative qui ne correspond pas avec la présence d'une praxis importante.

7. Les constitutions de tous les pays du consortium offrent des cadres acceptables dans le domaine des droits de l'homme ou fondamentaux par rapport aux objectifs du projet.
8. Tous les pays reconnaissent l'accès, dans des conditions d'égalité, à l'enseignement universitaire. Les contraintes sur ce point concernent davantage l'aspect des prestations, toujours limité par les ressources disponibles, que la propre liberté à l'accès.
9. Aucun pays n'exige au professorat une formation aux droits de l'homme dans les processus de sélection.
10. Dans aucun des pays de l'étude les directrices nationales des plans d'étude n'incluent en général un enseignement aux droits de l'homme. Et, en général aussi, les universités du consortium n'incluent pas cette information dans la carrière de droit.
11. L'autonomie universitaire entendue comme capacité d'approuver les propres statuts ou d'élire les organes de gouvernement, même si elle est reconnue, n'est pas pleine dans les pays du Maghreb à cause de la forte dépendance administrative.
12. Dans les universités d'Algérie et de Tunisie il n'y a pas de contrôle des dépenses par un organisme externe indépendant qui mette en évidence la responsabilité sociale de l'institution. Cela ne veut pas dire qu'il n'existe pas de contrôle, qui peut être sévère, de la part des organismes gouvernementaux de manière à garantir la gestion adéquate du budget et à obtenir de cette manière la responsabilité sociale correspondante.
13. La liberté de recherche est garantie dans tous les pays du consortium ainsi que la projection internationale des chercheurs.
14. Les universités, européennes et maghrébines, doivent surmonter quelques déficiences depuis la perspective d'une approche de l'enseignement basée sur les droits de l'homme mais tous les états offrent des possibilités constitutionnelles et légales pour relever le défi.
15. L'on peut affirmer que dans toutes les universités du consortium ABDEM tous les étudiants ont le droit à ne pas être discriminés.
16. Les étudiants voient reconnue une certaine capacité de participation dans l'adoption de décisions et dans l'exercice des libertés d'expression, de réunion et d'association bien que ces libertés doivent être bien mises en contexte.
17. Les professeurs jouissent de liberté académique et ne rencontrent pas d'obstacles à l'établissement de coopération avec des chercheurs et des centres étrangers, quoique qu'il faille parfois une médiation ministérielle.

18. Tous les centres considèrent qu'ils ont la capacité reconnue pour la formation du corps enseignant mais aucun ne considère en général les connaissances en droits de l'homme de ce professorat et il n'y a pas de normes qui apportent une couverture de manière régulière à la promotion de chercheurs –de caractère méthodologique ou pas– en matière de droits de l'homme.
19. Toutes les universités du consortium considèrent qu'elles ont une certaine capacité d'établir des matières d'étude dans les différents types d'enseignement, mais il y en a peu qui incluent des matières sur les droits de l'homme de manière transversale, c'est à dire dans toutes les carrières qu'elles offrent et pour les trois niveaux académiques: grade, bachelier, master et doctorat.
20. Même si leurs sources de revenus sont limitées, toutes les universités ont une certaine autonomie pour la gestion du budget.

Chapitre 4

État des lieux et défis de l'approche basée sur les droits de l'homme dans les pays du Maghreb

SOMMAIRE: 1. L'ALGÉRIE. 1.1. *Rapport national.* 1.1.1. Introduction de la situation politique et éducative du pays par rapport aux droits de l'homme. a. Au niveau constitutionnel. b. Au niveau international. c. Au niveau interne. 1.1.2. L'État actuel de l'éducation aux droits de l'homme dans l'enseignement supérieur algérien. 1.1.3. Analyse AFOM basée sur les critères nationaux. 1.1.4. Résultats et bonnes pratiques. 1.2. *Université Mohamed Lamine Debaghine –Sétif 2–.* 1.2.1. Présentation de l'Université. 1.2.2. Autonomie universitaire. 1.3. *École Normale Supérieure des Sciences Politiques (ENSSP).* 1.3.1. Présentation. 1.3.2. Missions et Objectifs de l'ENSSP. 1.3.3. Organes directeurs. a. Le Conseil d'administration. b. Le Conseil scientifique. c. Comités scientifiques. d. Direction de l'ENSSP. e. Le Bureau exécutif. f. Le Conseil de direction. 1.3.4. Statistiques. 1.4. *Analyse AFOM pour les institutions d'enseignement supérieur*. 1.4.1. Atouts. 1.4.2. Les Faiblesses. 1.4.3. Les Opportunités. 1.4.4. Les Menaces. 1.4.5. Relation entre les différents facteurs de l'analyse de l'IES. 1.5. *Conclusions du Focus group*. 1.6. *Bonnes pratiques*. 1.7. *Conclusion*. 2. MAROC. 2.1. *Bilan de la dimension nationale*. 2.1.1. Contexte de la situation éducative et politique au Maroc. 2.1.2. L'analyse AFOM. a. Les atouts. b. Les faiblesses. c. Les opportunités. d. Les menaces. 2.1.3. Lignes stratégiques. 2.1.4. Remarques sur les indicateurs. 2.1.5. Bref aperçu des bonnes pratiques de la politique nationale liées à l'éducation aux droits de l'homme et à l'approche aux droits de l'homme dans l'éducation. 2.1.6. Synthèse du bilan de la dimension nationale. 2.2. *Université Mohammed V de Rabat*. 2.3. *Faculté des sciences juridiques, économiques et sociales d'Ain Sebâa. Université Hassan II de Casablanca*. 2.3.1. Présentation de la FSJES Ain Sebâa. 2.3.2. Analyse AFOM et son développement. a. Analyse des principales forces et faiblesses. b. Analyse de l'interaction entre l'environnement interne et externe. 2.3.3. Analyse des indicateurs, éclaircissements et remarques. a. Objectif et remarques à propos de la dimension 1 de l'Institution d'enseignement supérieur. b. Objectif et remarques à propos de la dimension 2: «Les droits de l'homme à travers de l'éducation».

1. L'ALGÉRIE

NAOUEL ABDELLATIF MAMI
IMENE SOURROUR RYMA TOUABTI
NARDJESSE SAFFO
SOUMIA CHAKRI
Université Mohamed Lamine Debaghine, Sétif 2

1.1. RAPPORT NATIONAL

1.1.1. Introduction de la situation politique et éducative du pays par rapport aux droits de l'homme

Le discours proposé sur les droits de l'homme, en Algérie, date de la période postcoloniale en 1962 et il est caractérisé par la volonté des dirigeants d'accomplir une transition vers la démocratie dans le respect de l'État révolutionnaire, moderniste et égalitaire. La première constitution de l'Algérie indépendante le stipulait clairement:

> «Après avoir atteint l'objectif de l'indépendance nationale que le Front de Libération Nationale s'était assigné le 1er Novembre 1954, le peuple algérien continue sa marche dans la voie d'une révolution démocratique et populaire.
>
> La Révolution se concrétise par:
>
> – La mise en œuvre de la Réforme agraire et la création d'une économie nationale dont la gestion sera assurée par les travailleurs;
>
> – Une politique sociale, au profit des masses, pour élever le niveau de vie des travailleurs, accélérer l'émancipation de la femme afin de l'associer à la gestion des affaires publiques et au développement du pays, liquider l'analphabétisme, développer la culture nationale, améliorer l'habitat et la situation sanitaire; (…)»

Mais, souvent, cette volonté a été bafouée par des difficultés à la fois culturelles, sociétales et politiques qui freinaient le train de la démocratisation. Toutefois, les constitutions qui s'enchaîneraient depuis 1963 œuvraient pour l'ancrage de l'idéal humanitaire d'un «État-Nation», un état de droit où à la fois droits et obligations devenaient le pilier idéologique de bonne gouvernance et de démocratisation.

La gestion institutionnelle des droits de l'homme en Algérie s'articule autour de trois niveaux: le constitutionnel, l'international et l'interne.

a. Au niveau constitutionnel

Le texte fondamental est au plus haut niveau de la hiérarchie institutionnelle. Il consacre les valeurs et les principes fondamentaux de l'État et de la Nation et présente les droits et les devoirs sous forme de libertés publiques. Rappelons que l'Algérie est un pays adhérent à la Déclaration universelle des droits de l'homme dès les premiers mois de l'indépendance, conformément aux accords d'Évian, ce qui est interprété par l'article 11 de la Constitution de 1963, qui dispose que: «*la République donne son adhésion à la Déclaration universelle des droits de l'Homme. Convaincue de la nécessité de la coopération internationale, elle donnera son adhésion à toute organisation internationale répondant aux aspirations du peuple algérien*». Ainsi, la volonté du gouvernement Algérien de respecter les droits émis par la Déclaration Universelle des Droits de l'Homme (D.U.D.H.) était consacrée en termes formels au sein de la Constitution algérienne de 1963, à l'image des dispositions suivantes:

Article 10: «Les objectifs fondamentaux de la République algérienne démocratique et populaire sont:

- la sauvegarde de l'indépendance nationale, l'intégrité territoriale et l'unité nationale;
- l'exercice du pouvoir par le peuple dont l'avant-garde se compose de fellahs, de travailleurs et d'intellectuels révolutionnaires;
- l'édification d'une démocratie socialiste, la lutte contre l'exploitation de
- l'homme sous toutes ses formes;
- la garantie du droit au travail et la gratuité de l'enseignement;
- l'élimination de tout vestige du colonialisme;
- la défense de la liberté et le respect de la dignité de l'être humain;
- la lutte contre toute discrimination, notamment celle fondée sur la race et la religion
- la paix dans le monde;
- La condamnation de la torture et de toute atteinte physique ou morale à l'intégrité de l'être humain».

Article 12: «Tous les citoyens des deux sexes ont les mêmes droits et les mêmes devoirs».

Article 13: «Tout citoyen ayant 19 ans révolus possède le droit de vote».

Article 14: «Le domicile est inviolable et le secret de la correspondance est garanti à tous les citoyens».

Article 15: «Nul ne peut être arrêté ou poursuivi que dans les cas prévus par la loi, devant les juges qu'elle désigne et dans les formes qu'elle prescrit».

Article 16: «La République reconnaît le droit de chacun à une vie décente et à un partage équitable du revenu national».

Article 17: «La famille, cellule fondamentale de la société, est placée sous la protection de l'État».

Article 18: «L'instruction est obligatoire, la culture est offerte à tous, sans autres discriminations que celles qui résultent des aptitudes de chacun et des besoins de la collectivité».

Article 19: «La République garantit la liberté de la presse et des autres moyens d'information, la liberté d'association, la liberté de parole et d'intervention publique ainsi que la liberté de réunion».

Article 20: «Le droit syndical, le droit de grève et la participation des travailleurs à la gestion des entreprises sont reconnus et s'exercent dans le cadre de la loi».

Article 21: «La République algérienne garantit le droit d'asile à tous ceux qui luttent pour la liberté».

Article 22: «Nul ne peut user des droits et libertés ci-dessus énumérés pour porter atteinte à l'indépendance de la Nation, à l'intégrité du territoire, à l'unité nationale, aux institutions de la République, aux aspirations socialistes du peuple et au principe de l'unicité du Front de Libération Nationale».

La deuxième Constitution algérienne, proclamée en 1976, avait garanti pour la première fois l'égalité devant la loi. Ensuite, l'adoption de la constitution Algérienne du 23 février 1989, allait avoir véritable impact positif sur la réglementation interne des droits de l'homme en Algérie et, par conséquent, l'étendue de ces droits se développait sur le plan subjectif, ainsi que sur le plan objectif; c'est l'épopée des droits de l'homme, du pluralisme et de la démocratie représentative et même participative en Algérie. Ces nouvelles tendances se matérialisaient dans le préambule de la constitution qui disposait que

«Ayant toujours milité pour la liberté et la démocratie, le peuple entend, par cette Constitution, se doter d'institutions fondées sur la participation des citoyens à la gestion des affaires publiques et qui réalisent la justice sociale, l'égalité et la liberté de chacun et de tous.

En approuvant cette Constitution, ouvre de son génie propre, reflet de ses aspirations, fruit de sa détermination et produit de mutations sociales profondes, le peuple entend ainsi consacrer plus solennellement que jamais la primauté du droit.

La Constitution est au-dessus de tous, elle est la loi fondamentale qui garantit les droits et libertés individuels et collectifs, protège la règle du libre choix du peuple et confère la légitimité à l'exercice des pouvoirs. Elle permet d'assurer la protection juridique et le contrôle de l'action des pouvoirs publics dans une société où règnent la légalité et l'épanouissement de l'homme dans toutes ses dimensions.

Fort de ses valeurs spirituelles, profondément enracinées, et de ses traditions de solidarité et de justice, le peuple est confiant dans ses capacités à ouvrer pleinement au progrès culturel, social et économique du monde d'aujourd'hui et de demain».

De même, Les dispositions de la constitution, stipulent que «Les citoyens sont égaux devant la loi, sans que puisse prévaloir aucune discrimination pour cause de naissance, de race, de sexe, d'opinion ou de toute autre condition ou circonstance personnelle ou sociale» et que: «Les libertés fondamentales et les Droits de l'Homme et du citoyen sont garantis».

La constitution Algérienne de 1989 consacre clairement les libertés et droits suivants:

Article 35: «La liberté de conscience et la liberté d'opinion sont inviolables».

Article 36: «La liberté de création intellectuelle, artistique et scientifique est garantie au citoyen. Les droits d'auteur sont protégés par la loi. La mise sous séquestre de toute publication, enregistrement ou tout autre moyen de communication et d'informatique ne pourra se faire qu'en vertu d'un mandat judiciaire».

Article 39: «Les libertés d'expression, d'association et de réunion sont garanties au citoyen».

Article 40: «Le droit de créer des associations à caractère politique est reconnu. Ce droit ne peut toutefois être invoqué pour attenter aux libertés fondamentales, à l'unité nationale, à l'intégrité territoriale, à l'indépendance du pays et à la souveraineté du peuple».

Article 41: «Tout citoyen, jouissant de ses droits civils et politiques a le droit de choisir librement le lieu de sa résidence et de circuler sur le territoire national. Le droit d'entrée et de sortie du territoire national, lui est garanti».

Article 47: «Tout citoyen remplissant les conditions légales est électeur et éligible».

Article 48: «L'égal accès aux fonctions et aux emplois au sein de l'État est garanti à tous les citoyens, sans autres conditions que celles fixées par la loi».

Article 49: «La propriété privée est garantie. Le droit d'héritage est garanti. Les biens wakf et des fondations sont reconnus: leur destination est protégée par la loi».

Article 50: «Le droit à l'enseignement est garanti, l'enseignement est gratuit dans les conditions fixées par la loi. L'enseignement fondamental est obligatoire. L'État organise le système d'enseignement. L'État veille à l'égal accès à l'enseignement et à la formation professionnelle».

Article 51: «Tous les citoyens ont droit à la protection de leur santé. L'Etat assure la prévention et la lutte contre les maladies épidémiques et endémiques».

Article 52: «Tous les citoyens ont droit au travail. Le droit à la protection, à la sécurité et à l'hygiène dans le travail est garanti par la loi. Le droit au repos est garanti; la loi en détermine les modalités d'exercice».

Article 53: «Le droit syndical est reconnu à tous les citoyens».

Article 54: «Le droit de grève est reconnu, il s'exerce dans le cadre de la loi».

Article 55: «La famille bénéficie de la protection de l'État et de la société».

Article 56: «Les conditions de vie des citoyens qui ne peuvent pas encore, qui ne peuvent plus ou ne pourront jamais travailler, sont garanties».

La Constitution de 1989, révisée en 1996, en 2008 et une dernière fois en 2016, avait consolidé les principes des droits universels de la personne, tels que la liberté de parole et la tenue d'élections libres. Un Conseil de la préservation et de la promotion de la famille et un Conseil national de la femme avaient été créés en 1996 et 1997, respectivement, afin d'assurer la cohérence de toutes les politiques entreprises en faveur de la promotion de la femme[1]. La réforme lancée depuis l'adoption de la Constitution du 23 février 1989 a veillé à la mise en place de nouvelles institutions fondées sur le pluralisme politique, la séparation des pouvoirs, l'indépendance du pouvoir judiciaire et la liberté d'expression.

1. *Cfr.* COMITÉ POUR L'ÉLIMINATION DE LA DISCRIMINATION A L'ÉGARD DES FEMMES, Examens présentés par les rapports des états parties, Vingtième session (19 janvier-5 février 1999), UN Doc. CEDAW/C/SR.406, 407 et 412. Disponible: *http://www2.ohchr.org/english/bodies/cedaw/docs/Alg%C3%A9rieCO20th_fr.pdf*

Pour ce qui est des institutions gouvernementales qui se chargent de l'application et de la surveillance des droits de l'homme, un ministère des droits de l'homme a été créé en 1991. Il a été remplacé, lors du changement gouvernemental de 1992 par l'Observatoire national des droits de l'homme qui demeure l'interlocuteur principal des organisations internationales s'occupant des droits de l'homme jusqu'en 2001[2]. Ce dernier a été remplacé à son tour par la Commission nationale consultative de la protection et de la promotion des droits de l'homme.

La révision constitutionnelle algérienne de 2016 a introduit de nombreux amendements à la constitution de 1996. La loi présentée le 4 février 2016 par le Premier ministre était en gestation depuis 2011 pour répondre aux attentes suscitées par le printemps arabe et son contenu fait suite à un projet présenté en mai 2014. Le 7 février 2016, elle est soumise à l'approbation des deux chambres du Parlement, puis adoptée par 499 voix contre 2 et 16 abstentions. Le texte entre en vigueur le 6 mars 2016 avec la promulgation de la loi n° 16-01 portant révision constitutionnelle. La révision constitutionnelle a eu un véritable impact sur le système juridique algérien car elle a consolidé l'unité nationale à travers la réhabilitation de la langue et de la culture amazighes. Le tamazigh est devenu langue officielle, tandis que l'arabe demeure la langue officielle de l'État.

Autre nouveauté qui a suscité de nombreuses réactions est l'interdiction faite aux Algériens ayant une autre nationalité de briguer de hauts postes dans la fonction publique. Par ailleurs, cette nouvelle constitution a enregistré une avancée politique inédite en matière de libertés et de participation du peuple dans la prise de décision par la promulgation de lois et la mise en place de mécanismes qui consacrent la participation du citoyen dans la vie politique.

Cette révision est «une véritable mise à jour du contrat social qui projette notre pays dans une nouvelle ère d'approfondissement de la pratique démocratique et du renforcement de l'action sociale».Nul doute qu'elle consacre un nouveau saut qualitatif en faveur de la femme en matière d'emploi et d'accès aux postes de responsabilité, un progrès qu'il convient de traduire dans les faits pour parachever le renouveau de la Nation.

L'amendement constitutionnel de l'an 2016 s'enrichit de nouveaux articles en matière de respect des droits de l'homme et libertés publiques dont nous citons:

---

2. *Cfr.* KIHLI, ANASS, *Le droit à un procès équitable devant la commission africaine des droits de l'homme et des peuples*, Université med 1 er oujjda - licence en droit public option: relations internationales, 2008. Disponible: *http://www.memoireonline.com/07/08/1294/m_droit-proces-equitable-commission-africaine-droits-de-l-homme-et-des-peuples13.html*

Art. 31. L'Algérie œuvre au renforcement de la coopération internationale et au développement des relations amicales entre les Etats, sur la base de l'égalité, de l'intérêt mutuel et de la non-ingérence dans les affaires intérieures. Elle souscrit aux principes et objectifs de la Charte des Nations Unies.

Art. 32. Les citoyens sont égaux devant la loi, sans que puisse prévaloir aucune discrimination pour cause de naissance, de race, de sexe, d'opinion ou de toute autre condition ou circonstance personnelle ou sociale.

Art. 34. Les institutions ont pour finalité d'assurer l'égalité en droits et devoirs de tous les citoyens et citoyennes en supprimant les obstacles qui entravent l'épanouissement de la personne humaine et empêchent la participation effective de tous, à la vie politique, économique, sociale et culturelle.

Art. 38. Les libertés fondamentales et les droits de l'Homme et du Citoyen sont garantis. Ils constituent le patrimoine commun de tous les algériens et algériennes, qu'ils ont le devoir de transmettre de génération en génération pour le conserver dans son intégrité et son inviolabilité.

Art. 39. La défense individuelle ou associative des droits fondamentaux de l'Homme et des libertés individuelles et collectives est garantie.

Art. 40. L'État garantit l'inviolabilité de la personne humaine. Toute forme de violence physique ou morale ou d'atteinte à la dignité est proscrite. Les traitements cruels, inhumains ou dégradants sont réprimés par la loi.

Art. 41. Les infractions commises à l'encontre des droits et libertés, ainsi que les atteintes physiques ou morales à l'intégrité de l'être humain sont réprimées par la loi.

b. Au niveau international

La Constitution de 1996 a été adoptée dans un contexte de grave crise politique interne afin de légitimer le pouvoir politique après l'interruption du processus électoral en décembre 1991. Il a fallu attendre les événements d'octobre 1988, qui ont débouché sur une ouverture vers le multipartisme en 1989, pour que l'Algérie accélère le processus d'adhésion aux conventions internationales relatives aux droits de l'homme. Les questions touchant le droit international ne faisaient guère partie des préoccupations du constituant de 1996. A ce sujet, si l'on veut résumer la position actuelle de l'Algérie à l'égard du droit international et a fortiori à l'égard de ses sources, telle qu'elle ressort des dispositions constitutionnelles et de sa positon prônée et défendue devant les différentes instances internationales, deux constats s'imposent.

D'une part, l'Algérie exprime un fort attachement aux règles conventionnelles. S'agissant d'un État qui glorifie la souveraineté et apprécie le droit international à sa lumière, il va de soi que le traité va remporter son adhésion et occuper ainsi une place de choix. Et ce, pour la simple raison qu'il valorise la souveraineté et la volonté étatique dans la mesure où les obligations ne lient, en principe, l'État que se elles ont été librement consenties. D'autre part, l'Algérie manifeste de la méfiance envers les autres sources du droit international, notamment la coutume internationale et les principes généraux du droit international. On ne peut prétendre que l'Algérie les rejette en bloc –d'ailleurs ces normes sont souvent opposables à l'État indépendamment de l'expression explicite de sa volonté– mais elle préfère ne pas déclarer solennellement son adhésion et réaliser plutôt un choix sélectif[3].

Au regard de cet état de fait, on peut remarquer que l'attachement de l'Algérie aux normes conventionnelles se manifeste clairement dans le domaine des droits de l'homme. Elle est aujourd'hui partie à la plupart des conventions internationales en la matière. Cependant, rappelons que, bien qu'elle ait montré tant d'attachement aux droits de l'homme durant sa guerre de libération nationale, l'Algérie n'a ratifié ces conventions que très tardivement. Ces conventions offrent, le plus souvent, plus de garanties et une meilleure protection que les textes d'origine interne. Sous cet angle, la reconnaissance de la primauté du traité sur la loi et la prévention du conflit entre le traité et la constitution, traité inséré dans l'ordre interne, c'est-à-dire dans un ensemble de normes hiérarchisées, pose toujours le problème de la place qu'il doit y occuper. La solution en Algérie a connu une évolution importante.

Il a fallu attendre la Constitution de 1989 pour que le principe de la supériorité des traités sur les lois soit consacré. En effet, l'article 123(devenu article 132 dans la Constitution de 1996) dispose clairement que *«Les traités ratifiés par le Président de la République dans les conditions prévues par la Constitution, sont supérieurs à la loi»*. La rigueur et la clarté de cet article dispensent, à vrai dire, de tout commentaire, toutes les ambiguïtés et les incohérences étant ainsi levées.

La Constitution de 2016, actuellement en vigueur, n'apporte aucun changement par rapport à la précédente. Concernant la supériorité des

3. ABDERREZAK SEGHIRI, «Les instruments Conventionnels de protection des Droits de l'homme dans l'ordre juridique algérien: Evolution textuelle et stagnation factuelle», dans A.A. YUSU (éd.), African Yearbook of international Law, (2012), pp. 321-351, at. 323.

traités sur les lois, dans son article 150 elle stipule: «*Les traités ratifiés par le Président de la République, dans les conditions prévues par la Constitution, sont supérieurs à la loi*». Cette disposition reprend la substance de l'article 132 de la Constitution précédente. Le Conseil constitutionnel ne s'est prononcé sur le statut des traités en droit interne qu'une seule fois, dans sa première décision, la décision n° 1-D-L-CC du 20 août 1989 relative au Code électoral. Dans un considérant de cette décision, le Conseil constitutionnel a jugé «*qu'après sa ratification et dès sa publication, toute convention s'intègre dans le droit national et en application de l'article 123 de la Constitution, acquiert une autorité supérieure à celle des lois, autorisant tout citoyen algérien de s'en prévaloir devant les juridictions*», Le Conseil ajoute que «*tel est le cas notamment des Pactes des Nations Unies de 1966 approuvés par la loi 89-08 du 25 avril 1989 et auxquels l'Algérie a adhéré par décret présidentiel n° 89-67 du 16 mai 1989, ainsi que la Charte africaine des droits de l'homme et des peuples ratifiée par décret n° 87-37 du 3 février 1987*».[4] Dans cette décision du 20 août 1989, en s'appuyant notamment sur l'interdiction de la discrimination qui figure dans la Constitution et dans les conventions internationales précitées ratifiées par l'Algérie, le Conseil constitutionnel a censuré l'exigence de la nationalité d'origine pour les candidats aux élections législatives que prévoyait la loi électorale déférée.

Le Gouvernement se réfère à cette décision dans le 3ème rapport périodique qu'il a adressé en novembre 2006 au Comité des droits de l'homme (§ 44) ce qui montre que la solution qu'elle édicte reflète encore aujourd'hui le droit constitutionnel positif. Cette décision est importante car elle confirme 4 éléments:

- L'incorporation dans le droit national des conventions ratifiées par l'Algérie dès leur publication, elle doit être publiée. Même si le Conseil constitutionnel n'a pas précisé où la publication de la norme internationale doit se faire, il est entendu qu'elle doit l'être dans le Journal officiel à l'instar de la loi selon l'article 4 du code civil algérien.
- L'intégration des traités, dépend de l'expression «*qu'après sa ratification et sa publication, toute convention s'intègre dans le droit national*» et les dispositions de la Convention internationale sont directement applicables dans l'ordre juridique interne sans que ses conditions

4. Le décret n°87-37 du 3 février 1987 portant ratification de la Charte africaine des droits de l'homme et des peuples adoptée à Nairobi le 3 févier 1987. Dans ce cadre, signalons le décret présidentiel n° 03-90 du 3 mars 2015 portant ratification du protocole relatif à la Charte africaine des droits de l'Homme et des peuples portant création d'une Cour africaine des droits de l'homme et des peuples adoptée à Ouagadougou (Burkina Faso) en juin 1998 p. 3, Jora n°15 du 5 mars 2015, p. 3.

d'application ne soient définies préalablement par une réglementation nationale.

- La supériorité de ces traités par rapport aux lois et, a fortiori, par rapport aux actes de rang réglementaire.
- L'invocabilité de ces conventions[5] devant les juridictions algériennes, en particulier le Pacte international relatif aux droits civils et politiques et la Charte africaine des droits de l'homme et des peuples.

Ainsi, la contrariété d'un traité par rapport à la Constitution est résolue par l'article 190 de la Constitution de 2016 qui dispose: «*Lorsque le Conseil constitutionnel juge qu'un traité, accord ou convention est inconstitutionnel, sa ratification ne peut avoir lieu*». Cette disposition semble donc résoudre la question de la place des normes conventionnelles au sein de la hiérarchie des normes en Algérie. On s'est ainsi aligné sur une solution largement reconnue dans les différents systèmes juridiques soit dans les textes, soit dans la jurisprudence. En effet, c'est dans toute sa première décision du 20 août 1989 relative au code électoral que le Conseil constitutionnel a affirmé sa compétence pour contrôler la conformité des lois aux traités, alors que le texte constitutionnel n'avait rien prévu à cet égard.

Il est important de souligner que le juge constitutionnel n'a pas été saisi pour se prononcer sur la conformité de la loi électorale à certains traités ratifiés par l'Algérie, mais plutôt pour se prononcer sur la constitutionnalité de ladite loi. C'est en réalité incidemment que le Conseil s'est prononcé sur la question. De fait, saisi par le Président de la République sur la base de l'article 190 de la Constitution de 2016 qui lui attribue expressément le pouvoir de se prononcer sur la constitutionnalité des traités, des lois et des règlements, le Conseil constitutionnel n'a fait au début qu'exercer cette compétence reconnue par la Constitution[6].

Tout d'abord, il définit la procédure d'intégration des traités dans l'ordre interne (ratification et publication), créant là un nouveau régime juridique et, ensuite, il poursuit son raisonnement en se basant sur l'article 150 de la Constitution de 2016 consacrant la supériorité des traités sur les lois. Dans ce sens, il tire ainsi la première conséquence en considérant que tout

5. S'agissant de l'invocabilité, il semblerait qu'au moins une disposition ait pu être invoquée avec succès devant les juridictions algériennes si l'on en croit l'exemple donné par les Observations finales de novembre 2007 du Comité des DH. Il s'agit de l'article 11. La jurisprudence actuelle considère que le recours à la contrainte par corps introduit sur la base de l'article 407 par le Code de procédure civile est contraire à l'article 11 du Pacte. Pour autant, il n'y a pas d'obligation pour les autorités en droit interne, d'abroger une disposition du droit interne contraire aux engagements conventionnels de l'Algérie.
6. ABDERREZAK SEGHIRI, «Les instruments conventionnels de protection des Droits de l'homme dans l'ordre juridique algérien...», cit., p. 338.

citoyen algérien est désormais autorisé à se prévaloir devant les juridictions nationales ordinaires d'une convention internationale et des dispositions de tout traité, dont les conditions d'intégration sont satisfaites, et particulièrement des traités relatifs aux droits de l'homme ratifiés par l'Algérie au détriment d'une loi algérienne dont les dispositions lui seraient contraires, étant donné, qu'elle lui est supérieure en vertu de la constitution.

En effet, la Constitution donne clairement et expressément la primauté de la Convention internationale ratifiée sur la loi algérienne si, bien sûr, ses dispositions lui sont contraires, et le Conseil constitutionnel a invité depuis sa décision précitée de 1989, tout citoyen algérien à se prévaloir de cette règle constitutionnelle devant les juridictions algériennes. Il faut souligner que le Conseil constitutionnel a un précédent contrôle uniquement sur le traité constitutionnel conformément à l'article 186 de la Constitution 2016, qui dispose que le Conseil constitutionnel se prononce par avis sur la constitutionnalité des traités, lois et règlements.

La loi n°16-01 après avoir posé la condition préalable exigée pour la ratification du traité, de l'accord, de la convention, à savoir sa conformité avec la Constitution déclarée comme telle par le Conseil constitutionnel,[7] dispose dans son article 191 que «*Lorsque le Conseil constitutionnel juge qu'une disposition législative ou réglementaire est inconstitutionnelle, celle-ci perd tout effet du jour de la décision du Conseil constitutionnel.*

Lorsqu'une disposition législative est jugée inconstitutionnelle sur le fondement de l'article 188 ci-dessus, celle-ci perd tout effet à compter du jour fixé par la décision du Conseil constitutionnel.

Les avis et décision du Conseil constitutionnel sont définitifs. Ils s'imposent à l'ensemble des pouvoirs publics et aux autorités administratives et juridictionnelles».

En conséquence, le juge algérien est autorisé et voire même tenu de trancher en faveur de l'application d'une convention internationale ratifiée au détriment de la loi algérienne dont les dispositions lui seraient contraires. Et s'il refuse alors qu'un moyen est soulevé dans ce sens de façon claire et expresse, sa décision est susceptible des voies de recours en vigueur. Le dernier mot va revenir, si elles sont saisies aux Hautes juridictions chargées de veiller à l'unification de la jurisprudence et au respect de la loi.

c. *Au niveau interne*

Au niveau interne, les droits de l'homme restent l'apanage de l'État aidé sur le plan consultatif par la Commission Nationale Consultative de

7. Article 190 de la loi n° 16-01 stipule: «Lorsque le Conseil constitutionnel juge qu'un traité, accord ou convention est inconstitutionnel, sa ratification ne peut avoir lieu».

la Protection et de la Promotion des Droits de l'Homme (CNCPPDH). Il s'agit d'une institution nationale de promotion et de protection des droits de l'Homme. Elle assure, auprès du Gouvernement, un rôle de conseil et de proposition dans le domaine des droits de l'homme, du droit et de l'action humanitaire et du respect des garanties fondamentales accordées aux citoyens pour l'exercice des libertés publiques[8].

Par ailleurs, les ONG à dimension nationale doivent être agréées par le ministère de l'Intérieur qui a justement autorisé de nombreuses ONG de défense des droits de l'homme depuis la Constitution de 1989. Parmi les plus actives, nous pouvons citer la Ligue Algérienne des Droits de l'Homme (LADH) qui est affiliée à la Fédération internationale des droits de l'homme et la section algérienne d'Amnesty Internationale. Il y a également le Comité international pour la paix, les droits de l'homme et la démocratie. D'autres organisations agissent pour la promotion et la défense des droits de la femme telle que Voix de femmes et Tighri N'Tmatouth (Cris de femmes). Le but de l'Algérie à travers ce dispositif de promotion et de protection des droits de l'homme a été engagé afin:

- D'améliorer son classement en termes d'application des droits de l'homme;
- D'adapter et d'harmoniser ses lois internes dans les différents secteurs en matière de droits de l'homme par rapport aux normes internationales régissant les droits de l'homme;
- D'insérer les clauses relatives aux droits de l'homme dans des lois où il y a un déficit;
- De créer un climat favorable de stabilité, de paix et de coopération pour les investissements étrangers;
- De faire des droits de l'homme un préalable de développement durable, de la démocratie de la gouvernance et de la sécurité humaine.

Des plans et des programmes liés à la promotion et la protection des droits de la femme ont été mis en marche. Selon les informations recueillies auprès des différents acteurs institutionnels et non institutionnels, la femme a bénéficié au cours des dernières années de nombreux programmes de développement, qui ont contribué pleinement à son épanouissement. Parmi ces programmes, on relève, notamment:

- La stratégie nationale pour la promotion et l'intégration de la femme (2008- 2014), qui vise le renforcement de l'équité et de l'égalité constitutionnelle, afin d'assurer aux femmes une autonomisation et

8. *Vid.* les références sur le site officiel: *http://www.cncppdh-algerie.org*; dernière visite: août 2016.

de consolider leur rôle dans le développement socioéconomique du pays;

- Le plan d'action national pour la promotion et l'intégration de la femme (2010-2014) qui vise à promouvoir le rôle des femmes dans la vie politique et dans le processus de développement économique et social du pays;
- La stratégie nationale de lutte contre la violence à l'égard des femmes adoptée par le gouvernement en 2007 est mise en œuvre par des institutions et organismes de l'État, les acteurs de la société civile et le mouvement associatif.

Dans ce cadre, un dispositif d'écoute, d'orientation et de réinsertion a été mis en place au niveau des 48 wilayas pour une prise en charge médico-psychologique et un accompagnement juridique des femmes victimes de la violence ainsi qu'une formation professionnelle visant leur insertion socioéconomique. Ainsi, 1.631 femmes victimes de violence ont bénéficié d'une prise en charge. Les associations actives dans ce domaine contribuent également au soutien de cette catégorie à travers les 07 centres d'écoute et d'accueil implantés dans 05 wilayas.

Ce que les organismes civils des droits de l'homme et les ONG reprochent à l'Algérie est la faible exécution des lois ratifiées. Ceci débouche sur un décalage entre la prise en charge résidentielle de la jeune fille et de la femme en difficulté:

- Le secteur dispose de 2 centres nationaux d'accueil pour jeunes filles et femmes victimes de violences et en situation de détresse, implantés à Bou Ismail et Mostaganem. Le nombre global des femmes prises en charge au niveau de ces deux centres est de 280 femmes durant l'année 2012 et 157 femmes au mois septembre 2013. Deux (2) autres centres sont en développement à Annaba et Tlemcen tandis qu'un troisième est en phase d'étude et son implantation est prévue dans la wilaya de Tizi Ouzou.
- Mise en place d'une commission nationale chargée du suivi de la mise en œuvre de la stratégie nationale de lutte contre la violence à l'égard des femmes: Cette commission nationale a été constituée le 25 novembre 2013.
- Mise en place d'un comité national de coordination de la décennie des femmes africaines (2010-2020): ledit Comité a été constitué en juillet 2013 à l'occasion de la célébration de la Journée panafricaine des femmes.

Toutefois, les rapports annuels de la CNCPPDH ainsi que les recommandations de la LADH par rapport aux pratiques réelles des droits de l'homme en Algérie démontrent qu'il y a un fléchissement et une faible consécration des droits sur le plan national d'où un mouvement de revendications interne dans les différentes communautés de la société civile. Par ailleurs, le déficit démocratique a eu un impact négatif sur le développement des droits de l'homme en Algérie.

La réalité et les textes

Malgré les efforts d'adhésion, d'insertion et de réadaptation fournis par l'Algérie, les activités de la société civile restent non-structurées et non-organisées. Le politique l'emporte sur le social, le civil et le culturel ce qui incombe à l'ère de l'État-Providence.

Aux yeux de la Commission nationale, le travail des femmes en Algérie demeure un enjeu important pour l'économie algérienne. Les pouvoirs publics en ont conscience puisqu'ils ont débloqué, selon les données recueillies, 10 milliards de dinars (95 millions d'euros) pour la période 2009-2014 afin d'aider les femmes, notamment, au niveau des zones rurales, à s'insérer dans la vie professionnelle. De nombreuses associations se sont donné le même objectif.

La Commission Nationale,

- se félicite des efforts consentis par les pouvoirs publics ainsi que des procédés suivis. Ainsi, outre les actions sus-énumérées en matière d''intégration de la femme dans les zones rurales, le gouvernement a constitué une commission nationale pour la promotion de la femme rurale en octobre 2012. De même, 87.598 femmes avaient bénéficié, pour la seule année 2012, du dispositif de micro crédit sur un nombre global de projets de 146.427 soit plus de 60%. Enfin 92.950 femmes s'étaient inscrites aux cours d'alphabétisation.
- relève la prise de conscience du mouvement associatif dans le processus de développement en milieu rural qui s'est matérialisée dans la constitution en réseau de huit associations nationales et dix associations locales pour conjuguer leurs efforts et accompagner la mise en œuvre de la politique de renouveau rural et son outil d'intervention;
- estime que l'expérience algérienne en la matière est relativement récente, et que son impact ne peut être apprécié. Toutefois, il s'agit là d'une démarche novatrice, impliquant tous les secteurs et les associations. Elle tend à militer pour le respect de l'exercice du droit au développement des femmes en milieu rural et des femmes au foyer.
- estime que les actions entreprises sont certes louables, mais demeurent en deçà des besoins et des attentes des concernées et leurs résultats peu significatifs.

Par conséquent, il est impératif de prendre acte pour une orientation sociale, scientifique et culturelle plus adaptée aux domaines de l'environnement, la gouvernance, les technologies de l'information et de la communication, la Biotique, l'Enseignement Supérieur.

Parmi les problèmes rencontrés dans le dispositif interne, l'Algérie applique un processus long et non-performant. Elle enregistre une faible exécution des lois ratifiées ce qui donne un décalage entre la réalité et les textes. L'enjeu actuel est donc de concentrer les efforts sur la participation de tous les organes de l'État afin de réussir une régulation par consultation et de renforcer l'application des principes de gouvernance, de responsabilité participative et de transparence. Par ailleurs, une meilleure application de la réforme pourra se traduire par l'implémentation et l'empowerment.

En effet, actuellement la prise en charge de la question des droits de l'Homme au sein de la sûreté nationale figure au cadre des activités de la police judiciaire. La DGSN précise avoir entrepris de multiples actions et engagé de louables initiatives pratiques pour s'assurer du respect des droits de l'homme et des citoyens par l'ensemble de ses personnels dans le cadre de ses activités de police judiciaire. Cela s'est traduit par:

- l'observation stricte de la discipline et l'exécution conforme des lois et règlements. Toute inobservation dans ce cadre est passible d'une procédure disciplinaire, qui peut atteindre la radiation ou des poursuites par devant les instances judiciaires en cas d'actes réprimés par la loi;
- la prise de dispositions pratiques prises pour garantir le respect des droits de l'homme: organisation de cycles de formation de qualité au profit des personnels, un recrutement sélectif eu égard au nombre pléthorique de candidatures aux postes ouverts par la DGSN, l'apport de moyens scientifiques et techniques modernes destinés à en faciliter l'accomplissement et à les inscrire dans le strict respect de la loi;
- La prise en charge des volets socio-professionnels et de santé des personnels de la DGSN: réforme du cadre professionnel et satisfaction des différents besoins; assistance psychologique par la mise en place de cellules animées par des spécialistes en psychologie
- les dispositions pratiques garantissant les droits des personnes gardées à vue: garantir la préservation de leur dignité humaine, notamment par l'amélioration des conditions de la garde à vue, l'aménagement des lieux désignés à cet effet, la séparation entre les hommes et les femmes, les personnes majeures et mineures durant cette procédure et, enfin, l'affichage visible du document portant droits des gardés à vue,

– Rôle de la formation et de la préparation dans les domaines des droits de l'homme: programmation de l'enseignement des droits de l'homme comme matière à part entière dans toutes les écoles de police et particulièrement à l'attention des élèves de l'institut national de la Police criminelle, l'encouragement de la DGSN des bonnes initiatives visant la promotion des droits de l'Homme par la diffusion de publications d'orientation et de sensibilisation sur la question et, enfin, l'impression et la distribution de plus de 5.000 exemplaires d'un manuel portant sur les normes relatives aux droits de l'homme et leur application pratique, édité par le Haut-Commissariat aux droits de l'homme de l'ONU.

Selon le troisième rapport périodique publié par le Comité des droits de l'homme le 22 septembre 2006, «le Gouvernement algérien veille à la mise en œuvre d'un plan national destiné à consolider le respect des droits de l'homme constitutionnellement garantis. Ce plan national qui trace les contours d'une véritable politique de l'Algérie en la matière, réaffirme la détermination de l'État algérien à consolider les libertés et devoirs individuels et collectifs des citoyens, la promotion de la liberté d'expression en général et des acquis en matière de liberté de la presse en particulier. Il entend, également, s'atteler à la concrétisation graduelle des projets de réforme des missions et de l'organisation de l'État, le parachèvement de la réforme de la justice et celle de l'éducation nationale»[9].

Par conséquent, le processus des droits de l'homme peut être schématisé comme suit:

Droits de l'homme 1ère et 2ème génération	**I**	**3ème génération: Solidarité**	**II**	**Droits de l'homme et ABDH**	**III**
– De connotation politique – Orientés vers et par l'État – Absence de participation et d'adhésion – Stade de revendication de leur application – La consécration textes signés		– Difficile passage du stade de l'individuel au collectif		– Systématiques, – Indissociables – Changement de condition – Forte participation – Passage de sujet à acteur – Passage au-delà des besoins de la simple revendication – Capacitation – ABDH comme préalable conducteur des autres référents – Les ONG dénoncent la non-application, le non-respect	

Evolution: **I:** Fort. **II:** Faible. **III:** Absent.

9. *Vid.* UN Doc. CCPR/C/DZA/3, paragr. 20.

Les droits de l'homme de 1ère et 2ème générations sont fortement représentés en Algérie. Toutefois, les droits liés à la solidarité et aux droits collectifs sont faibles comparés à l'avantage donné aux droits individuels. De ce fait, les droits de l'homme forment un contenu de lois et de résolutions, une matière plutôt qu'un contenant ou un corps indépendant. Ceci s'explique par l'absence d'une approche basée sur les droits de l'homme.

1.1.2. L'État actuel de l'éducation aux droits de l'homme dans l'enseignement supérieur algérien

L'enseignement, en général, et l'enseignement supérieur en particulier sont parmi les priorités de l'État algérien. Depuis son indépendance, l'Algérie déploie des moyens considérables d'investissement pour répondre aux exigences de la formation et de la qualité et surtout de l'employabilité et de l'autonomisation. De ce fait, elle vient à l'avant-garde des pays arabes ayant ratifiés l'ensemble des conventions internationales sur les droits de l'homme. A cet effet, la culture de la démocratie et des droits de l'homme sont enseignés dans tous les établissements scolaires ainsi que dans toutes les institutions de l'enseignement supérieur.

Par ailleurs, l'Algérie envisage l'introduction des droits de l'homme dans les différentes disciplines spécialisées telles que le droit, la médecine, le journalisme, la sécurité, etc. Cette nouvelle vision pourrait participer à l'introduction d'une approche globale sur les droits de l'homme telle que l'ABDH.

Quelques données quantitatives peuvent illustrer le développement de l'enseignement supérieur en Algérie. L'université algérienne compte aujourd'hui «quatre-vingt-dix-sept établissements d'enseignement supérieur répartis sur quarante-huit wilayas. L'enseignement supérieur algérien représente quarante-huit universités, dix centres universitaires, vingt écoles nationales supérieures, sept écoles normales supérieures, douze écoles préparatoires et quatre classes préparatoires intégrées. On compte 1,33 million d'étudiants, encadrés par plus de 51.000 enseignants dont 15.500 de haut rang. L'université algérienne est aujourd'hui capable d'offrir une place à tous les jeunes qui terminent avec succès leurs études de secondaire et ceci d'une manière équitable dans toutes les régions du pays. A la fin de l'année universitaire écoulée, 284.700 étudiants obtenaient leur diplôme dont 190.000 licenciés. Parmi ces derniers, 142.000, soit 75%, pourront faire un master. En plus de l'augmentation de l'offre de places pédagogiques pour des formations plus longues et de haut niveau, l'université a axé ses efforts sur l'amélioration de l'encadrement. Dans le budget actuel, 1.000 nouveaux postes d'enseignants sont réservés en priorité au recrutement de maîtres assistants. 3.000 postes sont prévus pour 2014, grâce au reliquat du budget 2013, ainsi que 3.000 postes nouveaux au titre de l'exercice 2015. On arrive à un taux d'encadrement élevé d'un enseignant pour 22 étudiants, comparable à celui de certains pays développés»[10].

L'article 53 de la constitution stipule que

- Le droit à l'enseignement est garanti;
- l'enseignement est gratuit dans les conditions fixées par la loi;
- l'enseignement fondamental est obligatoire;
- l'État organise le système d'enseignement;
- l'État veille à l'accès dans des conditions d'égalité à l'enseignement et à la formation professionnelle.

L'enseignement supérieur algérien est gratuit ainsi que les œuvres universitaires qui sont mises à disposition des étudiants afin de garantir les meilleures conditions d'une formation de qualité. La loi n° 99-05 du 04 Avril 1999 porte sur l'orientation de l'enseignement supérieur.

Art 4: «Le service public de l'enseignement supérieur garantit à l'enseignement supérieur les conditions d'un libre développement scientifique créateur et critique».

– L'enseignement supérieur tend à l'objectivité du savoir et respecte la diversité des opinions.

Art 42/4: «La mission de formation technique d'un niveau supérieur prise en charge par des personnes morales de droit privé obéit à des conditions dans notamment:

4. le contrôle, le suivi et l'évaluation par le ministre chargé de l'enseignement supérieur».

Ces mesures sont, par ailleurs liées à la transparence dans les institutions de l'enseignement supérieur.

Depuis l'année 2004-2005, l'Algérie a entrepris une réforme de l'enseignement supérieur basée sur l'introduction du LMD (Licence, Master, Doctorat) et sur le système des ECTS développé en Europe en 1999. À travers cette réforme, quatre grands défis ont été relevés: la démocratisation de l'accès à l'enseignement supérieur, l'algérianisation du système d'enseignement afin de l'adapter aux besoins spécifiques du pays, l'arabisation, qui, souvent critiquée à cause de la baisse du niveau des étudiants, a été le reflet de la concrétisation de l'État-Nation depuis l'indépendance du pays, et l'orienta-

10. BOUALEM TOUARIGHT, *Une avancée à grands pas Université algérienne*, Revue *El-Djazair.com*, Numéro 80, Novembre 2014.

tion scientifique et technique afin d'harmoniser les contenus de la formation sur les besoins et les changements socio-économiques dans le monde[11]. C'est justement dans ce contexte favorable que peut être envisagée l'introduction de l'approche basée sur les droits de l'homme.

1.1.3. Analyse AFOM basée sur les critères nationaux

Le but de l'analyse AFOM est de mesurer le degré de présence des droits de l'homme au niveau national ainsi que celui de l'Approche Basée sur les Droit (ABDH) dans les pratiques quotidiennes. Trois niveaux d'analyse ont été établis sur cinq axes de recherche pour deux dimensions nationales.

La première étape de l'analyse s'est faite par le biais de l'analyse documentaire des textes relatifs aux droits de l'homme au niveau constitutionnel, international et interne. Un focus group aglutinant la société civile, les autorités, les journalistes, les ONG, etc. a également été convoqué pour discuter des finalités relevant du domaine de l'exécution et de la pratique des droits de l'homme et mesurer le degré de corrélation entre le formel et l'informel ainsi que calculer le pourcentage du décalage entre le texte et la pratique. L'analyse AFOM des deux dimensions nationales a été poursuivie comme suit:

Étude des atouts: Nous avons procédé à l'identification des atouts qui représentent les aspects positifs internes déjà présents et pratiqués relatifs aux droits de l'homme et sur lesquels nous pouvons bâtir notre conception de l'ABDH.

Étude des faiblesses: Notre identification des faiblesses consistait en l'opposition de celles-ci aux atouts afin de déterminer les aspects négatifs par rapport à la présence ou l'absence des textes explicites sur les droits de l'homme ainsi que leur degré de «non-application» sur le terrain. L'identification de ces aspects négatifs internes nous a permis d'analyser la marge de possibilités d'améliorer cet indicateur.

Étude des opportunités: Dans ce contexte, nous avons essayé de déterminer les possibilités externes positives aidant à l'introduction de l'ABDH. Ces opportunités nous permettent donc de tirer profit de la situation externe, entre autre des réformes entreprises dans le monde dans le secteur socio-économique afin de minimiser les faiblesses et de renforcer les atouts.

11. *Cfr.* MINISTÈRE DE L'ENSEIGNEMENT SUPÉRIEUR ET DE LA RECHERCHE SCIENTIFIQUE, L'enseignement supérieur et la recherche scientifique en Algérie, 50 années au service du développement 1962-2012, 2012 Disponible sur: *https://www.mesrs.dz/documents/12221/189730/50-fr.pdf/e6776c03-a0f2-486a-8cd9-bf956b721b4b*

Étude des menaces: Nous avons tenté de déterminer les problèmes, les limitations et les obstacles externes qui échappent à notre contrôle quant à l'application de l'ABDH.

L'objectif de l'analyse AFOM est de parvenir à démontrer qu'au niveau national, et par une approche basée sur les droits de l'homme, nous réussirons à mettre les instruments découlant de l'étude des atouts, des faiblesses, des opportunités et des menaces au centre des débats sur le développement national, et de préciser les objectifs de l'introduction de l'ABDH dans le développement de capacités.

Tableau 1. Élaboré à partir de la documentation sur les dimensions nationales 1 et 2

	Positifs	**Négatifs**
	Atouts	**Faiblesses**
Facteurs internes	1. L'existence d'une législation en faveur des droits de l'homme. 2. Ratification de tous les traités Internationaux. 3. Une forte participation de la femme. Droit de la femme. 4. La présence des ONG, et notamment, de la Commission Nationale Consultative de la Protection et de la Promotion des Droits de l'Homme (CNCPPDH). 5. La constitution algérienne est conforme à la Déclaration des droits de l'homme.	1. Les droits de l'homme ont une connotation politique. 2. L'arsenal juridique relatif aux droits de l'homme est très épars. 3. Très faible coordination avec la Société civile. 4. Gestion bureaucratique. 5. Décalage entre les textes et la pratique.
	Opportunités	**Menaces**
Facteurs externe	1. État signataire de la Déclaration universelle des DH et de presque tous les traités internationaux. 2. L'intégration dans le processus des réformes internationales. 3. La stabilité économique L'expérience de l'État en matière et de protection des DH. La participation aux rapports annuels sur les droits de l'homme.	1. Absence totale de l'ABDH 2. Absence de participation et d'adhésion. 3. Influences externes sur le rôle de la femme dans la société plurielle. 4. L'autonomie universitaire est relative et insuffisante. 5. La femme dans la société plurielle. 6. L'autonomie universitaire est relative et insuffisante. 7. Influence culturelle sur les principes universels des droits de l'homme.

Le tableau précédent détermine les éléments positifs et négatifs d'ordre interne et externe relatifs aux conditions d'introduction de l'ABDH en Algérie. La corrélation entre ces différents facteurs peut être faite comme suit:

Tableau 2. Relation entre les différents facteurs de l'analyse AFOM

	Positifs	Négatifs	Examiner en quoi les atouts permettent de maîtriser les faiblesses
	Atouts	**Faiblesses**	
Facteurs internes	**Comment maximiser les atouts?** **1.** Veiller à ce que les textes juridiques soient respectés par leur application. **2.** Elargir le champ d'action des ONG.	**Comment minimiser les faiblesses?** **1.** Travailler en étroite collaboration avec les ONG et la société civile. **2.** Utiliser les normes de transparence afin d'éliminer toute forme de bureaucratie.	1. Une meilleure application des lois permet d'établir l'équilibre et la justice sociale. **2.** Les atouts nous permettent d'aller des droits de l'homme vers l'ABDH.
	Opportunités		
Approche externe	**Comment maximiser les opportunités?** **1.** Utiliser la reconnaissance du droit de participation à la gouvernance afin de parvenir à aligner les règles internes sur les conventions externes.	**Comment utiliser les atouts pour tirer parti des opportunités?** **1.** La législation algérienne est conforme à la déclaration des droits de l'homme. **2.** Utiliser l'article 123 de la constitution qui stipule que les traités ratifiés sont supérieurs à la loi afin d'encourager l'application des droits de l'homme. **3.** L'appui au gouvernement pour l'élaboration de ces rapports servira d'exercice de développement de l'ABDH.	**Comment corriger les faiblesses en tirant parti des opportunités?** En étant embre des différentes organisations internationales pour la protection et la promotion des droits de l'homme, les rapports annuels présentés par l'Algérie permettent de faire le bilan des faiblesses et de les éliminer tout en s'appuyant sur la volonté interne.
	Menaces		
	Comment minimiser les menaces ? **1.** Les menaces externes peuvent être minimisées en révisant la manière dont les droits de l'homme sont introduits.	**Comment utiliser les atouts pour réduire les menaces?** **1.** L'application de la législation nationale dans toutes les sphères des droits de l'homme signifierait l'introduction de l'ABDH.	**Comment minimiser les faiblesses et les menaces?** **1.** Renforcer la législation en faveur des droits de l'homme afin d'apporter plus de transparence.

	Positifs	Négatifs	Examiner en quoi les atouts permettent de maîtriser les faiblesses
	Atouts	Faiblesses	
	Menaces		
Approche externe	**2.** Les droits de l'homme doivent être un contenant plutôt qu'un contenu. **3.** Introduire les droits de l'homme sous forme de référent afin d'assurer la transition vers l'ABDH.	**2.** La participation de la femme dans les organes institutionnels permet de lutter contre toute forme de discrimination liée à la culture.	**2.** L'ABDH doit assurer la transition des droits classiques aux droits postmodernes. **3.** Faire de l'ABDH un préalable du développement de la démocratie participative et de la sécurisation.

1.1.4. Résultats et bonnes pratiques

L'analyse AFOM au niveau national nous a permis de concevoir un aspect critique quant à la place des droits de l'homme et de l'approche basée sur les droits dans la législation algérienne.

La législation algérienne est à faveur des droits de l'homme. Toutefois, l'arsenal juridique est très épars et ne constitue pas une fin en soi. Dans ce contexte, les défis à relever sont d'ordre interne et externe. Il faudra tenir compte des performances en précisant les valeurs, les doctrines, les études menées sur les droits de l'homme ainsi que le degré d'application des textes dans la pratique. Pour réussir une telle approche, il est important de faire un diagnostic complet, une analyse globale sur la gouvernance, le développement durable ainsi que sur la spécificité de l'Algérie et de ses attentes.

Les activités internationales de l'Algérie par rapport aux droits de l'homme reposent sur les différentes conventions ratifiées dans ce domaine. Cependant, en dépit des cadres législatifs solidement mis en place au niveau national et international, certains groupes sociaux sont encore régulièrement exposés au risque de voir leurs droits violés à cause d'un décalage flagrant entre texte et pratiques par rapport aux droits de l'homme. L'introduction d'une approche basée sur les droits impliquera la mise en place d'un cadre conceptuel permettant de comprendre les causes du (non) respect des droits de l'homme.

Matérialiser les principes de l'ABDH permettra de minimiser les aspects bureaucratiques et de renforcer les processus de participation, d'inclusion, d'égalité, de transparence, de non-discrimination et de redevabilité qui orientent l'élaboration de la formation des formateurs. Ainsi les défis du développement de la relation entre le citoyen et l'État feront l'objet de revendication des droits et des devoirs de chacun.

Afin de minimiser les faiblesses internes et les menaces externes, il est nécessaire de travailler sur la responsabilité, l'indivisibilité et la participation des pouvoirs publics. La responsabilité implique le rôle de l'État d'assumer à tous les niveaux les obligations envers les membres de la société. L'indivisibilité signifie l'indissociation des droits ce qui implique la mise en place d'une politique intersectorielle intégrée et holistique pour la satisfaction des droits humain liés à la santé, l'éducation, etc. La participation est réussie quand les bénéficiaires visés –les individus et l'État– participent à sa conception, à sa mise en œuvre et à son évaluation. Dans l'analyse des deux dimensions nationales, nous avons remarqué une forte concentration de l'État et une faible participation de la base surtout dans les systèmes de nomination et d'élection. L'autonomie est un élément clé de l'approche basée sur les droits de l'homme. Ainsi, l'autonomisation des individus et des institutions publiques est à la fois un objectif et un moyen de concrétiser les droits de l'homme en Algérie.

Pour clore l'analyse nationale, nous résumons nos résultats en quatre simples questions:

- **Que se passe-t-il au niveau de l'application des droits de l'homme en Algérie ?** L'Algérie intègre les notions du respect des droits de l'homme dans tous les textes de la constitution et de la législation. Au niveau international, elle a ratifié toutes les conventions relatives au respect des droits de l'homme et stipule dans l'article 123 de la constitution que les traités ratifiés sont supérieur à la loi. Toutefois, l'absence d'une approche basée sur les droits ne permet pas de corriger les faiblesses relevées touchant particulièrement l'égalité entre les sexes, la reconnaissance des minorités, les problèmes liés à la bureaucratie, l'inégalité des chances, l'autonomie des organes administratifs, etc.
- **Pourquoi ?** La cause directe des atteintes aux droits de l'homme est manifeste dans l'absence d'un dispositif de développement durable dans le pays en matière de droits de l'homme. Partant du principe critique sur l'opposition classique *hard-law, soft law* entre, d'un côté, la régulation publique largement associée au droit (*hard law*) et, de l'autre, les mécanismes de régulation privés (*soft law*), les abus ou les violations des DH sont dus totalement ou en partie au facteur d'impunité.
- **Qui a l'obligation ?** Afin de réussir l'introduction et l'application de l'ABDH, il est du devoir de toute la société de prendre part aux procédures de changement. La responsabilité est, à la fois, individuelle et institutionnelle. La participation individuelle de la société civile, des ONG et des individus permet de participer à la prise de conscience

des enjeux de l'infraction aux droits de l'homme. Un processus volontaire de soft-law participe à la définition des lignes directrices de la protection des droits de l'homme. Par ailleurs, il est aussi nécessaire que les obligations institutionnelles soient assumées par l'État afin d'éviter que l'universalité, l'indivisibilité et l'inconditionnalité des DH soient compromises par certains engagements volontaires.

- **Quelles sont les capacités nécessaires ?** L'Algérie détient l'arsenal juridique nécessaire pour permettre la mise en place de dispositifs d'intégration de l'ABDH. Par ailleurs, les réformes entreprises au niveau institutionnel permettent de mettre l'accent sur la pertinence de l'introduction de l'ABDH. Les compétences, les aptitudes et les ressources sont présentes. La motivation des parties prenantes existe. Toutefois, il est nécessaire de traduire ces capacités par une volonté de l'État d'élaborer une stratégie de développement durable des droits de l'homme. L'effort apporté par le projet ABDEM pourra servir de dossier ressource pour la formation en approche basée sur les droits de l'homme.

1.2. UNIVERSITÉ MOHAMED LAMINE DEBAGHINE –SÉTIF 2–

1.2.1. Présentation de l'Université

L'université Mohamed Lamine Debaghine –Sétif 2– est le résultat de la division de l'université Ferhat Abbas, créée selon le décret exécutif n° 89-140 du 1er août 1989, en deux Institutions indépendantes de l'enseignement supérieur, Sétif 1 et Sétif 2. Cette division a été imposée par plusieurs facteurs, entre eux la difficulté de gérer une université de plus de 60 mille étudiants, de plus de 2000 enseignants et de 2000 employés, répartis sur de vastes espaces à différents endroits dans la ville. Cette dernière accueille désormais deux universités: L'université de Sétif 1 à l'Est et l'université Sétif 2 à l'Ouest. (Mot du Recteur, site de l'université Sétif 2).

L'université de Sétif2 se caractérise par sa vocation en sciences humaines, au sens le plus large du terme, et elle aspire à accomplir les tâches suivantes de formation supérieure, de recherche scientifique et de développement technologique.

a) dans le domaine de la formation:
   - Enseigner les méthodes de recherche et mise à niveau de la formation;
   - promouvoir les filières des langues et des sciences humaines;
   - contribuer à la production et la diffusion du savoir et de la science;
   - participation à la formation continue.

b) dans le domaine de recherche scientifique:
   - contribuer à l'effort national de recherche scientifique et de développement technologique;
   - participer à une production scientifique dans le domaine des sciences humaines et sociales;
   - contribuer à la promotion et la diffusion de la culture nationale;
   - soutenir les capacités scientifiques nationales.;
   - évaluer des résultats de la recherche et de la diffusion de l'information scientifique et technique.

Structure de l'Université

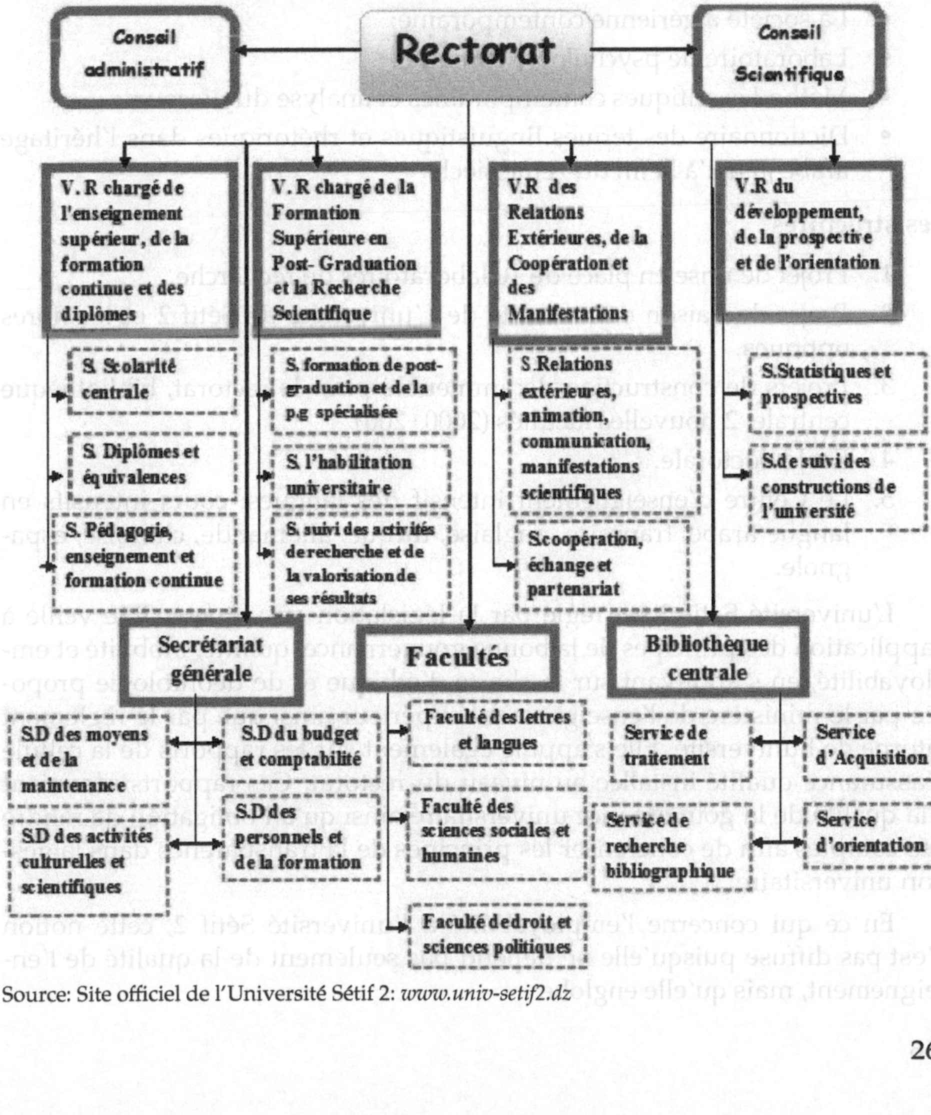

Source: Site officiel de l'Université Sétif 2: *www.univ-setif2.dz*

Effectifs de l'université pour la rentrée universitaire 2014-2015: Les projets pédagogiques

1. Nombre d'étudiants: 5000 nouveaux bacheliers; étudiants gradués: 4800. Total: 20.000 étudiants.

2. Ouverture de 10 nouvelles spécialités. Les spécialités existante sont au nombre de 30. Total: 40 Spécialités.

3. Recrutement de 34 professeurs. Nombre de professeurs existants: 600. Total 634 Professeurs.

4. L'ouverture de 2 laboratoires de recherche. Laboratoires existants:

- Études et recherches sur les droits de l'homme;
- La société algérienne contemporaine;
- Laboratoire de psychologie clinique;
- Méthodes critiques contemporaines et analyse du discours;
- Dictionnaire des termes linguistiques et rhétoriques dans l'héritage arabe jusqu'à la fin du 7ème siècle.

Les structures

1. Projet de mise en place de 10 laboratoires de recherche.
2. Projet de liaison entre le site de L'université de Sétif 2 et les fibres optiques.
3. Projets de construction de: immeuble pour le rectorat, bibliothèque centrale, 2 nouvelles facultés (2000+200).
4. École doctorale.
5. Le Centre d'enseignement intensif des langues: cours intensifs en langue arabe, française, anglaise, turque, allemande, chinoise, espagnole.

L'université Sétif 2 est régie par la législation en vigueur. Elle veille à l'application des principes de la bonne gouvernance, qualité, mobilité et employabilité, en s'appuyant sur la charte d'éthique et de déontologie proposée par le ministère de l'enseignement supérieur ainsi que par le règlement interne de l'université. Elle s'appuie également sur les rapports de la cellule d'assurance qualité installée au niveau du rectorat. Ces rapports renvoient à la qualité de la gouvernance universitaire ainsi qu'à l'obligation de rendre des comptes afin de concrétiser les principes de la transparence dans la gestion universitaire.

En ce qui concerne l'employabilité à l'université Sétif 2, cette notion n'est pas diffuse puisqu'elle ne dépend pas seulement de la qualité de l'enseignement, mais qu'elle englobe:

Des facteurs externes du marché du travail. Pour réunir toutes les conditions propices de projection de l'état des besoins du marché en termes de profils demandés, et d'ajuster les programmes de formation académique, il est nécessaire de renforcer la concertation entre les décideurs économiques et le monde académique[12]. A cet effet, l'université Sétif 2 œuvre à consolider ces relations internationales pour développer des projets en harmonie avec les exigences nationales actuelles et répondre ainsi aux enjeux de la mondialisation.

1.2.2. Autonomie universitaire

Pour ce qui est de l'autonomie, l'université Sétif 2 jouit d'un degré d'autonomie dans la gestion interne des aspects académiques et budgétaires. Elle est toutefois rattachée au ministère de l'Enseignement supérieur et de la recherche scientifique. Le recteur, membre du milieu académique, est nommé par le Gouvernement. Les membres de l'université ne sont pas sollicités pour cette décision. En général, il n'y a pas de limite institutionnelle à la durée de son mandat.

Les doyens sont également nommés par le Gouvernement sous proposition du recteur, La durée de leur mandat n'est pas déterminée. Pour ce qui est des conseils d'administration, il existe un double mode de sélection: une partie de ses membres est nommée par le Gouvernement (principalement des représentants de différents ministères: commerce, agriculture, énergie, culture, environnement, infrastructures, etc.), alors qu'une autre partie, composée de représentants des étudiants et du personnel académique et administratif, est élue par les groupes respectifs. Le mandat est déterminé. Les membres des conseils scientifiques des départements des facultés et de l'université sont également élus et le mandat est déterminé pour une durée de 3 années, renouvelable une seule fois.

Pour ce qui est de **l'autonomie académique**, au même titre que la majorité des universités algériennes à caractère public, l'université Sétif 2 à travers les conseils scientifiques peut décider de l'introduction de nouveaux programmes, des types de cours, du nombre d'heures par programme, du format de l'évaluation des étudiants, des partenariats académiques avec d'autres institutions ainsi que des questions relatives à l'admission (nombre total d'étudiants admis, nombre d'étudiants par programme, mécanismes d'admission), mais ces décisions doivent être validées par le Ministère de l'enseignement supérieur et de la recherche scientifique. Des conférences

12. AMMOR, M, F., La gouvernance universitaire marocaine: Cas du Programme Tempus, 2012.

régionales au Centre, à l'Est et à l'Ouest du pays ont été mises en place afin de procéder à la validation des propositions d'introduction de nouveaux programmes, du nombre d'heures par programme et des conditions d'admission.

En termes **d'autonomie des ressources humaines**, l'université Sétif 2 jouit d'autonomie au moment de recruter ou de licencier du personnel administratif ou des professeurs, de former le personnel ou d'accorder des promotions, mais, exception faite de la formation et de la promotion du personnel, ces décisions doivent être validées par le ministère de l'Enseignement supérieur et de la Recherche scientifique dans la plupart des cas.

En revanche, il n y a pas d'autonomie pour fixer les salaires et la cause est essentiellement la faible autonomie financière.

L'autonomie financière: 99% du financement de l'ensemble des institutions algériennes provient des fonds du gouvernement. L'université Sétif 2 perçoit également des frais de scolarité, mais ils ne représentent qu'1% environ de son budget. Toutefois, l'université a l'autonomie de gérer son actif ou de conserver et réutiliser le surplus des financements d'un exercice à l'autre mais elle ne peut fixer le niveau des droits d'inscription ni définir sa structure de revenus. Elle peut faire appel à la sponsorisation pour l'organisation d'activités supplémentaires telle que la cérémonie de clôture de l'année universitaire. Elle peut également établir les conditions contractuelles du personnel (durée, avantages, etc.).

Du point de vue de la **participation,** l'université Sétif 2 présente une forte participation du personnel académique, administratif ainsi que des organisations estudiantines. Toutefois, ces représentations sont limitées au personnel interne de l'université où la représentation de la société civile est quasi-absente. En termes de décisions, le personnel académique est le corps qui a le plus de pouvoir décisionnel. Le personnel administratif est plus souvent représenté dans les décisions d'ordre budgétaire, alors que les étudiants participent aux comités pédagogiques des départements pour l'évaluation du processus pédagogique.

1.3. ÉCOLE NORMALE SUPÉRIEURE DES SCIENCES POLITIQUES (ENSSP)

1.3.1. Présentation

L'École Normale supérieure des sciences politiques a été créée le 10 Août 2009 par les décrets exécutifs, n°05-500 du 29/12/2005 et n°09-251 du 10-2005.

Dotée d'autonomie financière interne et de personnalité morale, l'ENSSP assume des missions et des objectifs d'utilité publique en matière de formation universitaire post-graduée (doctorale) et autres prestations, pour l'exercice desquels elle bénéficie d'un financement public. En outre, l'objectivité du savoir, la diversité des opinions, la qualité des formations, la création de la culture, la diversité des recrutements (enseignants, chercheurs et étudiants), l'autonomie de toute entreprise politique, économique, religieuse ou idéologique, sont des paramètres de l'ENSSP, dont l'objectif est le développement constant d'un espace d'initiative et de transmission de savoirs aux générations futures.

L'ENSSP se veut une grande école du pourtour méditerranéen. Elle inscrit sa mission et ses objectifs dans le présent, mais aussi et surtout dans l'avenir en dispensant des formations de qualité. Les nouveaux enjeux et défis internes et externes, l'internationalisation de l'enseignement supérieur imposent à l'ENSSP rigueur, sérieux, adaptation et ouverture sur le monde.

1.3.2. Missions et Objectifs de l'ENSSP

L'ENSSP s'est donné les missions suivantes:

- Promotion de la recherche et de l'innovation scientifiques;
- Prospection de nouvelles approches de l'enseignement et de recherches en sciences politiques et sociales;
- Incitation à la réflexion et à la valorisation de la créativité pédagogique;
- Participation active au développement du pays en tenant compte des réalités nationales et internationales et en privilégiant l'espace local et régional de l'Algérie.

Les objectifs assignés à l'École sont:

- Construire un système cohérent et performant de formations académiques, opérationnel et ouvert sur notre environnement tant national qu'international;
- Assurer la formation d'une élite de praticiens de haut niveau, compétitive sur le marché de l'emploi;
- Participer au développement des capacités scientifiques et professionnelles de cadres nationaux par le biais de la formation continue, du recyclage, de stages et de séminaires;
- Accorder des consultations et émettre des avis aux institutions qui en formulent la demande.

1.3.3. Organes directeurs

a. Le Conseil d'administration

Le conseil d'administration de l'école est composé:

- du ministre de l'Enseignement supérieur ou son représentant, président;
- d'un représentant du ministre des Finances;
- d'un représentant du ministre de l'Éducation nationale;
- d'un représentant du ministre de la Formation et de l'Enseignement professionnels;
- d'un représentant de l'autorité chargé de la fonction publique;
- d'un représentant de l'autorité chargé de la recherche scientifique;
- de représentants des principaux secteurs utilisateurs dont la liste est fixée au décret de création de l'école;
- d'un représentant élu des enseignants de rang magistral par département;
- de deux (2) représentants élus du corps des maîtres assistants;
- d'un représentant élu des enseignants associés, s'il y a lieu;
- de deux (2) représentants élus des personnels administratifs, techniques et de service;
- de deux (2) représentants élus des étudiants.

Le directeur, les directeurs adjoints, les chefs de département et le directeur de la bibliothèque assistent aux réunions du conseil d'administration avec voix consultative, ainsi que quatre (4) représentants, au plus, des personnes morales et/ou physiques concourant au financement de l'école, désignées parmi celles qui assurent les efforts de participation les plus importants.

Le conseil d'administration se réunit au moins deux (2) fois par an en session ordinaire sur demande de son président. Il peut se réunir en session extraordinaire sur demande soit de son président, du directeur, soit des deux tiers (2/3) de ses membres.

Le conseil d'administration délibère sur:

- Les plans de développement de l'école;
- les propositions de programmation des actions de formation et de recherche;
- les propositions de programmes d'échange et de coopération scientifique nationaux et internationaux;
- le bilan annuel de la formation et de la recherche;
- les projets de plans de gestion des ressources humaines;

- les projets de budgets et les comptes financiers;
- les acceptations de dons, legs, subventions et contributions diverses;
- les acquisitions, ventes ou locations d'immeubles;
- les emprunts à contracter;
- les projets de création de filiales et de prises de participation;
- l'état prévisionnel des ressources propres de l'école et les modalités de leur utilisation dans le cadre du développement des activités de formation et de recherche;
- le règlement interne;
- le rapport annuel d'activités présenté par le directeur.

b. Le Conseil scientifique

Un des organes les plus importants de l'ENSSP est le Conseil scientifique, constitué des membres suivants, conformément au décret 05-500 du 29/12/2005:

- Le directeur, président;
- les directeurs-adjoints;
- les chefs de départements;
- les présidents des comités scientifiques de départements;
- le ou les directeurs d'unités et / ou de laboratoires de recherche, le cas échéant;
- le directeur de la bibliothèque;
- un représentant élu des enseignants de rang de professeur ou à défaut de maître de conférences, par département;
- un représentant élu du corps des maîtres-assistants;
- un représentant élu des enseignants associés, s'il y a lieu;
- deux enseignants permanents adscrits à d'autres établissements d'enseignement supérieur.

Le conseil se réunit deux fois par an en session ordinaire, sur convocation de son président. Il peut se réunir en session extraordinaire à la demande soit du ministre chargé de l'enseignement supérieur, soit de son président, soit des deux tiers (2/3) de ses membres (article 22). Les modalités de fonctionnement du conseil scientifique sont fixées par arrêté du ministre chargé de l'enseignement supérieur (article 23).

c. Comités scientifiques

L'activité scientifique de l'ENSSP est administrée et orientée par des comités scientifiques de départements. Les membres des comités scientifiques de départements sont les suivants, conformément au décret 05-500 du 29/12/2005:

- Le chef de département;
- six à huit représentants des enseignants;
- s'il y a lieu, deux enseignants associés.

Les représentants des enseignants sont élus par leurs pairs parmi les enseignants permanents en situation d'activité dans le département, pour une durée de trois ans, renouvelable. Le nombre de professeurs, maîtres de conférences, maîtres-assistants au sein du comité scientifique, est déterminé selon des critères fixés par le ministre chargé de l'enseignement supérieur. Les membres du comité élisent en leur sein, parmi les enseignants justifiant du grade le plus élevé, un président pour un mandat d'une durée de trois ans, renouvelable une fois, selon les mêmes procédures.

d. Direction de l'ENSSP

La direction de l'ENSSP est assurée, selon les textes réglementaires qui régissent son activité et sont à l'origine de sa création, par un bureau exécutif et un conseil de direction.

e. Le Bureau exécutif

Cet organe est composé des membres suivants: le directeur, les directeurs-adjoints, le secrétaire général, le directeur de la bibliothèque, les chefs des départements.

f. Le Conseil de direction

Ses membres, selon décret 05-500 du 29/12/2005, sont les suivants: le directeur, le directeur-adjoint chargé des études et des diplômes, le directeur-adjoint chargé de la post-graduation et de la recherche scientifique, le directeur-adjoint chargé de la formation continue et des relations extérieures, le secrétaire général, le directeur de la bibliothèque, les chefs de départements.

Le conseil de direction se réunit, au moins, une fois par mois; le secrétariat est assuré par le secrétaire général.

1.3.4. Statistiques[13]

- Nombre d'étudiants diplômés pour l'année 2013: Soixante-quatre (64) diplômés / soixante-douze (72) inscrits en fin d'études (88.88%).

13. Données recueillies du site officiel de l'ENSSP: *http://www.enssp.dz/index.html*

- Pourcentage de professeurs selon la catégorie (pourcentage de professeurs par rapport au nombre total des étudiants inscrits): 126 enseignants (49 permanents et 77 associés) / 150 étudiants inscrits.
- Nombre de doctorants: 27 étudiants dont 00 femmes.
- Nombre de chercheurs dans l'institution d'enseignement supérieur: 44.
- Nombre de chercheuses en chef (dans des projets à caractère international (I), national (N) et régional (R)) (I): 01; (N): 24; (R): 01.
- Nombre de projets internationaux de recherche: 2.
- Nombre de documents bibliographiques dans les bibliothèques universitaires: 8.900 titres.
- Nombre d'accords de recherche avec des universités étrangères: 6.
- Étudiants inscrits à des programmes de master et de doctorat en droits de l'homme: master: 224; doctorat: 72. Total: 296.

1.4. ANALYSE AFOM POUR LES INSTITUTIONS D'ENSEIGNEMENT SUPÉRIEUR

Le but de l'analyse AFOM est de mesurer le degré de présence des droits de l'homme dans l'université Sétif 2 et à l'Ecole Normale supérieure des sciences politiques ainsi que celui de l'Approche Basée sur les Droit (ABDH) dans les pratiques quotidiennes.

Cette deuxième étape de l'analyse a pour but de mesurer le niveau de présence et de respect des droits de l'homme dans chaque institution universitaire partenaire.

L'analyse AFOM des deux dimensions de l'université Sétif 2 et de l'ENSSP a été faite comme suit:

Étude des atouts: Nous avons procédé à l'identification des atouts qui représentent les aspects positifs internes déjà présents et réalisés concernant les droits de l'homme et sur lesquels nous pouvons bâtir notre conception de l'ABDH. Ceci nous permettra de mesurer le degré de faisabilité de la démarche de l'introduction de l'ABDH.

Étude des faiblesses: Notre identification des faiblesses consistait en l'opposition de celles-ci aux atouts afin de déterminer les aspects négatifs par rapport à la présence ou l'absence explicite d'une formation consacrée aux droits de l'homme. L'identification de ces aspects négatifs internes nous a permis d'analyser la marge de possibilités d'étendre l'ABDH aux autres disciplines de formation.

Étude des opportunités: Dans ce contexte, nous avons essayé de déterminer les possibilités externes aidant à l'introduction de l'ABDH. Ces opportunités nous permettent donc de tirer profit de la situation externe, entre autres la volonté participative de la communauté universitaire pour l'approbation de l'ABDH.

Étude des menaces: Nous avons essayé de déterminer les problèmes, les limitations et les obstacles externes qui pourront éventuellement freiner notre objectif.

L'objectif de l'analyse AFOM est de parvenir à trouver les possibilités d'intégrer l'approche basée sur les droits de l'homme et de l'étendre à tous les niveaux de formation. A travers cette perspective, nous pourrons consolider les atouts, minimiser les faiblesses et les menaces afin de tirer parti des opportunités offertes.

Tableau 3. Élaboré à partir de la documentation sur les dimensions 1 et 2 de l'université Sétif 2

	Atouts	Faiblesses
Interne	1. La présence de nouvelles infrastructures consacrées à l'enseignement supérieur. 2. Le budget alloué à la formation est à la recherche scientifique est très conséquent. 3. Gratuité de l'enseignement et de la prise en charge des étudiants. 4. Conventions de mobilité et de recherche nationales et internationales. 5. Présence d'un laboratoire sur les droits de l'homme et d'une cellule d'assurance qualité.	1. Surnombre des étudiants. 2. Critères de sélection par quota: le quantitatif prime sur le qualitatif. 3. Encadrement faible dans certaines spécialités liées aux sciences humaines et sociales. 4. Faible niveau de responsabilité sociale des institutions universitaires.5.Faible participation et de visibilité des productions scientifiques.
	Opportunités	**Menaces**
Facteurs Externes	1. L'application du système des ECTS (réforme du système LMD). 2. Participation aux programmes de coopération tels Erasmus+ et Capacity Building. 3. Volonté de démocratiser l'ES grâce à des nouvelles mesures de distribution. 4. Système d'équivalence et de reconnaissance des diplômes. 5. Loi statuant sur les universités privées. et les définissant.	1. Absence totale d'ABDH. 2. Employabilité ambiguë: pas de débouchés sur le marché socioéconomique. 3. Autonomie limitée dans la gestion de l'université. 4. Fort niveau de centralisation. 5. Manque de développement du secteur privé et faible degré de transparence dans l'accès à l'information.

1.4.1. Atouts

1. La présence de nouvelles infrastructures consacrées à l'enseignement supérieur. L'université Sétif 2, nouvellement créée, possède au même titre que l'Ecole Normale supérieure des sciences politiques, de nouvelles infrastructures mises à disposition des enseignants et des étudiants. Des laboratoires de recherche ont également été enregistrés afin de permettre le développement de nouveaux projets de recherche et d'y insérer les doctorants. Cette nouvelle disposition permettrait l'introduction de l'ABDH dans le cadre de la recherche thématique. S'agissant d'une institution consacrée aux droits et aux sciences politiques, les activités de l'ENSSP permettraient l'introduction de l'ABDH dans l'enseignement supérieur.

2. Le budget alloué à la formation et à la recherche scientifique est très conséquent. Le ministère de l'Enseignement supérieur et de la Recherche scientifique apporte tous les moyens financiers nécessaires afin de promouvoir la recherche et le développement. Des programmes de formation de courte durée pour les étudiants, les enseignants et le personnel administratif sont dotés chaque année. Des programmes résidentiels de plus de 6 mois sont aussi attribués aux doctorants dans le processus de finalisation de leurs thèses de doctorats. «L'octroi de bourses d'études à plus de 80% d'étudiants va dans ce sens»[14].

3. Gratuité de l'enseignement et de la prise en charge des étudiants: L'accès à l'université est garanti pour tous, en fonction des mérites, conformément aux dispositions de la Déclaration universelle des droits de l'homme. Ce principe a été et reste un des fondements de la politique de l'enseignement supérieur en Algérie. Dans ce domaine, l'accès des femmes aux études supérieures a beaucoup progressé avec le passage de leur effectif de 23% en 1977 à 54% en 1997 (UNESCO, 1998). Environ 45% du budget du ministère de l'Enseignement Supérieur a été alloué à l'enseignement supérieur pour la couverture des besoins d'hébergement et de restauration des étudiants. C'est à ce prix qu'une grande majorité d'étudiants, issus de milieux classés défavorisés, a pu accéder aux études supérieures. Mais la demande croissante et les contraintes budgétaires ont mis en évidence les faiblesses du système[15].

Il faut signaler toutefois qu'il y a un décalage entre le texte et la réalité par rapport à l'attribution de postes de responsabilité aux femmes. Pour le cas de l'université Sétif 2, une seule femme responsable a été désignée pour le poste

14. WORLD BANK, Rapport sur la gouvernance des universités en Algérie, 2012. Disponible: *http://www.univ-bouira.dz/ar/images/uamob/fichiers/Articles_a_lire/Rapport%20sur%20la%20gouvernance.pdf*
15. Ibid.

de Vice-Recteur et pour l'ENSSP, aucun poste de responsabilité n'a été attribué aux femmes. Ce phénomène est souvent dû aux contraintes familiales et domestiques à charge de la femme qui ne lui permettent pas de concilier les obligations familiales et ses responsabilités professionnelles. Par ailleurs, et dans certains cas, l'influence culturelle ne prépare pas un milieu propice à la femme pour l'exercice de fonctions de responsabilité au sein de son institution.

4. Conventions de mobilité et de recherche nationales et internationales. Le MESRS a mis en place un dispositif afin de faciliter et d'encourager la mobilité intra-universitaire ainsi que la mobilité internationale. A cet effet, l'université Sétif 2 a participé à de nombreux programmes de mobilité permettant l'octroi de bourses d'études pour les niveaux de master et de doctorat. L'ENSSP a également développé des programmes nationaux (24), internationaux (1) et régionaux (1). Ces étudiants, la majorité d'entre eux *majors* de promotions, ont été recrutés au niveau des départements de leur rattachement dès l'obtention du diplôme universitaire.

5. Présence d'un laboratoire sur les droits de l'homme et d'une cellule d'assurance qualité: Le laboratoire de recherche sur les droits de l'homme est un atout fort pour l'introduction de l'ABDH au sein de l'université Sétif 2. Les recherches entreprises depuis sa création en 2009 ont permis de faire un apport au niveau de la documentation, des ressources humaines ainsi que sur le plan matériel.

Au niveau de la documentation, un fond de documentation relatif aux droits de l'homme a été créé à travers l'élaboration de travaux sur le sujet, ainsi que par le biais de thèses, de mémoires, d'articles et de séminaires organisés. Le laboratoire dispose d'un fond réalisé par les différentes promotions de magister (quatre promotions au total) et enrichi des thèses de doctorats soutenues. Ce fond servira de cadre d'élaboration de programmes pour la conception de futurs masters tel que celui proposé par le projet ABDEM.

Sur le plan des ressources humaines, les personnes concernées par la formation ABDEM son membres du laboratoire des droits de l'homme. L'ABDH étant un référent, le laboratoire, à travers ses activités, peut être le cadre adéquat pour l'introduction de cette approche dans les programmes d'enseignements.

Sur le plan matériel, le laboratoire dispose de bureau et de salle de travail ainsi que d'une logistique pédagogique et informatique qui est en parfaite symbiose avec les activités du projet ABDEM.

Pour le cas de l'ENSSP, s'agissant d'une école spécialisée en droit et sciences politiques, il lui incombe de proposer des formations en harmonie avec les besoins du marché socio-économique, tout en acheminant les principes d'une approche basée sur les droits de l'homme.

Par ailleurs, l'on constate la présence d'une cellule d'assurance qualité favorise le développement des pratiques de bonne gouvernance et de transparence dans les établissements d'enseignement supérieur. Les activités de la cellule AQ de Sétif 2 collaborent à la création d'une dynamique en travaillant prioritairement sur l'évaluation interne, afin d'améliorer les conditions internes de l'université.

1.4.2. Les Faiblesses

1. Surnombre des étudiants. Les étudiants sont en surnombre dans certaines spécialités ce qui fait obstacle à une formation de qualité dans la plupart des cas.

2. Critères de sélection par quota. Le quantitatif prime sur le qualitatif: Les critères de sélection pour le passage des étudiants d'un grade à un autre, exemple de la formation master, se fait par quota. Cette procédure entrave le bon fonctionnement de la qualité et ne permet pas une formation adéquate aux besoins du marché socio-économique.

3. Encadrement faible dans certaines spécialités liées aux sciences humaines et sociales: Certaines spécialités souffrent d'un déficit du pourcentage d'encadrement. Avec le surnombre des étudiants, l'encadrement devient une mission très difficile pour les enseignants qui se plaignent souvent du niveau des travaux déposés.

4. Faible niveau de responsabilité sociale des institutions universitaires: L'université doit tisser son réseau social afin de répondre aux besoins de la société en général et de la société civile, en particulier. Ce lien est très faible, ce qui ne permet pas de prendre conscience des besoins spécifiques de ces groupes.

5. Faible participation et visibilité des productions scientifiques: Il y a une faible visibilité des recherches menées par les enseignants chercheurs. Cette carence est due à la publication dans des revues à faible impact impliquant un manque de visibilité et de lisibilité des travaux réalisés.

Pour l'ENSSP,

1. La faible maîtrise des langues étrangères entrave le tissage de liens internationaux et l'application des principes de mobilité des étudiants. Par ailleurs, les cours sont dispensés en langue arabe, ce qui souvent ne facilite pas la transition dans le cadre de la mobilité internationale master et doctorat.

3. Absence d'autres disciplines ce qui ne permet pas de valider l'ABDH: L'ABDH est interdisciplinaire et l'ENSSP est une école spécialisée en droit et sciences politiques. Il est de son ressort de développer une formation de master basée sur l'ABDH. Toutefois, les contraintes seront d'ordre technique par manque de spécialités interdisciplinaires pour expérimenter l'ABDH.

4. **Caractère récent de l'ENSSP**: Le caractère récent de l'ENSSP ne permet pas d'obtenir des informations sur les formations dispensées en droits de l'homme.

1.4.3. Les Opportunités

1. **L'application du système des ECTS (réforme du système LMD).** A l'instar de toutes les universités algériennes, l'université Sétif 2 s'est engagée dans une réforme de programmes de formation et des méthodes d'enseignement conformément au programme national proposé par le MESRS depuis l'année 2004-2005.

L'un des objectifs les plus importants de la réforme est l'insertion professionnelle des diplômés. L'employabilité des diplômés constitue désormais l'un des plus grands indicateurs de la qualité de la formation, de sa pertinence et de son utilité socio-économique. La réforme de l'enseignement supérieur par le MESRS comporte essentiellement deux volets:

Volet 1: la réactualisation, l'adaptation et la mise à niveau des différents programmes pédagogiques par le biais de:

- une généralisation des enseignements transversaux;
- une ouverture des enseignements avec l'introduction d'unités d'enseignement optionnelles et une diversification pluridisciplinaire;
- une revalorisation des travaux pratiques, des stages en milieu professionnel, des projets et du travail personnel de l'étudiant.

Volet 2: la mise en place d'une nouvelle architecture des formations par l'introduction du dispositif Licence / Master / Doctorat (LMD) qui repose essentiellement sur:

- une formation de licence généralisée à toutes les filières (sauf médecine, pharmacie et chirurgie dentaire);
- une professionnalisation plus accentuée de certaines formations (licence et master professionnels);
- Iues unités d'enseignements semestrielles, capitalisables et transférables.

Avec la mise en place du dispositif LMD, avec l'ouverture de 10 domaines de formation dans 10 établissements pour des effectifs de 7616 étudiants, les universités délivrent depuis 2004 des diplômes de licence à 180 crédits (premier cycle), des diplômes de master à 120 crédits supplémentaires (deuxième cycle), et, au-delà, le diplôme de doctorat (troisième cycle)[16].

Tout ce dispositif permet, d'un niveau externe, de renforcer les atouts que suppose pour l'université appliquer la formation ABDH dans le cursus universitaire.

2. Participation aux programmes de coopération tels qu'Erasmus+ et Capacity Building. Les principes de mobilité et d'ouverture impliquent la participation de l'université algérienne à des programmes de coopération et de recherche. A ce titre, l'université Sétif 2 adhère aux principes proposés dans les programmes de l'Union Européenne, notamment les programmes Erasmus Mundus, Erasmus +, Tempus, Capacity Building et Horizon 2020. Des conventions de coopération ont été également signées dans un souci de palier au déficit de la structure institutionnelle en offres de formation. Le projet ABDEM s'inscrit justement dans cette perspective.

3. Volonté de démocratiser l'enseignement supérieur à travers de nouvelles mesures de distribution: à travers sa nouvelle politique d'accréditation, le MESRS a mis en place de nouvelles mesures de distribution basées sur le mérite et les compétences.

4. Système d'équivalence et de reconnaissance des diplômes: la réforme du système LMD s'est poursuivie par une série de mesures d'accompagnement à la bonne gestion des universités. On y compte le système d'équivalence des diplômes et de la reconnaissance des crédits. Ce système a aidé à éliminer les bureaucraties installées dans le système classique.

5. Loi définissant et statuant sur les universités privées. Depuis 2008, un décret autorise l'établissement d'universités privées en Algérie. Cependant, les conditions de création, établies par le ministère de l'Enseignement supérieur et de la Recherche scientifique, apparaissent difficiles à remplir, tant en termes de garanties financières que d'organisation administrative et de validation pédagogique. À ce jour, un seul dossier de candidature de création d'université privée a été déposé au service concerné du ministère, mais les conditions n'étaient pas remplies dans leur totalité. Il n'existe donc pas, pour l'instant, d'institution privée d'enseignement supérieur dans le pays, bien que ce soit légalement possible[17].

À ce propos, le ministre de l'Enseignement supérieur et de la Recherche scientifique, le Professeur Mohamed Mebarki, dans un entretien pour la revue *El-Djazair.com,* déclarait: «La loi d'orientation de l'enseignement supérieur consacre l'ouverture du secteur de l'enseignement supérieur sur l'ini-

16. WORLD BANK, Rapport sur la gouvernance des universités en Algérie, cit.
17. Ibid.

tiative privée. Elle autorise les personnes morales algériennes, à assurer un enseignement supérieur. Dans ce cadre, un cahier des charges a été élaboré par le secteur et fixe les dispositions réglementant l'ouverture d'un établissement privé de formation supérieure. Le secteur n'a reçu aucune demande d'ouverture d'établissement universitaire privé, jusqu'à il y a un mois, le premier cahier des charges a été retiré. Tout ce qui s'écrit et se dit sur des demandes déposées et rejetées est dénué de tout fondement. A cette occasion, je veux, aussi, affirmer que les établissements privés qui dispensent actuellement des formations supérieures ne sont pas agréés pour ce genre de formation, et les diplômes qu'ils délivrent ne sont pas reconnus par l'État».

Pour le cas de l'ENSSP

1. **Participation aux programmes sur les droits de l'homme:** L'ENSSP a participé et participe à plusieurs programmes relatifs aux droits de l'homme. Cette expérience accumulée peut servir de diapason pour l'introduction de l'ABDH.

2. **Accès aux médias: diffusion des manifestations scientifiques.** L'ENSSP jouit de notoriété auprès des médias, ce qui lui permet une large diffusion des résultats des activités liées aux droits de l'homme.

3. **Accès aux différents organes gouvernementaux.** De par son caractère académique en sciences politiques, l'ENSSP est sollicitée par les organes gouvernementaux comme membre consultatif. La voix de l'école à faveur de l'application de l'ABDH permettra une opportunité pour la réussite du projet.

1.4.4. Les Menaces

1. **Absence totale de l'ABDH.** Les droits ainsi que les droits de l'homme sont dispensés à l'université Sétif 2 et à l'école en tant que module parmi d'autres dans une offre de formation. Il y a une absence totale d'approche basée sur les droits de l'homme.

2. **Employabilité ambiguë: pas de débouchés vers le marché socio-économique.** Un des objectifs principaux de la réforme est de trouver les débouchés des formations diplômantes sur le marché socio-économique. Le manque de coordination entre le secteur de l'enseignement supérieur et celui du travail fait que la crise du chômage fasse défaut à la politique algérienne de développement. A ce sujet, le ministre de l'Enseignement supérieur explique: «Je suis presque tenté de vous répondre que par principe, toute recherche scientifique a un impact sur l'économique et le social. Le nombre de projets de recherche universitaires en relation avec la formation en post-graduation, est de 4.000 projets annuellement. Les projets de recherche liés aux besoins du secteur économique et social, sont contenus dans

les programmes nationaux de recherche (PNR), fixés par la loi d'orientation et le programme quinquennal de la recherche scientifique et du développement technologique».

3. Autonomie limitée dans la gestion de l'université. Toutes les universités semblent avoir une stratégie, au niveau de l'université ou au niveau des facultés. L'université Sétif 2 a été nouvellement créée ainsi que l'ENSSP. Toutefois, elles adhèrent aux mêmes règles établies au niveau national. L'autonomie se trouve au niveau de la gestion interne de l'université qui doit se reporter au MESRS pour les décisions les plus formelles.

4. Fort niveau de centralisation. Le faible espace d'autonomie révèle avant tout un fort niveau de centralisation. Le MESRS est le détenteur du pouvoir décisionnel.

5. Manque de développement du secteur privé et faible degré de transparence dans l'accès à l'information. Depuis 2008, il existe une loi pour l'ouverture d'universités privées. Toutefois, le décalage entre le texte et la réalité fait que les mesures d'ouverture soient assez rigides. L'ouverture reste donc au stade de la règlementation, ce qui est une menace pour la bonne gouvernance et la transparence de l'université.

1.4.5. Relation entre les différents facteurs de l'analyse de l'IES

Que se passe-t-il: L'université de Sétif 2, à l'instar des autres établissements de l'enseignement supérieur a vécu un temps de forte expansion. La preuve est qu'elle a été scindée en deux institutions de l'enseignement supérieur vu le nombre colossal d'étudiants et de spécialités ouvertes. L'ENSSP a été créée en 2009 dans un souci d'améliorer la qualité de la formation en droit et sciences politiques, entre autres. Le défi actuel, toutefois, est l'amélioration de la qualification des diplômés qui sont appelés à exercer dans tous les secteurs d'activité et à servir d'exemple, en tant que citoyens et responsables, dans une société en totale mutation.

Pourquoi? L'enseignement des droits de l'homme est devenu une nécessité suite au phénomène mondial de revendication des droits de l'homme. L'introduction d'une approche basée sur les droits de l'homme dans l'enseignement supérieur permettra de créer un milieu favorable au développement des valeurs culturelles et morales au sein d'une même communauté afin de promouvoir les objectifs suivants:

1. Acquérir et pratiquer les droits de l'homme afin de créer une société juste et démocratique;

2. Développer et pratiquer les concepts des droits de l'homme qui contribuent à l'amélioration de la condition humaine et à lutter contre toutes les formes de discrimination;

3. Développer et pratiquer les compétences liées à une approche basée sur les droits de l'homme afin de comprendre les principaux enjeux de l'individu et de créer, ainsi, des mécanismes de communication sociale, politique et culturelle;

4. Obtenir l'expertise nécessaire à travers l'ABDH pour bâtir une société démocratique et juste.

Tableau 4. Relation entre les différents facteurs de l'analyse AFOM

	Positifs	**Négatifs**	**Examiner en quoi les atouts permettent de maîtriser les faiblesses**
	Atouts	**Faiblesses**	
Facteurs internes	**Comment maximiser les atouts?** **1.** Tirer parti des infrastructures et des budgets alloués à la recherche afin de proposer de formation de qualité, notamment l'ABDH. **2.** Élargir le champ des conventions nationales et internationales. **3.** Utiliser l'avantage du laboratoire de recherche à USE2 ainsi que la spécificité de l'ENSSP.	**Comment minimiser les faiblesses?** **1.** Surmonter le problème du surnombre des étudiants par la formation et le recrutement d'enseignants qualifiés. Formation en ABDH. **2.** Etablir les critères de sélection sur les normes de qualité. **3.** Introduire une formation en langue dans le cadre du CEIL, par exemple.	**1.** Une bonne utilisation des infrastructures avec un meilleur encadrement permet de former des enseignants de qualité. **2.** Le laboratoire des droits de l'homme et le cadre spécifique de l'ENSSP permettent l'introduction de l'ABDH.
	Opportunités		
Approche externe	**Comment maximiser les opportunités?** **1.** L'élargissement de la réforme par l'introduction de master Interdisciplinaire permettrait de la résolution des problèmes de reconnaissance des diplômes. **2.** Proposer des formations de masters et de doctorats qui répondent aux attentes du marché socioéconomique. **3.** L'université privée peut-être un allié pour une meilleure performance	**Comment utiliser les atouts pour tirer parti des opportunités?** **1.** Les conditions au niveau national sont adaptées aux attentes de la réforme, la prise en charge des étudiants pourra leur permettre d'établir des séjours scientifiques et des formations de qualité. **2.** Les conventions avec les institutions internationales permettent de développer des approches plus adaptées aux attentes internationales de performance.	**Comment corriger les faiblesses en tirant parti des opportunités?** **1.** Étant membre des différentes organisations internationales pour la protection et la promotion des droits de l'homme, les rapports annuels présentés par l'Algérie permettent de faire le bilan des faiblesses et de les éliminer tout en s'appuyant sur la volonté interne.

	Positifs	**Négatifs**	**Examiner en quoi les atouts permettent de maîtriser les faiblesses**
	Atouts	**Faiblesses**	
	Menaces		
Approche externe	**Comment minimiser les menaces ?** **1.** La réforme du système LMD permet de trouver des débouchés sur le marché socio-économique. **2.** Les nouvelles mesures entreprises pour une meilleure gestion permettent de minimiser le degré de centralisation. **3.** L'introduction de l'ABDH permet d'atteindre un degré de transparence dans la gestion des IES.	**Comment utiliser les atouts pour réduire les menaces ?** **1.** Les ECTS sont un moyen pour l'introduction de l'ABDH. **2.** Les moyens déployés par l'enseignement supérieur, peuvent contribuer à améliorer la qualité de la formation par l'ouverture de pôle d'excellence. **3.** La mobilité internationale et nationale participe à un meilleur accès à l'information.	**Comment minimiser les faiblesses et les menaces?** **1.** L'université privée peut-être un palliatif aux insuffisances et difficultés rencontrées par l'université publique. **2.** Avec la volonté de démocratisation de l'enseignement supérieur,, l'université privée doit être un allié et non un concurrent, un partenaire, un supplément à la qualité. **3.** L'université privée peut également résoudre le problème de surnombre et proposer une formation à la carte.

Qui a l'obligation ? L'État, en premier lieu, à travers tous les membres de la société civile. L'effort doit émaner de la volonté humaine de changement. L'introduction d'une approche basée sur les droits de l'homme pourrait contribuer en ce sens. Cependant entre les ambitions de la réforme et la réalité du terrain l'écart est important. En effet, l'insuffisance des mécanismes de mobilisation et de partenariats, régional et local, efficaces en particulier avec les collectivités locales appelées à prendre part plus activement à l'effort de la promotion d'un enseignement sur l'ABDH, constitue un écran à l'épanouissement des universités en articulation avec leur environnement.

Quelles sont les capacités nécessaires ? Les difficultés rencontrées pour l'enseignement des droits de l'homme dans les institutions d'enseignement supérieur sont nombreuses. La réalité révèle qu'il faudra plus de temps et d'effort en dépit de la volonté pressante d'y parvenir. L'introduction d'une formation en ABDH, suscitant un intérêt grandissant auprès des institutions internationales, ouvre de réelles perspectives à l'enseignement supérieur algérien en quête de sa mise à niveau et ambitieux de répondre aux exigences de qualité et de bonne gouvernance selon les standards internationaux.

1.5. CONCLUSIONS DU FOCUS GROUP

Afin de compléter l'analyse AFOM basée sur les dimensions nationales et celles de l'Institution d'enseignement supérieur pour chaque université, nous avons complété les résultats obtenus par un focus group que nous avons convoqué en novembre 2014 à l'université Mohamed Lamine Debaghine –Sétif 2–.

Le focus group était composé d'une population variée:

- Des autorités;
- des membres actifs de la société civile;
- des journalistes;
- des ONG pour la défense des droits de l'homme;
- des organisations estudiantines;
- des membres de la communauté universitaire;
- des enseignants;
- des étudiants;
- des responsables de la cellule d'Assurance Qualité.

Un débat riche a été enregistré et filmé en vidéo (joint au rapport) et les conclusions sont présentées ci-dessous.

Les avantages du focus group: Le focus group nous a permis de visualiser rapidement l'adéquation de notre problématique: une approche basée sur les droits de l'homme est plus que nécessaire. Les propositions des membres invités ont participé à l'approbation de notre problématique.

Les limites du focus group: Le focus group était bien structuré. Nous avons commencé par la présentation du projet, ensuite nous avons ouvert le débat par une question: «Avez-vous un plan d'action pour promouvoir les DH ? Si oui, quel est ce plan d'action ? Quelles sont vos activités ?» Les réactions étaient riches et variées.

Toutefois, il a été difficile de faire la distinction entre les éléments internes et les externes.

Les résultats

Au cours de l'analyse du focus group, six propositions ont été émises par les partenaires sociaux quant à l'exécution de l'approche basée sur les droits de l'homme:

1. Un audit sur l'application des droits de l'homme à aligner sur les droits de l'homme est nécessaire afin de faire un constat de la situation actuelle.

2. Les membres du focus group soulignent un décalage flagrant entre les textes et leur exécution sur le terrain. A titre d'exemple, les personnes à mobilité réduite ne sont pas prises en charge par l'État quand il s'agit de construction d'accès réservés.

3. Il y a un problème d'écoute au sein de la communauté. Pour parler de droits de l'homme, il faut savoir écouter.

4. La continuité dans la recherche: les membres proposent de remettre les conclusions du projet entre les mains des responsables afin de prendre acte.

5. Travailler sur la situation interne afin d'améliorer les conditions de vie, les droits de l'enfant, de la femme, des démunis, etc.

6. Mettre en place un dispositif pour découvrir les compétences et leur donner l'appui nécessaire pour leur épanouissement.

1.6. BONNES PRATIQUES

Une des principales conclusions de cette analyse est l'absence totale d'une approche basée sur les droits de l'homme. Cependant, l'introduction d'une telle approche nécessite le détachement d'un nombre de pratiques contraires aux principes de la bonne gouvernance académique. Aujourd'hui, il est plus pressant que jamais de travailler à exporter une image nette qui soit en harmonie avec les principes universels de la transparence et de la démocratie dans la gestion.

Une des faiblesses de la situation actuelle est la forte centralisation de l'université due à une faible autonomie des institutions de l'enseignement supérieur. «Cette conclusion provient de plusieurs observations. La première tient au fait que la définition des missions des universités est faite par l'État, ce qui implique que les universités ne s'engagent pas dans le processus de définition de leur propre mission et que toutes les universités publiques ont la même mission. Cela constitue un défi pour l'État, qui doit s'assurer que ces missions permettent aux institutions de bien servir les différents besoins auquel un système universitaire est appelé à répondre. Dans le même temps, lorsque les universités ont la même mission, il est plus difficile pour elles de se spécialiser, de développer un avantage concurrentiel, d'exceller dans certains domaines de connaissances, ou de poursuivre des objectifs spécifiques»[18].

Il faudra mettre l'accent sur les priorités actuelles de l'État et définir les priorités au niveau régional, national et international. Cela implique une discussion approfondie avec les parties prenantes de la société.

Pour ce qui est de l'analyse de la plate-forme des indicateurs, nous pouvons résumer ce qui ressort des documents comme suit:

18. WORLD BANK, Rapport sur la gouvernance des universités en Algérie, Cit.

1. L'enseignement des droits de l'homme doit être généralisé au niveau de toutes les filières et non pas enseigné comme une matière transversale dans le cursus universitaire;

2. La nécessité d'harmoniser la théorie avec la pratique à tous les niveaux (État, individus, groupes, minorités, société);

3. L'aide à la formation de la citoyenneté est un outil de la performance. En ce sens, l'ABDH devient à la fois un moyen et un but de promotion et de protection des droits de l'homme, un contenant plutôt qu'un contenu;

4. La sensibilisation aux droits de l'homme à travers l'organisation des manifestations scientifiques et culturelles en invitant toutes les parties de la société;

5. Donner une définition à l'ABDH comme élément de l'équilibre et de la justice sociale avec la possibilité de tenir compte des expériences d'autres pays, comme par exemple celle de l'université La Rioja;

Afin de réussir l'introduction de l'ABDH dans l'enseignement supérieur il faudra toutefois la présenter sous forme de référents en relation avec les principes de la bonne gouvernance et du développement durable. L'ABDH sera ainsi un système intégré, horizontal qui structure toutes les actions et les composantes de l'enseignement et de l'éducation. Dans le même sens, il faudra tenir compte de la spécificité de l'université algérienne.

6. Par ailleurs, l'ABDH doit assumer la transition des droits classiques aux droits post-modernes, et passer de la simple revendication à la concrétisation des droits ou à l'autonomisation.

1.7. CONCLUSION

Il était inhérent à cet objectif d'examiner la situation des droits de l'homme au niveau national et à celui de deux établissements de l'enseignement supérieur algérien. Il est clair qu'une bonne application des droits de l'homme relève de facteurs internes et externes. Il faudra ainsi améliorer la qualité de l'enseignement par le biais d'une réforme au niveau des programmes, du perfectionnement de l'enseignement, de la performance, de la gouvernance, de l'accréditation, de l'adéquation formation/emploi et de l'application du système LMD.

Les droits de l'homme ne sont qu'un aspect, une indication parmi d'autres, et le diagnostic doit aller plus loin en vue d'une meilleure performance. Ceci doit être accompli à travers un diagnostic complet de la situation actuelle des droits de l'homme en Algérie.

Par ailleurs, le faible niveau d'autonomie financière des institutions d'enseignement supérieur, financées presque exclusivement par le gouvernement, reflète la volonté du gouvernement de démocratiser l'enseignement supérieur. Le faible montant des frais d'inscription, ainsi que la politique des bourses et autres subventions aux étudiants (logement, transport), traduisent cette volonté de rendre l'enseignement universitaire accessible à tous. Une réflexion pourra cependant être poursuivie sur l'arbitrage entre la subvention de l'accès pour tous et une attention plus grande portée à la qualité de l'enseignement. Plus d'autonomie financière des universités pourrait par exemple leur permettre de diversifier leurs sources de revenus, aux institutions d'innover dans l'amélioration de la qualité et au gouvernement de libérer des ressources pour appuyer cet effort[19].

Il faut dire cependant que des signes encourageants de la mise en œuvre du système d'assurance qualité sont visibles. C'est en fait une réalisation importante en termes de responsabilité croissante. Au vu des progrès déjà importants dans la pratique de l'assurance qualité, il semble qu'il serait important pour le gouvernement d'entamer un processus visant à promouvoir une plus grande autonomie des Universités[20].

En conclusion, la situation actuelle en Algérie est à faveur de l'introduction d'une Approche basée sur les droits de l'homme. Réussir cette mission signifierait arriver à changer la participation actuelle de simples sujets à agents actifs. Ceci pourra se faire grâce à la participation et la capacitation. Enfin, faire de l'ABDH un préalable du développement signifie la concrétisation des principes de la démocratie et de la sécurisation. Ce qui permettra ensuite de lutter contre toutes les formes de corruption, de discrimination et d'inégalité.

2. MAROC

ABDESSALAM EL OUAZZANI
Université Mohammed V Rabat

2.1. BILAN DE LA DIMENSION NATIONALE

2.1.1. Contexte de la situation éducative et politique au Maroc

Le Maroc a adopté en Juillet 2011 une nouvelle constitution plus favorable aux droits de l'homme. Cette révision constitutionnelle, qui est intervenue en réponse aux revendications portées par le «Printemps arabe», s'inscrit aussi dans le prolongement de l'ouverture politique amorcée par le défunt Roi Hassan II et de la nouvelle stratégie de démocratisation de l'État marocain entamée dès son arrivée au trône par le Roi Mohammed VI.

19. WORLD BANK, Rapport sur la gouvernance des universités en Algérie, Cit.
20. Ibid.

La continuité de cette politique marque en effet une évolution remarquable en matière de consolidation des droits de l'homme et des libertés individuelles.

En termes d'instruments institutionnels, cette politique a permis de transformer le Conseil consultatif des droits de l'homme (CCDH) en Conseil National des droits de l'homme (CNDH), de créer l'institution du Médiateur et le Conseil de la communauté marocaine à l'étranger et l'autorité chargée de la parité et de la lutte contre toutes formes de discrimination en tant qu'instances de «protection et de promotion des droits de l'homme». Cette même politique a donné de l'essor à la culture des droits de l'homme au niveau de l'ensemble des départements ministériels par la création de la Délégation interministérielle aux droits de l'homme, qui coordonne leur action et assure la coordination avec les institutions nationales ainsi qu'avec la société civile en matière de promotion et de protection des droits de l'homme[21], faisant suite à une recommandation particulière formulée par l'ancien Conseil consultatif des droits de l'homme.

De même, la mise en place institutionnelle de l'Instance Équité et Réconciliation dotées de réels pouvoirs s'inscrivent dans une démarche générale de l'État qui a décidé, il y a plus de deux décennies maintenant, d'harmoniser sa politique sur les principes de l'état de droit, de la bonne gouvernance et du développement de la culture de la démocratie.

Par ailleurs, il faut bien reconnaître que la réforme du système éducatif marocain initiée à partir des années 2000, a beaucoup progressé au niveau de la scolarisation au niveau primaire: après une décennie, plus de 90% des enfants en âge de scolarisation fréquentent aujourd'hui l'école[22]. Mais ces progrès sont accompagnés de nouveaux défis en termes de qualité et de persistance, de disparités entre les sexes et les régions et les milieux (citadin/rural)[23]. Les évaluations successives ont poussé les décideurs à lancer une série de programmes pour développer davantage la fréquentation scolaire, améliorer la qualité de l'enseignement, réformer la gouvernance du secteur

---

21. Décret N°2-11-150 du 7 joumada I -1432 (11 Avril 2011).
22. Les investissements en infrastructures consentis ces dix dernières années et les aides accordées aux élèves les plus démunis ont permis d'augmenter les taux nationaux de scolarisation – de 52,4 à 98,2 pour le primaire, de 17,5 à 56,7 pour le premier cycle secondaire et de 6,1 à 32,4 pour le deuxième cycle secondaire. La situation a aussi nettement progressé en termes d'équité, puisque l'écart de scolarisation en primaire entre les garçons vivant en ville et les filles vivant à la campagne avait été ramené à 3,5 points lors de la rentrée scolaire 2012.
23. Il y a lieu de constater qu'après le primaire, d'importantes inégalités persistent entre filles et garçons, et selon le milieu géographique (urbain/rural). Ainsi, dans le premier cycle secondaire, le taux net de scolarisation atteint 79% pour les garçons des villes mais seulement 26% pour les filles des campagnes.

de l'éducation et apporter les fonds nécessaires à un soutien technique et financier au programme de réformes en cours.

S'agissant de l'enseignement supérieur et de la recherche scientifique, il y a lieu de mentionner que la réforme de l'enseignement supérieur (loi 00-01) devait conduire le Maroc à s'inscrire au processus de Bologne en adoptant le système LMD en 2003 (architecture modulaire, enseignement par semestre, évaluation sous forme de contrôle continu, normes pédagogiques, cahier des charges...), interpellant de la sorte les acteurs pédagogiques pour la construction de parcours de formation dans le cadre de filières plus adaptées à la réalité des apprenants et du monde professionnel. L'évaluation de la réforme à mi-parcours, en 2005, et celle menée quatre années plus tard, en 2009, ont permis d'identifier les contraintes majeures qui freinent encore la mise en place de la réforme et ont donné naissance à ce qui a été baptisé comme «Le plan d'urgence 2009-2012[24]», un outil stratégique sensé répondre aux «besoins réels diagnostiqués» de l'école marocaine. Un outil qui était accompagné d'une enveloppe budgétaire conséquente qui excède les 04 milliards de dinars. Sa configuration globale mobilise 24 projets répartis sur quatre espaces, à savoir:

- Réalisation effective de l'enseignement obligatoire jusqu'à 15 ans;
- Encouragement de l'initiative et de l'excellence au lycée, à l'université et en formation professionnelle;
- Traitement urgent des problématiques horizontales du système d'éducation;
- Mise en place des ressources nécessaires à la réussite du PU[25].

Quant à la réponse pédagogique, elle se concentre notamment sur quatre mesures: la première, consiste à orienter les enseignants dans leurs pratiques pédagogiques vers l'adoption de l'approche par compétence. Au cœur de ce programme pédagogique, l'apprenant est désormais censé être au centre de l'action éducative et formative: à tous les niveaux d'enseignement et d'apprentissage (du primaire à l'université) tous les actes pédago-

24. Cf. «L'école de la réussite», Rapport du ministère de l'Enseignement supérieur et de la Recherche scientifique et de la Formation des cadres, 2009.
25. Les principales réalisations attendues du plan d'urgence sont:
    - Généralisation de la scolarisation obligatoire
    - Augmentation de l'offre et amélioration de la qualité du secondaire qualifiant
    - Renforcement de l'offre de l'enseignement supérieur et garantie de l'employabilité
    - Réalisation de l'équité de genre
    - Valorisation de la recherche
    - Renforcement des compétences du personnel enseignant et administratif
    - Gestion rationnelle des ressources humaines, financières et matérielles allouées au secteur de l'éducation et de la formation

giques et toutes les tâches centrées sur les apprentissages sont envisagés sous le poids du concept de «compétence» mobilisé transversalement.

La deuxième mesure est centrée sur l'élaboration de programmes Langue et communication et d'outils didactiques (manuels scolaires[26]) et informatique (module transversal TICE; programme Génie: notamment en ce qui concerne l'équipement de salles d'informatique dans les établissements scolaires; programme «Injaz» facilitant l'acquisition de PC portables aux doctorants et étudiants de master). La formation continue des enseignants (aux niveaux des académies et des universités) constitue la troisième mesure: les plans de formation ont été élaborés et les actions de formation ont été réalisées au niveau des institutions afin de les sensibiliser à la nécessité de rénover leurs méthodes d'enseignement, de les initier aux nouvelles pratiques et approches pédagogiques.

«La pédagogie de l'intégration»[27] représente la quatrième mesure adoptée officiellement par le ministère de l'Éducation nationale (projet piloté par le bureau d'Ingénierie et d'Éducation et de Formation (BIEF) affilié au MEN) qui a décidé de l'implanter dans une phase pilote dans quelques établissements publics relevant de son département avant de la généraliser.

Au-delà de l'accès généralisé à l'école, la qualité de l'enseignement et de l'apprentissage constitue le pilier de tout système scolaire. Le Maroc a beaucoup œuvré en la matière au fil des années, notamment en réactualisant les programmes pédagogiques et en créant des centres régionaux de formation des enseignants.

Toutefois, ces mesures ne sont pas venues à bout d'un certain nombre de problèmes qui persistent toujours: les enquêtes PNEA 2008 et celles TIMSS (notamment celle de 2011) sur l'enseignement des mathématiques et des sciences et PIRLS sur les progrès en lecture ont mis en évidence la faiblesse du niveau d'apprentissage des élèves marocains de 4e et 8e années par rapport à leurs camarades des autres pays participants. Ainsi, 74% des élèves marocains de 4e année n'atteignaient même pas le premier des quatre niveaux de référence en mathématiques et aucun ne parvenait au niveau supérieur.

---

26. Au niveau de l'université, on peut citer, à titre d'exemple, le manuel pour les étudiants de la 1ère année des filières sciences juridiques, économiques et de gestion: *Cap Université,* édité chez Didier par le Ministère de l'Enseignement supérieur en 2009.
27. Le modèle de Xavier Roegers a été adopté par le MEN lors de la phase d'expérimentation visant «à concevoir le dispositif le mieux adapté à la réalité des classes marocaines, à identifier les meilleures conditions d'application de la pédagogie de l'intégration, et à élaborer un dispositif de généralisation. Cette phase d'expérimentation touchera près de 15% des classes du primaire dès la rentrée 2009-2010» (Communiqué du BIEF, du 18 mars 2009).

C'est pour cela qu'il est indispensable d'entretenir la dynamique de la réforme afin de pouvoir exploiter les gains obtenus ces dernières décennies. Cela doit passer par la poursuite de la modernisation des manuels et de l'harmonisation des langues d'enseignement tout au long du cursus, afin d'améliorer les pratiques didactiques et, partant, d'éviter les incohérences et le gaspillage de ressources.

L'adéquation entre les programmes d'enseignement et de formation professionnelle d'un côté et les attentes du marché du travail de l'autre est tout aussi importante. De plus en plus de jeunes qualifiés et formés ont du mal à pénétrer sur un marché de l'emploi très exigeant et peuvent compter sur un système éducatif articulé aux besoins du monde de l'emploi. Les apprenants devraient obtenir plus d'orientation et de conseils sur les filières professionnelles que sur la manière d'acquérir les compétences professionnelles les plus recherchées.

2.1.2. L'analyse AFOM

a. Les atouts

Personne ne peut ignorer le développement croissant des savoirs et du savoir-faire dans le domaine de la culture des droits humains (CDH) au niveau national et international. Les organismes internationaux renforcent annuellement le socle juridique afférent aux droits de l'homme. Le chemin parcouru depuis la déclaration internationale des droits de l'homme en 1948 est important et nombreux sont les pays qui souscrivent aux règles internationales des droits de l'homme. Les organismes internationaux ont produit également des outils pédagogiques et didactiques pour accompagner le changement de mentalité, et donc de culture basée sur la discrimination, l'intolérance et le manque de respect à la différence.

Aujourd'hui plus que jamais, l'exigence de la compétitivité nationale et internationale s'exprimant en termes d'harmonisation des textes juridiques nationaux avec les règles internationales et de standardisation des outils éducatifs et pédagogiques, amène le Maroc à activer positivement l'arsenal législatif visant le respect des droits de l'homme et à appuyer les actions et les activités des secteurs institutionnels (départements ministériels et les organisations militantes issues de la société civile).

C'est ainsi qu'au niveau des plans d'action nationaux, plusieurs textes recueillent des plans contre le racisme, la xénophobie, la discrimination raciale ou autre, de promotion de la parité: le Mémorandum relatif à la mise en place de l'autorité pour la parité et la lutte contre toutes les formes de discriminations élaboré par le CNDH; le Programme national d'éducation aux droits de l'homme (PNEDH) (1994) mis en place par le ministère des Droits de l'homme; le Plan gouvernemental de l'égalité en perspective de la parité «IKRAM»; la Convention nationale sur les droits de l'homme et le VIH/sida signée par le ministère de la santé et le CNDDH.

b. Les faiblesses

Face à nos atouts, il existe des faiblesses assez sérieuses parmi lesquelles se trouve l'absence de vision stratégique de l'approche CDH. En effet, si les actions et les activités sont nombreuses, elles ne sont pas toutefois sous-tendues par une vision qui les dote de cohérence et de visibilité, nécessaire pour leur pérennisation. Par ailleurs, si nous pouvons enregistrer annuellement un certain nombre d'activités liées au droits de l'homme, le manque de dispositif d'information, de données et d'archivage réduisent la portée et le volume des actions visant à la connaissance exacte de ce qui se passe au Maroc en matière de manifestations relatives à la culture des droits de l'homme. On ne sait pas exactement qui fait quoi, pourquoi, quand et où. C'est après-coup que l'information, relayée par les médias, arrive au public. Celui-ci ne peut que prendre acte de l'information mais il ne peut pas prendre part à l'action. Or, c'est la participation effective qui peut donner lieu à des changements au niveau des comportements des citoyens.

Cette situation est liée à un autre maillon de la chaîne des faiblesses à savoir le manque de coordination entre, d'une part, les institutions de manière générale et d'autre part, entre les universités et les structures de formation universitaire et interuniversitaire. Le système d'information n'est pas assez performant pour mettre en exergue les actions, les activités en lien avec l'approche de droits de l'homme. Quel en est le résultat ? Cela donne l'impression:

- d'éparpillement des activités,
- d'incohérence des filières,
- et de manque de visibilité du plan de formation lié aux filières droits de l'homme.

S'agissant de la quantité-qualité des enseignants impliqués dans les formations accrédités, il faut bien constater la limite d'enseignants formés en l'approche droits de l'homme. Comme pour bien d'autres matières (ex: l'éducation à la citoyenneté; l'éducation aux valeurs), les enseignants dispensent leur enseignement sans formation préalable à l'approche aux droits de l'homme. Et le ministère de Tutelle, dans ses différents plans d'action, n'envisage aucun dispositif pour remédier à cette défaillance structurelle.

Concernant l'enseignement des droits de l'homme, nous le retrouvons au niveau des licences, dans les seules formations de Droit[28]. Puis dans toutes les formations de masters sur lesquelles porte notre enquête. Cet enseignement est obligatoire et noté dans toutes les formations où il est dispensé (ce qui peut être souvent contreproductif pour des étudiants atttachés aux notes et à la réussite).

c. Les opportunités

En ce qui concerne l'université marocaine, il y a lieu de constater que la loi 01/00 stipule l'ouverture de l'université marocaine sur la qualité de l'éducation et de la formation initiale et continue en lien avec l'approche fondée sur les droits de l'homme. Il s'agit là d'une importante opportunité d'ordre stratégique. L'article 1 de ladite loi stipule:

> «L'enseignement supérieur, objet de la présente loi, est fondé sur les principes suivants:
>
> – Il est dispensé dans le cadre du respect des principes et valeurs de la foi islamique qui président à son développement et à son évolution.
>
> – Il est ouvert à tous les citoyens remplissant les conditions requises sur la base de l'égalité des chances.
>
> – Il est exercé selon les principes des droits de l'homme, de tolérance, de liberté de pensée, de création et d'innovation, dans le strict respect des règles et des valeurs académiques d'objectivité, de rigueur scientifique et d'honnêteté intellectuelle».

Quant à l'engagement des décideurs universitaires dans le processus de la mise en œuvre des stratégies de la culture des droits de l'homme, il est présent tant au niveau du projet de développement de l'université présenté par les présidents des universités que par les chefs d'établissements universitaires. D'ailleurs cet aspect d'engagement explique l'appui de l'université Mohammed V Rabat aux initiatives universitaires menées par les enseignants et les étudiants visant l'animation d'activités académiques et culturelles liées à la promotion de la culture des droits de l'homme.

L'université Mohammed V Rabat, regroupant un nombre important d'enseignants chercheurs qualifiés, expérimentés, voire engagés, n'hésite pas non plus à donner l'appui nécessaire aux enseignants porteurs de projets d'accréditation de filières de formation initiale dans le domaine de droits de

28. Source: Document «Filières fonctionnelles depuis 2006» du Ministère de l'Enseignement Supérieur.

l'homme. La préparation de thèses portant sur les thématiques de droits de l'homme est encouragée; elles se réalisent dans le cadre de centres d'études doctorales animés par des équipes de recherches accréditées et spécialisées des questions relatives aux droits de l'homme.

Durant toute l'année universitaire, nombreuses sont les actions culturelles en lien avec la culture des droits de l'homme. Toutes les occasions (journées nationales et internationales; commémoration d'événements portant sur les droits de l'homme) sont propices pour organiser des activités (ateliers; séminaires; forums et journées d'études) visant à traiter directement ou indirectement les thématiques des droits de l'homme et ce, avec l'objectif d'infuser le comportement quotidien des acteurs universitaires (les étudiants, les enseignants et les fonctionnaires) et leurs partenaires des principes et valeurs liés à la citoyenneté démocratique, à la consolidation des principes de la démocratie, à l'exigence du respect des autres et de la solidarité active.

Il faut signaler que ces activités sont généralement préparées, animées et fiancées en collaboration avec des organismes internationaux accrédités au Maroc qui s'impliquent activement dans ce genre d'action en raison du sérieux des activités et de l'engagement des acteurs administratifs et académiques.

Au niveau de la faculté des Sciences juridiques, économiques et sociales d'Ain Sebâa appartenant à l'université Hassan II – Casablanca, plusieurs activités citoyennes et relatives aux droits de l'homme sont en place tels que des ateliers de droits de l'homme et de sensibilisation aux droits de l'homme, des ateliers de responsabilité sociale et de citoyenneté. Une clinique juridique des droits de l'homme vient d'être mise en place cette année partant d'un partenariat entre le CNDH et notre institution. Ainsi, la FSJES-AS au même titre que l'université Mohammed V de Rabat, dispose d'un milieu propice à la promotion de la culture des droits de l'homme.

Le projet Tempus ABDEM constitue une opportunité certaine pour les deux universités dans la mesure où il s'appuie sur un instrument international concernant l'approche basée sur les droits de l'homme, mobilise les experts dans ce domaine et projette de former les enseignants maghrébins à cette approche et élaborera une filière niveau Master sur l'enseignement des droits de l'homme à l'université.

d. Les menaces

Ce qui est à craindre au premier chef c'est, d'une part, l'absence de convergence institutionnelle en termes de formation et de formation aux droits de l'homme et de relecture de la législation nationale en fonction de la nouvelle donne réglementant l'approche aux droits de l'homme. D'autre part, l'éparpillement des savoirs liés à la culture droits de l'homme assorti du manque d'impact sur les acteurs clé du milieu éducatif. Tant qu'il n'existe pas de structure support ayant pour mission de rassembler l'information, de la classer et de la mettre à la disposition des usagers institutionnels et de la société civile pour suivre ce qui se passe au jour le jour, les actions d'organisation scientifiques et culturelles, de formation initiale et doctorale et de formation continue sur les droits humains, n'auront pas de visibilité et la menace de la précarité des activités vraiment réalisées pèsera toujours sur la mise en place des stratégies promotionnelles des droits de l'homme. A cela, il faudrait ajouter que l'information sur les formations et la formation continue est quasi-absente: le personnel académique et administratif, ignorant de ce qui se passe, ne peut pas participer aux activités y afférent.

Il y a une seconde menace non moins importante: la diminution de la masse critique des enseignants-chercheurs et des administratifs formés à l'approche aux droits de l'homme en raison du départ à la retraite qui pointe à l'horizon 2020. En effet, les indicateurs démographiques et professionnels montrent que la majorité du corps enseignant constitue une population vieillissante et que l'ensemble des établissements universitaires vit sous la menace du départ à la retraite quand bien même l'État a augmenté l'âge de la retraite de deux années. Le départ massif à la retraite (plus de 50% à partir de 2018), conjugué à la rareté de spécialistes et de professionnels en approche éducative aux droits de l'homme, menace d'handicaper les initiatives et les projets entamés à ce jour.

Dans ce contexte, quelles sont les lignes stratégiques à adopter pour pouvoir surmonter progressivement les obstacles de cette situation en mobilisant les forces et les atouts pour vaincre à la fois, les faiblesses et relever les défis des menaces ?

2.1.3. Lignes stratégiques

Voici en résumé les lignes stratégiques:

- Assurer plus de cohérence et de cohésion institutionnelle aux niveaux de la stratégie nationale et de l'action multisectorielle (CNDH; délégation interministérielle des droits de l'homme; organisations non gouvernementales; ministères de l'Éducation et de l'Enseignement supérieur; CNEFR;...)
- Intégrer la formation à l'ABDH dans tous les cycles de formation des enseignants; mettre en place un plan de formation pour le personnel enseignant en exercice avec des outils de standardisation.

- Promouvoir la recherche et l'expertise en matière de droits de l'homme. Financer les projets de recherche et d'évaluation en matière de droits de l'homme. Primer les recherches.
- Mettre en place un dispositif consacré à la promotion, à l'information, au suivi et à l'évaluation des projets portant sur l'ABDH à l'université.
- Élaborer un plan de communication et un dispositif de coordination entre les établissements porteurs de projet ABDH.
- Planifier la formation du personnel enseignant en l'ABDH.
- Fédérer, coordonner et rationaliser les activités culturelles et scientifiques et structurer les filières concernées par l'ABDH.
- Promouvoir la coopération avec les espaces universitaires nationaux et internationaux.

2.1.4. Remarques sur les indicateurs

Le tableau des indicateurs et son architecture (indicateurs structurels, indicateurs de processus et indicateurs de résultats) sur lequel notre équipe a dû travailler est un instrument au service d'une approche onusienne qui est validée par les instances internationales. Cette approche, qui se base sur les termes de références du manuel onusien, suppose que les pays ont opté pour cette démarche éducative, que les pratiques sont évaluées et que les indicateurs de performance sont connus au préalable pour savoir si les résultats sont concluants ou pas. Or, les pays qui ne connaissent pas cette approche auront du mal à saisir les données en fonction des indicateurs de la grille très ciblés. Cette remarque générale explique la raison principale pour laquelle le tableau en question n'a pas été rempli dans sa totalité et que bien des cases sont restées vides.

La deuxième remarque est liée à l'organisation interne de l'université et donc à la question du dispositif institutionnel d'information et d'archivage: en l'absence de ce dispositif, il est difficile de remplir les cases puisque le système d'information informatisé n'existe pas encore à l'université et que par conséquent les données ne sont pas disponibles.

La troisième remarque principale concerne la question de la recherche que présuppose l'évaluation de l'approche aux droits de l'homme dans le contexte marocain. Il s'agit précisément de la compréhension des indicateurs en dehors de la reconnaissance de la matrice génératrice du questionnement en lien avec des applications institutionnelles. En d'autres termes, on ne peut mesurer que sur la taille de l'identifiable qui est encore méconnu au Maroc sous la forme préconisée par le manuel onusien.

2.1.5. Bref aperçu des bonnes pratiques de la politique nationale liées à l'éducation aux droits de l'homme et à l'approche aux droits de l'homme dans l'éducation

Parmi les bonnes pratiques qui figurent au niveau national nous signalons les suivantes:

- Mise en exergue de l'importance du respect des droits de l'homme dans la Constitution marocaine;
- Accréditation de filières de formation en lien avec les droits de l'homme;
- Promotion de recherches doctorales sur la thématique des droits de l'homme;
- Organisation de forums sur les droits de l'homme: Le Maroc a organisé du 27 Novembre au 30 Novembre La deuxième édition du Forum mondial des droits de l'homme;
- Introduction de cours en lien avec les valeurs universelles et l'éducation à la citoyenneté;
- Organisation de concours entre les établissements scolaires abritant des clubs UNESCO en droits de l'homme;
- Contribution aux études portant sur la culture des droits de l'homme en collaboration avec les organismes internationaux;
- Mise en place de la Plate-forme citoyenne qui porte dans ses objectifs l'éducation aux droits de l'homme et désignation d'une commission intersectorielle de la mise en application du plan d'actions global relatif au respect des droits de l'homme;
- Soutien au tissu associatif œuvrant pour la promotion de la culture des droits de l'homme;
- Signature de plusieurs partenariats et conventions entre universités et organismes en charge des droits de l'homme.

2.1.6. Synthèse du bilan de la dimension nationale

La situation politique et éducative marocaine semble être assez favorable à la promotion des droits de l'homme, et ce, malgré la relative faiblesse au niveau législatif et la rareté en termes de plans d'action relatifs à l'éducation aux droits de l'homme. Cet état des lieux que nous venons de brosser nous permet de situer notre pays en matière des droits de l'homme et surtout de déterminer les points à améliorer. Il est d'une importance capitale dans la mesure où il nous permet de savoir ce qu'il faudrait entreprendre comme mesures à l'avenir, et il nous sert de feuille de route à suivre pour enfin améliorer de façon significative la situation des droits de l'homme au Maroc.

Le Projet ABDEM est un projet ambitieux et donnera, sans aucun doute, d'excellents résultats à terme, à condition qu'il réussisse à créer une véritable synergie entre les établissements d'enseignement supérieur soucieux de la promotion des valeurs des droits de l'homme, ceux qui accusent encore du retard sur ces questions-là, et les différents responsables au niveau national du secteur de l'éducation et de l'enseignement.

Pour conclure, les grands enjeux de l'ABDEM et son impact sur les universités sont les suivants:

- Grand levier de promotion des valeurs des droits de l'homme;
- Démocratisation de l'université;
- Sensibilisation des professeurs et des étudiants aux droits de l'homme;
- Promotion de la recherche sur les droits de l'homme;
- Exportation de l'ABDH vers d'autres institutions d'éducation et d'enseignement;
- Production de cadres formés aux valeurs des droits de l'homme.

2.2. UNIVERSITÉ MOHAMMED V DE RABAT

L'université Mohammed V Rabat, membre du consortium, est la première institution universitaire marocaine créée au lendemain de l'indépendance du Maroc en 1956. Pluridisciplinaire, elle se compose aujourd'hui, après la récente fusion en 2014, de 19 établissements d'enseignement supérieur qui se déclinent comme suit:

- 8 facultés ouvertes et régulées dont 3 facultés de droit;
- 3 écoles d'Ingénieurs;
- 2 écoles supérieures;
- 5 instituts de recherche spécialisés;
- 1 annexe à Abu Dhabi.

Cette université regroupe:

- 80000 étudiants dont 78554 en formation initiale et 1446 en formation continue;
- 4000 étudiants étrangers;
- 2105 enseignants chercheurs;
- 1643 membres du personnel administratif et technique.

En termes de formation, l'université Mohammed V Rabat est pluridisciplinaire et présente une offre importante: elle a accrédité plus de 250 filières qui se répartissent en quatre pôles:

- Pôle sciences et techniques: 85 filières;
- Pôle sciences juridiques et économiques: 80 filières;
- Pôle sciences humaines et sociales: 76 filières
- Pôle santé 11 filières.

S'agissant de l'offre en formation initiale, les filières fondamentales (50%) y sont supérieures aux filières professionnelles (46%). Chaque année l'université Mohammed V Rabat accueille près de 25000 nouveaux inscrits et produits près de 12000 lauréats.

2.3. FACULTÉ DES SCIENCES JURIDIQUES, ÉCONOMIQUES ET SOCIALES D'AIN SEBÂA. UNIVERSITÉ HASSAN II DE CASABLANCA[29]

2.3.1. Présentation de la FSJES Ain Sebâa

La faculté des sciences juridiques, économiques et sociales d'Ain Sebâa, affiliée à l'université Hassan II de Casablanca, est un établissement d'enseignement supérieur public marocain. Fondée en 2007, la FSJES[30] a ouvert ses portes au quartier d'Ain Sebâa, centre industriel de Casablanca et cœur battant de l'économie marocaine. Son périmètre de recrutement recouvre Hay Mohammadi, Ben Msik, Sidi Bernoussi, Sidi Moumen, Sidi Othman, quartiers populaires et importantes zones de bidonvilles dans l'agglomération de Casablanca. Longtemps situés à la limite extérieure de la ville, ces quartiers cristallisent l'une des plus grandes mutations du Maroc, à savoir l'urbanisation rampante. Leurs populations courent en permanence les risques de la marginalisation, de la précarité et du déracinement.

C'est pourquoi la FSJES Ain Sebâa s'est fixé comme objectif de s'ancrer dans la réalité de son environnement local en s'associant aux différents acteurs de la vie sociale, culturelle et économique. Notamment en construisant un réseau avec ces différents acteurs, par la signature d'une série de contrats et de conventions de partenariats.

Les 5000 étudiants inscrits dans notre établissement pour l'année 2014-2015 sont répartis sur les formations suivantes:

29. Le rapport a été rédigé par Madame le professeur Jamila Houfaidi Settar.
30. Au Maroc, les FSJES accueillent le plus grand nombre d'étudiants: 113 414 en 2007-2008 sur un total de 292 776. 136 245 en 2008-2009, sur un total de 367 668, soit des taux respectifs de 41,69% et 38%.

- La Licence d'études fondamentales en économie, avec 3 parcours:
  - Économie
  - Gestion
  - Économie et Gestion
- Sept licences professionnelles:
  - Management des ressources humaines appliqué
  - Management de la chaîne Logistique et transport
  - Techniques de distribution
  - Ingénierie financière
  - Méthodes informatiques appliquées à la gestion des entreprises
  - Techniques de banque
  - Marketing stratégique et négociations
  - Comptabilité, contrôle et audit
  - Management hôtelier et touristique
- Cinq masters:
  - Études euro-méditerranéennes
  - Stratégies, entreprenariat et management des compétences
  - Management de la chaîne logistique
  - Ingénierie commerciale et marketing
  - Management des risques

Notre faculté fait partie du réseau de recherche de l'université Hassan II et elle est active au sein du LISE (Laboratoire Interdisciplinaire Société et Économie). Elle veille par ailleurs à renforcer l'intégration de ses jeunes chercheurs dans les réseaux de recherche existants au niveau local, national et international.

2.3.2. Analyse AFOM et son développement

L'analyse AFOM présentée ci-dessous permet d'établir un diagnostic de la situation des droits de l'homme et de l'éducation aux droits de l'homme dans l'enseignement supérieur au Maroc. Notre analyse institutionnelle se limite à la faculté des Sciences juridiques, économiques et sociales Ain Sebâa de Casablanca, comme cela a été convenu avec les coordinateurs du projet ABDEM. Nous avons essayé tout au long de cette analyse de déceler, conformément à la logique des analyses AFOM, les forces et les faiblesses internes de notre établissement, relatives à l'application de l'approche basée sur les droits de l'homme, et d'identifier les éléments externes qui pourraient constituer des opportunités à saisir ou des menaces à contrecarrer.

Atouts	Faiblesses
1. Reconnaissance de l'autonomie de l'université dans la gestion et l'élaboration de ses politiques. 2. Reconnaissance du respect des droits de l'homme dans la charte éthique et dans les valeurs de l'université. 3. Notoriété de l'université marocaine sur la formation initiale et continue, en lien avec l'ABDH. 4. Collaboration et partenariat avec des organismes et des institutions œuvrant dans le domaine des droits de l'homme. 5. Présence de cours et d'enseignements obligatoires portant sur les droits de l'homme tout au long des cursus. 6. Le droit à l'accès à l'information est garanti. 7. Participation de l'ensemble de la communauté. 8. Enseignants qualifiés, expérimentés et engagés 9. Organisation et encouragement des initiatives et des activités culturelles et spécifiques de formation en lien avec l'ABDH (thèses, ateliers; séminaires; forums et journées d'études). 10. Engagement des collaborateurs administratifs et académiques.	1. Faiblesse de la législation universitaire en matière des droits de l'Homme. 2. La non prise en compte de l'éducation sur les droits de l'homme dans le processus de sélection du personnel enseignant. 3. La politique globale de recherche de l'université ne porte que peu d'intérêt aux droits de l'homme. 4. Absence de formations en faveur du personnel enseignant et administratif portant sur les droits de l'homme. 5. Absence de mécanisme de défense contre les éventuelles atteintes aux droits de l'homme au sein de la faculté. 6. Le caractère obligatoire des enseignements et des activités portant sur les droits de l'homme.
Opportunités	**Menaces**
1. Réel intérêt politique pour l'amélioration des droits de l'homme au Maroc. 2. Ratification par le Maroc des principales conventions internationales liées aux droits de l'Homme. 3. Création d'institutions nationales et gouvernementales pour la promotion des droits de l'homme (Délégation interministérielle aux droits de l'homme, Conseil National des Droits de l'Homme, Le Médiateur, ainsi que la future instance pour la Parité et la Lutte contre toutes Formes de Discrimination prévue dans la nouvelle Constitution de 2011). 4. Engagements des décideurs politiques dans le processus de la mise en oeuvre des stratégies ABDH: présence dans les plans d'actions sectoriels de programmes d'éducation sur les droits de l'homme (mais de faible teneur). 5. Intérêt porté aux droits de l'homme par le Conseil supérieur de l'enseignement. 6. Exigence de la compétitivité nationale et internationale en termes de standardisation des outils éducatifs et pédagogiques visant l'ABDH.	1. La non-reconnaissance explicite des DH et de leurs valeurs dans la législation nationale de l'enseignement supérieur. 2. Absence de convergence institutionnelle et de textes juridiques. 3. La législation nationale ne considère aucunement l'éducation sur les droits de l'homme comme un critère de sélection et de recrutement du personnel enseignant. 4. Inexistence de dispositifs d'information et de formation du personnel enseignant aux droits de l'homme. 5. Indifférence des politiques de recherche nationales envers la recherche liée aux droits de l'homme. 6. Diminution critique de la masse des enseignants cher-

Opportunités	Menaces
7. Développement croissant des connaissances et savoir-faire dans le domaine de la culture des droits de l'homme (CDH) à niveau national et international. 8. Ouverture de l'université marocaine sur la qualité de l'éducation et de la formation initiale et continue en lien avec l'ABDH.	cheurs et des administratifs formés à l'approche ABDH. 7. Rareté des spécialistes et des professionnels de l'ABDH. 8. Eparpillement des savoirs liés à l'ABDH et absence d'impact sur les acteurs clés du domaine éducatif.

a. *Analyse des principales forces et faiblesses*

Nous estimons, sur la base des éléments recueillis, que la force la plus importante de la FSJES Ain Sebâa (mais aussi de toutes les universités marocaines) réside dans son autonomie dans plusieurs domaines, sujets de notre travail[31].

Notre établissement dispose d'autonomie dans l'élection, la désignation et la cessation des fonctions des organes de gouvernement, ce qui peut favoriser l'élection et la promotion de responsables formés aux droits de l'homme. Aussi, l'autonomie dont dispose l'université dans l'élaboration et l'approbation de ses statuts, pourrait permettre de modifier la législation universitaire actuelle, en la basant sur les principes et recommandations de l'ABDH, ou du moins, de ses principes directeurs fondamentaux. Une telle action permettrait de consolider les acquis déjà réalisés, et de pallier aux manquements relevés lors du renseignement des indicateurs de cette section.

L'université dispose aussi d'autonomie pour la recherche de fonds, ce qui lui permet de collecter des fonds auprès d'organismes actifs en promotion des valeurs des droits de l'homme dans l'enseignement supérieur.

L'existence d'autonomie dans la sélection, la formation, la promotion et la rémunération du personnel, académique et non-académique, permet par ailleurs de sélectionner des enseignants formés aux droits de l'homme ou de réaliser des formations aux droits de l'homme pour les enseignants n'en disposant pas.

L'autonomie dans la gestion des ressources donne la possibilité à L'université de consacrer une part conséquente du budget à l'éducation aux droits de l'homme et aux projets de recherche dans ce domaine. Pour conclure ce

31. Autonomie garantie par la Loi n° 01-00 portant organisation de l'enseignement supérieur et par le Règlement interne de l'Université Hassan 2 Mohammedia (pour plus de détails voir les indicateurs structurels ICE1.8 et ICE1.9 de la Dimension 1 IES.

point, l'autonomie dont dispose l'université marocaine, et que lui garantit la Loi n° 01-00 portant organisation de l'enseignement supérieur, est le principal ressort sur lequel pourrait tabler notre projet, pour mettre en place avec succès l'ABDH au Maroc.

En ce qui concerne la charte éthique de la FSJES Ain Sebâa, nous avons choisi de la considérer comme un élément qui constitue une force de l'établissement, car au-delà de l'aspect contractuel qu'elle implique[32], elle est considérée, par l'ensemble de notre communauté universitaire, comme le document de référence pour tout ce qui a trait aux valeurs citoyennes et des droits de l'homme, dont notre établissement se veut le promoteur.

Pour ce qui est des partenariats avec les différentes institutions nationales en charge des droits de l'homme, notre faculté a signé des conventions de coopération avec la Délégation interministérielle aux droits de l'homme, et le Conseil National des droits de l'homme. Ce sont les deux principales structures nationales qui œuvrent dans le domaine des droits de l'homme.

Ces conventions ont permis de lancer plusieurs activités de promotion des droits de l'homme au sein de notre établissement, de proposer aux étudiants intéressés par les problématiques des droits de l'homme des stages de formation ou de fin d'études, mais aussi de faire bénéficier notre faculté et l'ensemble de notre communauté du savoir-faire et du réseau sont disposent ces institutions[33].

Concernant les faiblesses, nous avons focalisé notre attention sur les manquements internes qui devraient être corrigés, sous peine d'entraver l'implémentation de l'ABDH. Nous avons ainsi identifié la législation universitaire comme principale faiblesse de notre établissement, car ne portant pas une grande attention aux droits de l'homme. Aucun dispositif de prise en compte des droits de l'homme dans les processus de sélection des personnels enseignants et administratifs n'a été relevé. Ni aucun dispositif de formation aux droits de l'homme en faveur des professeurs et du personnel administratif en poste.

Nous avons précédemment suggéré que la correction de la législation universitaire que permettait l'autonomie garantie par la Loi 01-00, pouvait permettre de consolider les acquis obtenus par les équipes dirigeantes

32. Tous les étudiants de la FSJES Ain Sebâa, lors de leur première inscription, prennent connaissance du contenu de la Charte éthique de l'établissement et s'engagent à en respecter les dispositions et à en promouvoir les valeurs.

33. Dernier exemple en date, l'aide apportée par les responsables du CNDH à la jeune équipe qui a lancé le projet de la Clinique Juridique des droits de l'homme de la FSJES Ain Sebâa, en lui proposant des cycles de formations, mais aussi en la conviant aux travaux et ateliers organisés par des spécialistes des cliniques juridiques, lors de la deuxième édition du Forum mondial des droits de l'homme.

soucieuses et respectueuses des droits de l'homme, et qui ont lancé de leur propre initiative des actions dans ce sens.

Nous pensons maintenant qu'une réforme de la législation universitaire, qui mettrait cette dernière en phase avec les dispositions de l'ABDH, est indispensable non seulement pour la réussite de notre projet, mais aussi pour opérer une réelle coupure avec les 'mauvaises pratiques', enracinées dans la quasi-totalité du système d'enseignement supérieur marocain.

En ce qui concerne la recherche scientifique, l'Université Hassan 2 dans son ensemble, n'accorde que très peu d'intérêt à la promotion de la recherche portant sur des problématiques en lien avec les droits de l'homme. Au niveau de la FSJES Ain Sebâa, le jeune âge de l'établissement ne nous permet pas de dresser un bilan exhaustif des réalisations au niveau de la recherche. Néanmoins, les partenariats avec les institutions nationales des droits de l'homme semblent tendre à l'encouragement de la recherche scientifique en lien avec les thématiques des droits de l'homme. Notamment à travers la soutenance de travaux, surtout au niveau des masters, d'étudiants ayant effectué des stages au sein de ces institutions.

b. Analyse de l'interaction entre l'environnement interne et externe

Après avoir établi l'AFOM qui nous a permis de synthétiser la situation dans son ensemble, nous avons procédé au développement de la matrice, de sorte qu'elle nous permette de confronter les points forts et faibles de notre établissement, à leur environnement externe; afin d'identifier les modalités par lesquelles on peut profiter des forces et de la correction des faiblesses, pour saisir les opportunités et contrer les menaces existantes dans l'environnement externe à l'institution.

Nous avons constaté lors de notre analyse AFOM pour évaluer les points forts et les points faibles internes, une faiblesse au niveau de la législation universitaire dans la dimension 2, qui concerne les droits de l'homme dans l'éducation.

La législation universitaire, ne considère pas de façon adéquate l'éducation aux droits de l'homme dans le processus de sélection du personnel enseignant (Axe I, structurel). Le projet ABDEM doit mettre en place des mesures pour corriger cette faiblesse au niveau de la législation universitaire en utilisant, comme nous l'avons déjà évoqué, le levier de l'autonomie universitaire, ou en formant des formateurs et des cadres de l'enseignement supérieur aux droits de l'homme, pour que ces derniers puissent proposer des modèles de législation favorables à la pérennisation de l'ABDH. Notamment en légiférant en faveur de la prise en compte, lors de la sélection du personnel enseignant, du critère de l'éducation aux droits de l'homme.

Nous avons aussi relevé une faiblesse au niveau du processus de fonctionnement, dans la mesure où l'université n'incorpore pas des normes signalées dans les indicateurs structurels, ce qui n'encourage pas la création de projets d'innovation pédagogique se basant sur les principes des droits de l'homme, la promotion de la recherche en droits de l'homme et la création d'activités d'innovation pédagogique. En d'autres termes, la législation universitaire ne construit pas de mécanismes structurels et législatifs, facilitant la promotion des droits de l'homme en son sein (Axe 1 Processus).

Ci-après figure le tableau récapitulatif de l'interaction entre les atouts et les faiblesses de notre établissement, avec les opportunités et les menaces qu'implique son environnement externe.

Atouts et environnement externe

Rapport	**Opportunités** *Comment l'atout permettrait de saisir l'opportunité ?*	**Menaces** *Comment l'atout permettrait de contrer la menace ?*
Forces	1. L'autonomie de l'université dans la gestion et l'élaboration de ses politiques est reconnue dans ses statuts. Cet atout permet, de facto, à l'université d'établir des mesures promotrices de l'éducation aux droits de l'homme. 2. La reconnaissance du respect des droits de l'homme dans les valeurs de l'université est un point fort qu'il faut valoriser, en faisant de l'établissement un exemple à suivre pour les autres établissements d'enseignement supérieur; et en associant le ministère de tutelle afin qu'il accompagne ces réalisations par l'élaboration d'une législation soucieuse des droits de l'homme. 3. La collaboration de l'université avec des organismes et les institutions nationales des droits de l'homme permettrait d'enrichir les curricula de l'université avec des modules, des formations et des activités spécifiques aux droits de l'homme. 4. L'encouragement, la participation et l'organisation d'activités spécifiques aux droits de l'homme	6. L'autonomie universitaire permet de contrer la faiblesse législative au niveau national, puisque l'université peut s'autogérer et construire son propre corpus réglementaire/législatif, soucieux du respect des droits de l'homme. 7. La reconnaissance des valeurs des droits de l'homme au niveau universitaire permet de dépasser la non-reconnaissance de ces valeurs au niveau national. 8. La collaboration de l'université avec les organismes et les institutions nationales des droits de l'homme contribue à dynamiser la recherche scientifique portant sur des problématiques en lien avec les droits de l'homme. 9. Aussi, la présence de cours et d'activités portant sur les droits de l'homme tout au long du cursus universitaire, aide à susciter l'intérêt des étudiants envers les problématiques des droits de l'homme, sur lesquelles ils peuvent lancer des réflexions telles que des recherches. 10. Les cours et activités spécifiques aux droits de l'homme organisés

Rapport	**Opportunités** *Comment l'atout permettrait de saisir l'opportunité ?*	**Menaces** *Comment l'atout permettrait de contrer la menace ?*
Forces	permettrait de promouvoir et de propager les valeurs des droits de l'homme dans l'ensemble de l'université. 5. La participation de l'ensemble de la communauté scientifique à la gestion et à la planification stratégique est une méthode démocratique pouvant créer et promouvoir un environnement de travail en accord avec les valeurs des droits de l'homme.	au sein de l'université contribuent à former chez le personnel enseignant une conscience citoyenne et un réel intérêt pour la culture des droits de l'homme.

Faiblesses et environnement externe

Rapport	**Opportunités** *Comment la correction de la faiblesse permettrait de saisir l'opportunité ?*	**Menaces** *Comment la correction de la faiblesse permettrait de contrer la menace*
Faiblesses	1. Revoir l'ensemble de la législation universitaire, en la faisant fortement s'imprégner de la culture des droits de l'homme, permettrait de donner l'exemple au niveau national et d'inciter le ministère de tutelle à lancer un réel chantier de réformes portant sur les droits de l'homme dans l'enseignement supérieur. 2. Encourager la recherche portant sur des problématiques en lien avec les droits de l'homme permettrait de donner naissance à une université citoyenne et promotrice des valeurs des droits de l'homme, mais aussi de faire de l'université un partenaire crédible pour l'ensemble des instances en charge des droits de l'homme, aux niveaux national et international. 3. Prendre en compte les droits de l'homme dans le processus de sélection du personnel enseignant, doterait l'université d'enseignant imprégnés des valeurs des droits de l'homme qui pourront éduquer, à leur tour, les étudiants à ces valeurs.	1. La correction de la faiblesse législative universitaire en matière de droits de l'homme, permettrait de mettre en œuvre une politique universitaire soucieuse de droits de l'homme, et affranchie –du fait de l'autonomie universitaire– de la législation nationale déficiente en la matière. 2. La mise en œuvre au niveau de L'université de modalités de sélection du personnel enseignant qui prennent en compte les droits de l'homme comme critère essentiel, permettrait d'opérer un filtrage qui éliminerait les candidats peu soucieux des principes des droits de l'homme et de leur respect, et cela même si au niveau national, le ministère de tutelle continue de les recruter. 3. Encourager au niveau de l'université, la recherche sur des problématiques en lien avec les droits de l'homme, permettrait d'en faire un centre d'excellence académique et de spécialisation nationale sur ces questions.

2.3.3. Analyse des indicateurs, éclaircissements et remarques

a. Objectif et remarques à propos de la dimension 1 de l'Institution d'enseignement supérieur

L'objectif de cette dimension est d'évaluer l'institution d'enseignement supérieur à travers le prisme des valeurs des droits de l'homme et de voir jusqu'à quel point elle fonctionne conformément aux principes des droits de l'homme. La plupart des procédures évoquées dans l'axe 1 des indicateurs de processus, selon notre enquête, sont compatibles avec les principes des droits de l'homme sauf pour quelques indicateurs demandés. Il faudrait donc veiller à corriger les quelques faiblesses internes et utiliser les forces identifiées pour contrer les défaillances avérées dans les procédures au niveau national (Axe 1 Processus).

L'IES, au niveau des indicateurs structurels de l'axe III portant sur la recherche, reconnait les éléments et les principes de base, qui garantissent aux chercheurs le socle minimal de droits dans l'exercice de leurs activités. Néanmoins, le jeune âge de notre établissement, ne nous permet pas d'évaluer concrètement l'application effective et le respect de ces éléments. Car nous ne disposons pas encore d'une communauté conséquente de chercheurs, entreprenant leurs travaux de recherche au sein de la FSJES Ain Sebâa.

Pour la rubrique ICR1.25 et étant donné que nous ne travaillions que sur la faculté Ain Sebâa, et non pas sur l'ensemble de l'université Hassan 2, nous n'avons pas renseigné les informations portant sur le recteur de l'Université (qui est désigné au Maroc et non pas élu), et sur ses vice-recteurs.

b. Objectif et remarques à propos de la dimension 2: «Les droits de l'homme à travers de l'éducation»

Il s'agissait de voir, dans cette dimension, si les composantes structurelles de l'enseignement supérieur au Maroc, ainsi que les processus, les méthodologies et les outils pédagogiques au niveau des institutions d'enseignement supérieur facilitent et permettent (par le respect des valeurs des droits de l'homme) l'éducation aux droits de l'homme.

Tout d'abord, il faut signaler que si nous avons indiqué pour les rubriques IICP.2.2 et IICR2.6 que l'éducation aux droits de l'homme n'est présente ni dans les études de Bachelor, ni dans les études de masters des filières sujettes à notre enquête, cela est dû au fait que notre jeune faculté ne propose qu'une unique Licence d'études fondamentales en économie, ainsi que des masters spécialisés (Ingénierie commerciale et marketing, stratégies, entrepreneuriat et management des compétences, management de la chaîne logistique, management des risques) ou interdisciplinaires (Master études euro-méditerranéennes). Masters où sont proposés des cours obligatoires sur les droits de l'homme tout au long du cursus.

En ce qui concerne la création d'activités interdisciplinaires spécifiques pour l'éducation aux droits de l'homme, notre établissement a lancé pour l'année 2014-2015, en collaboration avec ses partenaires des institutions nationales des droits de l'homme, deux projets de promotion et d'éducation aux droits de l'homme: La Clinique juridique des droits de l'homme de la FSJES Ain Sebâa, et les ateliers de sensibilisation aux valeurs des droits de l'homme.

Les résultats de l'enquête ne reflètent donc aucunement la réalité de la présence des droits de l'homme au sein de l'IES FSJES Ain Sebâa.

Au niveau de la recherche, l'université Hassan 2 à laquelle est adscrite la FSJES Ain Sebâa, ne procède pas à des appels à projets et à bourses portant sur les droits de l'homme. Les centres ou groupes de recherche centrés sur les droits de l'homme n'existent pas ni les revues exclusivement spécialisées en droits de l'homme.

Le seul point positif réside dans les accords bilatéraux que la FSJES Ain Sebâa a signés avec les organismes des droits de l'homme et sur la base desquels des projets comme la Clinique juridique des droits de l'homme –qui a pour objectif de proposer aux étudiants une méthode innovante d'éducation aux droits de l'homme, associant les volets théorique et pratique– pourront donner de l'élan à la recherche portant sur les problématiques en lien avec les droits de l'homme.

En ce qui concerne le perfectionnement professionnel du personnel enseignant, notre enquête révèle que les plans de formation du corps enseignant ne comprennent pas des cours spécifiques sur les droits de l'homme et que l'université ne garantit pas la formation aux droits de l'homme pour son personnel enseignant, d'où la nécessité de pallier à cette défaillance.

2.3.4. Identification des bonnes pratiques à encourager

Tout au long de notre travail d'analyse du contexte national et de la situation des droits de l'homme dans notre institution d'enseignement supérieur nous avons relevé un certain nombre d'éléments que nous avons identifiés comme autant de bonnes pratiques à encourager:

- La FSJES Ain Sebâa rend publique et accessible un grand nombre d'informations, par le biais de plusieurs supports.
- La FSJES Ain Sebâa incorpore des enseignements obligatoires sur les droits de l'homme dans toutes les formations, et cela même si rien au niveau du ministère ne l'y oblige.

- La FSJES Ain Sebâa veille particulièrement à prendre en compte la dimension parité dans tous les aspects de la vie et des actions entreprises par l'établissement.
- La FSJES a mis en place des mécanismes de tutorat et de mise à niveau, afin de garantir l'égalité des chances et de rétablir l'université dans son rôle d'ascenseur social.
- La FSJES, en ce qui concerne la sélection d'étudiants pour des programmes de bourses et d'échanges académiques, veille à faire respecter le principe de parité.
- La FSJES facilite la participation des étudiants et du personnel enseignant à des activités citoyennes de promotion des droits de l'homme, essentiellement par l'aménagement des horaires.
- La FSJES met à disposition des étudiants et du personnel enseignant et administratif engagés dans des activités citoyennes, l'ensemble des moyens logistiques dont dispose la faculté, nécessaires à la bonne conduite de leurs initiatives.
- La FSJES permet à son personnel administratif de s'inscrire à des formations dispensées à la faculté.

3. TUNISIE

ABDESSATAR MOUELHI
Chercheur coordinateur INTES

HATEM OUERTATANI
Chercheur INTES

FATEN BEN LAGHA
Chercheur coordinatrice IPSI

HIND SOUDANI
Chercheur IPSI

LASSAAD LABIDI
Chercheur INTES

AICHA SAFI
Chercheur INTES

HELA BEN ALI
Chercheur IPSI

NASSER MOKNI
Chercheur IPSI

3.1. RAPPORT NATIONAL

3.1.1. Mise en contexte de la situation politique et éducative de la Tunisie

La Tunisie est un état souverain, libre et indépendant, dont l'Islam est la religion, l'arabe la langue et la République le régime. C'est un état civil fondé sur la citoyenneté, la volonté du peuple et la primauté du droit. D'une superficie de 163 610 kilomètres carrés, elle est située au nord de l'Afrique. Bordée au Nord et à l'Est par la Méditerranée, elle partage des frontières avec la Libye au sud-est et l'Algérie à l'ouest. Sa capitale est Tunis. D'après le dernier recensement général de la population, effectué en 2014, la Tunisie compte 10.932.000 habitants. Sa situation démographique est stable et le taux d'accroissement naturel de sa population a enregistré une légère hausse, puisqu'il était de 1,29 % en 2011, contre 1,08 % en 2004[34].

La périodique considérée a été marquée par un événement important: la révolution populaire dite «de la liberté et de la dignité», qui a duré près d'un mois (du 17 décembre 2010 au 14 janvier 2011) et a abouti au renversement de l'ancien régime. Après la révolution, la Tunisie a connu pendant trois ans une phase de transition marquée par des réformes constitutionnelles, législatives et politiques importantes, en particulier par un changement de système de gouvernement et par le renforcement et le développement du cadre juridique des droits de l'homme, fruit de l'élaboration d'une nouvelle constitution qui a posé les bases d'une société tunisienne démocratique, fondée sur la primauté de droit et la protection des valeurs universelles et, avant tout, de la liberté et de la justice.

Depuis l'entrée en vigueur de la Constitution du 27 janvier 2014, le système de gouvernement se caractérise par une répartition des pouvoirs entre le Président de la République et le Premier ministre. Cette répartition, qui vise à établir un équilibre des pouvoirs, marque une rupture avec le passé puisque sous l'ancien régime, le Président de la République détenait tous les pouvoirs. Le pouvoir législatif est exercé par le peuple par l'intermédiaire de ses représentants à la Chambre des députés qui sont élus librement pour un mandat de cinq ans au suffrage direct et qui votent les lois fondamentales à la majorité absolue et les projets de loi ordinaires à la majorité des députés présents, étant entendu que la majorité ne doit pas être inférieure au tiers des membres de la Chambre. Le pouvoir judiciaire est indépendant des pouvoirs exécutif et législatif; il assure l'administration de la justice et garantit la primauté de la Constitution, l'état de droit et la protection des droits et des libertés conformément aux normes internationales. Les juges sont nommés par décret présidentiel, compte tenu de l'avis favorable du Conseil supérieur de la magistrature. Les juges sont indépendants et ne connaissent d'autre autorité que celle de la loi. Ils jouissent de l'immunité de juridiction pénale et ne peuvent être ni poursuivis, ni arrêtés à moins que l'immunité ne soit levée. Les juges ne peuvent pas être mutés, démis de leurs fonctions ou suspendus, et ils ne peuvent faire l'objet de sanctions disciplinaires, sauf dans les cas prévus par la loi et en application d'une décision motivée du Conseil supérieur de la magistrature.

34. *Cfr.* COMITÉ DES DROITS ÉCONOMIQUES, SOCIAUX ET CULTURELS, Examen des rapports soumis par les États parties en application des articles 16 et 17 du Pacte international relatif aux droits économiques, sociaux et culturels, 30 de juin 2015 (UN Doc. E/C.12/TUN/3, pars. 2, 5 et 6).

3.1.2. Présentation générale du système d'enseignement supérieur

a. L'enseignement supérieur en chiffres[35]

Le système éducatif tunisien a été originellement conçu pour être pluridisciplinaire et ouvert à la diversité culturelle. La démocratisation du système est toujours une œuvre en construction et l'approche basée sur les droits de l'homme s'y intègre difficilement.

Le système éducatif:

- fonctionne selon les principes de la gratuité, de l'égalité et de la participation;
- est administré par l'État (ministère de l'Enseignement supérieur et de la Recherche et d'autres ministères en co-tutelle);
- comprend en 2013:
  - treize (13) universités dont une (1) virtuelle et une (1) Direction générale des études technologiques (DGET) créée pour coiffer les formations dispensées dans les Instituts supérieurs d'enseignement technologique (ISET);
  - 198 établissements d'enseignement supérieur public, avec 46 autres établissements d'enseignement supérieur privés.
  - Un effectif total d'étudiants ayant atteint, en 2013, le chiffre de 337.393 dont 205.209 filles et 21.880 inscrits dans des établissements privés dont 8.713 filles. L'effectif des étudiants étrangers est de 1.497, de 49 nationalités différentes.
  - Un système de soutien à la poursuite des études avec des bourses (101662 dont 1798 pour les étudiants tunisiens à l'étranger) ou des prêts (4200 dont 504 pour les étudiants tunisiens à l'étranger) accordés par les offices des œuvres universitaires et des prêts accordés par les caisses de sécurité sociale (4978).
  - Le personnel enseignant à plein temps est de 22 878 statutaires.
  - Des structures de recherche variées dont le nombre s'élève à 415 (241 laboratoires et 174 unités de recherche) en plus des 38 centres de recherche sous la tutelle de différents ministères. Ces structures couvrent les différents domaines y compris les sciences humaines et sociales (23 laboratoires et unités de recherche) et les sciences juridiques, économiques et de gestion (227 laboratoires unités de recherche).

---

35. Source: Ministère de l'Enseignement supérieur. Tunisie.

- Le nombre d'enseignants chercheurs est de 7779. Le nombre d'étudiants chercheurs est de 9810 (7191 en doctorat et 2619 en mastère)

– Structuré selon le système LMD[36], qui a commencé à être progressivement introduit depuis l'année universitaire 2006-2007.

b. L'enseignement supérieur: aperçu diachronique

C'est en 698, que la mosquée «zitouna»[37] a été construite à Tunis[38]. Elle devenait très vite, avec sa «madrasa» (école), un centre religieux et universitaire[39], et s'affirmait comme le centre intellectuel de tout le royaume omeyyade et ensuite Hafside. Elle survivait sous le protectorat mais bousculée[40], notamment par le collège «sadiki» (crée en 1875) reprenant le modèle français introduit dès le début de la colonisation (1881) et dispensant un enseignement moderne, elle finira par fermer en 1961, une année après la création de l'université de Tunisie (1960).

En effet, au lendemain de l'indépendance (1956), tout le réseau social, bâti autour de la Zitouna (toutes les sphères d'influence et de responsabilité de la société), allait être modifié. Les nouveaux dirigeants du pays (dont

36. Les études en vue de l'obtention du diplôme national de licence durent trois années après le baccalauréat et comprennent 180 crédits répartis sur six semestres. Les études conduisant à l'obtention du diplôme de master, ouverts aux titulaires d'une licence ou d'un diplôme équivalent, ont une durée de quatre semestres.
37. «L'olivier» / arabe جامع الزيتونة
38. Par Hassan Ibn Numan, chef militaire et gouverneur de la dynastie omeyyade. Selon la légende, on laisse un olivier au milieu de la cour en souvenir de l'ancienne vocation de l'endroit. D'autres sources parlent de la présence du tombeau d'une martyre chrétienne prénommée Olive (sainte Olive martyrisée sous Hadrien en 138).
39. Formation religieuse et littéraire mais aussi en sciences exactes (la physique, des mathématiques et de la géographie) au profit des imams, des juges et d'une grande partie des administrateurs de l'État. L'institution a formé de nombreux imams, poètes, sociologues, et de nombreux promoteurs d'une renaissance arabo-musulmane.
40. La Zitouna a entamé un déclin progressif (à l'époque ottomane), à la même époque d'un affaiblissement de la pensée islamique à l'échelle du monde arabo-musulman. Avec la création du collège «sadiki» (en 1875) la veille du protectorat, inaugurant une forme moderne de l'enseignement, la Zitouna a perdu son monopole et s'est repliée pour se limiter à l'enseignement de la théologie, le droit et la littérature arabe.
Sous le protectorat, l'influence de la madrasa demeure importante dans les formations classiques. Parallèlement, le collège Sadiki, puis l'université française, formait de manière plus intense beaucoup plus de cadres ouverts sur leur monde occidental. Il a fourni les principaux acteurs politiques du mouvement nationaliste dont notamment Habib Bourguiba.
A la veille de l'indépendance, accusée d'être une institution rétrograde par une large frange du mouvement nationaliste issue du Néo-Destour (parti politique), la Zitouna s'est trouvée complètement marginalisée. Les cadres de l'État étaient constitués de juristes et de techniciens bilingues diplômés d'universités laïques, tandis que les zitouniens arabophones trouvaient moins de places dans les administrations de l'état.

notamment Habib Bourguiba) vont organiser politiquement le passage d'un enseignement zaitounien vers un enseignement universitaire tunisien, dit moderne et laïque, –avec la fondation de l'université tunisienne en 1960 et la fermeture de la zitouna en 1961–, et vont mettre fin à la vocation universitaire de la mosquée[41]. Un clivage profond au sein de la population, ou tout au moins, au sein des élites, s'est installé pour ressurgir plus tard.

C'est fondamentalement une recomposition qui va marquer l'enseignement supérieur et tout le système éducatif. L'État, qui se voulait moderne, s'est approprié de la fonction d'éducateur du peuple. C'est ce modernisme de l'État et du projet sociétal qui était notamment au fondement de l'institution ainsi que la généralisation du droit à l'éducation (depuis 1958). L'université s'est, par ailleurs, présentée comme synonyme de l'ascenseur social. En effet, le système éducatif tunisien s'est inscrit, dès les premières années de l'indépendance, au cœur du processus d'édification d'un état national moderne et d'une société ouverte sur le reste du monde. Le système éducatif était l'une des médiations les plus importantes entre les aspirations des citoyens à une formation performante, qui pouvait leur garantir une vie meilleure, et satisfaire les besoins du pays en cadres moyens et supérieurs.

Les efforts déployés par les pouvoirs publics en faveur de l'enseignement supérieur (une part du budget de l'état) étaient considérables et attestaient de la demande sociale croissante du droit à l'éducation.

Cette période de 1956 à 1987 a été marquée principalement par:

- La fondation (loi de 1958) d'un système éducatif national unifié et la démocratisation de l'éducation notamment par l'égalité des sexes et la gratuité de l'enseignement;
- La fondation de l'université tunisienne avec une centralisation de son administration;
- La formation destinée essentiellement aux services de l'État.

Le culte de la «modernité» politiquement imposé allait donner à l'université une représentation particulière et unique.

Ce modèle a fait que les années soixante-dix (70) et quatre-vingt (80) soient marquées par le début de la crise de l'université. Une crise politique qui en a fait un espace public de confrontation idéologique: la confrontation renaissait des cendres d'un vieux clivage tradition-modernité et d'une crise d'efficience due à l'absence d'un modèle de gouvernance.

Cette crise n'était pas exclusive de l'université; elle affectait tout le système politique et économique. Avec le limogeage de Bourguiba (en 1987),

41. Les cours qui étaient dispensés ont été transférés à la faculté de théologie.

l'université tunisienne est passée d'un espace politique de contestation du régime, à un espace «dépolitisé» et de soumission au régime despotique de Ben Ali. Des facteurs aussi divers que le programme d'assainissement structurel (PASS) (assainissement des entreprises publiques, privatisation et mise à niveau) dictée par le FMI, la pression démographique dans le système éducatif (population en âge de scolarisation), etc... ont conduit à une massification de l'enseignement supérieur, à des réformes pédagogiques hâtives (des aménagements et des corrections) et à une transformation du rôle de l'État sinon à son désengagement progressif et un développement anarchique du secteur privé de l'enseignement. Les choix politiques unilatéraux ont fini par estomper la vocation première de l'enseignement supérieur et par altérer progressivement l'efficacité de son action.

Cette période (de1987 à 2011) a été marquée principalement par:

- des principes pertinents mais submergés par l'inflation législative et règlementaire: l'enseignement supérieur est l'un des domaines qui a été marqué par une intervention par tâtonnements, unilatérale et intensive du gouvernement. La lisibilité du système est de ce fait devenue très difficile en dépit de l'importance des principes de base qui ont été établi[42].
- l'architecture complexe et la défaillance d'une gouvernance de l'université: La généralisation progressive des universités, une résultante de la massification de l'enseignement, a débuté en 1986 et s'est faite sur la base d'une prépondérance régionale[43] (et non selon une carte universitaire). L'université était assimilée à une simple administration régionale du ministère et piégée par une «autonomie» formelle.

42. Il a été principalement réglementé par la loi n° 89-70 du 28 juillet 1989, amendée et complétée par la loi n° 67 du 17 juillet 2000. Cette loi a établi une autonomie des universités, en a élargi les compétences et a introduit la structure pluridisciplinaire des universités pour favoriser les passerelles entre les filières.
La réforme profonde de l'enseignement supérieur a conduit à la promulgation de la loi d'orientation de l'enseignement supérieur n° 2008-19 du 25 février 2008. Ce texte, toujours en vigueur, a été modifié, après la révolution, par le décret-loi n° 2011-31du 26 avril 2011. Le texte porte surtout sur l'organisation de l'enseignement supérieur, l'évaluation obligatoire des établissements universitaires, des parcours de formation, des programmes, du rendement scientifique et pédagogique des enseignants et des contrats de formation. La loi stipule également la gratuité de l'enseignement supérieur public. La loi n° 2000-73du 25 juillet 2000 (modifiée et complétée par la loi n° 2008-59 du 4 août 2008) a organisé le fonctionnement des établissements relative à l'enseignement supérieur privé; et le décret n° 2124 du 25 septembre 2000, fixant les critères et procédures de la reconnaissance de l'équivalence des diplômes délivrés par les établissements privés d'enseignement supérieur.

43. 7 universités au Nord (Ezzitouna, Tunis, Tunis El Manar, Carthage, Manouba, Jendouba et UVT), 3 au Centre (Sousse, Monastir et Kairouan) et 3 au Sud (Sfax, Gabès et Gafsa).

– Le passage hâtif au système LMD (en 2006-2007[44]): justifie le fait que ce soit toujours un chantier ouvert qui se complexifie par une série illimitée d'ajouts successifs.

3.1.3. L'université tunisienne: l'état des lieux et l'urgence de la réforme

a. L'état des lieux

La garantie du droit à l'éducation dans des conditions difficiles: le droit à l'éducation, dans le système tunisien, se présente (par les textes, les programmes et surtout les comportements et les attentes) comme une praxis de communication des savoirs, des humanités, des technologies et des valeurs en vue de favoriser le développement global des apprenants et leur autonomie dans des conditions équitables. Depuis l'indépendance, l'enseignement obligatoire est garanti et appuyé par l'État tunisien, qui l'a intégré dans la Constitution du 17 janvier 2014 (art. 39) en ces termes: «[l]'instruction est obligatoire jusqu'à l'âge de 16 ans. L'État garantit le droit à l'enseignement public et gratuit à tous ses niveaux. Il veille à mettre les moyens nécessaires au service d'une éducation, d'un enseignement et d'une formation de qualité. Il veille également à l'enracinement des jeunes générations dans leur identité arabe et musulmane et leur appartenance nationale. Il veille à la consolidation de la langue arabe, sa promotion et sa généralisation. Il encourage l'ouverture sur les langues étrangères et les civilisations. Il veille à la diffusion de la culture des droits de l'homme»[45].

L'article 6 de la loi n° 2008-19 du 25 février 2008 relative à l'enseignement supérieur dispose que «[l]'accès à l'enseignement supérieur est ouvert aux titulaires du baccalauréat ou d'un diplôme étranger reconnu équivalent en fonction des capacités de chacun et sans discrimination». La même loi dispose ce qui suit à l'article 7: «[l]'enseignement supérieur public est gratuit. Les établissements d'enseignement supérieur et de recherche sont autorisés à percevoir des étudiants des droits d'inscription selon des conditions fixées par décret». Compte tenu de ce qui précède, l'article 2 (nouveau) du décret no 1995-1419 du 31 juillet 1995 fixant la contribution financière des étudiants à la vie universitaire, modifié et complété par le décret no 1997-1359 du 14 juillet 1997, dispose ce qui suit: «la contribution financière à la vie universitaire, qui comprend les frais d'inscription, d'accès à la biblio-

44. Des licences fondamentales et appliquées. Les études en licence durent trois années après le baccalauréat. Elles conduisant à l'obtention du diplôme de master, et au doctorat.

45. *Cfr.* COMITE DES DROITS ECONOMIQUES, SOCIAUX ET CULTURELS, Examen des rapports soumis par les États parties en application des articles 16 et 17 du Pacte international relatif aux droits économiques, sociaux et culturels, 1er juin 2015 (UN Doc. E/C.12/TUN/3, paras. 232, 239-240).

thèque, d'accès aux examens, de suivi médical et d'activités pédagogiques, culturelles et sportives, est fixée en fonction du cycle d'enseignement et des modules choisis».

Le droit à l'éducation reconnu par les textes est cependant menacé, notamment par:

- les disparités régionales importantes (régions intérieures défavorisées) avec des inégalités éducatives et des inégalités dans l'accès aux droits sociaux notamment pour les étudiants et enseignants (santé, culture,...);
- la pauvreté et la précarité sociale qui risquent d'augmenter les abandons et l'inégalité devant le droit à l'éducation;
- la dérive technocratique menaçante pour la formation universitaire puisqu'elle s'obstine à réduire l'université à une mini-administration;
- le développement quasi-anarchique du secteur privé et l'apparition d'un système de formation alternatif, échappant au contrôle de l'État avec comme conséquences la marchandisation du savoir et la clientélisation de l'apprenant.

La modicité des ressources: Les ressources allouées à l'enseignement supérieur sont essentiellement budgétaires et les ressources des propres universités et des établissements restent modiques. Le gouvernement tunisien consacre l'équivalent de 1,75% du PIB du pays pour le financement de l'enseignement supérieur. Les dépenses publiques sont, dans une large mesure, consacrées aux dépenses de fonctionnement et principalement au paiement des salaires des fonctionnaires.

Il en résulte:

- un vieillissement des infrastructures et renchérissement des équipements modernes;
- de grandes insuffisances en enseignants, en équipements (notamment pédagogiques), en encadrement de la recherche et en intégration environnementale;
- un taux d'encadrement faible;
- peu d'intérêt accordé aux conditions matérielles de travail des enseignants et des étudiants ce qui n'est pas sans incidences sur la qualité de l'enseignement;
- la marginalisation de la question des droits de l'homme dans de nombreux aspects de la vie universitaire.

L'autonomie de gestion est formelle: Malgré l'octroi d'une plus grande autonomie aux universités comme moyen pour améliorer la qualité et la pertinence de leurs services éducatifs, le fonctionnement du système demeure marqué par une omniprésence de l'administration centrale dans les niveaux clés de prise de décision[46]. Ainsi, les procédures publiques de gestion financière mettent l'accent sur un système de contrôle basé a priori sur la conformité aux règles et non sur les résultats liés au mandat des universités.

Dévalorisation du métier d'enseignant chercheur qui se matérialise dans:

- la faible incitation matérielle;
- la mauvaise gestion des carrières;
- le manque de motivation pour la recherche scientifique;
- Absence d'une structure d'accompagnement adéquate aux enseignants (ayant des projets de recherche) permettant de leur faire acquérir les techniques et méthodologies de recherche et de les former à la construction du savoir scientifique dans le domaine des droits de l'homme.

Défaut d'articulation formation-marché du travail: en dépit de l'effort fourni pour la mise en place de diplômes (licences surtout) en partenariat avec les milieux professionnels et l'implication des représentants du milieu économique et social dans les conseils des établissements universitaires, la déficience d'adéquation entre l'offre et la demande d'emplois persiste. Cette déficience est due à de nombreux facteurs exogènes et endogènes dont notamment:

- les récessions économiques successives et la pression démographique sur le système éducatif;
- la centralisation de l'enseignement qui fait perdre, quelque peu, à L'université de son autonomie dans la conception des programmes de formation;
- le manque d'attention accordée aux transformations du marché du travail, et ce qui en résulte comme besoins;
- l'enseignement ne répond pas à des objectifs de qualité au regard des métiers visés mais aux contraintes d'un diplôme;
- absence d'une démarche qualité au sein des établissements.

b. Le projet en cours pour la réforme du système de l'enseignement supérieur

La réforme est urgente et nécessaire pour réhabiliter l'université tunisienne, lui redonner une place respectable à l'échelle internationale et relever le défi crucial de la démocratisation du rapport au savoir.

46. *Vid.* O.I.T et autres, «Analyse du système éducatif tunisien»; Rapport. 2013, p. 34.

Un projet de réforme a été préparé et devrait débuter par des mesures urgentes. Il porte sur des aspects considérés comme prioritaires nécessitant des mesures urgentes (approuvées par le Conseil des universités en date du 5 septembre 2014) et qui ont trait à: La gouvernance de l'université, la charte universitaire et la relation avec l'environnement, la recherche et l'innovation, le parcours et la formation, l'employabilité, la formation des formateurs et la pédagogie.

La gouvernance de l'université à travers notamment:

- la transformation du statut juridique des universités d'établissement public à caractère administratif en établissements publics à caractère scientifique et technique qui devrait permettre de promouvoir leur autonomie ainsi qu'une gestion souple et démocratique avec le concours de l'ensemble des personnels (enseignants, administratifs et ouvriers), des étudiants et de personnalités de l'extérieur;
- la décentralisation qui devrait s'inscrire clairement dans une logique «d'assainissement» de la relation ministère de tutelle-universités. Cela mettra en symbiose les engagements administratifs et financiers de la tutelle administrative avec l'autorité scientifique et pédagogique de l'université et les situant, de la sorte, dans un cadre de transparence (mécanismes de régulation et de redevabilité). La décentralisation permettrait notamment de «libérer» l'université par la capacité de définir une politique autonome, assumée et identifiée en matière de formation et de recherche.

La révision de la charte universitaire à travers notamment:

- la contribution à la contextualisation de la politique publique de l'enseignement;
- la définition et l'adéquation des missions de l'université aux besoins locaux du territoire délimité en entité homogène (notamment par reconversion, délocalisation, regroupement des universités et des établissements, promotion des pôles universitaires (institutions, bibliothèques,…);
- l'égalisation des chances dans le droit à l'éducation (les universités de l'intérieur se désertifient) et la garantie d'un meilleur rendement de l'université (efficience et efficacité) et ce par l'incitation à la mobilité des enseignants chercheurs, la consolidation de l'enseignement à distance et de la formation continue des enseignants.

Développement des parcours et formations à travers notamment:

- L'amélioration de la qualité de la formation par le développement des contenus[47] et des méthodes d'enseignement[48] et d'évaluation à travers, entre autres, le développement de la recherche. Ces développements permettraient d'acquérir des connaissances élargies et des valeurs et compétences favorisant l'intégration dans différents environnements.
- Institution d'un cadre règlementaire pour la formation tout au long de la vie au sein des universités et pour la validation des acquis de l'expérience (VAE)
- Promotion de la co-construction des diplômes et institutionnalisation de la mobilité et du partenariat avec le monde socio-économique;
- La mise en place et/ou l'optimisation des centres de carrières dans les institutions (accompagnement, placement des étudiants, suivi des diplômés,...)

Recherche et innovation à travers notamment:

- La mise en place d'une structure nationale de gouvernance de la recherche[49];
- Le rattachement des centres et des institutions de recherche aux universités au lieu du ministère;
- La valorisation de la recherche par l'instauration de thèses d'excellence financées sur projets et recrutement des candidats selon le mérite;
- Impulsion de la recherche dans les sciences humaines et sociales avec création de pôles de compétences.

Formation des formateurs et pédagogie à travers notamment:

- De l'institutionnalisation de la formation pédagogique (structuration, valorisation et généralisation de la formation des formateurs en sciences de l'éducation (pédagogie, didactique, évaluation...) lors

47. Notamment accréditation et certification des programmes de formation dans les établissements; valorisation des unités transversales surtout celles des langues; de la culture entrepreneuriale et des TIC et renforcement des unités de développement personnel: éthique, leadership (simulation, étude de cas...), communication, mise en place du tutorat pédagogique, instauration de l'évaluation des enseignements...
48. Institutionnalisation de structures pédagogiques dans les établissements; renforcement de l'utilisation du numérique dans la rénovation pédagogique.
49. Établir les stratégies, chercher les financements, harmoniser les textes, coordonner les structures existantes ou à créer...

du recrutement et de l'évolution de carrière certifiée par des certificats appropriés);
- La promotion de la formation des enseignants par la rénovation des méthodes, la coordination et la recherche.

Par ailleurs, il n'est pas sans intérêt de rappeler que la constitution tunisienne de 2014, a confirmé le droit à l'éducation dans ses dimensions diverses. L'article 39 dispose que «L'État garantit le droit à un enseignement public et gratuit dans tous ses cycles et veille à fournir les moyens nécessaires pour réaliser la qualité de l'enseignement, de l'éducation. L'état veille, aussi, à enraciner l'identité arabo-musulmane et l'appartenance nationale dans les jeunes générations et à ancrer, à soutenir et à généraliser l'utilisation de la langue arabe, ainsi que l'ouverture sur les langues étrangères et les civilisations humaines et à diffuser la culture des droits de l'homme». Sont en outre, garanties (article 31), les libertés d'opinion, de pensée, d'expression, d'information et de publication qui «ne sauraient être soumises à un contrôle préalable» y compris les libertés académiques et la liberté de la recherche scientifique. Selon l'article 33 «L'État fournit les moyens nécessaires au développement de la recherche scientifique et technologique».

L'université tunisienne a plus que jamais besoin d'assumer pleinement son rôle scientifique, social et culturel comme levier pour faire de l'éducation à la liberté, dans toutes ses formes, aux droits de l'homme et à la citoyenneté le socle sûr de la transition démocratique en cours.

3.1.4. L'analyse AFOM basée sur les indicateurs nationaux

a. Politiques et mesures d'application connexes

Atouts	Faiblesses
1. Existence d'un projet de réforme du système d'enseignement supérieur. 2. Existence d'une Circulaire du ministère de tutelle sur l'enseignement des Droits de l'Homme sous forme d'un module d'enseignement transversal dans toutes les disciplines. 3. L'enseignement supérieur en Tunisie est accessible à tous et en toute égalité.	1. Equipements logistiques universitaires très moyens par rapport à l'effectif croissant des étudiants. 2. Pas de projets particuliers pour les étudiants défavorisés. 3. Un déséquilibre entre la recherche universitaire, l'encadrement et l'enseignement.
Opportunités	**Menaces**
1. L'approche par compétences faciliterait énormément l'aspect transversal de l'éducation des droits de l'homme.	1. Inexistence d'une stratégie globale d'enseignement des droits de l'homme en tant qu'approche à part entière.

Opportunités	Menaces
2. Ratification des conventions internationales les plus importantes. 3. Les budgets consacrés à l'éducation sont importants mais baissent de plus en plus.	2. Absence de l'intégration d'une approche basée sur les droits de l'homme dans la législation nationale tunisienne régissant les programmes d'enseignement universitaire. 3. L'arsenal juridique relatif à l'enseignement supérieur et notamment aux Droits de l'Homme est très épars. 4. Peu de garanties juridiques au droit à l'éducation.

Comment maximiser les forces ? Cadre juridique propice au développement de l'éducation aux droits de l'homme:

– Changer de méthode d'intégration de la problématique des droits de l'homme dans l'enseignement sans trop de difficultés;
– Élaborer une politique d'information pour divulguer les fondements constitutionnels du droit à l'éducation;
– Élaborer une charte du travail associatif étudiant-université-instances de la société civile en matière de droits de l'homme.

b. Procédures et outils d'enseignement et d'apprentissage

Atouts	Faiblesses
1. L'enseignement d'un module transversal sur les droits de l'homme à tous les étudiants. 2. Disponibilité de références bibliographiques plus ou moins importantes[1]. 3. Le personnel enseignant tente de faire appel à la pédagogie différenciée de façon courante.	1. L'enseignement universitaire est centré sur le contenu du cours et non sur l'apprentissage. 2. Les méthodes d'enseignement ne permettent pas à l'étudiant de participer et de «problématiser» le contenu dispensé par rapport à son milieu environnant. 3. Les méthodes d'enseignement ne développent pas un regard intérieur et extérieur du milieu universitaire. 4. Les méthodes d'enseignement ne favorisent pas l'émancipation personnelle de l'étudiant pour l'épanouissement de sa personnalité et le renforcement de l'esprit d'initiative[2].
Opportunités	**Menaces**
1. Obligation d'aménagement de l'espace pour les personnes handicapées. 2. Le système d'évaluation[3] de l'apprentissage est prescrit par des textes ju-	1. Défaillance d'une approche «co-disciplinaire» sur l'éducation aux droits de l'homme. 2. Culture disciplinaire rigide qui refuse de s'ouvrir sur d'autres disciplines. 3. Manque de moyens financiers. 4. Dominance de l'approche transmissive en rapport avec l'approche aux droits de l'homme.

Opportunités	Menaces
ridiques. Ce système est transparent et connu par les étudiants.	5. Conflit d'approches et de visions pédagogiques, ce qui a généré une grande disparité de méthodes pédagogiques entre les enseignants[4].

1. La Tunisie a entrepris des investissements importants pour étendre l'usage des NTIC comme outils d'apprentissage et d'enseignement.
2. Prédominance de l'aspect quantitatif dans les programmes, hiérarchisation et intégration insuffisantes des savoirs et des savoir-faire.
3. Culture et pratique de l'évaluation privilégiant l'évaluation des connaissances par rapport aux savoir-faire.
4. Aussi faudrait-il reconstituer les savoirs et les programmes scolaires, rénover les pratiques pédagogiques et moderniser, au sens pédagogique-didactique du terme, la formation professionnelle des enseignants.

Comment maximiser les forces?

a) L'approche par compétences préside, en principe, à l'esprit de l'ensemble du système éducatif: il faciliterait l'introduction de l'approche transversale et le changement de la méthode pédagogique (un apprentissage plus concret, plus actif et plus durable).
b) Par un soutien pédagogique (de droit) particulier aux personnes handicapées: renforcer ces dispositifs spécifiques, les généraliser et les mettre en œuvre en fonction des besoins des différentes catégories vulnérables.

c. *Recherche*

Atouts	Faiblesses
1. Existence d'un projet de réforme du système d'enseignement supérieur. 2. Mesures incitatives à la mobilité internationale. 3. Existence de convention de partenariat nationale et internationale qui permet de créer des coopérations universitaires facilitant la collaboration et l'échange entre pairs.	1. Pas de valorisation de la recherche sur de l'Homme. 2. Pas de mesures concrètes pour la promotion de l'Education sur les Droits de l'Homme dans les universités.
Opportunités	**Menaces**
1. Le cadre général de la recherche scientifique est juridiquement règlementé. 2. Le personnel enseignant bénéficie de la garantie des différents droits inhérents à la liberté académique. 3. Cadre juridique propice à la réflexion critique sur le domaine des droits de l'homme.	1. Pas de politique claire sur la recherche Scientifique universitaire. 2. Orientation politique tournée vers la valorisation de la recherche technologique au détriment de la recherche sociale relative au domaine des droits de l'Homme.

Opportunités	Menaces
	3. Manque d'un véritable soutien porté à la recherche scientifique. 4. Peu d'intérêt pour les études et recherches sur les Droits de l'Homme: pas de programmes universitaires multidisciplinaires et interdisciplinaires sur les Droits de l'Homme. 5. Connaissances insuffisantes sur les droits de l'homme dues à un refus de certaines disciplines à s'ouvrir sur ce domaine.

Comment maximiser les forces ? Le cadre structurel est règlementé:

- Accorder plus de place à l'activité de recherche sur les droits de l'homme;
- Un meilleur usage des opportunités légales de structuration de la recherche sur les droits de l'homme (unité, laboratoire…);
- l'ouverture sur les institutions spécialisées;
- la valorisation scientifique et institutionnelle de l'ABDH.

d. Contexte de l'apprentissage

Atouts	Faiblesses
1. Existence d'une autonomie financière et administrative relative. 2. Existence de mécanismes d'auto- évaluation.	1. Absence d'une approche d'évaluation basée sur les objectifs[1]. 2. Des comptes-rendus périodiques qui ne débouchent pas sur des mécanismes d'assurance-qualité spécifiques pour l'éducation aux droits de l'homme au sein des universités.
Opportunités	**Menaces**
1. Existence d'un projet de réforme du système d'enseignement supérieur. 2. Existence de textes juridiques sur la participation des différents acteurs aux instances scientifiques[2]. 3. Début de rénovation du statut des établissements d'enseignement supérieur par la promotion de l'autonomie académique et l'existence d'une commission nationale de l'évaluation de l'enseignement supérieur rattachée au ministère de l'enseignement supérieur tunisien.	1. Le droit à la gouvernance est assez absent. 2. Un déséquilibre entre les secteurs universitaires publics et privés au niveau des moyens.

Opportunités	Menaces
4. La gouvernance devient un sujet qui suscite les débats publics. 5. Contexte favorable à la pluralité des partenariats entre les universités tunisiennes et étrangères.	

1. Une planification et un pilotage des projets manquant de rigueur, les responsables (directeurs et doyens) issus de l'enseignement manquent de culture du management et les responsabilités ne sont pas toujours clairement délimitées ni la coordination suffisante.
2. Cela devrait faciliter l'évaluation en référence à des normes, c'est à dire responsabiliser chaque acteur, adopter le principe de redevabilité et de responsabilité, s'engager à procéder aux réajustements et aux remédiations nécessaires.

Comment maximiser les forces?

a) La gouvernance / un souci partagé et un enjeu commun des acteurs publics:
   - Valoriser la transparence et faciliter l'accès à l'information;
   - Rationnaliser les budgets/généraliser la GBO à la gestion des budgets des établissements d'enseignement supérieur;
   - Nécessité de gestion participative impliquant les partenaires sociaux représentant tous les acteurs (enseignants, administration et étudiants).

b) Existence d'une autonomie financière et administrative relative:
   - Renforcer l'autonomie des universités;
   - Développer d'avantage l'approche projet d'établissement dans l'enseignement supérieur, qui existe déjà pour y intégrer l'ABDH.

c) L'existence de textes et d'une culture de participation: maximiser l'usage de facteurs importants pour l'initiation concrète aux droits de l'homme.

d) Une libéralisation qui ne cesse de gagner du terrain dans le système d'enseignement supérieur:
   - Créer un partenariat public-privé et favoriser notamment l'échange de bonnes pratiques en matière de droits de l'homme;
   - Cultiver le terrain de la pluralité des partenaires pour une meilleure et large diffusion de la culture des droits de l'homme.

e) Existence d'une commission nationale de l'évaluation et de la garantie.

f) Existence de mécanismes d'auto-évaluation au niveau des établissements d'enseignement supérieur.

Nécessité:

- d'activer ces instances;
- d'impliquer tous les acteurs dans toute démarche d'évaluation;
- de faire de l'évaluation dans l'enseignement supérieur une activité de recherche scientifique.

e. *Éducation et perfectionnement professionnel du personnel enseignant de l'enseignement supérieur*

Atouts	Faiblesses
1. Existence d'un intérêt pédagogique et d'un besoin pressant d'éducation sur les droits de l'homme dans toutes les disciplines. 2. Existence d'un système d'aide financière à la mobilité. 3. Existence de programmes de coopération internationale.	1. Pas de formation initiale sur les droits de l'homme appropriée. 2. Pas de formation continue sur les droits de l'homme en cours. 3. La formation n'est pas considérée comme un critère de qualification, d'accréditation et d'évolution des études du personnel enseignant.
Opportunités	**Menaces**
1. Existence d'un projet de réforme du système d'enseignement supérieur. 2. Existence d'un système d'évaluation scientifique et pédagogique pour la promotion professionnelle des enseignants. 3. Existence d'une période de stage et d'un cycle de formation pédagogique pour les enseignants nouvellement recrutés.	1. Défaillance d'une politique globale de formation sur les droits de l'homme pour la promotion du personnel enseignant. 2. Défaillance d'un droit à la formation continue. 3. Risque d'instrumentalisation politique des droits de l'homme par les partis politiques et par les instances de la société civile.

Comment maximiser les forces?

a) Au vu de l'existence d'un intérêt pédagogique et d'un besoin pressant de l'éducation aux droits de l'homme dans le domaine du social, répondre par le renforcement de la formation du corps enseignant.

b) Existence d'un système d'aide financière à la mobilité de programmes de coopération internationale:

- Introduire des programmes de formation continue pour les enseignants universitaires en dehors du cursus universitaire (l'obtention d'un diplôme);
- Organiser des sessions de formation pédagogique / droits de l'homme au profit des enseignants;

– Organiser des stages / les bonnes pratiques pédagogiques en enseignement des droits de l'homme dans des universités et des instances internationales.

3.1.5. Éclaircissements, précisions et nuances: aspects des indicateurs

Axe1.–Politique et mesures d'application connexes

Nuances: La nouvelle constitution (de 2014) et les nouvelles priorités post-révolution en Tunisie impliqueraient notamment la consécration juridique de tout l'arsenal constitutionnel relatif aux droits de l'homme. car les droits de l'homme promeuvent la démocratie, le progrès et la cohésion sociale.

Le droit constitutionnel à l'éducation ne s'obtiendrait pas uniquement par un accès universel à l'éducation mais surtout pas la qualité de l'enseignement, la protection de la dignité de la personne et la promotion de l'autonomie et des capacités participatives.

La reconnaissance de la liberté académique[50] devrait permettre le développement de la capacité des détenteurs de droits, en l'occurrence les universitaires, à revendiquer ceux-ci ainsi que la capacité des institutions étatiques, en tant que «débiteurs d'obligations», à promouvoir et protéger les droits de l'homme.

Précisions: L'éducation aux droits de l'homme serait l'épine dorsale de la citoyenneté politique et sociale pour les générations futures. L'éducation aux droits de l'homme, respectueuse des règles et de l'ordre social et institutionnel, se situerait parmi des apprentissages normatifs et comportementaux (vivre ensemble) et des apprentissages ouverts aux débats (droit de participer activement à la décision, au pouvoir), à la pluralité et à l'initiative qui témoigne du fait que l'avenir est potentiellement pluriel. La constitution du pays consacre cette approche[51].

La promotion du droit à l'éducation de l'apprenant permettrait de renforcer l'auto-apprentissage et l'apprentissage tout au long de la vie, outils

---

50. Article 33 de la constitution tunisienne: «Les libertés académiques et la liberté de la recherche scientifique sont garanties. L'État fournit les moyens nécessaires au développement de la recherche scientifique et technologique».
51. Article 39 de la Constitution tunisienne: «L'enseignement est impératif, jusqu'à l'âge de seize ans. L'État garantit le droit à un enseignement public et gratuit dans tous ses cycles et veille à fournir les moyens nécessaires pour réaliser la qualité de l'enseignement, de l'éducation. L'État veille aussi à enraciner l'identité arabo-musulmane et l'appartenance nationale dans les jeunes générations et à ancrer, à soutenir et à généraliser l'utilisation de la langue arabe, ainsi que l'ouverture sur les langues étrangères et les civilisations humaines et à diffuser la culture des droits de l'homme».

nécessaires pour démocratiser l'acquisition du savoir et pour développer l'autonomie individuelle.

Axe 2.–Procédures et outils d'enseignement et d'apprentissage

Nuance: Le fonctionnement de notre système universitaire se fonde sur un découpage du temps qui est aussi découpage des savoirs en disciplines distinctes. Cependant, il existe des séances (travaux dirigés, séminaires…) qui sont consacrées à un travail et une reconstruction pratique de ces savoirs et compétences nécessaires à l'étudiant.

Axe 3.–Recherche

Éclaircissement: La recherche est plutôt basée sur les disciplines que sur des objectifs thématiques. Les besoins nationaux actuels et futurs ne sont pas suffisamment identifiés. La diffusion de la culture des droits de l'homme passerait inexorablement par le système d'éducation qui est à même de produire des connaissances et de développer des pratiques.

Axe 4.–Contexte de l'apprentissage

Précision: Après 2011, l'éducation (re)devient un thème de débat public (contribuables, acteurs, leaders et ministères concernés) et elle est l'objet d'un projet de réforme (2014) qui touche tout particulièrement à la question de gouvernance des institutions universitaires.

Éclaircissements:

a) La gouvernance par objectifs des universités et des établissements devrait promouvoir l'excellence, l'efficacité et la responsabilité des acteurs dans le contrôle de la qualité et l'évaluation des indicateurs des objectifs engagés. Elle implique la décentralisation des pouvoirs, la limitation des prérogatives de la tutelle et le manque de confiance dans les conseils et responsables élus.
b) Le partenariat avec le milieu environnant de l'université permettrait d'élaborer une approche de programmation et de mise en œuvre fondée sur les droits de l'homme à travers l'identification des débiteurs d'obligations, le suivi et l'évaluation en cours de programme afin de vérifier sa conformité aux principes des droits de l'homme et l'évaluation de l'impact du programme en matière de développement des droits de l'homme.
c) Le partenariat développerait l'idée d'une université construite par la loi commune mais aussi par «le contrat», c'est-à-dire par des accords passés entre institutions (ex: association/établissement) et personnes (étudiants/corps enseignant/administrateurs) selon les

circonstances et les intérêts et dans une perspective garantissant l'effectivité des droits de l'homme.

Axe 5.–Éducation et perfectionnement professionnel du personnel enseignant

Précision: La motivation du corps enseignant est le gage de réussite de toute politique visant l'adoption de l'approche aux droits de l'homme (ABDH) et la diffusion de sa culture. L'absence d'incitation, d'accompagnement des jeunes enseignants (encadrement, formation et mobilité des formateurs) et surtout d'accréditation des acquis particuliers n'est pas favorable au développement des compétences, à la rénovation des méthodes dans l'enseignement des droits de l'homme.

3.1.6. Aperçu des bonnes pratiques de la politique nationale liées à l'éducation aux droits de l'homme et à l'approche aux droits de l'homme dans l'éducation

- **La réforme de l'université n'est plus une «chose de l'État»:** la procédure engagée depuis 2012, par le département ministériel compétent pour l'élaboration du projet de réforme de l'enseignement supérieur (association des différentes parties prenantes, consultations de la base…) atteste la volonté d'instaurer progressivement une «bonne gouvernance» impliquant des espaces participatifs à tous les niveaux.
- **Une autonomie universitaire de plus en plus affirmée:** l'autonomie de l'université tunisienne a débuté par le système d'élection (au lieu de la désignation) des directeurs et doyens des établissements et des présidents des universités. La nouvelle constitution du pays (de 2014) a constitué un tournant décisif en consacrant le principe d'autonomie qui représente, pour l'enseignement supérieur, plus de libertés et plus de responsabilités pour les universités qui peuvent libérer leurs énergies et renforcer leur réactivité. Il leur donne plus de légitimité face à leurs partenaires: elles peuvent faire des choix stratégiques, bâtir leur projet d'établissement, mener une véritable politique de recherche, entreprendre des relations de partenariat, administrer les effectifs d'étudiants et d'enseignants, etc.
- **une éducation élémentaire et généralisée aux droits de l'homme:** les initiations aux droits sont généralisées dans tous les établissements universitaires et sur la quasi-totalité du territoire (13 universités). L'initiation à ce que constitue cet univers du droit a pour objet de construire des concepts juridiques, pour que l'étudiant com-

prenne ce que représentent des mots loi, droit, liberté, justice, identité, etc., dans leur milieu universitaire et ailleurs. Le droit est, en outre, un des rares domaines pouvant être travaillés en classe.

- **La dimension juridique des droits de l'homme n'est pas la seule qui est prise en compte dans le contenu des programmes:** l'étude –particulièrement dans les établissements de sciences juridiques, humaines et sociales– de penseurs et de grands écrivains et philosophes dote de richesse intellectuelle une réflexion sur les droits de l'homme et sa diffusion.
- **L'opportunité (pour l'étudiant) de comprendre, en société, les problèmes des autres, de développer ses capacités, et d'exercer ses droits:** Le système d'enseignement comprend, outre les cours théoriques, des stages d'immersion (dans le vaste monde autour de l'étudiant et qu'il n'est pas aisé d'introduire dans la classe) durant un semestre, assortis de la préparation d'un mémoire de stage ou de recherche. Le stage permet notamment à l'étudiant de découvrir le milieu professionnel et social (entreprise, administration, associations spécialisées, groupes vulnérables…). Il est ici question pour l'étudiant, muni des outils et références d'investigation, de prendre la mesure de différents points de vue, de se construire une opinion, non pas en solitaire mais en relation avec les autres et de la développer dans un document personnel, qu'il soutient et défend devant un jury souvent composé d'universitaire et de professionnels.
- **Une représentation institutionnelle des étudiants et des enseignants propice à la culture des droits de l'homme**: La représentation des étudiants et des enseignants, notamment dans les conseils scientifiques des établissements universitaires, est l'un des dispositifs liés à l'éducation aux droits de l'homme par la participation, le dialogue et la régulation. Elle permet aux corps enseignants et à l'administration d'appréhender les étudiants comme des sujets pensants et des sujets de droits, qui sont là pour aider la parole et l'opinion à se construire et à s'affirmer. Par ailleurs, elle permet à travers, entre autres, des procédures d'élection et la prise de parole, de réfléchir sur certains concepts politiques (tels que la représentation ou la délégation et la citoyenneté).
- **Un partenariat université-milieu économique et social enrichissant:** il permet de mieux représenter les différents acteurs économiques et sociaux (entreprises et institutions publiques et privés) dans les conseils des établissements et des universités. Il permet également à ceux-ci une ouverture sur les attentes du milieu, ce qui développe leur réactivité.

– **Un partenariat université-société civile d'une importance croissante**: outre la floraison d'associations et de clubs estudiantins réalisant des activités socioculturelles et à la lumière du développement du tissu associatif après 2011 (environ 18 000 associations), c'est à travers le système de représentation des étudiants et des enseignants dans les établissements universitaires, que le partenariat université-société civile a progressivement pris corps. La société civile s'impose à chaque fois davantage comme animateur de l'espace universitaire par l'organisation notamment de campagnes de sensibilisation à des questions sociales et humanitaires ayant trait à la promotion des droits de l'homme.

3.2. INSTITUT NATIONAL DU TRAVAIL ET DES ÉTUDES SOCIALES (INTES). UNIVERSITÉ DE CARTHAGE

ABDESSATAR MOUELHI
Chercheur coordinateur INTES

HATEM OUERTATANI
Chercheur INTES

LASSAAD LABIDI
Chercheur INTES

AICHA SAFI
Chercheur INTES

3.2.1. Présentation de l'INTES

a. Histoire et cadre juridique de l'INTES

L'efficience de l'enseignement supérieur se mesure par sa capacité d'adapter les sciences et les cultures qu'il prodigue aux attentes de la société. A cet effet, les institutions universitaires ont la mission non seulement de façonner les esprits aux besoins du marché du travail, mais aussi de sculpter les comportements pour une culture des droits de l'homme.

C'est dans ce cadre qu'intervient le projet ABDEM auquel participe l'INTES en tant qu'institution d'enseignement supérieur et de recherche scientifique adscrit à L'université de Carthage, université considérée comme l'une des plus grandes universités en Tunisie. Il s'agit d'une université composée de 32 établissements qui enseignent les disciplines de droit, de médecine, d'informatique et de technologie, des sciences sociales et de l'ingénierie.

Siégeant à Tunis, l'INTES est un établissement public à caractère administratif, d'enseignement supérieur et de recherche scientifique. Il est créé par la loi de finances portant le budget de l'année 1975 sous le nom de l'Institut National du Travail, renommé à partir de 1988 «Institut National du Travail et des Études Sociales» (INTES). Doté de personnalité civile et d'autonomie financière, il est placé sous double tutelle; administrativement et financièrement, il est sous latutelle du ministère des Affaires sociales;

scientifiquement et pédagogiquement, il est sous tutelle du ministère de l'Enseignement et de la Recherche scientifique. Sous cette dernière tutelle, l'INTES est rattaché à l'université de Carthage.

Plusieurs textes de lois cadrent juridiquement l'organisation et le fonctionnement scientifique, pédagogique et administratif de l'INTES, et notamment:

- La loi n° 2008-19 du 25 février 2008 relative à l'enseignement supérieur.
- Le décret n° 2008-3123 du 22 septembre 2008 fixant le cadre général applicable au système d'enseignement et aux conditions d'obtention des diplômes nationaux de licences dans les différents domaines de formation et les parcours dans le système LMD;
- Le décret n°2007-251 du 5 Février 2007 fixant les attributions et l'organisation administrative et financière de l'INTES.

b. Organisation administrative et pédagogique

En tant qu'établissement d'enseignement supérieur et de recherche scientifique, l'INTES dispose d'une organisation administrative et pédagogique qui se présente comme suit:

- La direction générale (fonction administrative et pédagogique);
- la direction des études et des stages (fonction pédagogique);
- le secrétariat général (fonction de gestion administrative et pédagogique).

Pour la gestion des activités scientifique et pédagogique, il dispose des départements suivants: Sciences du travail, Études sociales, Recherche productivité et salaires, et Formation continue.

Par ailleurs, et conformément à l'organisation scientifique des institutions d'enseignement supérieur, l'INTES, dispose d'un conseil scientifique constitué selon la règlementation en vigueur et qui représente un organe de consultation et d'orientation générale pour assister le directeur général dans la prise de décision relative aux questions pédagogiques et scientifiques de l'institution. Ledit conseil est composé des représentants des enseignants (corps A et corps B) et des représentants des étudiants. Tous sont élus pendant les élections des conseils scientifiques qui se tiennent chaque 3 ans dans toutes les universités tunisiennes.

c. Régime des études

Étant donné la spécificité des métiers pour lesquels il prépare ses étudiants, l'INTES se distingue par un régime d'études pluridisciplinaires. Il comprend des matières à caractère juridique, social et économique dans des domaines qui relèvent essentiellement du droit social, des sciences du travail et du service social. Les différentes matières sont enseignées sous forme de:

- cours théoriques complétés par des séances de travaux dirigés. Les séances de cours théoriques sont d'une durée de 3h00 à 4h30 de cours théorique par semaine assurés par un professeur de l'enseignement supérieur spécialisé en la matière et 1h30 travaux de dirigés par semaine assurés par un assistant, doctorant ou un praticien spécialisé. Les cours sont dispensés à des groupes d'étudiants relativement importants (entre 70 et 90 étudiants) et les travaux dirigés sont dispensés à des groupes restreints (entre 20 et 40 étudiants en moyenne).
- cours intégrés, à raison de trois heures par semaine. Dans les séances de ce genre de cours, le même enseignant est chargé d'assurer à la fois la théorie et la pratique ce qui permet aux étudiants d'assimiler certains des aspects pratiques, théories et concepts.
- cours dispensés sous forme de travaux de recherche et de stages sur le terrain dans les services et les structures relevant du ministère des Affaires sociales, des autres ministères, des ONG et des entreprises publiques ou privées intervenant dans les domaines de formations spécifiques assurées à l'INTES.

Les enseignements, indépendamment de leurs formes, sont dispensés en français et en arabe, l'anglais étant une des matières transversales. Dans le cas de cours dispensés en arabe, un effort particulier aussi bien de l'enseignant que de l'institution est fourni en faveur des quelques étudiants étranger inscrits à l'INTES en vue de leur permettre l'assimilation du contenu de la matière.

d. Les programmes d'enseignement

S'agissant des programmes d'enseignement, depuis l'introduction du système LMD, en Tunisie durant l'année universitaire 2007/2008, l'INTES dispose d'une variété des programmes d'enseignement selon les modalités définies par le cadre général de l'enseignement supérieur en Tunisie. Ces programmes sont jusqu'ici limités aux programmes de licences et de masters. L'INTES, en fonction de ses moyens humains et matériels, n'est pas en mesure à ce jour de se doter d'un programme de doctorat. Ainsi, on retrouve les programmes suivants:

Les programmes des licences:

À l'instar des autres établissements universitaires, l'INTES dispose d'un ensemble de programmes dans les spécialités qui lui sont spécifiques. Parmi les spécialités, on trouve deux licences fondamentales et quatre licences appliquées. Ces licences sont les suivantes:

- Licence fondamentale en gestion (LFG).
- Licence fondamentale en service Social (LFSS).
- Licence appliquée en droit social (LADS).
- Licence appliquée en intervention sociale (LAIS).
- Licence appliquée en gestion (LAG).
- Licence appliquée en santé et sécurité au travail (LASST).

Les programmes de masters:

Depuis l'année universitaire 2012/2013, l'INTES, offre les masters suivants:

- Master professionnel en économie sociale et solidaire.
- Master professionnel en intervention sociale.
- Master professionnel en droit du travail et protection sociale.
- Master de recherche en service social.

En plus de ses activités d'enseignement, l'INTES organise un ensemble d'activités scientifiques telles que:

- des colloques, séminaires et journées d'études sur des thèmes d'actualité se rapportant au droit du travail et de la sécurité sociale;
- des colloques, séminaires et journées d'études sur des thèmes d'actualité se rapportant aux domaines du travail et du développement social;
- des colloques, séminaires et journées d'études sur des thèmes d'actualité se rapportant à l'emploi;
- des colloques, séminaires et journées d'études sur des thèmes d'actualité se rapportant au principe d'égalité et de non-discrimination;
- des sessions de formation continue et des concours au profit du Ministère des affaires sociales et de certains organismes qui sont sous sa tutelle.
- En plus de ces manifestations scientifiques, l'INTES édite une revue intitulée «Travail et développement» qui assure la publication des actes des colloques, séminaires, journées d'études et articles élaborés par les enseignants.

e. Relations avec l'environnement et coopération internationale

L'INTES entretient des relations d'échange avec certains organismes et institutions qui exercent leurs activités dans les mêmes domaines de ses spécialités tels que: la Direction générale de la promotion sociale (DGPS/MAS), la Direction générale de l'inspection du travail et de la conciliation (DGITC/MAS), les caisses de sécurité sociale (CNSS, CNRPS, CNAM), IRMC et un ensemble d'ONG telles que l'association tunisienne des villages d'enfants SOS/, les associations pour le développement, les associations de protection des personnes handicapées, etc.

En plus de ses relations avec son environnement interne, l'INTES a passé des conventions de partenariat qui lui permettent d'entretenir des relations de coopération internationale avec des instituts et des départements de formation qui interviennent dans le même domaine.[52] En plus des conventions de partenariat avec les structures de formation similaires, l'INTES entretient une étroite collaboration avec des organismes internationaux tels que l'UNICEF, RIIFT et l'OIM avec laquelle il organisera une école d'été sur la migration au cours de l'année 2015.

3.2.2. Études des effectifs d'enseignants de l'INTES

Pour remplir sa mission en tant qu'établissement d'enseignement supérieur et de recherche scientifique, l'INTES a recours aux services de 122 enseignants répartis entre les différents grades et les différentes disciplines.

a. Répartition des effectifs d'enseignants selon leurs statuts

Comme il apparaît des données disponibles, l'INTES, dispose d'un nombre réduit d'enseignants permanents représentant 37% du total des effectifs. Le reste des enseignants sont en majorité des enseignants vacataires, le 58%. Comparé aux autres établissements de l'enseignement supérieur, l'INTES est au-dessous de la moyenne nationale où les effectifs d'enseignants permanents dépassent 50%. Cette situation semble avoir un impact négatif sur la qualité d'encadrement des étudiants.

Tableau 5. Répartition des enseignants selon leurs statuts

Statut	Nombre	%
Permanents	45	37
Contractuels	6	5
Vacataires	71	58
Total	**122**	**100**

52. Parmi ces conventions, on relève: Convention avec l'Institut national du travail d'Alger (Algérie), Convention de partenariat avec l'École de travail social de l'université de Moncton – Canada, Convention avec l'Institut européen et régional de liIntervention sociale (IERIS) (France), onvention avec l'Institut national du travail, de l'emploi et de la formation professionnelle (INTEFP) France, Convention avec l'université des Sciences appliquées Alice Salomon, Berlin (Allemagne).

b. Répartition des enseignants selon leur grade

D'après les données fournies par le tableau numéro 5, il s'avère qu'en plus d'avoir un nombre élevé d'enseignants vacataires, l'INTES a aussi un nombre élevé d'enseignants assistants, 67%, alors que le taux des enseignants appartenant au corps A (professeurs et maître de conférences, ne représente que 10%.

Tableau 6. Répartition des effectifs du corps enseignant selon leurs grades

Grade	Nombre	%
Professeurs	7	5.74
Maître de conférences	6	4.92
Maître-assistant	18	14.76
Assistants	82	67.21
PES	9	7.37
Total	**122**	**100**

c. Répartition des effectifs d'enseignants selon leurs disciplines

Étant donné que les spécialités spécifiques à l'INTES, sont le droit social et le service social, la répartition des enseignants selon leurs disciplines démontre qu'un nombre important d'enseignants est spécialisé en droit et en service social, à savoir 40%. C'est ce que nous pouvons déduire du tableau suivant:

Tableau 7. Répartition des efectifs du corps enseignant selon disciplines

Discipline	Nombre	%
Droit	25	20.49
Service social	25	20.49
Économie et gestion	24	19.69
Comptabilité et statistiques	9	7.37
Psychologie	6	4.91
Sociologie	3	2.46
Informatique	9	7.37
Autres disciplines	21	17.22
Total	**122**	**100**

3.2.3. Étude des effectifs d'étudiants inscrits à l'INTES

Au début de l'année universitaire 2014/2015 l'INTES compte un effectif de1354 étudiants desquels 05 étudiants étrangers.

Par ailleurs, il est important de mentionner que l'effectif total des étudiants de l'INTES a enregistré au cours des cinq dernières années une diminution importante. En effet, de 2 221 étudiants en 2010 il est passé au début de l'année universitaire en cours (2014/2015), à 1354 étudiants soit une diminution de 39%. Le tableau numéro 05, montre l'allure décroissante de l'effectif des étudiants de l'INTES à partir de l'année universitaire 2011/2012.

Tableau 8. Évolution des effectifs de l'INTES au cours des cinq dernières années (de 2010 à 2014)

Année	Effectifs		Croissance/décroissance	
	nombre	%	nombre	%
2010/2011	2221	–		–
2011/2012	2073	93.35	148	6.65
2012/2013	1822	82.03	399	17.97
2013/2014	1583	71.27	638	28.73
2014/2015	1354	60.96	867	39.04

a. Répartition des effectifs d'étudiants de l'INTES au cours de l'année universitaire 2014/2015 par sexe et programmes

Les données dont nous disposons nous permettent de constater que l'effectif total des étudiants est formé de 79% de femmes. D'après la répartition selon les programmes, la majorité des étudiants, soit 88,5% des étudiants de l'INTES, sont inscrits aux différents programmes des licences, et uniquement 11,5% sont inscrits aux programmes de master. Le tableau suivant nous permet de voir comment la distribution des effectifs des étudiants de l'INTES selon le sexe et les programmes. Comme nous l'avons mentionné auparavant l'INTES ne dispose pas pour l'instant d'un programme de doctorat.

Tableau 9. Répartition de l'effectif global par sexe et programmes

	Hommes		Femmes		Total	
	nombre	%	nombre	%	nombre	%
Licences	961	80	238	20	1199	88.50
Masters	121	78	34	22	155	11.50
Total	**1082**	**79**	**272**	**21**	**1354**	**100**

b. Répartition de l'effectif des étudiants inscrits aux programmes selon les spécialités

L'analyse de l'effectif des étudiants inscrits auxprogrammes selon les spécialités nous démontre que les deux spécialités spécifiques à l'INTES aglutinent le nombre le plus élevé des étudiants avec un taux de 39% pour les deux licences en service social et de 33% pour les deux licences en sciences du travail soit la licence appliquée en droit social et la licence appliquée en santé et sécurité au travail.

Tableau 10. Répartition de l'effectif des étudiants inscrits aux programmes des licences par spécialités

Programmes de licences	Nombre	%
LFSS	271	22.60
LAIS	199	16.60
LADS	237	19.77
LASST	152	12.68
LFG	136	11.35
LAG	204	17.00
Total	**1199**	**100**

L'analyse de l'effectif des étudiants inscrits aux programmes de masters, permet de constater que l'effectif le plus important des étudiants de master est inscrit aux programmes spécifiques à l'INTES soit en droit social et service social respectivement avec un taux de 38% et de 36%.

Tableau 11. Répartition de l'effectif des étudiants inscrits aux programmes de master par spécialités

Programmes master	Nombre	%
Master de recherche en service social	34	21.95
Master professionnel en intervention sociale	22	14.22
Master professionnel en droit du travail et protection sociale	60	38.72
Master professionnel en économie sociale et solidaire	39	25.11
Total	**155**	**100**

3.2.4. Étude de l'effectif des diplômés de l'INTES

À la fin de chaque cycle d'enseignement, des diplômes académiques sont décernés aux étudiants qui réussissent leurs examens et qui ont satisfait toutes les exigences pour l'obtention du diplôme. À la fin de l'année universitaire 2014/2013, le nombre total des diplômés de l'INTES était de 456. Cet effectif est réparti comme suit:

a. *Répartition de l'effectif total des diplômés de l'INTES par sexe et programmes à la fin de l'année universitaire 2014/2013*

L'analyse des données relatives à l'effectif des diplômés de l'INTES, nous permet de constater que la majorité des diplômés est composée de femmes dans les deux programmes, un taux de 82%, et que la majorité des diplômés sont au niveau du programme des licences toutes spécialités confondues. Cela nous semble être en concordance avec les données présentées précédemment et qui démontrent la dominance des femmes et des inscrits aux programmes des licences dans l'INTES.

Tableau 12: Répartition de l'effectif total des diplômés de l'INTES (2014/2013) par sexe et programmes

	Femmes		Hommes		Total	
	Nombre	%	Nombre	%	Nombre	%
Licences	320	85	59	15	379	83
Masters	61	79	16	21	77	17
Total	381	82	75	18	456	100

b. *Évolution des effectifs de diplômés de l'INTES au cours des cinq dernières années (de 2010 à 2014 toutes spécialités confondues)*

En analysant l'état des effectifs des diplômés de l'INTES des cinq dernières années, nous constatons qu'il est passé de 665 à la fin de l'année universitaire 2010/2011 à 360 à la fin de l'année universitaire 2013/2014, soit un taux de décroissance de 46%. Cette diminution nous semble normale au vu de la réduction des effectifs des étudiants inscrits au cours de la période en question dont le taux est évalué à 39%.

Tableau 13. Évolution des effectifs de diplômés de l'INTES au cours des cinq dernières années (de 2010 à 2014 toutes spécialités confondues)

Année	Effectifs		Croissance/ décroissance	
	nombre	%	nombre	%
2010/2011	665	100	–	–
2011/2012	530	79.70	135	20.30
2012/2013	379	56.99	286	43.01
2013/2014	379	56.99	286	43.01
2014/2015	360	54.14	305	45.86
Total des diplômés pendant 5ans	**2.313**			

3.2.5. Analyse des indicateurs d'après le modèle AFOM

Axe I. Politiques et mesures
Politique des relations de l'INTES avec les enseignants et les étudiants

Atouts	Faiblesses
1. Les textes régissant l'INTES sur les missions et l'organisation sont diffusés dans le journal officiel de la république Tunisienne. 2. Les informations concernant le recrutement et la promotion du personnel administratif et pédagogique sont rendues publiques. 3. Les étudiants et les enseignants de l'INTES sont représentés dans leur conseil scientifique. 4. l'INTES dispose d'un site électronique, d'une revue, d'un radio locale pour étudiants et de tableaux d'affichage.	1. Il n'y a pas de support pour informer les étudiants et les aider à mieux connaître l'INTES, surtout les nouveaux inscrits (dépliants par exemple, guide de l'INTES, etc.). 2. Absence de guide général ou par spécialité pour que les étudiants soient biens informés sur leur formation, leur cursus universitaire et leur perspective professionnelle. 3. Il n'y a pas de guide d'examen à disposition des enseignants et des étudiants, qui permet à chacun de connaitre le système d'évaluation des matières. 4. Certaines données restent inaccessibles aux étudiants et aux enseignants, les données relatives au budget et à la gestion du personnel administratif et pédagogique.

Opportunités	Menaces
1. Expansion de l'utilisation d'internet. 2. Nouvelle équipe pédagogique. 3. Enthousiasme et volonté des étudiants de promouvoir leur école. 4. Création de nouvelles associations d'étudiants. Guide du règlement intérieur disponible. 5. Les projets de fin d'études et les mémoires de master.	1. Manque de moyens humains et matériels. 2. Les étudiants ne sont pas suffisamment formés à la gestion participative. 3. Résistance au changement à diffuser certaines informations qui sont toujours considérées comme des «secrets de l'institution». 4. La syndicalisation et la politisation des étudiants et des enseignants risquent de faire des déviations dans les objectifs visés, à travers la mise en place d'un système d'information pour les étudiants et les enseignants (risque d'interprétation négative =discrimination). 5. Manque d'un système de gestion des archives des projets de fin d'études, ce qui rend les informations sur les thèmes de recherches inaccessibles, aussi bien auxétudiants qu'aux encadreurs.

Pistes à explorer

- Utiliser les projets de fin d'études des étudiants pour améliorer le système d'informations de l'INTES.
- Faire une recherche sur les droits de l'homme et sur les conditions de leur enseignement à l'INTES à partir d'une approche du droit social ou à partir d'une approche du travail social.

Informations sur les activités de l'établissement

Pour ce qui a trait aux activités de l'INTES, il a adopté depuis quelques années une politique d'information pour rendre publiques ses activités du mois auprès de ses étudiants. Cette politique qui en est encore à ses débuts a des atouts mais aussi des faiblesses.

Atouts	Faiblesses
1. Plusieurs espaces d'information aménagés sont disponibles pour les enseignants et pour les étudiants. 2. Les étudiants visitent de plus en plus fréquemment le site. 3. L'INTES, comme tous les autres établissements, dispose de toutes les données sur ses effectifs.	1. Pas d'information à diffuser sur la formation car il n'y a pas de plan de formation élaboré au préalable dans l'établissement. 2. Certaines informations restent centralisées au niveau des ministères de tutelle. 3. Pas de collaboration étroite avec les ministères de tutelle.

Atouts	Faiblesses
4. L'utilisation du courrier électronique entre l'administration et les enseignants. 5. Plusieurs informations sont maintenant disponibles sur le site (inscriptions, examens, résultats, communiqués, etc.).	4. Les données relatives au budget sont à caractère administratif et ne sont pas diffusées aux enseignants. Cela relève aussi bien d'une pratique classique que d'une obligation juridique. 5. Les données disponibles dans plusieurs domaines ne sont pas diffusées. 6. Résistances des responsables et manque d'intérêt des étudiants et des enseignants pour avoir les données disponibles.
Opportunités	**Menaces**
1. Plusieurs informations sont disponibles. 2. Présence des étudiants et des enseignants au conseil de l'établissement et même dans le conseil de l'université. 3. La pratique de l'utilisation de l'internet comme moyen d'information s'est développée. 4. Processus de démocratisation de l'accès à l'information: climat politique favorable pour encourager et faciliter l'accès à l'information.	1. Manque de moyens humains compétents et matériels adaptés. 2. Hétérogénéité des étudiants quant à leurs possibilités d'utiliser l'internet. 3. Manque d'intérêt de certains enseignants pour utiliser l'internet comme moyen de communication. 4. Résistance au changement pour diffuser certaines informations. 5. Risques de mauvaises manipulations des données et des informations diffusées.

Pistes à explorer:

- Se doter d'un plan de communication clair, précis et bien défini.
- Rédiger un journal interne dans lequel seront diffusées toutes les informations relatives aux enseignants, au personnel administratif et aux étudiants.
- Diffuser les informations disponibles et sans aucun caractère confidentiel qui peuvent toucher les personnes ou mettre en péril la marche de l'institution.
- Se doter de plus de personnel administratif compétent et de personnel enseignant.
- Avoir plus de matériel, d'espace et de la logistique.

Axe II. Processus et outils d'apprentissage

Atouts	Faiblesses
1. L'INTES est soumis aux normes et à la réglementation qui régissent le fonctionnement des établissements universitaires. 2. Une circulaire qui date de 2008 impose l'enseignement d'un module intitulé «droits de l'homme» dans toutes les universités tunisiennes durant deux semestres. 3. Un cours de «droits de l'homme» est intégré comme matière transversale dans toutes les spécialités. 4. Les cours de droit du travail et celui de la sécurité sociale sont aux cœurs des droits de l'homme. 5. Les cours de spécialité en service social s'intéressent à des questions relatives aux droits de l'homme.	1. Les cours transversaux sont soumis à l'évaluation de type «contrôle continu». 2. Cours enseignés par des enseignants vacataires et contractuels. 3. Le cours droits de l'homme est historiquement instrumentalisé par la politique puisqu'il a été introduit par l'ancien régime. 4. Les étudiants ne perçoivent pas le lien entre le cours, leurs spécialités et la profession à laquelle ils sont en train d'être préparés. 5. Le contenu dispensé par des enseignants non spécialisés dans la matière droits de l'homme et non spécialises dans des disciplines proches du travail social ou du droit social. 6. L'approche adoptée par l'enseignement des droits de l'homme dans l'enseignement supérieur tunisien est une approche classique basée sur des cours magistraux et non sur une pédagogie interactive, valorisant le transfert du savoir et non le développement personnel. 7. Il n'y a pas de projets d'innovation pédagogique centrée sur les droits de l'homme. 8. Il n'y a pas de programmes d'enseignement coordonnés sur les droits de l'homme. 9. Aucune activité d'apprentissage pratique orientée vers la communauté n'est faite pour promouvoir la culture des droits de l'homme.
Opportunités	**Menaces**
1. Nouvelle Constitution valorisant les droits de l'homme. 2. Possibilités de révision des programmes d'enseignement à l'INTES plus valorisante et plus souple. 3. Plus de liberté d'expression pour les étudiants et les enseignants. 4. Convention entre le Ministère des Affaires Sociales et l'Institut Arabe des Droits de l'Homme.	1. Manque de moyens humains. 2. Manque de visibilité politique de l'objectif d'introduction de l'ABDH. 3. Instabilité au niveau des principaux organes de décision des politiques générales. 4. La politisation et l'instrumentalisation de la question des droits de l'homme.

Pistes à explorer

- Organiser des activités scientifiques en rapport avec la question des droits de l'homme en relation étroite avec les disciplines spécifiques de l'INTES.
- Créer des groupes de discussion parmi les étudiants pour débattre des droits de l'homme dans leur rapport avec les métiers pour lesquels ils se forment.
- Créer un comité de réflexion composé des enseignants qui assurent les cours de droits de l'homme et les enseignants des disciplines spécifiques à l'INTES (droit social et service social).
- Former les enseignants spécialistes des disciplines spécifiques à l'INTES aux droits de l'homme et établir les liens entre ces droits et leurs spécialités.
- Évaluer l'expérience actuelle de l'enseignement des droits de l'homme pour les étudiants de l'INTES.
- Établir une convention de partenariat avec l'Institut arabe des droits de l'homme.
- Faire participer les ONG connues pour leur défense des droits de l'homme en Tunisie.

L'enseignement pour les personnes handicapées

Atouts	Faiblesses
1. Réglementation juridique relative aux droits des personnes handicapées (loi cadre de 2005). 2. Un accès est aménagé pour faciliter le passage à certaines salles de cours. 3. L'administration prend des mesures spécifiques pour assister les étudiants handicapés qui demandent d'être assistés.	1. Absence de texte approprié pour les étudiants handicapés. 2. Absence de textes d'application des personnes handicapées en général. 3. Les enseignants ne sont pas avertis de la présence de l'étudiant(e) handicapé(e) dans leurs groupes. 4. Les handicapés sensoriels vivent en silence leur handicap. 5. Les fiches de renseignements pour l'inscription ne font aucune mention de l'état de santé de l'étudiant en rapport avec son handicap. 6. Aucune salle de cours et aucun bloc sanitaire ne sont aménagés pour faciliter l'accès des étudiants à mobilité réduite. 7. Il n'y a aucune information ni sensibilisation de prévues pour les corps administratif et pédagogique pour qu'ils contribuent à l'assistance et à l'intégration des étudiants handicapés.

Atouts	Faiblesses
	8. Les salles d'informatique et les départements pédagogiques sont situés au premier étage, ce qui rend l'accès difficile voire même impossible pour les étudiants à mobilité réduite.
Opportunités	**Menaces**
1. Développement d'une culture favorable au respect des droits des personnes handicapées. 2. Plusieurs ONG défendent les droits des personnes handicapées. 3. Des modules d'enseignement sur le handicap sont intégrés au programme de la licence appliquée en intervention sociale et de la licence fondamentale en service social. 4. Les enseignants et les étudiants en service social et en droit social sont déjà sensibilisés aux problèmes des personnes handicapées. 5. L'INTES entretient des contacts avec plusieurs associations d'handicapés qui accueillent ses étudiants pour leur stage de fin d'études.	1. Manque de moyens. 2. D'autres besoins peuvent être ressentis comme étant plus urgents. 3. La gestion des problèmes vécus par les autres étudiants risque de faire oublier les étudiants handicapés. 4. Résistance au changement. 5. Des problèmes architecturaux rendent difficiles l'aménagement des espaces pour les handicapés.

Pistes à explorer

– Organiser des campagnes de sensibilisation auprès des enseignants, du personnel administratif et des étudiants pour faire valoriser les droits des étudiants handicapés.

– Adopter un système d'information qui permette de repérer facilement tous les étudiants handicapés.

– L'enseignement des modules sur les personnes handicapées avec l'approche aux droits de l'homme.

– Tenir compte des besoins des étudiants handicapés dans l'élaboration des emplois des salles et des calendriers d'examens.

– Faire participer les ONG et les clubs des étudiants pour qu'ils tiennent en compte dans leurs programmes d'activités les étudiants handicapés.

Le processus d'enseignement

Atouts	Faiblesses
1. La tutelle du ministère des affaires sociales et la formation spécialisée permettent de maîtriser l'effectif des étudiants. 2. Les cours de spécialités sont dispensés avec des travaux dirigés. 3. Facilité de trouver des professionnels qui contribuent à l'enseignement. 4. Différents lieux de stage sont offerts aux étudiants par le ministère des affaires sociales et par les organismes qu'il tutelle.	1. Nombre élevé d'étudiants dans les groupes de cours et de TD. 2. Manque de formation pédagogique des nouveaux recrus et des professionnels qui contribuent à l'enseignement. 3. Absence d'une politique de formation continue pour les enseignants et surtout de formations aux techniques modernes d'enseignants (enseignements à distance, maîtrise de l'outil informatique…) et de formation aux langues nécessaires pour assurer la recherche scientifique. 4. Période d'enseignement très courte vu les absences des étudiants et des enseignants. 5. Manque de coordination entre les enseignants de cours et les enseignants de TD. 6. Insuffisance de salles de cours. 7. Bibliothèque mal achalandée 8. Conditions matérielles difficiles dans les espaces de cours.
Opportunités	**Menaces**
1. Tendances à la réduction d'effectifs. 2. L'instauration d'une politique de qualité dans l'enseignement supérieur. 3. Des programmes de formation pédagogiques sont disponibles au ministère de l'enseignement supérieur pour les nouvelles recrues.	1. La gestion des effectifs d'étudiants est de plus en plus difficile vu leur nombre qui ne cesse d'augmenter et le manque de moyens financiers alloués aux universités. 2. Les mouvements estudiantins peuvent s'amplifier. 3. Instabilité du système de l'enseignement supérieur.

Pistes à explorer

- Former selon les besoins du ministère des Affaires sociales et des organismes sous sa tutelle pour assurer l'emploi aux diplômés de l'INTES.
- Faire profiter les enseignants vacataires des programmes de formation pédagogique organisés par le ministère de l'Enseignement supérieur et de la Recherche scientifique.
- L'enseignant des cours théoriques assume la responsabilité en collaboration avec l'enseignant de TD d'élaborer le plan des séances de TD.

– Instaurer la pratique de la correction des examens pour que les étudiants connaissent leurs erreurs et puissent dans une deuxième étape améliorer leurs compétences.

Axe III. La recherche

Reconnaissance de la liberté dans les activités de recherche (structure)

Atouts	Faiblesses
1. Liberté des enseignants et des étudiants dans le choix du sujet à traiter. 2. Liberté pour consulter les archives et les publications scientifiques en respectant les conditions d'accès définies par les structures concernées. 3. Liberté d'intégration des équipes de recherche interne et externe. 4. L'INTES dispose d'un département de recherche. 5. Plusieurs enseignants font leur recherche de doctorat, d'autres préparent des travaux de recherche pour obtenir leur diplôme d'habilitation à la recherche et d'encadrement. Diversité des disciplines enseignées à l'INTES, ce qui permettrait de créer des équipes de recherche pouvant aborder des sujets dans une optique interdisciplinaire.	1. Manque de moyens et des finances pour la recherche et les manifestations scientifiques. 2. Absence d'une politique de recherche clairement définie dans la politique de l'institution. 3. Les enseignants consacrent la totalité de leur temps à l'enseignement pour combler le manque de personnel enseignant. 4. Absence de dynamique scientifique et manque d'ouverture sur les structures qui pourraient soutenir l'INTES et promouvoir ses activités de recherche. 5. Absence d'une base de données et de ressources bibliographiques actualisées et mise à jour. 6. Non reconnaissance du temps consacré à la recherche. 7. Absence de mécanismes de valorisation des résultats des quelques recherches qui sont faites par les enseignants dans le cadre de leur travaux de doctorat ou dans le cadre de leur initiative individuelle. 8. Les recherches faites par certains enseignants restent des actions purement individuelles et ne peuvent être comptabilisées dans l'actif de l'institution. 9. Il n'y a pas d'activité de recherche sur le sujet des droits de l'homme.
Opportunités	**Menaces**
1. Dans le cadre du système LMD, l'INTES peut créer, en partenariat avec d'autres établissements, une école doctorale qui pourrait être à l'origine du développement de l'activité de recherche. 2. L'enseignante actuellement chargée de diriger le département de recherche,	1. Rigidité des textes réagissant la création des écoles doctorales. 2. La diversité des disciplines, qui est une richesse pour l'INTES, peut ne pas faciliter la création d'une école doctorale. 3. Le manque d'intérêt des enseignants pour la recherche dans un contexte

Opportunités	Menaces
dispose d'un solide réseau d'institutions de recherche à l'échelle nationale et internationale, en particulier en France. 3. Le Ministère des Affaires Sociales, qui est le ministère de tutelle administrative et financière, dispose d'un centre de recherche qui peut collaborer avec l'INTES pour faire des recherches communes. 4. l'INTES dispose d'un master de recherche en service social et peut mettre en place un master de recherche en droit social, surtout qu'il est le seul établissement d'enseignement supérieur reconnu et spécialisé pour enseigner cette discipline.	de rareté des ressources et de manque d'encouragement. Certains enseignants préfèrent s'investir dans des activités de formation et de conseil dont la rentabilité est importante.

Pistes à explorer

- Créer une unité de recherche conforme aux conditions exigées par ministère de l'Enseignement supérieur et de la Recherche scientifique.
- Intégrer dans la structure de l'INTES le Centre de recherche et des études sociales qui se trouve au sein du ministère des Affaires sociales pour le fusionner avec le département de recherche de l'INTES.
- Organiser davantage de manifestations scientifiques.
- Organiser une journée d'étude sur la recherche scientifique à l'INTES dans les domaines qui lui sont spécifiques.
- Mettre en place un dispositif pour récompenser et valoriser les recherches faites à partir d'initiatives individuelles des enseignants.

Axe IV. Milieu d'apprentissage

Atouts	Faiblesses
1. La nouvelle constitution a prévu des dispositions relatives aux droits de l'homme. 2. La participation des enseignants et des étudiants à la gestion de la vie pédagogique est assurée par leurs représentants élus au conseil scientifique selon les normes et les procédures définies par la réglementation en vigueur.	1. L'INTES ne dispose pas de charte définissant les droits et les obligations de chaque acteur impliqué dans la vie universitaire. 2. Absence de mécanismes visant le respect des droits de l'homme. 3. L'ABDH est absente de la culture de l'institution comme dans la majorité des autres établissements.

Atouts	Faiblesses
3. Absence de pratique discriminatoire dans la liberté académique.	4. Aucune collaboration entre l'INTES et d'autres institutions pour valoriser la protection des droits de l'homme. 5. Il n'y a pas de plaintes déposées dans une optique du respect des droits de l'homme. 6. Les acteurs de l'INTES (enseignant, administration, étudiants) ne sont pas suffisamment informés sur leurs droits de défense dans une optique de droits de l'homme.
Opportunités	**Menaces**
1. Climat politique favorable. 2. Réforme de l'enseignement supérieur pour accorder plus d'autonomie à la gestion des établissements universitaires. 3. Émergence d'une culture démocratique et d'une gestion participative.	1. Instabilité politique. 2. Résistance au changement. 3. Politisation de la question des droits de l'homme. 4. Mauvaise utilisation des libertés qui peuvent être accordées.

Pistes à explorer:

- Élaborer une charte sur les droits de l'homme à l'INTES.
- Organiser une campagne de sensibilisation sur leurs droits dans une approche basée sur les droits de l'homme auprès des enseignants et des étudiants.
- Créer une unité tripartite (administration, enseignants, étudiants) pour mettre en place un programme d'activités orienté à la diffusion des droits de l'homme auprès de la communauté universitaire.

Axe 5. Enseignement et perfectionnement professionnel du personnel de l'enseignement supérieur

Atouts	Faiblesses
1. L'administration de l'INTES respecte le statut professionnel du corps enseignant. 2. Certains enseignants de l'INTES sont actifs dans des ONG qui interviennent dans des questions relatives aux droits de l'homme.	1. Il n'y pas de programmes de formation pour les enseignants. 2. La dimension «droits de l'homme» n'existe pas dans la gestion du personnel enseignant.

Opportunités	Menaces
1. Le ministère est favorable à la formation continue des enseignants et il y a donc possibilité d'intégrer la question des droits de l'homme. 2. L'INTES dispose d'un département de formation expérimenté dans l'organisation des cours de formation continue. 3. L'INTES établit beaucoup de relations avec des ONG. 4. Quatre associations ont leurs sièges à l'INTES. 5. L'INTES a souscrit un ensemble de conventions de coopération internationale.	1. Manque d'intérêt des enseignants envers la formation continue en général. 2. L'intérêt pour la formation continue sur la pratique pédagogique l'emporte sur la formation en «droits de l'homme».

Pistes à explorer:

- Intégrer la formation des enseignants de l'INTES au programme de formation géré par le ministère des Affaires sociales.
- Mettre en place un programme de formation géré par le département de formation continue de l'INTES au profit du personnel enseignant.

3.2.6. Éclaircissements, nuances et précisions

L'enseignement à l'INTES, comme c'est le cas pour plusieurs établissements d'enseignement supérieur, est victime depuis les années 2000 d'un effectif d'étudiants qui dépasse ses capacités humaines et matérielles. En effet, suite aux taux élevé de réussite au niveau de l'examen du baccalauréat, il accueille chaque année un nombre important d'étudiants. En raison de cette situation, les salles de cours sont trop chargées et le nombre d'étudiants par groupe est très élevé. Dans ces nouvelles conditions, le processus d'apprentissage a été fortement touché. D'abord, la majorité des modules d'enseignement sont enseignés sous forme de séance de «cours intégré» uniquement. Pendant ces séances, les étudiants sont très nombreux et l'approche pédagogique utilisée valorise le transfert de connaissances, plus que l'apprentissage des compétences. Ainsi, le processus d'apprentissage est beaucoup plus axé sur le savoir que sur le savoir-être ou le savoir-faire. Il ne laisse aucune place au développement personnel de l'étudiant. Ce dernier, est considéré comme un simple récepteur passif, objet et non sujet. Il ne participe pas ou ne participe que superficiellement à son apprentissage.

En raison des conditions dans lesquelles se déroule l'enseignement, aucune place n'est laissée à la réflexion critique et à l'apprentissage permettant de former l'étudiant, futur citoyen acteur et défenseur de ses droits et de ceux des autres. Par ailleurs, les modules enseignés sous forme de cours et de TD (travaux dirigés), ne permettent pas non plus le développement des compétences de l'étudiant. Dans les séances des cours les effectifs d'étudiants sont très élevés et l'approche de valorisation du transfert des connaissances prime sur toutes les autres approches, participative et démocratique.

S'agissant des séances de TD, supposées favoriser le développement personnel et professionnel de l'étudiant, elles ont un volume horaire très réduit soit 1h30 mn par semaine et ne sont dispensées que pendant un nombre de séances très réduit comparé aux séances du cours. En effet, l'étudiant ne peut suivre une séance de TD qu'après avoir suivi au moins deux séances de cours, d'autant plus qu'il n'est pas toujours facile pour le responsable pédagogique de trouver facilement l'enseignant disposant d'une expérience professionnelle suffisante pour être en mesure d'animer des séances de travaux dirigés. Par ailleurs, l'effectif des étudiants par groupe de T.D est élevé ne permettant pas aux enseignants d'adopter une approche pédagogique axée sur l'apprentissage pratique et le transfert du savoir professionnel.

En plus de ces différentes faiblesses, on constate pour certaines matières données sous forme de cours et TD qu'il y a une absence totale de coordination entre le professeur du cours et l'enseignant chargé des TD, du fait que généralement le chargé des TD n'est pas un permanent de l'INTES. Dans cette situation, l'étudiant, parfois, ne parvient pas à saisir la complémentarité entre le contenu enseigné par les deux enseignants. Parfois même, il constate que les deux sont en train de faire la même chose. L'enseignant, chargé des TD, livré à lui-même, adopte une approche qui fait que l'apprentissage dans les séances de TD est axé sur le transfert des connaissances théoriques. Il n'accorde ainsi aucune place à l'approche participative et à la réflexion critique, approche en mesure de contribuer au développement personnel de l'étudiant.

Depuis l'introduction du système LMD, le cours sur les droits de l'homme est intégré dans le programme de formation pendant deux semestres. En adoptant cette politique, l'enseignement des droits de l'homme à l'INTES est devenu progressivement une composante bien reconnue dans les différentes spécialités enseignées. En effet, contrairement à d'autres établissements d'enseignement supérieur qui ont éliminé le cours de droits de l'homme, l'INTES a continué à enseigner cette matière dans les licences qui n'ont pas été révisées et aussi dans les licences qui ont été révisées (LFSS, LAIS).

Pour valoriser l'enseignement de droits de l'homme, l'INTES, a pris le choix de recruter des enseignants contractuels, au lieu d'enseignants vacataires qui ne sont pas en mesure d'assurer la continuité de l'enseignement de la matière et l'articulation entre les semestres et les niveaux.

Au niveau des textes régissant les différents programmes, le cours «droits de l'homme» figure comme une matière à part entière parmi les matières transversales. Ceci dit dans les emplois du temps des niveaux concernés, dans leurs calendriers d'examens et sur les relevés de notes figure la matière «droit de l'homme». Ainsi, les notes que l'étudiant peut obtenir dans la matière peuvent contribuer à son échec ou à sa réussite. Par ailleurs, le fait d'avoir un cours «droits de l'homme» inscrit au programme des deux spécialités spécifiques à l'INTES permet aux étudiants de bien voir le rapport entre la profession à laquelle ils sont préparés et l'exercice des droits de l'homme.

Le cours «droits de l'homme» qui existe dans les programmes d'enseignement à l'INTES au niveau de licences se trouve parmi les unités d'enseignement dites transversales. Il s'agit d'unités dans lesquelles les cours ne sont soumis qu'à l'évaluation de type «contrôle continu» moins valorisée que l'évaluation réalisée dans le cadre des examens finaux. Cette évaluation, organisée par l'administration, est soumise à la règlementation qui régissait les examens nationaux. D'autre part, le cours «droits de l'homme» en tant que matière transversale, ne donne pas à l'étudiant la deuxième chance de pouvoir se rattraper en cas de mauvaise note. Par ailleurs, une simple observation des notes obtenues par les étudiants durant les années universitaires 2011/2012 et 2012/2013 démontre qu'aucun étudiant, n'a eu de difficultés pour réussir la matière contrairement à celles d'informatique et d'anglais, deux matières transversales au même niveau que le cours «droits de l'homme». Au cours de ces deux années universitaires, aucun étudiant ne s'est vu obligé à refaire son année pour cause d'échec au cours «droit de l'homme», alors qu'il y a des cas d'échec dans les autres matières transversales.

Après la révolution il n'y a pas de changement au niveau des approches pédagogiques ni au niveau de contenus du cours «droits de l'homme» pour lui donner une orientation valorisante par rapport au nouveau contexte de la Tunisie. Le cours de droits de l'homme est dispensé sous forme de cours magistral classique qui ne permet pas à l'étudiant de voir sa portée pratique et les théories et les concepts dispensés dans le cadre du cours restent abstraits pour l'étudiant. Dans les plans du cours que nous avons pu consulter, aucun rapport n'est établi avec la législation tunisienne, avec les structures et les mécanismes qui sont mis en place. Le cours, sous sa forme actuelle, se présente comme un module de formation orientée vers l'enrichissement de la culture générale de l'étudiant et non vers la formation de sa personnalité pour acquérir les compétences nécessaires lui permettant de défendre ses droits et ceux d'autrui.

À l'instar de l'enseignement des matières de droit limité pour certaines spécialités à quelques cours et en raison du nombre élevé d'étudiants par groupe, l'approche de l'enseignement est encore classique et elle laisse peu de place à l'étudiant dans la mesure où la participation des étudiants à leur propre apprentissage est trop limitée. L'approche adoptée comme le montrent les programmes du cours se centre sur l'acquisition de savoirs et n'accorde aucune importance au développement personnel de l'étudiant puisque le programme du cours ne permet aucun apprentissage expérimental ni aucune orientation critique et réflexive. A la fin du cours, l'étudiant aura certainement acquis un ensemble de connaissances sur les droits de l'homme, mais rien n'est développé dans le plan du cours pour que le savoir acquis s'articule avec au savoir-être et au savoir-faire pour contribuer à l'épanouissement du citoyen capable d'agir en adaptant une approche basée sur les droits de l'homme.

C/ Dans un système administratif centralisé ou les ministères sont au coeur de toutes les politiques et de toutes les décisions, l'INTES ne peut élaborer son propre plan de formation, que ce soit pour le personnel administratif ou le personnel enseignant. Les deux ministères de tutelle sont les seuls responsables de concevoir des plans de formation annuels. Toutefois, ces plans sont pensés uniquement pour le personnel administratif. Aucun plan n'est élaboré au profit du personnel enseignant, et même s'il y a des plans dont les modules peuvent intéresser les enseignants, ces derniers ne sont informés que très tardivement et la grande majorité doit renoncer à suivre des formations connexes de leur discipline qui les intéresseraient. Dans ce contexte, il nous semble nécessaire que l'INTES élabore et gère ses propres plans de formation, réellement adaptés aux besoins de son personnel et qui tiennent compte de son mode de fonctionnement spécifique.

3.2.7. Aperçu sur les bonnes pratiques liées aux droits de l'homme

Sensibilisé, depuis la Révolution, à une politique claire et bien définie sur l'adoption d'une approche basée sur les droits de l'homme, l'INTES a un ensemble de bonnes pratiques qui favorisent implicitement l'éducation aux droits de l'homme. Parmi ces bonnes pratiques, nous relevons:

- l'intégration d'une matière sur les droits de l'homme dans les programmes de toutes les licences dispensées à l'INTES;
- de enseignants recrutés pour enseigner le cours des droits de l'homme;
- certains cours de travail social et du droit social invoquent les droits de l'homme, tels que les droits des personnes handicapées, les droits des enfants et les droits des travailleurs;
- plusieurs étudiants font leurs stages dans des ONG vouées à la protection des droits de certaines catégories de personnes vulnérables.

- les étudiants et les enseignants, par l'intermédiaire de leurs représentants au conseil scientifique, peuvent défendre leurs droits tels que celui à l'information et la prise en compte de leurs besoins dans la mise en application de certaines mesures à caractère pédagogique ou administratif et qui peuvent les toucher d'une façon ou d'une autre.
- depuis la Révolution, l'Administration porte un intérêt particulier aux mouvements d'étudiants et réagit positivement aux requêtes et aux réclamations qu'ils peuvent faire dans la défense de leurs intérêts et pour faire entendre leurs voix. Les étudiants ne sont plus les jeunes passifs d'avant la révolution. Ils sont devenus des acteurs en mesure d'introduire des changements dans des questions pédagogiques relatives au contexte de l'apprentissage, à la relation entre étudiants et enseignants ou même aux questions qui soulèvent le non-respect des droits de l'homme.
- Les étudiants et les enseignants sont représentés au conseil scientifique de l'INTES par des membres élus de façon libre et démocratique.
- Des mesures particulières sont appliquées pour assister les personnes handicapées pendant le déroulement des examens à chaque session.
- Les étudiants sont libres de choisir leurs milieux de stages.

3.3. INSTITUT DE PRESSE ET DES SCIENCES DE L'INFORMATION (IPSI). UNIVERSITÉ DE LA MANOUBA

FATEN BEN LAGHA
Chercheur coordinnatrice IPSI

HIND SOUDANI
Chercheur IPSI

HELA BEN ALI
Chercheur IPSI

NASSER MOKNI
Chercheur IPSI

3.3.1. Histoire et cadre juridique de l'IPSI

L'Institut de presse et des sciences de l'information (IPSI) est un établissement universitaire dépendant de l'Université de La Manouba.

Créé par l'article 36 de la loi des finances du 30 décembre 1967, il est –jusqu'à nos jours–, l'unique établissement public qui délivre le diplôme de journaliste en Tunisie.

D'abord rattaché au Secrétariat d'état aux affaires culturelles et à l'information (1967), l'IPSI et ensuite au secrétariat d'état à l'Éducation nationale en 1968. Enfin, en 1973 l'institut devient autonome et se place sous la tutelle du ministère de l'Éducation puis de l'Enseignement supérieur et de la Recherche scientifique lorsque ce dernier est créé en 1978.

a. Organisation administrative et pédagogique

L'IPSI dispose d'une organisation administrative et pédagogique qui se présente comme suit:

- La direction générale (fonction administrative et pédagogique)
- La direction des stages (fonction pédagogique)
- Le secrétariat général (fonction de gestion administrative et pédagogique)

Pour les activités pédagogiques sont gérées par les départements suivants:

- Département de journalisme
- Département de communication
- Département de langues

De même que les autres institutions d'enseignement supérieur en Tunisie, l'IPSI a un Conseil scientifique constitué conformément a la règlementation en vigueur. Le conseil scientifique représente un organe de consultation et d'orientation générale pour assister le directeur dans la prise de décision se rapportant principalement aux questions pédagogiques importantes. Le Conseil est formé d'enseignants appartenant aux différents départements de l'institution et représentant les différents grades universitaires, Ils constituent le corps A (professeurs et maîtres de conférences) et le corps B (maîtres assistants et assistants).

b. Régime des études

À partir de l'année universitaire 1992-1993, la formation, qui aboutit à un diplôme de maîtrise, s'articule autour d'un tronc commun d'une durée de deux ans pour tous les étudiants, suivi de deux ans de spécialisation en journalisme ou sciences de l'information.

Elle passe en 2007 au régime LMD: la formation dure dès lors trois ans et aboutit à un diplôme de licence. L'évaluation et le système de passage d'une année d'études universitaires à l'autre dépend de la moyenne des notes obtenues par l'étudiant mais aussi des crédits cumulés.

Concernant le système des examens, il y a des enseignements soumis au régime de contrôle continu[53] et d'autres qui sont régis par le système d'évaluation mixte[54].

---

53. Il s'agit de matières dont l'évaluation se fait tout au long du semestre par le biais d'activités de travaux dirigés, de tests, de devoirs surveillé (DS) ou encore de devoirs à la maison (DM) et d'exposés.
54. Les matières, dont l'évaluation relève du régime mixte, ont un fonctionnement de notation en deux parties: une note de T.D. (travaux dirigés) et une note d'examen de fin de chaque semestre.

c. *Structure et cursus d'enseignement à l'IPSI*

Les cursus des licences:

L'IPSI a un ensemble de cursus d'études qui représentent une licence fondamentale et deux licences appliquées. Ce sont les suivantes:

- Licence fondamentale en sciences de l'information et de la communication (LSIC)
- Licence appliquée en journalisme (LAJ)
- Licence appliquée en communication (LAC)

Le programme des enseignements à l'IPSI est établi en fonction de modules d'enseignement qui regroupent différentes matières. Les modules sont répartis en:

- Module des enseignements de spécialité.
- Module des enseignements de langues.
- Module des enseignements transversaux.

Les cursus de masters:

L'IPSI dispense les cursus de masters suivants:

- Masters de recherche en sciences de l'information et de la communication.
- Master professionnel en audiovisuel.
- Master professionnel en journalisme écrit et électronique.
- Master professionnel en investigation.
- Master professionnel en communication politique.
- Master professionnel en communication santé.
- Master professionnel en communication environnementale et développement durable.

Par ailleurs, à l'instar d'autres institutions universitaires tunisiennes, l'PSI organise un ensemble d'activités scientifiques tel que:

- Des journées d'études sur des thèmes d'actualité se rapportant aux domaines du journalisme et de la communication;
- Des séminaires et des colloques scientifiques;
- Des sessions de formation au profit des enseignants, des étudiants et des techniciens travaillants à l'IPSI, (informatique / audiovisuel);
- La publication, depuis 1982, d'une revue biannuelle consacrée aux sciences de l'information: la *Revue tunisienne de communication;*
- La publication également de livres, d'études et de travaux monographiques.

d. Études de l'effectif des enseignants

L'IPSI compte, tous grades confondus, un nombre de 79 enseignants répartis entre les différents grades et disciplines, en fonction de ses 3 départements. Ces enseignants travaillent à leur mission d'enseignement et de recherche scientifique au sein de l'institution.

Tableau 14. Répartition de l'effectif d'enseignants selon leur statut administratif

Statut	Nombre	%
Permanents	36	45.56 %
Contractuels	16	20.25 %
Vacataires	27	34.17 %
Total	**79**	

e. Étude de l'effectif d'étudiants inscrits à l'IPSI

Le nombre d'étudiants inscrit à l'IPSI évolue de 793 en 1999 à 2013 en 2006, dont 73,5 % de sexe féminin. Plusieurs étudiants étrangers, notamment de nationalités arabes et africaines, y poursuivent leurs études.

Ceci étant, le nombre d'étudiants s'est vu considérablement diminué depuis la mise en place d'un concours d'entrée à l'IPSI à partir de l'année universitaire 2012-2013.

L'IPSI compte donc au début de l'année universitaire 2014/2015 un effectif de 479 étudiants. La répartition de l'effectif total des étudiants au cours de l'année universitaire 2014/2015 s'effectue comme il apparaît sur les tableaux ci-dessous:

Tableau 15. Répartition de l'effectif total des étudiants de l'IPSI au cours de l'année universitaire 2014/2015

Programmes	Effectifs	%
Licences	289	60.33 %
Masters	190	39.66 %
Total	**479**	

Tableau 16. Répartition de l'effectif global selon le sexe et le niveau d'étude

	Femmes		Hommes	
	Nombre	%	Nombre	%
Licences	183	54.14 %	106	75.17 %
Masters	155	45.85 %	35	24.82 %
Total	**338**	–	**141**	

Tableau 16.a. Répartition de l'effectif des étudiants inscrits en licences selon le niveau d'étude et la spécialité

	LF en SIC	LAJ	LAC
1ère année	42	43	33
2ème année	27	29	24
3ème année	21	53	21

Tableau 16.b. Répartition de l'effectif des étudiants inscrits en mastère selon la spécialité

Programmes mastère (1ère et 2ème année)	Nombre	%
Master de recherche en sciences de l'information et de la communication	30	15 %
Master professionnel en audiovisuel.	37	18.5 %
Master professionnel en journalisme écrit et électronique	26	13 %
Master professionnel en investigation	24	12 %
Master professionnel en communication politique	29	14.5 %
Master professionnel en communication santé	30	15 %
Master professionnel en communication environnementale et développement durable	24	12 %
Total	**200**	

f. Relations avec l'environnement et coopération internationale

L'IPSI entretient des relations d'échange avec le milieu de sa spécialité (journalisme et communication) mais aussi de partenariat et de coopération à l'échelle internationale et ce toujours dans le cadre de conventions.

L'Institut a donc des relations et des programmes d'échange avec des structures professionnelles, associatives, etc., dans les domaines de la presse écrite (quotidiens et hebdomadaires: chourouk, le Maghreb, Chaab, Essabah, el Joumhouria, le Temps, le Quotidien, la Presse, etc.); L'audiovisuel: (la Radio nationale, Mosaïque fm, Shem's fm, l'express fm, el Hiwar Ettounsi, Hannibal TV, Nessma, la Télévision nationale, etc.) et des médias étrangers: Deutch wella, BBC, Al jazeera, etc.;

Il faut souligner que les étudiants de l'IPSI profitent pleinement de cet échange dans le cadre de leurs projets de fin d'études ou des stages obligatoires et certains d'entre eux ont réussi à décrocher des contrats de travail grâce à cette coopération. Par ailleurs, l'IPSI sest engagé dans plusieurs projets de coopération internationale afin d'assurer son rayonnement scientifique. On peut citer, à titre d'exemple, certains de nos partenaires étrangers: L'Unicef, L'Unesco, Le CNRS, l'IRMC, L'Institut français de coopération de Tunis (IFT), Le CFI (l'agence française de coopération Médias), Tempus (projet ABDEM et projet e-médias), les universités de Berlin, Munich, New York et Albany. Notre institution est aussi, depuis des années, membre du réseau Théophraste (réseau de centres francophones de formation au journalisme). Sans oublier, enfin, que notre institution accueille également l'amicale des anciens de l'IPSI dans ses locaux.

3.3.2. Analyse AFOM des données par axe

Les informations et données collectées au niveau institutionnel sont donc présentées dans ce rapport en fonction de deux paramètres: l'axe auquel elles appartiennent et l'analyse AFOM. Dans ce présent rapport, nous allons tenter de récapituler et d'expliciter les différentes données – que nous avons pu relever lors de notre recherche portant sur les indicateurs institutionnels– relatives aux principes fondamentaux des droits de l'homme et à leur intégration dans les structures de l'enseignement supérieur. Pour ce faire, l'analyse AFOM (atouts, faiblesses, opportunités et menaces), nous apportera une meilleure visibilité sur la situation et les pratiques par rapport aux droits de l'homme. Elle mettra aussi en avant les mécanismes auxquels nous pourrions avoir recours pour optimiser les acquis et remédier aux défaillances dans ce domaine.

Dans notre approche de la question, il nous a semblé que se référer uniquement aux textes, serait vraiment insuffisant et pourrait même nous donner une idée erronée de la réalité. Face à cette constatation et étant donné que les textes ne reflètent pas toujours la réalité de la situation et des pratiques relatives aux droits de l'homme, notre méthodologie a consisté à diversifier les sources d'information. Nous avons ainsi constitué notre base de données à partir de sources officielles représentées par des instances gouvernementales (ministère, rectorat, etc.), mais aussi officieuses et non gouvernementales (ONG, syndicats, associations, etc.).

a. Politiques et mesures

Atouts	Faiblesses
1. Un projet de réforme du système d'enseignement supérieur a été lancé récemment par le ministère. 2. Circulaire du ministre de l'enseignement supérieur concernant l'enseignement de la matière des droits de l'homme comme module transversal (dans l'ensemble des institutions universitaires). 3. L'enseignement supérieur est accessible à tous en toute égalité, en fonction des capacités de chacun (y compris les personnes vulnérables). 4. Existence, à l'IPSI, de bonnes pratiques de démocratie et de respect des droits de l'homme (ex: possibilité de partenariat et d'échanges avec des associations ou des ONG à l'IPSI). 5. L'IPSI dispose d'une radio interne, d'un site électronique et d'une revue scientifique (biannuelle).	1. Faible soutien matériel particulier aux groupes défavorisés / handicapés. 2. Quelques défauts d'équilibre et d'articulation entre les missions universitaires que sont la recherche scientifique, l'enseignement et l'ouverture sur le milieu professionnel. Et ce, malgré les relations d'échange et de coopération qui distinguent l'IPSI.
Opportunités	**Menaces**
1. Un climat politique favorable au respect des droits de l'homme. 2. La politique d'état encourage tout projet de coopération dans l'intention d'améliorer les programmes d'enseignement. 3. Importance du travail associatif.	1. Influence de certains partis politiques sur des groupes d'étudiants. 2. La syndicalisation et la politisation des étudiants, des enseignants et des agents administratifs ont provoqué certains incidents et certaines déviations. 3. Le manque de moyens de l'Etat tunisien due l'instabilité politique et à la fragilité de sa politique économique (dépendance, dettes, etc.), aggravé par la crise financière internationale.

Atouts

En Tunisie, la Révolution du 14 janvier 2011 a permis la mise en avant des droits de l'homme et une réelle prise de conscience de la nécessité d'instaurer –entre autres dans le système de l'enseignement supérieur– leurs principes et leur protection pour ne plus basculer dans la dictature.

Ceci étant, il est à noter que certaines démarches –visant l'amélioration de la qualité de l'enseignement supérieur en Tunisie et son alignement aux normes et structures internationales– existaient déjà avant l'avènement de la révolution. Cela représente évidemment des atouts majeurs pour l'ABDH puisqu'il s'agit d'une assise préalablement établie pour une progression vers l'instauration et la généralisation d'une culture qui tendrait à réellement respecter les droits de l'homme. Parmi ces démarches dont il est question nous rappelons essentiellement:

- La circulaire émise par le ministre de l'Enseignement supérieur tunisien en 2009[55], a changé la donne. Il s'agit de généraliser, en première année du cursus universitaire, l'enseignement de la matière «droits de l'homme» à toutes les disciplines et spécialités. Il est certain que la décision a été prise à des fins politiques mais elle peut donner encore plus de force à notre projet.
- La Tunisie a progressivement adopté le système LMD et cela sur 9 ans. L'université est donc en pleine phase d'évaluation de ce système pour établir les réformes nécessaires qui amélioreront le niveau de ses diplômés et rénover ses certificats pour qu'ils répondent au mieux aux besoins du marché de l'emploi. Elle est ainsi ouverte à tout projet de coopération en mesure d'apporter d'éventuels avantages aux réformes en cours de réflexion et de réalisation.
- L'université tunisienne est accessible à tous en pleine égalité, en fonction des capacités de chacun (y compris les groupes vulnérables, les handicapés).
- Depuis janvier 2011 de nombreuses avancées ont eu lieu dans l'université tunisienne: la police universitaire a été exclue des enceintes des facultés. Les étudiants arrêtés et détenus sous Ben Ali ont été libérés et réintégrés. Enfin, le principe d'élection a été étendu au conseil scientifique et aux organes directeurs des universités. Les pratiques liées à la démocratie et les droits de l'homme sont maintenant répandues dans nos universités.

Étant en rapport direct avec les médias et la communication de manière plus générale, l'IPSI est particulièrement sensible à ces changements.

Faiblesses

L'un des acquis les plus palpables de la révolution tunisienne sont les libertés dont les citoyens jouissent désormais. Nous citons, à titre d'exemple, la liberté d'expression qui permet de dénoncer les abus relatifs au non-respect des droits de l'homme. Ceci dit, nous constatons qu'il y a encore un long

55. Texte réglementaire en bas de la hiérarchie des normes juridiques.

chemin semé d'embûches pour parvenir à modifier les esprits et instaurer, dans nos échanges, un réel respect des libertés individuelles, des droits des minorités et plus généralement d'accepter plus aisément l'opinion contraire.

En outre, étant donné que les institutions universitaires représentent des microcosmes de la société, nous relevons tant sur le plan national qu'institutionnel un nombre de faiblesses qui pourrait limiter la force d'impact à laquelle nous aspirons. Nous pouvons résumer les faiblesses par rapport à l'axe «Politique et mesures» dans les points suivants:

- textes de lois assez vagues;
- défaut d'équilibre et d'articulation entre les missions octroyées à l'enseignant au sein de l'université à savoir: recherche scientifique, enseignement et relation avec le milieu professionnel;
- malgré les bonnes pratiques de démocratie et de respect des droits de l'homme, certains incidents ont montré l'influence de certains partis politiques sur les étudiants. Cela a révélé des dysfonctionnements au niveau de l'état des droits de l'homme. Aussi, s'agissant d'institutions universitaires, ces incidents prouvent la compréhension relative ou confuse des pratiques relatives aux droits de l'homme de la part des étudiants;
- Un manque de moyens a limité tout soutien matériel aux étudiants défavorisés;
- Aucun soutien particulier aux handicapés.

b. *Procédures et outils d'enseignement et d'apprentissage*

Atouts	Faiblesses
1. Enseignement à l'IPSI des droits de l'homme, de manière directe ou indirecte, à différents niveaux du cursus universitaire. 2. Le personnel enseignant tente de faire appel de façon courante à la pédagogie différenciée, et cherche à développer le sens critique de ses étudiants pour favoriser l'autonomisation de l'étudiant et le renforcement de son esprit d'initiative. Et cela surtout parce que les étudiants de l'IPSI seront les journalistes et communicateurs de l'aenir.	1. L'enseignant, centré sur le contenu du cours, ne permet pas toujours à l'étudiant de participer et de «problématiser» le contenu dispensé par rapport à son milieu environnant. 2. Les références bibliographiques sur les droits de l'homme. 3. Des structures universitaires, en matière de disponibilité des données et de documentation, qui sont considérées comme une nécessité pour tout travail de recherche. 4. La quasi-absence de statistiques ou de documents officiels qui pourraient nous donner des chiffres précis concernant les pratiques ou la participation dans le domaine de l'ABDH, au sein de l'environnement d'apprentissage.

Atouts	Faiblesses
Opportunités	**Menaces**
1. Une meilleure valorisation des droits de l'homme d'une manière générale et en particulier dans l'enseignement à l'IPSI. 2. Une ouverture vers la vie associative et les ONG à l'échelle internationale.	1. Une instabilité politique (quatre ministres se sont succédés à la tête du ministère de l'enseignement supérieur depuis la révolution du 14 janvier et cinq chefs de gouvernement). Cela risque de provoquer: – Une lenteur et des hésitations dans les prises de décision. – Un freinage de tout investissement dans une politique ou dans une vision à long termes.

Atouts

Il est impossible de penser à faire évoluer les mentalités et parvenir à une prise de conscience collective de l'importance de l'étude des droits de l'homme sans avoir une assise –aux niveaux des procédures et des outils d'apprentissage– pour favoriser la mise en place d'un enseignement des droits de l'homme. Toutefois, si depuis quelques années nous constatons une amélioration et même un réel regain pour les principes des droits de l'homme et leur enseignement à différents niveaux du cursus universitaire, il n'en reste pas moins beaucoup à faire par rapport à la question des procédures et des outils d'enseignement.

Nous avons structuré les différentes données observées en atouts et faiblesses que nous avons cherché à expliquer davantage au niveau des intitulés «éclaircissements» et précisions».

Les atouts que nous avons relevés sont essentiellement:

- La généralisation de l'enseignement de la matière «droits de l'homme» à l'ensemble des institutions universitaires;
- Le personnel enseignant tente de faire appel à la pédagogie différenciée de façon courante, et cherche à développer le sens critique de ses étudiants afin de favoriser l'émancipation de l'étudiant et le renforcement de son esprit d'initiative;
- On peut également considérer que l'un des principaux atouts de ce projet est l'éducation de l'étudiant aux droits de l'homme. La prise de conscience de l'importance des droits de l'homme doit tout d'abord toucher les étudiants, premiers récepteurs de l'enseignant «créateur de savoir».

Il est nécessaire d'envisager avec les étudiants des discussions sur la teneur des droits de l'homme. En outre, les sensibiliser aux intérêts communs qui les lient à leur propre société d'une part et à la société internationale d'autre part, est une tâche désormais incontournable.

Cet intérêt accordé aux droits de l'homme doit aussi toucher les enseignants eux-mêmes, lesquels doivent redevenir ces «créateurs de savoir» et d'idées nouvelles mais dans le cadre du respect de la liberté.

Faiblesses

Comme nous l'avons précédemment expliqué, il est important de cibler les faiblesses qui existent dans nos systèmes institutionnels avant l'ancrage de l'ABDH. Parmi ces faiblesses nous pouvons nous référer au fait que:

- Malgré les efforts fournis par l'enseignant universitaire, pourfaire de l'étudiant un apprenant actif, ce dernier est encore centré sur le contenu du cours et du programme déjà préparé. Ce procédé ne permet pas à l'étudiant de participer sensiblement au processus d'assimilation du «savoir»;
- Les références bibliographiques en matière des droits de l'homme sont encore limitées;
- Il convient d'évoquer la question de la défaillance au niveau des différentes structures universitaires en matière de disponibilité des données et de la documentation considérées nécessaire pour tout travail de recherche;
- Dans ce même ordre d'idées, nous relevons aussi la quasi-absence de statistiques ou de documents officiels qui pourraient nous donner des chiffres précis sur le domaine de l'ABDH dans le milieu d'apprentissage. Il en va de même avec d'éventuels plaintes ou litiges sur le non respect des droits de l'homme.

c. *Recherche*

Atouts	Faiblesses
1. Existence d'un projet de réforme du système d'enseignement supérieur. 2. Existence de mesures d'incitation pour la mobilité scientifique.	1. Peu de recherches directes sur les droits de l'homme. 2. Pas de normes pour la promotion de l'enseignement des droits de l'homme dans le peu de recherches existantes. 3. Pas de valorisation de la recherche sur les droits de l'homme. 4. Procédures de rémunération (déplacement, mobilité...) longues et compliquées.

Opportunités	Menaces
1. Existence d'une convention de partenariat nationale et internationale (elle permet de créer des liens et des réseaux qui facilitent la collaboration et l'échange). 2. Possibilité de création, en partenariat avec d'autres institutions universitaires nationales et internationales, d'écoles doctorales et de masters.	1. Le manque d'encouragement, la rigidité des textes et la lenteur des procédures administratives de rémunération ont provoqué le désintérêt des enseignants- chercheurs et leur manque d'engagement dans la recherche scientifique. 2. Les enseignants-chercheurs préfèrent désormais collaborer avec des instances étrangères ou s'investir dans la formation et le consulting, plus rentables et mieux valorisée, surtout en journalisme et communication.

Le projet ABDEM ne saurait se faire sans se pencher sur la question de la recherche universitaire, ses structures et ses orientations pour en dégager les atouts qui peuvent nous faciliter l'aboutissement de notre projet ABDH. Il ne faut toutefois pas se leurrer sur les faiblesses que nous pourrions trouver dans le domaine de la recherche. Cerner les faiblesses permettra de corriger et d'optimiser, au final, l'intérêt que pourraient avoir les chercheurs et doctorants pour l'intégration, ne serait-ce que partiellement, de la composante droits de l'homme dans leurs travaux universitaire de recherche.

Ainsi, au niveau institutionnel, nous avons observé un ensemble d'atouts et de faiblesses dans l'axe de la recherche.

Atouts

- Existence d'un projet de réforme du système d'enseignement supérieur;
- Existence de mesures incitatives à la mobilité scientifique de l'enseignant chercheur;
- Existence de convention de partenariat nationale et internationale (Permet de créer des liens et des réseaux qui facilitent la collaboration et l'échange).

Faiblesses

- Les recherches en rapport avec les droits de l'homme sont limitées et souvent concentrées sur les pratiques dans le domaine de la presse ou évoquent la question des droits de l'homme dans sa globalité;
- La question de l'enseignement des droits de l'homme n'est pas valorisée par les études existantes;

- Absence d'unités de recherche ou de laboratoires en rapport direct avec les droits de l'homme;
- Les procédures de rémunération de l'universitaire (déplacement, mobilité, etc.), sont longues et compliquées. Absence donc d'encouragement et de facilité malgré l'existence de textes de loi.

d. Contexte de l'apprentissage

Atouts	Faiblesses
1. Existence d'une autonomie financière et administrative relative. 2. Existence de mécanismes d'auto-évaluation. 3. L'IPSI est ouvert à la société civile et encourage ses étudiants à créer des liens avec les associations.	1. Absence d'une approche d'évaluation «sérieuse» et cohérente par objectifs. 2. Les structures d'évaluation sont internes. Donc pas d'ouverture sur des instances neutres. 3. Autonomie limitée.
Opportunités	**Menaces**
1. La réforme de l'enseignement supérieur en cours et les structures d'évaluation sont favorables à accorder plus d'autonomie à la gestion financière, administrative et scientifique des institutions universitaires. 2. Climat politique favorable et ouvert à toute réforme et toute proposition afin de revoir et d'apporter les réformes nécessaires.	1. Instabilité politique. 2. Ingérence des partis politiques qui politisent la question des droits de l'homme. Cet aspect est accentué à l'IPSI car il s'agit d'une institution universitaire qui est en relation avec les médias et la communication, en l'occurrence politique.

Atouts

Nous pensons que l'axe qui aborde le contexte de l'apprentissage est primordial étant donné que c'est dans cette sphère que les droits de l'homme vont être enseignés et mis en pratique.

De ce fait, les droits de l'homme ne doivent pas rester au stade de simples notions come l'égalité des chances, la liberté d'expression, etc. Il est, en effet, nécessaire qu'ils transparaissent, de façon plus palpable, dans notre quotidien et au sein de notre contexte d'apprentissage. Les atouts qui distinguent d'ores et déjà notre sphère institutionnelle sont:

- l'existence d'une autonomie financière et administrative même si elle reste relative;
- l'existence de mécanismes d'auto-évaluation au sein de l'institution universitaire;

- l'existence d'une commission nationale de l'évaluation et de la garantie;
- l'IPSI est ouvert à la société civile et encourage ses étudiants à créer des liens avec les associations.

Faiblesses

Si nous avons pu déceler un ensemble d'atouts, le contexte d'apprentissage compte aussi certaines faiblesses dont:

- L'absence d'une approche d'évaluation «sérieuse» et cohérente par objectifs. En effet, se limiter à des comptes rendus périodiques ne permet en aucun cas à déboucher sur un système cohérent et des mécanismes d'assurance-qualité spécifiques pour l'enseignement des droits de l'homme.
- Le terrain est favorable pour maximiser les atouts par rapport à l'ABDEM car en cherchant à s'améliorer, l'université tunisienne a lancé un projet d'évaluation. Mais ce projet reste interne, étant donné que la commission nationale de l'évaluation et de la garantie n'est composée que d'universitaires. Ses mécanismes se basent donc sur une simple auto-évaluation au niveau de chaque institution universitaire. Il est par conséquent nécessaire d'impliquer d'autres acteurs et de s'ouvrir à d'autres instances ou d'autres mécanismes plus indépendants.
- Il est aussi souhaitable de diversifier les instances d'évaluation, de l'assurance-qualité et de l'accréditation des établissements de l'enseignement supérieur dans une ouverture qui intégrerait les compétences privées nationales ou internationales.
- Un autre problème important mérite d'être soulevé. Il s'agit de l'autonomie des universités tunisiennes. Il est vrai que la nouvelle loi sur les universités stipule que celles-ci bénéficient d'une personnalité juridique et d'une autonomie financière, mais cette autonomie est très limitée en raison d'une longue tradition de centralisation de l'administration. Cette question pourrait effectivement faire obstacle à une obligation de transparence, d'évaluation et d'audit.

Enfin, l'autonomie institutionnelle et la neutralité universitaire sous-entendent également une autonomie budgétaire. En effet, l'université est confrontée à des défis économiques. Ainsi, le financement de la recherche et du savoir diminue en raison de la crise économique qui touche le pays. Il est donc impératif que l'université tunisienne cherche de nouvelles sources de financement orientées vers la pensée critique et intellectuelle.

e. *Éducation et perfectionnement professionnel du personnel enseignant de l'enseignement supérieur*

Atouts	Faiblesses
1. Existence d'un intérêt pédagogique et d'un besoin pressant d'enseignement des droits de l'homme dans le domaine du journalisme. 2. Existence d'un système d'aide financière à la mobilité. 3. Existence de programmes de coopération internationale. 4. Existence de formation du personnel enseignant, consacrée en partie aux droits de l'homme (dans le domaine du journalisme).	1. Peu de formation continue. 2. La formation n'est pas considérée comme un critère de qualification, d'accréditation et d'évolution des études du personnel enseignant.
Opportunités	**Menaces**
1. L'IPSI est ouvert à tout projet de coopération. 2. Plusieurs projets de coopération internationale en cours entre l'IPSI et des institutions universitaires, des ONG et des médias. 3. L'IPSI établit des relations avec la société civile.	1. Le manque d'intérêt des enseignants chercheurs pour les formations continues à l'exception de celles qui sont liées à la pédagogie. 2. Le ministère ne prend pas en considération la question des droits de l'homme dans la planification des formations continues des enseignants.

Notre cinquième et dernier axe d'étude devrait être considéré comme un maillon fort de la mise en place du projet ABDEM et cela pour deux raisons principales:

- D'abord, le fait que cet axe se concentre sur le corps enseignant qui sera évidemment le premier vecteur de transmission des valeurs et des enseignements liées aux droits de l'homme.
- Ensuite, cet axe représente une réelle opportunité pour notre projet parce qu'il traite de la question du perfectionnement et donc de la formation continue. Cette dernière permet incontestablement l'évolution vers une plus grande intégration des droits de l'homme tant dans nos pratiques que dans le savoir que nous transmettons à de futures générations.

Ceci étant, comme les quatre précédents axes, cette composante du système institutionnel révèle des atouts mais aussi des faiblesses desquels nous pouvons évoquer:

Atouts:

- L'existence d'un intérêt pédagogique et d'un besoin pressant d'enseignement des droits de l'homme dans les études de journalisme.
- L'existence d'un système d'aide financière à la mobilité.
- L'existence à l'IPSI de différents programmes de coopération internationale.
- L'existence de formations qui concernent le personnel enseignant, consacrées en partie aux droits de l'homme (dans le domaine du journalisme).

Faiblesses

- Pas de formation continue (les formations sont généralement assez ponctuelles).
- La formation n'est pas envisagée comme un critère pour la qualification, l'accréditation et l'évolution des carrières du personnel enseignant.

3.3.3. Éclaircissements et précisions par rapport à chaque axe

Nous pouvons ajouter, à ce qui vient d'être avancé dans l'analyse AFOM par axe, les éclaircissements et précisions suivants:

Axe 1. Politique et mesure

Éclaircissements: Le cadre juridique et les pratiques universitaires sont propices à l'intégration de l'approche basée sur les droits de l'homme. Pas de difficultés en vue. La vie associative assez importante peut aider à renforcer le projet.

Précisions: Il est important de tenir compte des risques que représente l'ingérence des partis politiques qui cherchent constamment à mobiliser les étudiants. Face à cet état de choses, nous pourrions penser à l'élaboration d'une charte qui encadrerait toute activité politique et insisterait sur l'importance du respect des droits de l'homme. Dans cette perspective, il serait aussi intéressant de penser à améliorer les textes de loi pour obtenir des formulations plus précises concernant le respect des droits de l'homme.

Ce projet peut aussi contribuer à toucher l'État dans son rapport avec l'université. L'État se doit, en effet, de reconnaître sa responsabilité dans la protection de l'université tout en respectant les libertés académiques et l'autonomie institutionnelle de celle-ci.

L'autonomie des universités est réglementée par la loi (constitution, lois et règlements). Il s'agit d'une autonomie administrative et financière relative puisque l'État est toujours l'autorité de tutelle. Cette autonomie administrative et financière est reconnue juridiquement par l'article 10 de la loi n°2008-19 du 25 février 2008 relative à l'enseignement supérieur: «Les universités sont des établissements à caractère administratif. Ces établissements sont dotés de personnalité morale et d'autonomie financière. Les budgets sont rattachés pour ordre au budget de l'État». Cependant, nous pouvons ajouter que l'université bénéficie généralement d'une certaine autonomie pédagogique, scientifique et académique. Cette autonomie est ancrée dans l'agencement juridique de la Tunisie post-révolution. L'article 33 de la nouvelle constitution (2014) stipule que «Les libertés académiques et la liberté de la recherche scientifique sont garanties. L'État fournit tous les moyens nécessaires pour le développement de la recherche scientifique». C'est donc aussi une autonomie consacrée par la loi.

Nous avons précédemment montré que l'article 21 de la loi n° 2008-19 du 25 février 2008, relative à l'enseignement supérieur, permet une large autonomie dans l'élaboration des programmes des cours et la création de nouvelles disciplines de licence ou du master. Une preuve à l'appui, est l'article 21 qui stipule que «Le conseil de l'université examine les questions suivantes:

– La définition des programmes de l'université dans les domaines scientifiques (recherche et coopération interuniversitaire), pédagogiques et les domaines de la formation, et ce, dans le cadre des priorités nationales.
– L'organisation de la vie universitaire et la mise en place des méthodes appropriées pour l'amélioration du rendement scientifique et pédagogique des établissements qui relèvent de l'université.
– Toutes les autres questions qui lui sont soumises par son président ou par le ministre chargé de l'enseignement supérieur».

C'est ainsi que l'université tunisienne cherche aujourd'hui à encourager l'esprit critique, ce qui nous aidera assurément à améliorer le niveau de nos étudiants. Pour y parvenir, l'université doit pouvoir être une passerelle reliant la communauté du savoir à la société. C'est ce qui explique qu'elle cherche aujourd'hui à en finir une fois pour toute avec l'implication excessive du politique dans le monde universitaire car elle doit être un lieu libre et indépendant de toute influence externe.

Axe 2. Procédures et outils d'enseignement et d'apprentissage

Éclaircissements: L'université travaille, tant bien que mal, à l'amélioration des méthodes pédagogiques des enseignants afin de les amener à mieux déterminer les objectifs et le contenu du cours en termes d'apprentissage et de compétences axés sur l'interdisciplinarité.

Précisions: L'ABDH constitue une occasion de lancer le débat et de trouver des solutions concrètes aux problèmes rencontrés par les handicapés et les personnes vulnérables au sein de l'université en particulier et de la société en général.

Axe 3. La recherche

Éclaircissements: Le cadre structurel est favorable à l'intégration de l'ABDH (projet de réforme de l'enseignement supérieur, la coopération internationale est assez importante, etc.).

Précisions: ABDEM est une occasion pour renforcer la place accordée aux droits de l'homme en matière de recherche scientifique. Cela permettra d'aborder la question non seulement dans sa globalité ou par rapport à la spécialité, journalisme et communication, mais aussi en tant que discipline pédagogique. Nous pensons donc que ce projet représente une opportunité d'amener l'Université tunisienne à enrichir ses projets de recherche sur les droits de l'homme, mais aussi à s'investir dans de bonnes pratiques visant à améliorer la situation des droits de l'homme. S'il est aujourd'hui primordial que l'Université reconquière ses titres de noblesse, une valorisation scientifique des droits de l'homme peut l'aider à une meilleure structuration de la recherche: unité et laboratoire de recherche ou encore centres de recherche spécialisés.

Concernant l'axe de la recherche, il convient aussi de préciser que la loi d'orientation n°96-6 du 31 janvier 1996, portant sur la recherche scientifique ouvrira de larges possibilités de coopération internationale en matière d'enseignement universitaire des droits de l'homme. Cet article indique que: «Les établissements publics de recherche scientifique et les établissements d'enseignement supérieur et de recherche (…) agissent en vue de renforcer leurs relations scientifiques avec les établissements de recherche des pays étrangers et des organisations internationales en vue de tirer profit mutuel des résultats des recherches scientifiques. Ils encouragent l'invitation des chercheurs tunisiens ou non tunisiens travaillant à l'étranger ainsi que l'envoi des chercheurs tunisiens à l'étranger à l'effet de mettre au point ou de réaliser des projets de recherche communs».

En outre, le développement des idées sur les libertés, la démocratie et les droits de l'homme constitue aujourd'hui une priorité en Tunisie. La coopération internationale est encouragée par le même texte de loi d'orientation relatif à la recherche scientifique et au développement technologique. L'article 21 stipule en effet que «Les établissements publics de recherche et les établissements d'enseignement supérieur et de recherche (…) agissent en vue de participer aux programmes de recherche internationaux et, notamment ceux parmi eux qui entrent dans le cadre des principales priorités nationales et de recherche».

Axe 4. Contexte de l'apprentissage

Éclaircissements: L'université tunisienne doit penser à renforcer son autonomie vis-à-vis de l'État, du monde politique et de la religion. Ce n'est qu'en étant autonome que l'université peut devenir un instrument de l'État notamment à travers le renforcement du savoir. L'autonomie institutionnelle et la neutralité universitaire sous-entendent une plus grande autonomie de l'université. En effet, l'université doit être considérée comme un véritable partenaire.

Précisions: Importance de la gouvernance: La gouvernance est l'une des clés de la Tunisie post-révolution (14 janvier 2011). Partant d'une idée, la gouvernance s'est traduite en institutions et en programmes d'État. Cela se concrétise d'abord sous la forme d'une première circulaire[56](acte réglementaire). Puis, précisé dans une deuxième circulaire[57], ce texte réglementaire prévoit essentiellement:

- La mise des bases d'une bonne gouvernance;
- Le renforcement des compétences, voire l'effectivité des cellules de gouvernance;
- Le développement de la coordination avec les différents services de l'administration, la société civile, les ONG ainsi que les milieux universitaires;
- Le traitement des plaintes présentées directement par les citoyens ou des plaintes relevées par les services de contrôle et d'inspection administratifs;
- Piloter un plan de gouvernance pour la Tunisie avec la participation de la société civile et de l'université.

En outre, trois événements très importants ont marqué l'engagement de la Tunisie dans la gouvernance. Il s'agit, d'abord, d'une *Stratégie nationale de gouvernance* qui a été lancée en Tunisie le 12 mars 2012 par la Présidence du Gouvernement avec la participation de l'ONU, de la société civile et de l'université tunisienne. Ensuite, la création au début du mois de septembre d'une *Académie de bonne gouvernance*. C'est la deuxième institution de son genre en Méditerranée. Son objectif est de développer une culture de la gouvernance dans l'administration en particulier et dans la société tunisienne en général. La dite académie appuiera la recherche et le développement et délivrera des

56. Promulguée par la Présidence du Gouvernement n° 16/2012 en date du 27 mars 2012 a créé des cellules de bonne gouvernance au sein des ministères et des établissements publics.
57. Loi n° 55-2012 en date du 27 septembre2012 relative à la définition des compétences des cellules de gouvernance.

diplômes de gouvernance. Enfin, la constitutionnalisation de la gouvernance en créant une *Instance de bonne gouvernance et de lutte contre la corruption* par l'article 130 de la nouvelle constitution. Celle-ci précise que «L'instance participe aux politiques de bonne gouvernance, d'interdiction et de lutte contre la corruption ainsi que le suivi de sa mise en œuvre. Elle assure donc le suivi de la mise en œuvre de ces politiques, la promotion de la culture de la bonne gouvernance et de la lutte contre la corruption et elle consolide les principes de transparence, d'intégrité et de redevabilité».

L'instance est chargée de détecter les cas de corruption dans les secteurs public et privé, d'investiguer et d'enquêter sur ces cas et de les soumettre aux autorités compétentes. L'instance est obligatoirement consultée pour les projets de lois relatifs à son domaine de compétence. Elle peut donner son avis sur les projets des textes réglementaires en rapport avec son domaine de compétence. L'instance se compose de membres qui doivent être intègres, indépendants et compétents et qui exercent leurs fonctions pendant un seul mandat de six ans, avec renouvellement du tiers de ses membres tous les deux ans. Par ailleurs, le droit à l'information est maintenant reconnu par la constitution (article 32: le droit d'accès à l'information est garanti. L'État œuvre à garantir le droit à l'accès aux réseaux de communication). Cela tend à favoriser la transparence.

En conclusion, les textes de loi ainsi que la consécration institutionnelle de la gouvernance montrent que la Tunisie s'est engagée dans ce processus qu'on espère irréversible, dans la lutte contre la corruption et la diffusion d'une nouvelle culture de gouvernance.

Axe 5. Éducation et perfectionnement professionnel du personnel enseignant de l'enseignement supérieur

Éclaircissements: Renforcer la formation des enseignants en introduisant des programmes de formation continue et chercher à motiver l'enseignant à suivre ces programmes: diplômes, système de bonus, etc.

Précisions: l'adoption de l'ABDH dans l'enseignement peut pousser les enseignants à exprimer un besoin de suivre des formations en droits de l'homme ou à organiser des visites dans d'autres universités reconnues par l'ABDH et des instances internationales spécialisées. Il est également nécessaire améliorer le système d'aide financière à la mobilité des universitaires.

3.3.4. Les bonnes pratiques institutionnelles en rapport avec les droits de l'homme

À l'IPSI, nous avons conçu l'enseignement des droits de l'homme sous forme d'un cours intégré. Nous entendons par cours intégré, l'association effective des étudiants au développement de la matière enseignée dans une perspective de recherche et ouverture sur la société civile. Au cours de la séance, généralement, l'enseignant se contente d'être un modérateur qui anime les exposés suivis de débats. A cela s'ajoute une nette ouverture sur les associations concernées par les droits de l'homme.

- *Coopération avec l'ONG internationale Article 19:* Des séances-débats ont été organisées avec un représentant de l'organisation pour examiner la dimension liberté d'expression et d'opinion dans la constitution tunisienne à la lumière des normes internationales; la question de l'accès à l'information publique ainsi que la libre circulation de l'information.
- *Coopération avec l'Association tunisienne de lutte contre la torture:* Une psychiatre de l'association a été invitée pour sensibiliser les étudiants à la question de la réhabilitation et de l'assistance psychologique aux détenus politiques.
- *Coopération avec l'UNICEF*: L'objectif a été d'introduire un chapitre sur les droits des groupes vulnérables, dans ce cas les enfants.
- *Coopération avec l'Assemblée Constituante:* Durant toute la période de l'élaboration de la nouvelle constitution tunisienne, une collaboration effective a été établie avec la Commission des droits et libertés. Des visites d'étudiants ont été organisées et enrichies par des débats libres sur la question des droits fondamentaux, etc.
- *Coopération avec le syndicat des journalistes tunisiens:* Une série de séances-débats ont été organisées avec notamment des représentants de la commission de la liberté d'expression, des journalistes et la Commission de déontologie de la presse et des médias audiovisuels.
- *Radio IPSI:* Nous avons essayé d'informer les étudiants de toutes ces activités à travers la radio locale de l'IPSI. Nous avons mis tous nos invités à la disposition de l'équipe radio. Mais le volet information demeure insuffisant en raison des difficultés techniques et logistiques ne permettant pas d'épanouir cette expérience de diffusion locale.

3.3.5. Conclusion

Du point de vue institutionnel, les principes des droits de l'homme ne sont pas encore parfaitement intégrés dans la culture de l'administration. Hiérarchisée, centralisée, personnalisée, l'administration tunisienne souffre encore d'une bureaucratie faisant obstacle à toute transparence, évaluation, audit, etc. Le droit égal au recrutement au sein de l'administration, le droit des administrés à participer à la prise de décision et autres ne sont pas encore reconnus. De plus, le ministère tunisien de l'Enseignement supérieur souffre de l'absence d'un département de recherche et de documentation sur l'enseignement supérieur.

Cependant, les atouts notés ci-dessus, les textes de loi et l'épanouissement de la vie associative, peuvent faciliter le déroulement de notre projet car cela permettra d'avoir une longueur d'avance pour pouvoir agir et faire changer les choses rapidement et efficacement.

Enfin, lorsque nous connaissons bien le terrain (à travers une étude et une évaluation sérieuse des données de la situation d'un pays) nous pouvons agir de manière efficace surtout que le projet ABDEM est orienté à la création d'un master et vise donc une réelle action sur les jeunes, leur orientation et leur mode de pensée de manière plus générale.

Chapitre 5

État des lieux et défis de l'approche basée sur les droits de l'homme dans les pays de l'Europe

1. ESPAGNE

JUAN ANDRÉS MUÑOZ ARNAU

ESTHER RAYA DÍEZ

Université de La Rioja

1.1. L'ESPACE EXTÉRIEUR

L'Espagne forme partie d'un espace géopolitique –l'Europe– dans lequel les états figurent, de manière explicite ou implicite, comme des états sociaux et démocratiques de droit qui ont une culture commune chrétienne, aux racines gréco-romaines, avec des nuances qui n'empêchent pas cependant une réalité de fond, homogène dans l'essentiel.

Des institutions telles que le Conseil de l'Europe –auquel l'Espagne appartient– consacrées à la défense de la démocratie, à l'état de droit et aux droits fondamentaux sont un facteur de poids pour la défense de ces derniers[1]. La Charte des droits fondamentaux de l'Union Européenne que l'Espagne souscrit représente une forte raison de plus pour les respecter. De même, les constitutions des pays européens reprennent les droits civils, sociaux et politiques en consonance avec le cadre international des droits de l'homme qui atteint sa plus haute expression dans la Déclaration universelle des droits de l'homme (1948)[2], dans le Pacte international relatif aux droits économiques, sociaux et culturels de (1966)[3] ou aussi dans le Pacte international relatif aux droits civils et politiques (1966)[4] et encore, pour le domaine spécifiquement éducatif, dans la Convention relative à la lutte contre les discriminations dans l'enseignement[5], pour ne citer que les plus proches de la question qui nous occupe, tous ratifiés par l'Espagne.

Les efforts de l'UE qui réunit vingt-huit états du continent, pour promouvoir une citoyenneté européenne[6] et la volonté ferme d'atteindre une

1. *Cfr.* arts. 1 et 3 du Statut du Conseil de l'Europe (5/5/1949); Convention de sauvegarde des droits de l'homme et des libertés fondamentales, CPDHLF, du 4 novembre 1950 (BOE n° 243, du 10 octobre 1979) et le Protocole aditionnel à la Convention de sauvegarde des droits de l'homme et des libertés fondamentales, du 20 mars 1952 (BOE n° 11, du 12 janvier 1991).
2. La Constitution Espagnole fait mention explicite aux droits de l'homme comme un critère d'interprétation des droits fondamentaux qui y sont reconnus (Déclaration universelle des droits de l'homme, DUDH, du 10 décembre 1948).
3. Pacte international relatif aux droits économiques, sociaux et culturels (PIDESC), du 19 décembre 1966 (BOE n° 103, du 30 avril de 1977).
4. Pacte international relatif aux droits civils et politiques (PIDCP) du 19 décembre 1966 (BOE n° 103, du 30 avril 1977).
5. Convention relative à la lutte contre la discrimination dans le domaine de l'enseignement (CLD), adoptée le 14 décembre 1960 par la Conférence générale de l'Organisation des Nations unies pour l'éducation, la science et la culture (BOE n° 262, du 1 novembre 1969.
6. *Cfr.*, par exemple, *Charte des droits fondamentaux de l'Union Européenne*, Titre V.

dimension européenne de l'éducation[7] facilitent le partage de valeurs et de principes, d'attitudes et de comportements qui, malgré des aspects parfois négatifs, montrent dans l'ensemble un niveau de culture civique appréciable.

Le programme Erasmus+[8], qui permet la mobilité et la coopération de professeurs, de chercheurs et d'étudiants entre les universités européennes est un facteur majeur d'intégration au niveau universitaire et permet aux étudiants de connaître et de vivre l'expérience des libertés existantes dans les pays qu'ils visitent. Pendant l'année académique 2012-2013 les étudiants espagnols bénéficiant du programme Erasmus étaient au nombre de 36.889 et le nombre d'étudiants Erasmus accueillis par l'Espagne était semblable[9].

La Charte du Conseil de l'Europe sur l'éducation à la citoyenneté démocratique et l'éducation aux droits de l'homme[10] est la matérialisation la plus évidente d'une volonté d'éduquer la citoyenneté aux droits de l'homme dès les premiers niveaux de l'éducation. Les programmes d'enseignement des différents états européens pour l'éducation élémentaire obligatoire reprennent, sans exception, des contenus relatifs à la matière. Ces contenus se transmettent parfois à travers des matières spécifiques et, d'autres fois, comme une partie de matières telles que la géographie, l'histoire ou les sciences sociales et, d'autres encore, comme une matière transversale[11].

Quant aux réalités sociales, notre milieu a été capable d'intégrer –malgré des tensions parfois inévitables– des courants migratoires associés à des cultures –religieuses aussi– très différentes des autochtones. La récession économique a suscité des méfiances par rapport à l'intégration des émigrants mais il ne semble pas qu'il s'agisse d'un phénomène généralisé de caractère excluant ni qu'il devienne structurel à l'avenir.

En ce qui concerne l'environnement extérieur, l'Espagne participe à des projets politiques tels que l'Alliance des civilisations[12] qui représentent un

---

7. *Cfr.* UNIÓN EUROPEA. CES, *Dictamen del Comité Económico y Social sobre "La dimensión europea de la educación: naturaleza, contenido y perspectivas,* DOCE C n° 139 de 11. 5. 2001. Consulté sur *http:// eur-lex.europa.eu/LexUriServ/LexUriServ.do?uri=OJ:C:2001:139:0085:0092:ES:PDF*
8. Le Programme en vigueur pour la période 2014-2020 est Erasmus+. Consulté sur *http://ec.europa.eu/programmes/erasmus-plus/discover/index_es.htm* [22/12/14].
9. *Cfr.* MECD, *Datos básicos del sistema universitario español. Curso 2013-2014,* p. 39.
10. Adoptée dans le cadre de la Recommandation CM/REC (2010) 7 du Comité des Ministres.
11. *Cfr.* Comisión Europea. Dirección General de Educación y Cultura. Eurydice, *La educación para la ciudadanía en el contexto escolar europeo,* Bruselas, 2005.
12. Le Conseil des ministres, lors de sa reunion du 11 janvier 2008 et sur proposition du Président du gouvernement, a approuvé le I Plan national pour l'Alliance des civilisations (Ordre PRE/45/2008, du 21 janvier 2008, BOE du 13 janvier 2008). Le I Plan prévoyait 57 actions regroupées dans quatre domaines et visant à: a) favoriser la connais-

sance mutuelle et l'appréciation de la diversité; b) la promotion de valeurs civiques et d'une culture de la paix; c) améliorer l'intégration et l'autonomisation des immigrants, avec une attention particulière aux jeunes. Parmi ses actions se distinguent celles des politiques d'intégration dans le domaine de l'immigration, la promotion du mouvement associatif, de la promotion culturelle, du respect du pluralisme religieux, ded gestion de la diversité (...).

Le II Plan National pour l'Alliance des civilisations pour la période 2010-2014, approuvé par l'Arrêté PRE/1329/2010, du 20 mais vise à promouvoir l'entente et la transmission de valeurs civiques et d'une culture de paix.

«La Alianza de Civilizaciones pretende –souligne le document– crear un espacio político que sirva para luchar contra la falta de entendimiento y de comunicación entre las culturas y las religiones. Ha de tener una vocación multipolar, multilateral y global, que permita crear líneas de acción común tanto en el ámbito institucional como en el de la sociedad civil para: Reforzar la comprensión mutua entre las diferentes culturas, reafirmando un paradigma de respeto mutuo y reconocimiento recíproco entre ellas. Contrarrestar la influencia de los que promueven la intolerancia y el enfrentamiento. Alcanzar una equidad entre igualdad y diversidad, que permita la integración social, económica y política de todos. Recomendar medidas prácticas y preventivas que ayuden a disminuir los riesgos que el extremismo puede ocasionar a la estabilidad mundial. Promover la idea de que la seguridad es indivisible y la cooperación global indispensable para la estabilidad internacional y el desarrollo humano».

En ce qui nous concerne directement, le II Plan considère que «los sistemas educativos deben formar en el respeto universal de los derechos humanos, la diversidad cultural y la igualdad de género, así como transmitir las herramientas intelectuales precisas para abordar el reto de un mundo interdependiente. Es necesario infundir valores relacionados con la tolerancia, la solidaridad y el respeto a los «otros». Impartir una educación integradora, cívica y para la paz. Una educación global e intercultural; una educación que ponga a la persona y su desarrollo integral en el centro del sistema educativo y una enseñanza para el empleo. Una educación que difunda la riqueza de las distintas culturas, el aprecio a la diversidad cultural y resalte la importancia de su interacción en el mundo actual».

Parmi les *domaines d'action* figure, comme il ne pouvait être autrement, celui de l'éducation (Alinéa 5.1). Pour ce domaine le II PNAC a comme objectif «promover la difusión de los valores de la Alianza de Civilizaciones a través del sistema educativo, así como fomentar la cooperación, la convivencia, la movilidad y el intercambio entre centros, y tanto entre profesores como alumnos de diferentes sistemas educativos». C'est avec ce but que le II Plan trace les objectifs suivants pour le domaine de l'éducation: «Promoverá la creación, desarrollo, participación e impulso de las actividades del Instituto Internacional para la Alianza de Civilizaciones de la Universidad de Naciones Unidas.

- En el marco del Plan Nacional de I+D+i fomentará proyectos y actuaciones científicas, tecnológicas y de innovación vinculadas a los principios y ámbitos de actuación de la Alianza de Civilizaciones.
- Promocionará el conocimiento de la diversidad cultural, de las tradiciones, formas artísticas y de expresión, así como la ayuda a su comprensión y la valoración de la diversidad como algo positivo y creativo. Contribuirán a estos fines la organización de exposiciones y espectáculos, celebración de eventos y concesión de becas y ayudas, participación en proyectos internacionales, viajes de autores, ferias, envío de libros, reconstrucción de lugares emblemáticos, las excavaciones de relieve histórico, y todo lo relativo a la firma y aplicación de convenios internacionales de cooperación en el ámbito de la cultura. Los Departamentos responsables de coordinarán para llevar a cabo estas actuaciones.
- Facilitará la implicación de las industrias culturales en la consecución de los fines que persigue la Alianza de Civilizaciones, fomentando el desarrollo de proyectos cuyos objetivos persigan difundir la cultura española, en todas sus manifestaciones, en el exterior y fomentar las relaciones culturales entre España y otros países, o aquellas que profundicen en el diálogo intercultural.

engagement à rendre compatibles les identités culturelles et la reconnaissance réciproque de la légitimité des différences. Il en va de même au niveau européen avec des initiatives telles que la Stratégie européenne 2010-2020 en faveur des personnes handicapées: un engagement renouvelé pour une Europe sans entraves[13], incorporées aux politiques nationales.

Le Processus de Bologne[14] a mis en place un cadre commun de référence pour les pays qui, facilitant la transmission d'expériences et la transparence des résultats, peut contribuer à l'obtention d'objectifs comme ceux que propose le projet. La Loi Organique des universités (LOU) a repris les principes de base de l'Espace Européen de l'enseignement supérieur, desquels s'ensuit l'établissement de nouveaux programmes d'études basés sur ces principes. L'incorporation de savoir-faire, de compétences, d'habiletés, etc. dans les programmes d'études correspondants a favorisé l'incorporation de méthodologies adéquates pour développer des comportements, des habitudes et des attitudes utiles pour une éducation aux droits de l'homme.[15].

En Espagne, les politiques publiques incluent des actions de promotion directe des droits de l'homme, telles que le Plan relatif aux droits de l'homme (2008), avec une projection qui dépasse le milieu universitaire en y faisant toutefois référence. Plus précisément, dans ses mesures 118 et 119, le Plan établit le besoin d'inclure des formations aux droits de l'homme et

---

- Impulsará la puesta en funcionamiento del Observatorio de Pluralismo Religioso; fomentará la realización de estudios de opinión sobre el pluralismo religioso, las actitudes y el conocimiento en la sociedad española de dicha realidad plural; y apoyará el conocimiento de las religiones y culturas en las escuelas así como a través de la formación del profesorado. La Fundación Pluralismo y Convivencia, en coordinación con los ministerios competentes, desarrollará proyectos como los que siguen:
  - Elaboración de materiales educativos que fomenten la tolerancia, el respeto al pluralismo y la valoración positiva de la diversidad cultural.
  - Incorporación del pluralismo religioso a los programas de televisión.
  - Formación en pluralismo religioso y respeto a la diversidad para cuerpos y fuerzas de Seguridad del Estado, personal sanitario y de instituciones penitenciarias.
  - Impulso de sistemas de formación de personal religioso de origen extranjero y fomento de un grado universitario para la formación de personal religioso de confesiones minoritarias».

13. *Cfr. Comunicación de la Comisión al Parlamento Europeo, al Consejo, al Comité Económico y Social Europeo y al Comité de las Regiones. Estrategia Europea sobre discapacidad 2010-2020: un compromiso renovado para una Europa sin barreras, DOUE, 15711/2010.* Consultado en *http://sid.usal.es/leyes/discapacidad/15833/3-3-7/comunicacion-de-la-comision-al-parlamento-europeo-al-consejo-al-comite-economico-y-social-europeo-y-al-comite-de-las-regiones-estrategia-europea-sobre.aspx* [22/12/2014].
14. *Cfr.* UNIÓN EUROPEA: *Bolonia: convergencia de los sistemas de enseñanza superior.* Declaración de Bolonia, de 19 de junio de 1999, adoptée par 29 pays pour que convergent les systèmes d'enseignement supérieur européen. Consulté sur sur *http://europa.eu/scadplus/leg/es/cha/c11088.htm* [8.1.2009].
15. *Cfr. Ley Orgánica 6/2001, de 21 de diciembre, de Universidades* (LOU): Título XIII: «Espacio europeo de enseñanza superior».

d'autres telles que: l'élimination de la violence à l'égard des femmes, l'encouragement de la convivance et de la citoyenneté interculturelle dans les cursus qui débouchent sur des grades permettant l'enseignement non universitaire[16]. Le Plan inclut aussi des mesures visant à la formation d'acteurs de la justice dans lesquelles les universités sont directement concernées[17].

On peut aussi relever des actions spécifiques comme l'octroi de subventions depuis 2014, à des activités visant à la divulgation, la promotion et la

16. L'alinéa consacré à l'*enseignement des droits de l'homme dans les centres d'enseignement* contemple les mesures suivantes: "MEDIDA 117. Se llevará a cabo el seguimiento de la implantación en el currículo escolar de Educación para la Ciudadanía y los Derechos Humanos, de forma que todos los alumnos y alumnas puedan adquirir el aprendizaje de los valores ciudadanos de una sociedad democrática que tienen por objeto el pleno desarrollo de la personalidad, en el respeto a los principios democráticos de convivencia y a los derechos humanos.
MEDIDA 118. Implantación y puesta en marcha de la normativa que regula los requisitos de los planes de estudio conducentes a la obtención de los títulos de Master que habiliten para ejercer la docencia en los cuerpos docentes establecidos por la LOE, Profesorado de Educación Secundaria Obligatoria y Bachillerato, Formación Profesional y Enseñanzas de Idiomas, incluyendo formación del profesorado en derechos humanos.
MEDIDA 119. Implantación y puesta en marcha de la normativa que regula los requisitos de los planes de estudio conducentes a la obtención de títulos universitarios oficiales que habiliten para el ejercicio de la profesión de Maestro y Maestra en Educación Primaria incluyendo formación de los maestros en derechos humanos.
MEDIDA 121. Se diseñarán e impartirán cursos sobre derechos humanos por parte del Instituto Superior de Formación y Recursos en Red (primaria y secundaria).
MEDIDA 122. Se elaborarán y pondrán al día las publicaciones y guías sobre enseñanza de derechos humanos para docentes, a cargo del Centro de Investigación y Documentación Educativa (CIDE), o del propio Instituto Superior de Formación y Recursos en Red. Asimismo se fomentará, en colaboración con las Comunidades Autónomas, el CIDE y las ONG especializadas, la producción de materiales para uso de educadores del primer ciclo de Educación Infantil, con el objetivo de que también en este ámbito se adquieran progresivamente pautas elementales de convivencia y relación social.
MEDIDA 124. Se fortalecerá una red de colaboración entre las Administraciones educativas del Estado y los Organismos de Igualdad, en la que intercambiar y compartir recursos educativos que contribuyan a la erradicación de la violencia contra las mujeres y a la igualdad efectiva entre hombres y mujeres desde la prevención en el ámbito educativo.
MEDIDA 125. Se facilitará a la comunidad educativa, en particular, y a la sociedad, en general, en colaboración con las administraciones educativas autonómicas, recursos teóricos y prácticos que ayuden a fomentar la convivencia y la ciudadanía intercultural en la sociedad española.
Quant aux *Mesures de sensibilisation et de promotion des droits de l'homme l'on remarque la* nº 126: «Se fomentará la colaboración con los medios de comunicación tanto públicos como privados en la sensibilización y promoción de los derechos humanos» et la nº 127: «Se promoverán medidas de sensibilización y promoción de los derechos humanos en soportes multimedia (videojuegos) e Internet (juegos en red)».
17. MEDIDA 81. Se diseñarán y establecerán cursos de derechos humanos para futuros abogados en la reglamentación relativa a los convenios que vayan a concluir Universidades y Colegios de Abogados en desarrollo de la Ley de Acceso a la Abogacía y la Procura. Se mejorará así la formación práctica de Letrados y Procuradores, asegurando un nivel mínimo de calidad homogénea de Abogados y Procuradores.

défense des droits de l'homme[18]. La liste des entités bénéficiaires de ces actions met en lumière le caractère pluriel des initiatives ce qui signifie un niveau correct de sensibilisation aux droits de l'homme.

Cependant quelques éléments, qui accompagnent ces aspects positifs, constituent de véritables menaces. Un bon exemple en est le *relativisme éthique* qui traverse les sociétés occidentales et rend excessivement malléable la compréhension du contenu des droits de l'homme jusqu'à finir sur des interprétations contradictoires, devenant ainsi source de controverse sociale. Le débat enflammé suscité par la mise en place de la matière «éducation à la citoyenneté» dans l'enseignement secondaire est un bon exemple de ce relativisme.

Par ailleurs, la forte crise économique que vivent différents pays européens et tout particulièrement l'Espagne est un autre élément de poids. En effet, elle peut limiter l'octroi de ressources aux institutions universitaires et à leurs élèves empêchant ainsi de surmonter le manque d'équité du système éducatif universitaire, d'améliorer la qualité de l'enseignement ou d'incorporer de manière systématique l'enseignement des droits de l'homme.

1.2. LE CADRE CONSTITUTIONNEL ET LÉGAL

1.2.1. La Constitution espagnole de 1978

L'Espagne a une Constitution normative depuis 36 ans[19] par laquelle elle se constitue en un état de droit social et démocratique (art.1.1 CE) et qui établit que le fondement de l'ordre politique et de la paix sociale réside dans la dignité de la personne, les droits inviolables qui lui sont inhérents, le libre développement de la personnalité, le respect de la loi et des droits d'autrui (art. 10.1 CE).

L'engagement à ce que les normes relatives aux droits fondamentaux et aux libertés que la Constitution reconnaît seront interprétées conformément à la Déclaration universelle des droits de l'homme et aux traités et accords internationaux relatifs aux mêmes matières ratifiés par l'Espagne (art. 10.2 CE) apporte l'assurance que le contenu des droits ne sera pas déformé par des interprétations qui ne sont pas conformes avec le sens qu'ont les droits dans les Déclarations internationales[20]. L'art. 9.1 de la Constitution

18. En 2014, trente-deux entités ont reçu des subventions d'un total de 184.000€. En 2015 le même budget a été distribué entre 27 entités. *Cfr. Resolución de 4 de diciembre de 2014, de la Secretaría de Estado de Asuntos Exteriores, por la que se conceden subvenciones durante 2014 para actividades de divulgación, promoción y defensa de los derechos humanos* (BOE de 11/12/2014) y *Resolución de 15 de julio de 2015, de la Secretaría de Estado de Asuntos Exteriores, por la que se conceden subvenciones durante 2015 para actividades de divulgación, promoción y defensa de los derechos humanos* (BOE de 24/07/2015).
19. *Cfr. Constitución Española* (BOE de 29/12/1978).
20. La jurisprudence du Tribunal suprême et du Tribunal constitutionnel s'en remettent souvent aux traités et déclarations sur les droits de l'homme et à la jurisprudence de la Cour européenne des droits de l'homme.

espagnole proclame leur caractère normatif et que les citoyens et les pouvoirs publics sont soumis aI€ la Constitution et au reste de l'aménagement juridique. Conformément à l'article 53.1 CE, les droits fondamentaux sont contraignants pour les pouvoirs publics et les lois qui développent ou règlementent leur contenu doivent respecter un contenu essentiel qui remet aux convictions des juristes et aux moyens de protection vérifiés[21].

Tous les droits fondamentaux concernant d'une manière plus ou moins directe le milieu de l'éducation sont reconnus dans la Constitution. Son art. 27 CE reconnaît dans le détail les différents aspects de la liberté d'enseignement et le droit à l'éducation[22]. L'art. 20.1 c) reconnaît aussi la liberté de chaire dont le contenu a été précisé par la jurisprudence constitutionnelle[23].

---

21. Conformément à la doctrine du Tribunal constitutionnel établie par la sentence 11/1981, «constituyen el *contenido esencial* de un derecho subjetivo aquellas facultades o posibilidades de actuación necesarias para que el derecho sea recognoscible como pertinente al tipo descrito y sin las cuales deja de pertenecer a ese tipo y tiene que pasar a quedar comprendido en otro desnaturalizándose, por decirlo así. Todo ello referido al momento histórico de que en cada caso se trata y a las condiciones inherentes en las sociedades democráticas, cuando se trate de derechos constitucionales. (...) Se puede entonces hablar de una esencialidad del contenido del derecho para hacer referencia a aquella parte del contenido del derecho que es absolutamente necesaria para que los intereses jurídicamente protegibles, que dan vida al derecho, resulten real, concreta y efectivamente protegidos. De este modo, se rebasa o se desconoce el contenido esencial cuando el derecho queda sometido a limitaciones que lo hacen impracticable, lo dificultan más allá de lo razonable o lo despojan de la necesaria protección».
22. Art. 27 CE: «1. Todos tienen el derecho a la educación. Se reconoce la libertad de enseñanza. 2. La educación tendrá por objeto el pleno desarrollo de la personalidad humana en el respeto a los principios democráticos de convivencia y a los derechos y libertades fundamentales. 3. Los poderes públicos garantizan el derecho que asiste a los padres para que sus hijos reciban la formación religiosa y moral que esté de acuerdo con sus propias convicciones. 4. La enseñanza básica es obligatoria y gratuita. 5. Los poderes públicos garantizan el derecho de todos a la educación, mediante una programación general de la enseñanza, con participación efectiva de todos los sectores afectados y la creación de centros docentes. 6. Se reconoce a las personas físicas y jurídicas la libertad de creación de centros docentes, dentro del respeto a los principios constitucionales. 7. Los profesores, los padres y, en su caso, los alumnos intervendrán en el control y gestión de todos los centros sostenidos por la Administración con fondos públicos, en los términos que la ley establezca. 8. Los poderes públicos inspeccionarán y homologarán el sistema educativo para garantizar el cumplimiento de las leyes. 9. Los poderes públicos ayudarán a los centros docentes que reúnan los requisitos que la ley establezca. 10. Se reconoce la autonomía de las Universidades, en los términos que la ley establezca».
23. La Loi organique du droit à l'éducation (LODE) (art. 3) est venue développer cette liberté à tous les niveaux de l'éducation et la jurisprudence du tribunal constitutionnel a établi ses propres profils en affirmant: «se trata [...] de una libertad frente al Estado o, más generalmente, frente a los poderes públicos, y cuyo contenido se ve necesariamente modulado por las características propias del puesto docente o cátedra cuya ocupación titula para el ejercicio de esa libertad. Tales características vienen determinadas, fundamentalmente, por la acción combinada de dos factores: la naturaleza pública o privada del centro docente en primer término, y el nivel o grado educativo al que tal puesto docente corresponde, en segundo lugar» (STC 5/1981, FJ 9.).

L'article 27 CE garantit les aspects de prestation du droit à l'éducation en établissant que l'enseignement élémentaire est obligatoire et gratuit. Mais la dimension des prestations du droit à l'éducation est protégée par un contenu plus vaste, celui de l'art.9.2 de la Constitution espagnole en vertu de la clause de l'état social qui ouvre de larges possibilités à la participation de tous les individus et les groupes auxquels ils appartiennent, dans la vie politique, économique, culturelle et sociale.

L'article 53 de la Constitution espagnole établit des mécanismes efficaces de protection des droits fondamentaux qui vont des recours en inconstitutionnalité en cas de lois qui pourraient les violer à des recours juridictionnels ordinaires et saisissant le Tribunal Constitutionnel (*recours d'amparo*).

1.2.2. Le développement légal

Dans le milieu strictement universitaire, la Constitution espagnole s'est développée tôt dans la Loi Organique 11/1983 du 25 août, de réforme universitaire [LRU] (BOE 1/9/1983) plusieurs fois modifiée et dans la Loi Organique en vigueur 6/2001 du 21 décembre, des universités [LOU] (BOE

«En los centros públicos de cualquier grado o nivel la libertad de cátedra tiene un contenido negativo uniforme en cuanto que habilita al docente para resistir cualquier mandato de dar a su enseñanza una orientación ideológica determinada, es decir, cualquier orientación que implique un determinado enfoque de la realidad natural, histórica o social dentro de los que el amplio marco de los principios constitucionales hacen posible. *Libertad de cátedra es, en este sentido, noción incompatible con la existencia de una ciencia o una doctrina oficiales*» [el subrayado es mío]. (STC 5/1981, FJ 9).

Conformément à la doctrine établie par le Tribunal constitutionnel, «la libertad de cátedra tiene también un amplio contenido positivo en el nivel educativo superior que no es necesario analizar aquí. En los niveles inferiores, por el contrario y de modo, en alguna medida gradual, este contenido positivo de la libertad de enseñanza va disminuyendo, puesto que, de una parte, son los planes de estudios establecidos por la autoridad competente, y no por el propio profesor, los que determinan cuál haya de ser el contenido mínimo de la enseñanza y son también estas autoridades las que establecen cuál es el elenco de medios pedagógicos entre los que puede optar el profesor (art. 27.5 y 8) y, de la otra y sobre todo, éste no puede orientar ideológicamente su enseñanza con entera libertad de la manera que juzgue más conforme con sus convicciones» (STC 5/1981, FJ 9.).

«Este Tribunal ha declarado que la libertad de cátedra, en cuanto libertad individual del docente, es en primer lugar y fundamentalmente, una proyección de la libertad ideológica y del derecho a difundir libremente los pensamientos, ideas y opiniones de los docentes en el ejercicio de su función. Consiste, por tanto, en la posibilidad de expresar las ideas o convicciones que cada profesor asume como propias en relación a la materia objeto de su enseñanza, presentando en este modo un contenido, no exclusivamente pero sí predominantemente negativo» (STC 217/1992).

«No obstante –précise le Tribunal–, no hay que olvidar que la dimensión personal de la libertad de cátedra presupone y precisa de una organización de la docencia y de la investigación que la haga posible y la garantice, de tal manera que la conjunción de la libertad de cátedra y de la autonomía universitaria, tanto desde la perspectiva individual como desde la institucional, hacen de la organización y funcionamiento de las Universidades la base y la garantía de la libertad de cátedra» (STC 212/1993, FJ 4º).

24/12/2001), qui venait la déroger et qui a été aussi modifiée dans des aspects importants, surtout par la LO 4/2007, du 12 avril. La LOU régit les universités publiques mais aussi les privées[24].

Le Tribunal constitutionnel a statué sur des recours d'inconstitutionnalité par rapport à la LRU de la LOU qui ont servi à épurer la portée de l'autonomie universitaire et celle des droits des sujets qui interviennent dans les relations universitaires éducatives du milieu universitaire[25]. De cette manière, le Tribunal a précisé:

> *«L'autonomie universitaire a comme justification d'assurer le respect de la liberté académique, c'est à dire, la liberté d'enseignement et de recherche face à toutes sortes d'ingérences externes, de sorte que, dans tous les cas, la liberté de science soit garantie, tant dans son aspect individuel que dans l'institutionnel, entendue cette dernière comme celle correspondant à chaque université en particulier»*[26].
>
> *«Plus exactement, l'autonomie est la dimension institutionnelle de la liberté académique qui garantit et complète sa dimension individuelle, constituée par la liberté de chaire. Les deux servent à délimiter cet "espace de liberté intellectuelle" sans lequel sont impossibles "la création, le développement, la transmission et la critique de la science, de la technique et de la culture" (art. 1.2.a) de la LRU) qui constitue la raison d'être ultime de l'Université. Ce lien entre les deux dimensions de la liberté académique explique que l'une et l'autre apparaissent dans la Section de la Constitution consacrée aux droits fondamentaux et aux libertés publiques même si c'est dans des articles différents: la liberté de chaire dans l'art. 20.1.c) et l'autonomie des universités dans l'art. 27.10»*[27].

Le Haut Tribunal a connu aussi de nombreux recours *d'amparo* qui ont profilé les droits à l'éducation dans l'université. Du point de vue de l'appre-

24. L'art. 2 établit que «son Universidades privadas las instituciones no comprendidas en el apartado anterior, reconocidas como tales en los términos de esta Ley y que realicen todas las funciones establecidas en el apartado 2 del artículo 1». Las alusiones a las universidades privadas son constantes en la LOU que impone necesariamente unas estructuras de gobierno coincidentes con las de las universidades públicas.
25. Selon la doctrine du Tribunal, «esta conceptuación como derecho fundamental con que se configura la autonomía universitaria no excluye las limitaciones que al mismo imponen los otros derechos fundamentales (como es el de igualdad de acceso al estudio, a la docencia y a la investigación) o la existencia de un sistema universitario nacional que exige instancias coordinadoras; ni tampoco las limitaciones propias del servicio público que desempeña y que pone de relieve el legislador en las primeras palabras del artículo 1 de la LRU. Mas, aunque la doten de peculiaridades que han de proyectarse en su regulación, ni aquellas limitaciones ni su configuración como servicio público desvirtúan su carácter de derecho fundamental con que ha sido configurada en la Constitución para convertirla en una 'simple garantía institucional» (STC 26/1987, FJ 4.°a).
26. STC 106/1990, FJ 6°.
27. STC 26/1987, FJ 4°. a).

nant on peut affirmer que ses droits sont garantis très précisément dans le Statut de l'étudiant[28], comme nous le verrons plus avant.

Il faut ajouter à cela les disfonctionnements que la structure territoriale de l'État projette sur le système éducatif, en fragmentant le système d'éducation universitaire et l'égalité réelle des étudiants dans ce domaine. Le panorama normatif est ainsi complexe et varié: le bloc normatif qui a sa base dans la Constitution se développe dans la LOU mais il est complété ensuite par des normes de l'État de caractère fondamental, avec les lois autonomiques relatives à la matière, avec sa loi de création et les dispositions qui viennent compléter ce qui est établi aux précédentes. Ensuite, ce seront les propres statuts de l'université et les normes de ses organes de gouvernement qui complèteront un panorama normatif aux multiples facettes.

Cette diversification pour des raisons de territoire a des conséquences qui affectent l'équité du système éducatif universitaire, comme nous le verrons plus avant. Ainsi, pendant l'année académique 2013-14, le prix publics pour crédit inscrit pour la première fois en Grade, dépendant du degré de mise en pratique, était de 25,27/39,5€ en Catalogne. Alors que dans les communautés autonomes qui participent au projet ABDEM, les prix oscillaient entre 9,86/13,93€ en Galice; 13,50/25,32€ en Aragón; 10,31/18,51€ Estrémadure et 14,4/23,51€ à La Rioja[29].

Les différences par rapport à l'abandon scolaire pendant la première année du grade sont aussi significatives et vont de 9% de Castille-la Manche à 19,9% aux Baléares. Les chiffres qui correspondent aux universités qui participent au projet ABDEM sont: 18,3% de La Rioja; 10% en Aragón; 12% en Estrémadure et 13,6% en Galice[30]. Si on ajoute à cela les conséquences de ce qui est connu comme «langues propres à la communauté autonome», l'on entend bien qu'il puisse exister des problèmes issus de cette réalité. L'universalisme devient localisme et l'endogamie empêche la circulation libre du professorat tandis que le milieu de la recherche devient plus petit même si les projets de portée nationale ou internationale viennent en partie porter remède à ce mal.

La CE, la LODE et la LOU reconnaissent le droit d'établir et de diriger des institutions d'enseignement supérieur en termes généreux bien qu'il faille une loi de reconnaissance de caractère autonomique ou étatique pour qu'ils puissent développer leur activité qui devra prendre en compte les exigences dérivées du système universitaire national[31].

28. RD 1791/2010, de 30 de diciembre.
29. *Cfr.* MECD, *Datos básicos del sistema universitario español*, ob. cit.
30. *Cfr. Idem*. p. 81.
31. D'une manière générale et sur la base de l'article 27.6 CE, l'article 21 LODE reconnaît: «Toda persona física o jurídica de carácter privado y de nacionalidad española tiene li-

La LOU reconnait l'autonomie de l'université en termes très larges et généreux (art. 2.2). Conformément à ce qui est établi dans la Loi, «l'autonomie universitaire exige et rend possible que des enseignants, des chercheurs et des étudiants s'acquittent de leurs responsabilités, pour la satisfaction des besoins éducatifs, scientifiques et professionnels de la société et que les universités rendent des comptes de l'utilisation de leurs moyens et ressources à la société» (art. 2.4). Cette autonomie facilite la liberté d'étude, de recherche et d'enseignement et le droit à participer au gouvernement de tous les organes qui la composent. Les libertés publiques d'expression, de réunion et d'association sont reconnues dans le milieu universitaire. L'autonomie est normative, organisationnelle et économico-financière.

La LOU, établit en effet l'autonomie organisationnelle, qui comprend: la création de structures spécifiques qui agissent comme support de la recherche et de l'enseignement, de l'établissement et de la modification de leurs listes de postes de travail, l'établissement de relations avec d'autres entités pour la promotion et le développement de leurs buts institutionnels, la liberté de choix, de désignation et de retrait des organes de gouvernement. Cela fait référence à tous les postes représentatifs dans toutes les structures établies par cette loi: conseil de classe universitaire, assemblée de faculté, de départements, d'instituts universitaires, etc. Tous les membres de la communauté universitaire participent à toutes les structures.

L'autonomie normative se manifeste, entre autres aspects, dans l'élaboration et l'approbation des statuts, l'élaboration et l'approbation des plans d'études et de recherche, la sélection, la formation, la promotion et la rétribution du personnel académique et non académique, l'admission et la permanence des étudiants.

La LOU établit que les universités publiques sont autonomes économiquement et financièrement conformément aux termes établis par la loi et qu'elles doivent disposer des ressources suffisantes. En fonction de ce qui précède, il leur est reconnu un patrimoine constitué par l'ensemble de leurs biens, droits et obligations et elles bénéficient d'exemption fiscale dans les conditions marquées par la loi en plus des bénéfices que la législation attribue aux entités à but non lucratif.

---

bertad para la creación y dirección de centros docentes privados, dentro del respeto a la Constitución y lo establecido en la presente Ley».
Par ailleurs, l'art. 5.1 de la LOU établit aussi: «En virtud de lo establecido en el apartado 6 del artículo 27 de la Constitución, las personas físicas o jurídicas podrán crear Universidades privadas o centros universitarios privados, dentro del respeto a los principios constitucionales y con sometimiento a lo dispuesto en esta Ley y en las normas que, en su desarrollo, dicten el Estado y las Comunidades Autónomas en el ámbito de sus respectivas competencias».

Les universités établissent un programme d'études pluriannuel qui peut aboutir sur des conventions et des contrats-programme et un budget annuel qui est public, unique, équilibré et inclusif de la totalité de leurs revenus et dépenses.

La LOU établit que le système comptable des universités doit s'adapter aux normes établies en général pour le secteur public et que les universités sont sujettes à rendre des comptes de leur activité par devant l'organe de fiscalisation des comptes de la communauté autonome, sans préjudice des compétences de la Cour des comptes. L'exécution du budget est contrôlée par audit comptable sous la supervision des Conseils sociaux.[32].

Outre l'autonomie projetée dans les domaines indiqués[33], l'université a comme principes de son organisation et de son activité:

– la participation (art. 27.5 CE et art. 46.1.f LOU): cela implique non seulement la participation des sujets de la communauté universitaire à travers l'assemblée universitaire mais aussi la participation des agents sociaux, essentielle, à travers le Conseil social.

32. La LOU prévoit l'existence d'un Conseil Social ayant la nature, la composition et les fonctions qu'elle signale quoique ce sera la législation autonome qui précisera les membres qui représentent les différents secteurs de la société: «El Consejo Social es el órgano de participación de la sociedad en la universidad, y debe ejercer como elemento de interrelación entre la sociedad y la universidad.
2. Corresponde al Consejo Social la supervisión de las actividades de carácter económico de la universidad y del rendimiento de sus servicios y promover la colaboración de la sociedad en la financiación de la universidad. A tal fin, aprobará un plan anual de actuaciones destinado a promover las relaciones entre la universidad y su entorno cultural, profesional, económico y social al servicio de la calidad de la actividad universitaria. Los consejos sociales podrán disponer de la oportuna información y asesoramiento de los órganos de evaluación de las Comunidades Autónomas y de la Agencia Nacional de Evaluación de la Calidad y Acreditación. Asimismo, le corresponde la aprobación del presupuesto y de la programación plurianual de la Universidad, a propuesta del Consejo de Gobierno. Además, con carácter previo al trámite de rendición de cuentas a que se refieren los artículos 81 y 84, le corresponde aprobar las cuentas anuales de la Universidad y las de las entidades que de ella puedan depender y sin perjuicio de la legislación mercantil u otra a las que dichas entidades puedan estar sometidas en función de su personalidad jurídica.
3. La Ley de la Comunidad Autónoma regulará la composición y funciones del Consejo Social y la designación de sus miembros de entre personalidades de la vida cultural, profesional, económica, laboral y social, que no podrán ser miembros de la propia comunidad universitaria. Serán, no obstante, miembros del Consejo Social, el Rector, el Secretario General y el Gerente, así como un profesor, un estudiante y un representante del personal de administración y servicios, elegidos por el Consejo de Gobierno de entre sus miembros. El Presidente del Consejo Social será nombrado por la Comunidad Autónoma en la forma que determine la Ley respectiva.
4. El Consejo Social, para el adecuado cumplimiento de sus funciones, dispondrá de una organización de apoyo y de recursos suficientes» (artículo 14).

33. *Vid.* art. 27.10 CE et art. 2 LOU, déjà commentés.

- la reddition de comptes, selon les termes signalés pour l'autonomie économique et financière[34], mais l'on réclame aussi un contrôle plus précis de la part de la société[35].
- la transparence[36] (art. 31.1b LOU); en ce sens, les universités offrent une information inégale à travers, par exemple, des pages web[37].
- et la non-discrimination[38]. Le système universitaire espagnol est donc inclusif et les minorités et les groupes vulnérables y ont leur place, comme par exemple: les prisonniers, les résidents à l'étranger ou les personnes handicapées[39]. En ce qui concerne ces dernières, les normes universitaires exigent la mise en place de mesures architecturales qui favorisent l'accès et l'intégration des personnes à mobili-

34. La LOU en su art. 31.1 a) establece: «La promoción y la garantía de la calidad de las Universidades españolas, en el ámbito nacional e internacional, es un fin esencial de la política universitaria y tiene como objetivos: a) La medición del rendimiento del servicio público de la educación superior universitaria y la rendición de cuentas a la sociedad».
35. *Cfr.* PÉREZ-DÍAZ, V. y RODRÍGUEZ, J. C., *Opiniones de los españoles sobre sus universidades: algunas perspectivas*, Studia XXI, FESE, Santander Universidades, pp. 35 y 36.
36. Selon l'art. 31.1 b) de la LOU il est établi que la promotion et la garantie de la qualité des universités a comme but: «La transparencia, la comparación, la cooperación y la competitividad de las Universidades en el ámbito nacional e internacional».
37. Selon les résultats du quatrième rapport de transparence des universités (2014), élaboré par la Fondation Engagement et transparence, 33% des universités sont classées dans le groupe des Transparentes, et les moins nombreuses (20%), sont celles qui forment le groupe des Opaques. Les quatre universités qui participent au projet ABDEM sont classées dans le groupe des universités transparentes, avec des différences dans la ponctuation: Saragosse (24), La Corogne (22), Estrémadure (21) et La Rioja (16).
38. L'art. 46.2 b) de la LOU établit: «La igualdad de oportunidades y no discriminación por razones de sexo, raza, religión o discapacidad o cualquier otra condición o circunstancia personal o social en el acceso a la universidad, ingreso en los centros, permanencia en la universidad y ejercicio de sus derechos académicos».
39. *Vid.* par exemple l'art. 4 du Décret Royal 190/1996, du 9 février fixant le Règlement pénitentier. Aux effets de rendre opérationnel le droit à l'éducation au niveau universitaire, le Décret royal 1239/2011, du 8 septembre qui fixe les Statuts de l'Université nationale de l'Éducation à distance, établit dans son art. 23: «1. Para favorecer el estudio de los estudiantes con necesidades específicas, la UNED contará con:

    a) Una unidad de apoyo a los estudiantes en el extranjero que tendrá como objetivo facilitar las relaciones con la Universidad de todos aquellos estudiantes que cursen sus estudios en el extranjero.

    b) Una *unidad de estudiantes en centros penitenciarios* que tendrá como objetivo facilitar las relaciones con la Universidad de todos aquellos estudiantes que cursen sus estudios a través de los programas establecidos mediante convenios firmados con los diferentes organismos competentes.

    c) Un *centro de atención a la discapacidad* que tendrá como uno de sus objetivos primordiales garantizar la igualdad de oportunidades de los estudiantes que presenten necesidades específicas derivadas de una situación de discapacidad.

    d) Una *unidad de orientación académica y profesional, así como de fomento de la inserción laboral*, para apoyar el desarrollo académico y profesional de los estudiantes y titulados».

té réduite[40]–, sans que l'on puisse affirmer qu'il existe de la discrimination dans l'accès à l'université pour des raisons de race, de langue, de genre ou toute autre considération d'ordre personnel ou social[41].

---

40. Dans sa disposition additionnelle 24ª, la LOU établit: «1. Las Universidades garantizarán la igualdad de oportunidades de los estudiantes y demás miembros de la comunidad universitaria con discapacidad, proscribiendo cualquier forma de discriminación y estableciendo medidas de acción positiva tendentes a asegurar su participación plena y efectiva en el ámbito universitario.
2. Los estudiantes y los demás miembros con discapacidad de la comunidad universitaria no podrán ser discriminados por razón de su discapacidad ni directa ni indirectamente en el acceso, el ingreso, la permanencia y el ejercicio de los títulos académicos y de otra clase que tengan reconocidos.
3. Las universidades promoverán acciones para favorecer que todos los miembros de la comunidad universitaria que presenten necesidades especiales o particulares asociadas a la discapacidad dispongan de los medios, apoyos y recursos que aseguren la igualdad real y efectiva de oportunidades en relación con los demás componentes de la comunidad universitaria.
4. Los edificios, instalaciones y dependencias de las universidades, incluidos también los espacios virtuales, así como los servicios, procedimientos y el suministro de información, deberán ser accesibles para todas las personas, de forma que no se impida a ningún miembro de la comunidad universitaria, por razón de discapacidad, el ejercicio de su derecho a ingresar, desplazarse, permanecer, comunicarse, obtener información u otros de análoga significación en condiciones reales y efectivas de igualdad. Los entornos universitarios deberán ser accesibles de acuerdo con las condiciones y en los plazos establecidos en la Ley 51/2003, de 2 de diciembre, de igualdad de oportunidades, no discriminación y accesibilidad universal de las personas con discapacidad y en sus disposiciones de desarrollo.
5. Todos los planes de estudios propuestos por las universidades deben tener en cuenta que la formación en cualquier actividad profesional debe realizarse desde el respeto y la promoción de los Derechos Humanos y los principios de accesibilidad universal y diseño para todos.
6. Con arreglo a lo establecido en el artículo 30 de la Ley 13/1982, de 7 de abril, de Integración Social de los Minusválidos y en sus normas de desarrollo, los estudiantes con discapacidad, considerándose por tales aquellos comprendidos en el artículo 1.2 de la Ley 51/2003, de 2 de diciembre, de igualdad de oportunidades, no discriminación y accesibilidad universal de las personas con discapacidad tendrán derecho a la exención total de tasas y precios públicos en los estudios conducentes a la obtención de un título universitario».
Par ailleurs, le Décret Royal 1791/2010, du 30 décembre de l'approbation du Statut de l'étudiant universitaire, établit à son art. 7.1 m) ce qui suit: «1. Los estudiantes universitarios tienen los siguientes derechos comunes, individuales o colectivos: (...) m) Al uso de instalaciones académicas adecuadas y accesibles a cada ámbito de su formación».

41. C'est ce qu'établit l'art. 46 de la LOU: «2. Los Estatutos y normas de organización y funcionamiento desarrollarán los derechos y los deberes de los estudiantes, así como los mecanismos para su garantía. En los términos establecidos por el ordenamiento jurídico, los estudiantes tendrán derecho a: (...) b) La igualdad de oportunidades y no discriminación por razones de sexo, raza, religión o discapacidad o cualquier otra condición o circunstancia personal o social en el acceso a la universidad, ingreso en los centros, permanencia en la universidad y ejercicio de sus derechos académicos».
Le Statut des Étudiants établit à l'alinéa 1 b) de son art.7, le droit «A la igualdad de oportunidades, sin discriminación alguna, en el acceso a la universidad, ingreso en los centros, permanencia en la universidad y ejercicio de sus derechos académicos».

Les étudiants[42] se voient reconnu spécifiquement: leur liberté d'expression[43], de réunion et d'association; la liberté de participation à la prise de décisions et des moyens réels de représentation, de médiation et de défense de leurs intérêts[44]; l'organisation de leurs propres activités[45]

Quant à l'égalité entre femmes et hommes –un aspect essentiel– il faut signaler que les femmes dépassent en nombre les hommes à l'université. Pendant l'année académique 2012-2013, 54% des étudiants étaient des

42. Le Statut des étudiants fait référence aux objectifs associés aux *qualifications et professionnels* en indiquant que «las universidades incorporarán a sus objetivos formativos la formación personal y en valores» (art. 5) y el derecho a que se reconozcan los conocimientos y capacidades de los estudiantes (art. 6). Le Statut régule l'accès et l'admission à l'Université, faisant référence aussi aux handicapés (chap. III), à la mobilité des étudiants et aux conséquences qui en découlent (chapitre IV), aux tutorats (chapitre V), aux programmes d'enseignement et à l'évaluation de l'étudiant (chapitre VI et VII), à la participation et à la représentation des étudiants (chapitre VIII), aux bourses et aides à l'étudiant (chapitre IX), à l'encouragement de la convivance active et à la responsabilité partagée universitaire et au Défenseur des droits de l'universitaire (chapitre X), au Conseil des étudiants universitaires de l'État (chapitre XI), à l'attention dispensée à l'universitaire (chapitre XV) et aux associations d'anciens élèves (chapitre XVI).

43. La liberté d'expression est reconnue à l'article 20 de la Constitution espagnole CE. «Se reconocen y protegen los derechos: *a)* A expresar y difundir libremente los pensamientos, ideas y opiniones mediante la palabra, el escrito o cualquier otro medio de reproducción. *b)* A la producción y creación literaria, artística, científica y técnica. *c)* A la libertad de cátedra. *d)* A comunicar o recibir libremente información veraz por cualquier medio de difusión (...). Estas libertades tienen su límite en el respeto a los derechos reconocidos en este Título, en los preceptos de las leyes que lo desarrollen y, especialmente, en el derecho al honor, a la intimidad, a la propia imagen y a la protección de la juventud y de la infancia».

    La LOU reconnaît spécifiquement cette liberté dans le milieu universitaire: «Los Estatutos y normas de organización y funcionamiento desarrollarán los derechos y los deberes de los estudiantes, así como los mecanismos para su garantía. En los términos establecidos por el ordenamiento jurídico, los estudiantes tendrán derecho a: g) La libertad de expresión, de reunión y de asociación en el ámbito universitario» (art.46.).

    Ce droit est repris dans le Statut de l'Étudiant qui, dans son article 7.1 r) établit: «A la libertad de expresión, de reunión y de asociación en el ámbito universitario, exenta de toda discriminación directa e indirecta, como expresión de la corresponsabilidad en la gestión educativa y del respeto proactivo a las personas y a la institución universitaria».

44. *Vid.* art 27 CE et art. 46.2 f) de la LOU: «Su representación en los órganos de gobierno y representación de la Universidad, en los términos establecidos en esta Ley y en los respectivos Estatutos o normas de organización y funcionamiento». L'EEU établit dans son art. 7.1.s): «A tener una representación activa y participativa, en el marco de la responsabilidad colectiva, en los órganos de gobierno y representación de la Universidad, en los términos establecidos en este Estatuto y en los respectivos Estatutos o normas de organización y funcionamiento universitarios». El apartado t) del mismo artículo establece: «t) A participar en la elección de los órganos de gobierno de la universidad donde desarrollen su actividad académica en los términos previstos en su respectivo Estatuto».

45. Le Statut de l'étudiant reconnaît le droit à: «A obtener reconocimiento académico por su participación en actividades universitarias culturales, deportivas, de representación estudiantil, solidarias y de cooperación en los términos establecidos en la normativa vigente» (art 7.1 i EEU).

femmes. Les hommes sont bien plus nombreux dans les branches du génie et de l'architecture (73,9%) mais la distribution est inverse en Sciences de la santé où le pourcentage de femmes atteint 71,80%. Les femmes sont particulièrement nombreuses en Éducation élémentaire (93,3%); logopédie (87,9%); pédagogie (83,45); éducation sociale (82,3%); travail social (82,3%) et en thérapie occupationnelle (82,3%). Les femmes sont aussi plus nombreuses que les hommes dans les masters (54,1%)[46]

Le statistiques du ministère de l'Éducation, de la Culture et des Sport montrent le pourcentage de femmes et d'hommes qui font des études universitaires[47], mais ne reprennent pas de l'information concernant les personnes handicapées[48], les minorités ethniques ou les personnes à faible niveau socioéconomique quoique cette dernière information pourrait s'établir de manière indirecte et avec précaution par le biais du pourcentage d'élèves de la tranche inférieure de revenus qui bénéficient d'aides à l'étude[49]. Quoiqu'il en soit, l'information, si elle existe, est fragmentaire et provient de sources diverses qui ne garantissent pas une méthodologie uniforme au moment de présenter les données.

Le ministère de l'Éducation apporte des données sur l'accès aux études de grade dans les universités publiques en offrant des indicateurs d'occupation, de préférence et d'adéquation. «Le taux d'adéquation (relation en pourcentage entre l'inscription en première option et l'inscription de nouvel admis) se situe à 72,8%, ce qui indique que trois de chaque quatre étudiants réussissent à obtenir le diplôme qu'ils avaient choisi comme première option lors du processus de pré-inscription»[50]. Un pourcentage que nous considérons acceptable.

1.3. L'ÉDUCATION AUX DROITS DE L'HOMME À L'UNIVERSITÉ

Force est de se demander avant toute chose si les droits de l'homme sont appliqués dans l'université et s'ils font l'objet de recherche dans des projets

46. *Cfr.* MECD, *Datos básicos del sistema universitario español. Curso 2013-2014*, p. 38.
47. *Cfr.* MECD, *Datos básicos, ob. cit.*, p. 58.
48. Dans la publication du Ministère du travail et des affaires sociales le *Libro Blanco sobre universidad y discapacidad*, Madrid, 2007, estimait à 0,53% le nombre d'élèves handicapés inscrits dans les universités publiques l'année académique 2005-2006.
49. Le Ministère de l'Éducation, la Culture et le Sport a établi, en offrant les données sur les élèves qui bénéficient de bourse, une classification en cinq tranches de revenus. Selon les données qui figurent sur la publication citée un pourcentage des Ministerio de Educación Cultura y Deporte, al ofrecer los datos de los alumnos que disfrutan de beca ha establecido una clasificación de cinco tramos de renta. Según los datos que figuran en la publicación que se cita un % de los perceptores de ayudas appartiennent à la tranche de revenus les plus bas. *Cfr.* MECD, *Datos básicos, ob. cit.*, p. 52. Selon cette publication, 34,4% de ceux qui perçoivent des bourses forment partie de la tranche aux revenus 1, c'est à dire les plus défavorisés.
50. *Cfr.* MECD, *Datos básicos, ob. cit.*, p. 18.

multidisciplinaires ou au moyen d'approches différenciées. Il faut alors signaler l'existence d'Instituts de recherche sur ces matières tels que l'Instituto de Derechos Humanos Bartolomé de las Casas (université Carlos III), Instituto de Derechos Humanos de l'Université Complutense de Madrid ou celui de L'université de Deusto, l'Instituto Cultura y Sociedad (université de Navarre) ou l'Institut de Drets Humans de l'université de Valence, entre autres. Par ailleurs, il existe en Espagne 61 chaires UNESCO dont 20 au moins se consacrent à des thèmes relatifs aux droits de l'homme[51].

Quant aux publications régulières de prestige qui reprennent les fruits de recherches sur les droits de l'homme, il faut citer les *Cuadernos IDHBC* et la revue *Derechos y Libertades*, liés à l'Université Carlos III; les *Cuadernos de Derechos Humanos* de l'université de Deusto, *Persona y Derecho* que publie L'université de Navarre et l'Annuaire sur les droits de l'homme et enfin Nueva Época sous la marque de l'université Complutense.

Par rapport à l'enseignement, le décret royal 1393/2007 du 29 octobre qui établit l'organisation des enseignements universitaires officiels peut être considérée comme le principal instrument pour incorporer l'enseignement des droits de l'homme à l'université, de manière générale. Et le fait est, avec les contraintes inévitables, qu'il en est ainsi du point de vue strictement normatif. En effet, parmi les principes généraux qui devraient inspirer les cursus de nouveaux diplômes, les programmes d'études devraient prendre en compte que toute activité professionnelle, quelle qu'elle soit, doit se faire:

«a) depuis le respect des droits fondamentaux et d'égalité entre hommes et femmes et en incluant, aux programmes d'études où ils seraient appropriés, des enseignements relatifs à ces droits.

b) depuis le respect et la promotion des droits de l'homme et les principes d'accessibilité universelle et leur conception conforme pour tous (...) l'égalité des chances, la non-discrimination et l'accessibilité universelle pour les personnes handicapées, devant inclure aux programmes d'études où ils seraient appropriés des enseignements relatifs à ces droits et principes.

c) conformément aux valeurs propres à une culture de paix et aux valeurs démocratiques et devant inclure aux programmes d'études où ils seraient appropriés, des enseignements sur ces valeurs»[52].

Le législateur est conscient que les activités professionnelles doivent se faire dans le respect des droits de l'homme et cela le porte à proposer l'inclusion d'enseignements de ces droits. Mais la norme est sans effet car il n'est

51. Consultado en: *http://en.unesco.org/unitwin-unesco-chairs-programme* [22/12/14].
52. *Cfr.* art. 3 del Real Decreto, dans la rubrique «Enseñanzas universitarias y expedición de títulos» et, plus précisément, l'alinéa 5.

pas établit que, pour toutes les carrières, les universités incluent ce genre d'enseignement *à caractère obligatoire* dans les programmes d'études respectifs. De fait, les lois de création ou de reconnaissance d'universités, les statuts et les plans d'études ne tiennent pas compte de cette disposition.

On le constate, la clause «dans les plans d'études selon qu'il conviendra» citée dans les trois paragraphes, introduit un facteur d'incertitude et d'exonération de responsabilité dans le cas de la non-inclusion car il serait difficile de déterminer quand il y a des études où «il convient» de les inclure.

Une lecture de l'art. 7 du Statut de l'étudiant qui régule d'une manière générale les droits de tous les étudiants universitaires, permet de déduire la nécessité d'inclure des enseignements relatifs aux droits de l'homme. C'est le cas du paragraphe c) où il est reconnu le droit «à une formation académique de qualité qui encourage l'acquisition de compétences qui correspondent aux études choisies et qui inclut des connaissances, des savoirs, des attitudes et des valeurs; en particulier les valeurs propres à une culture démocratique et de respect des autres et du milieu». De la même manière, il est reconnu au point i) le droit «d'obtenir la reconnaissance académique pour sa participation à des activités universitaires culturelles, sportives, de représentation d'étudiants, solidaires et de coopération selon les termes établis par le règlement en vigueur». L'alinéa q) parle du droit à «l'incorporation aux activités de bénévolat et de participation sociale, de coopération au développement et à d'autres de responsabilité sociale organisées par les universités». Et le paragraphe w) déclare le droit «de recevoir un traitement non sexiste et à l'égalité de chances entre femmes et hommes».

1.4. CONCLUSIONS

Trois conclusions sont à extraire de ce qui précède:

a) Tout d'abord, le système universitaire espagnol contemple une vaste reconnaissance des droits des étudiants qui ont des garanties effectives de protection.

Leur effectivité et les possibilités d'être défendus en cas d'atteinte aux droits, y compris par la voie du recours *d'amparo*, supposent déjà une possibilité réelle de se familiariser avec le contenu des droits de l'homme surtout quand le droit reconnu peut être entendu comme tel[53].

---

53. Le EEU établit que pour la totale effectivité des droits des étudiants, les universités:
«a) Informarán a los estudiantes sobre los mismos y les facilitarán su ejercicio.
b) Establecerán los recursos y adaptaciones necesarias para que los estudiantes con discapacidad puedan ejercerlos en igualdad de condiciones que el resto de estudiantes, sin que ello suponga disminución del nivel académico exigido.
c) Garantizarán su ejercicio mediante procedimientos adecuados y, en su caso, a través de la actuación del Defensor universitario» (art. 12).

b) Ensuite, les références à l'encouragement de la convivance active et à la responsabilité partagée universitaire sont explicites et n'éludent pas de véritables engagements institutionnels.

En ce sens, la LOU établit qu'il «incombe au Président de chaque université d'adopter les décisions relatives à l'encouragement de la convivance et au respect des droits et devoirs des membres de la communauté universitaire» (art. 44). En conséquence, «chaque université pourra créer dans ses centres des commissions à responsabilité partagée, constituées par des professeurs, des étudiants et du personnel de l'administration et des services. Ces commissions auront comme objet l'analyse, le débat, la critique et la formulation de propositions sur toutes les questions qui, pour leurs implications éthiques, culturelles et sociales, permettent à la communauté universitaire de réaliser des apports au discours public sur ces mêmes questions et aussi sur celles qui concernent la propre université en tant qu'espace d'apprentissage et de convivance et sa relation avec la communauté. En aucun cas ces commissions n'auront un caractère sanctionnateur» (art. 45).

c) Troisièmement, le système universitaire accorde une importance particulière à la formation aux valeurs qui constituent un des éléments essentiels des processus d'enseignement/apprentissage basé sur les compétences, que favorise la dernière réforme des programmes d'étude universitaires[54].

d) Quatrièmement, il y a de nombreuses références à la participation sociale et à la coopération universitaire au développement des étudiants[55].

---

54. La LOU décrit des principes généraux relatifs à la formation aux valeurs dans son article 63: «1. La universidad debe ser un espacio de formación integral de las personas que en ella conviven, estudian y trabajan. Para ello *la universidad debe reunir las condiciones adecuadas que garanticen en su práctica docente e investigadora la presencia de los valores que pretende promover en los estudiantes: la libertad, la equidad y la solidaridad, así como el respeto y reconocimiento del valor de la diversidad asumiendo críticamente su historia.* Asimismo *promoverá los valores medioambientales y de sostenibilidad en sus diferentes dimensiones y reflejará en ella misma los patrones éticos cuya satisfacción demanda al personal universitario y que aspira a proyectar en la sociedad.* En consecuencia, deberán presidir su actuación la *honradez, la veracidad, el rigor, la justicia, la eficiencia, el respeto y la responsabilidad.*
2. La actividad universitaria debe promover las condiciones para que los estudiantes: a) Sean autónomos, aptos para tomar sus decisiones y actuar en consecuencia; b) Sean responsables, dispuestos a asumir sus actos y sus consecuencias; c) Sean razonables, capaces de procurar su propio bien y armonizar esta búsqueda con la de los otros; d) *Tengan sentido de la justicia, conocedores de la legalidad y prestos a dirimir racionalmente, con objetividad e imparcialidad, las diferencias con los otros implicados;* e) Tengan capacidad para incluir en su ámbito de responsabilidad a todos los otros afectados por sus elecciones y sus actuaciones, en especial la de aquellos que tienen menos capacidad para hacer valer sus intereses o mostrar su valor.
3. Las universidades promoverán actuaciones encaminadas al fomento de estos valores en la formación de los estudiantes».

55. En ce sens, l'EEU établit dans son art. 64 ce qui suit: «1. La labor de la universidad en el campo de la participación social y la cooperación al desarrollo se encuentra estrecha-

Malgré cette grande abondance de règlementations, la présence de l'enseignement des droits de l'homme dans l'université est faible. Leur étude n'est pas considérée comme une matière de tronc commun, optionnelle ou obligatoire dans toutes les carrières et son inclusion dans les enseignements où elle semble indispensable dépend dans tous les cas des programmes d'études établis par chaque université. Il n'existe donc pas de volonté d'inclure, avec caractère obligatoire, ce type d'enseignement sur tout le territoire national. Il n'existe pas de corps enseignant identifié comme responsable de l'enseignement de ces matières. Cette réalité renforce l'opinion défendue par certaines organisations civiles, comme Amnesty International, qui situent l'Espagne «à la queue du peloton de l'Europe en formation obligatoire aux droits de l'homme»[56].

---

mente vinculada a su ámbito propio de actuación: la docencia, la investigación y la transferencia de conocimiento, cuestiones que son esenciales tanto para la formación integral de los estudiantes, como para una mejor comprensión de los problemas que amenazan la consecución de un desarrollo humano y sostenible a escala local y universal. Además, el asesoramiento científico y profesional, así como la sensibilización de la comunidad universitaria y su entorno, constituyen los compromisos básicos de la universidad en estos campos.

2. Entendidos como expresión de estos compromisos, los derechos y deberes de los estudiantes en relación a la participación social y la cooperación al desarrollo son:

a) Derecho a solicitar la incorporación a las actividades de participación social y cooperación al desarrollo, planificadas por la universidad y publicitadas con los correspondientes criterios de selección.

b) Derecho a recibir formación gratuita para el desarrollo de actividades de participación social y cooperación en el marco de los convenios de colaboración suscritos por la universidad.

c) Deber de participar en las actividades formativas diseñadas para un correcto desarrollo de las actividades de participación social y cooperación al desarrollo, en las que solicite colaborar.

d) Derecho a disponer de una acreditación como voluntario/a y/o cooperante que le habilite e identifique para el desarrollo de su actividad.

e) Derecho a que la universidad les expida un certificado que acredite los servicios prestados en participación social y voluntariado incluyendo: fecha, duración y naturaleza de la prestación efectuada por el estudiante en su condición de voluntario o cooperante.

3. Las universidades deberán favorecer la posibilidad de realizar el *practicum* (obligatorio en algunas titulaciones y voluntario en otras) en proyectos de cooperación al desarrollo y participación social en los que puedan poner en juego las capacidades adquiridas durante sus estudios lo que implica el derecho al reconocimiento de la formación adquirida en estos campos. De igual forma favorecerán prácticas de responsabilidad social y ciudadana que combinen aprendizajes académicos en las diferentes titulaciones con prestación de servicio en la comunidad orientado a la mejora de la calidad de vida y la inclusión social.

4. Se fomentará la participación de los estudiantes con discapacidad en proyectos de cooperación al desarrollo y participación social».

56. *Cfr.* AMNISTÍA INTERNACIONAL, *Las Universidades Españolas, a la cola de Europa en formación, obligatoria en derechos humanos,* Consulté sur *https://www.es.amnesty.org/uploads/media/Informe_universidades.pdf* [21/12/14].

1.5. ANALYSE AFOM

1.5.1. Facteurs externes

Le système universitaire espagnol jouit d'*opportunités* importantes. Sous cette perspective, les conditions sont excellentes: il dispose d'une constitution normative et de la reconnaissance et de la garantie des droits fondamentaux interprétés selon les traités et les déclarations internationales relatifs à la matière. En outre, l'autonomie universitaire a amplement reconnu sa dimension régulatrice, organisationnelle et financière (proportionnellement inférieure dans ce cas, bien que les universités espagnoles soient autonomes pour leurs dépenses).

Le pluralisme universitaire est garanti par la reconnaissance de la liberté de création d'universités et d'autres centres d'enseignement supérieur. Les droits de tous les secteurs de la communauté universitaire sont largement reconnus et ils disposent pour leur défense de recours administratifs et juridictionnels et d'institutions spécifiques de garantie telles que le Défenseur universitaire. Les libertés de recherche, de chaire et d'étude, qui constituent la raison d'être de l'université sont garanties, tout comme l'égalité dans l'accès et l'absence de discrimination pour une cause ou une autre.

Quant aux *menaces*, même si l'enseignement universitaire s'est démocratisé au fil des ans avec l'accès à l'université d'étudiants de toutes les catégories sociales, le système a encore des carences à ce niveau car l'équité devrait aller de pair avec plus d'exigence de responsabilité aux plus aisés. En ce sens, le système de financement des universités publiques montre des faiblesses qui ne se corrigent pas telles que le peu de ressources consacrées à des aides aux étudiants et à leurs familles et à la réalisation de projets de R+D de caractère entrepreneurial.

Pendant l'année académique 2013/2014, l'Espagne avait atteint un des niveaux de prix publics universitaires les plus élevés de l'Union Européenne. Une étude récente de la Commission Européenne[57] qui analyse des données de 19 pays, montre qu'un élève en Espagne paye en moyenne 1.257 € par an, ce qui situe l'Espagne comme le 4ème pays le plus cher de l'UE, après le Royaume Uni (4.409 €), l'Irlande (2.500 €) et l'Italie (1.300 €).

Par ailleurs, la structure autonomique de l'état provoque –même involontairement– de profondes différences à divers niveaux comme ceux de la conception des plans d'études ou l'établissement des prix publics par services académiques et autres droits qui s'établissent légalement pour l'obten-

57. *Vid.* EURYDICE, *National Student Fee and Support Systems 2015*, 2014/2015, Consulté sur: *http://eacea.ec.europa.eu/education/eurydice/documents/facts_and_figures/fees_support.pdf* [10/06/2016].

tion de diplômes de caractère officiel et valables sur tout le territoire national. Ces prix publics fixés par les communautés autonomes, dans les limites établies par la Conférence générale de politique universitaire, seront associés aux coûts de prestation du service[58]. Cette organisation économique décentralisée provoque comme résultat que les efforts que suppose pour les familles le paiement des prix publics universitaires soient aussi très variables et ne soient pas proportionnels aux revenus *per capita* dans chaque communauté autonome[59].

Le problème naît du fait que les coûts élevés ne sont pas compensés par un bon système de bourses permettant un accès plus équitable car seul 26% des étudiants sont boursiers et les niveaux d'aides sont franchement inférieurs aux chiffres d'il y a 10 ans, avec un montant annuel de moyenne de 2.562 €, très proche de celui de l'année académique 2004-2005. Cependant, avec la réduction du pouvoir d'achat pendant les années de crise (6,62%), le nombre de boursiers a augmenté à 41%, quoique avec des critères économiques plus stricts qu'auparavant pour accéder aux bourses et les conserver[60].

Dans le même ordre d'idées, la rentabilité des investissements en enseignement supérieur et le pourcentage du PIB qui lui est consacré ne sont pas acceptables. L'investissement maximal en enseignement supérieur figurant dans les budgets des universités publiques atteignait 10.118.784.432€ en 2010, environ 0,94% du PIB espagnol. Cette quantité se situe très au-dessous

58. L'article 81.3.b) de la Loi Organique 6/2001, du 21 décembre, des universités (LOU), modifié par le Décret Royal-législatif 14/2012, du 20 avril, sur des mesures urgentes de rationalisation de la dépense publique dans le domaine de l'éducation, établit les prix publics suivants:
«1.° Enseñanzas de Grado: los precios públicos cubrirán entre el 15% y el 25% de los costes en primera matrícula; entre el 30% y el 40% de los costes en segunda matrícula; entre el 65% y el 75% de los costes en la tercera matrícula; y entre el 90% y el 100% de los costes a partir de la cuarta matrícula.
2.° Enseñanzas de Máster que habiliten para el ejercicio de actividades profesionales reguladas en España: los precios públicos cubrirán entre el 15% y el 25% de los costes en primera matrícula; entre el 30% y el 40% de los costes en segunda matrícula; entre el 65% y el 75% de los costes en la tercera matrícula; y entre el 90% y el 100% de los costes a partir de la cuarta matrícula.
3.° Enseñanzas de Máster no comprendidas en el número anterior: los precios públicos cubrirán entre el 40% y el 50% de los costes en primera matrícula; y entre el 65% y el 75% de los costes a partir de la segunda matrícula.
Los precios públicos podrán cubrir hasta el 100% de los costes de las enseñanzas universitarias de Grado y Máster cuando se trate de estudiantes extranjeros mayores de dieciocho años que no tengan la condición de residentes, excluidos los nacionales de Estados miembros de la Unión Europea y aquéllos a quienes sea de aplicación el régimen comunitario, sin perjuicio del principio de reciprocidad».

59. Ibid., p. 31.

60. *Cfr.* HERNÁNDEZ ARMENTEROS, J. y PÉREZ GARCÍA, J. A., *La Universidad Española en cifras. 2013/2014*, CRUE, Madrid, 2015, pp. 35-36.

de la moyenne de dépense estimée comme pourcentage du PIB dans l'UE-28, qui était de 1,27% en 2011.

Evolution de l'investissement dans l'enseignement supérieur (% sur le PIB national)

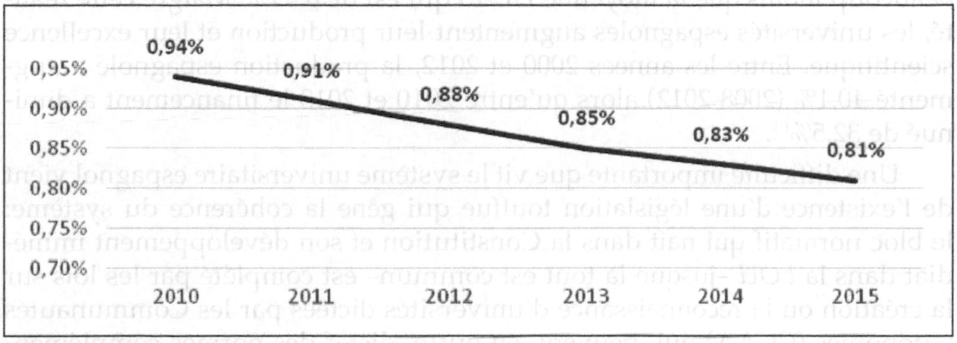

Source: CC.OO. Financiación Universidades públicas, nº 354, enero-febrero 2016, p. 22.

Entre 2010 et 2015, les budgets des universités publiques ont chuté de plus de 1.384 millions d'euros, 13,7%, et le pourcentage d'investissement, par rapport au PIB a continué sa chute jusqu'à 0,81%. Dans certaines des universités la perte de financement par rapport à 2010 est encore très significative. Le tableau ci-dessous montre les données correspondantes aux quatre universités espagnoles qui ont participé au projet ABDEM.

Budget des revenus et dépenses des universités impliquées dans le projet ABDEM (% différence entre 2010-2015)

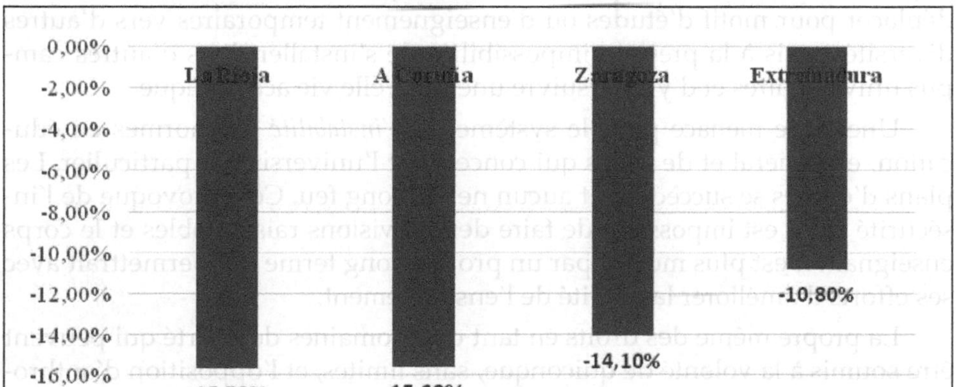

Source: CC.OO. Financiación Universidades públicas, nº 354, enero-febrero 2016, p. 23.

Par rapport à l'effort global en recherche fait par les universités, la dépense en R+D a reculé en 2013 jusqu'aux niveaux de 2007, en particulier dans le secteur privé alors que l'investissement public s'est maintenu. De même, les universités ont réussi à augmenter légèrement leurs dépenses depuis 2007. L'Espagne consacre 0,35% du PIB à la R+D dans les universités, beaucoup moins que la moyenne UE-15 qui est de 0,49%. Malgré cette réalité, les universités espagnoles augmentent leur production et leur excellence scientifique. Entre les années 2000 et 2012, la production espagnole a augmenté 40,1% (2008-2012) alors qu'entre 2010 et 2013 le financement a diminué de 32,5%[61].

Une difficulté importante que vit le système universitaire espagnol vient de l'existence d'une législation touffue qui gêne la cohérence du système: le bloc normatif qui naît dans la Constitution et son développement immédiat dans la *LOU* –jusque là tout est commun– est complété par les lois sur la création ou la reconnaissance d'universités dictées par les Communautés autonomes (CCAA) qui, peuvent, en outre, dicter des normes complémentaires dans leur territoire. Les statuts de chaque université, avec les normes complémentaires que dictent leurs organes de gouvernement viennent parachever un panorama qui rend difficile parfois la bonne coordination du système universitaire national. Si nous ajoutons à cela que tous les pouvoirs exécutifs correspondent aux CCAA et que l'éducation est un droit à une prestation, les inégalités découlant de ressources aussi inégales produisent des situations indésirables dans la prestation du service.

L'université qui s'est toujours caractérisée par l'universalisation, devient maintenant localiste en agglutinant des étudiants de son espace le plus proche et en réduisant jusqu'à des extrêmes non souhaités la mobilité d'enseignants. Nous ne faisons pas référence à la possibilité circonstancielle de se déplacer pour motif d'études ou d'enseignement temporaires vers d'autres diversités mais à la presque impossibilité de s'installer dans d'autres campus universitaires et d'y poursuivre une nouvelle vie académique.

Une autre menace pour le système est *l'instabilité* des normes en éducation, en général et de celles qui concernent l'université en particulier. Les plans d'études se succèdent et aucun ne fait long feu. Cela provoque de l'insécurité car il est impossible de faire des prévisions raisonnables et le corps enseignant n'est plus motivé par un projet à long terme qui permettrait avec ses efforts d'améliorer la qualité de l'enseignement.

La propre même des droits en tant que domaines de liberté qui peuvent être soumis à la volonté de quiconque, sans limites, et l'opposition d'anthropologies qui partent de principes –parfois très opposés– comme fondement

61. Ibid., pp. 87-88.

des droits, transforme le monde des droits de l'homme en domaines de confrontation et non de rencontre. Et c'est pour cela que les bases d'un enseignement des droits de l'homme qui aille au-delà des aspects minimums en pâtissent.

Malgré l'hypertrophie des règlements, aucune norme de caractère universitaire ne tient compte de la formation du corps enseignant aux droits de l'homme. Il n'y a pas non plus de procédures pour rendre effective la connaissance de l'aménagement constitutionnel espagnol de la part des professeurs et par conséquent la connaissance des droits fondamentaux, l'application des droits de l'homme à l'aménagement interne. Cette absence de formation est particulièrement évidente et grave dans les grades qui débouchent sur le diplôme de professeur des écoles.

1.5.2. Facteurs internes

Les atouts du système universitaire national pourraient se résumer, tout d'abord, dans l'accès de tous à l'université et dans la possibilité de suivre les études choisies par les étudiants à un degré acceptable. La possibilité de séjours à l'étranger des étudiants à travers le programme Erasmus[62] est tout aussi importante car elle peut influer sur la connaissance d'autres cultures nationales.

L'université a des procédés spécifiques pour la défense des droits de la communauté universitaire. Un autre aspect positif est le régime de publicité, mérite et capacité, dans les appels à candidature à postes de travail du personnel de l'administration et des services (PAS) et du professorat avec la possibilité de recours en cas manquement à ses principes.

Ces dernières années, des processus d'évaluation interne et externe ont été mis en pratique dans les universités dans leur ensemble et les différentes unités et des services –comme, par exemple, les bibliothèques– et la procédure d'évaluation de l'enseignement par les élèves est tout à fait implantée. Il existe aussi des appels à évaluation de l'activité de recherche des professeurs. Les fonctions d'évaluation et celles qui mènent à la certification correspondent à l'Agence nationale d'évaluation de la qualité et de la certification et aux organes d'évaluation que la Loi des communautés autonomes détermine.

La démocratisation de l'université est un fait car tous les postes de gouvernement sont électifs à tous les niveaux organisationnels de l'université et référents à toutes les catégories de personnes.

62. Pendant l'année académique 2013/2014 des élèves espagnols au nombre de 25.843 ont participé à des programmes de mobilité internationale. *Ibid.*, p. 136.

Les universités s'occupent d'une manière à chaque fois plus professionnelle des besoins de sujets en situation difficile (prisonniers, émigrants, handicapés, etc.)

De même, l'université maintient des relations avec la société qui est représentée au gouvernement de l'institution par le Conseil social. L'université est à son tour présente dans la société avec l'enseignement, évidemment, mais aussi avec les services qu'elle prête à travers le transfert de connaissances d'application plus ou moins immédiate pour la résolution de problèmes dans le domaine des sciences ou de l'organisation sociale. À cette fin, la plupart des universités signent des conventions avec des institutions publiques et privées à des fins sociales.

Dans ce domaine l'on remarque tout particulièrement le rôle croissant assumé depuis les années 90 par les universités espagnoles dans la coopération au développement. Pour ce faire, on a créé des structures solidaires pour la rendre effective et un large éventail d'activités a été mis en place pour favoriser la solidarité des différents secteurs de la communauté universitaire, de l'enseignement et la recherche à des projets de coopération *per se*, en passant par l'assistance technique avec d'autres institutions, la coopération éducative ou des activités de sensibilisation.

Conformément à ce qui a été établi au Code de conduite des universités en matière de coopération au développement[63], la Coopération Universitaire au Développement (CUD) est définie comme «l'ensemble d'activités réalisées par la communauté universitaire et orientées à la transformation sociale dans les pays les plus défavorisés, à faveur de la paix, l'équité, le développement humain et la durabilité environnementale dans le monde, une transformation dans laquelle le renforcement institutionnel et académique joue un rôle important». Pour mener à bien ces objectifs, les universités espagnoles, individuellement et ensemble, développent différents types d'actions telles que: la formation (théorique et pratique) associée au développement et à la coopération, la recherche pour le développement et les études sur le développement, la coopération interuniversitaire et le renforcement d'institutions d'éducation supérieure de pays en voie de développement, des activités de diffusion, sensibilisation et mobilisation et des programmes et des projets d'action sur le terrain.

De même, les universités sont considérées par le II Plan directeur de la coopération espagnole comme des acteurs de la coopération au développement et c'est pourquoi elles sont représentées au Conseil de coopération au

63. Il s'agit d'un texte créé et approuvé au sein de la Comission d'internationalisation et de coopération de la conférence des recteurs d'universités espagnoles (CRUE) en 2015 ratifié internement par 53 des 76 universités espagnoles.

développement tant au niveau étatique qu'à l'autonomique. Les universités publiques informent le ministère des Affaires étrangères de leur intervention dans ce domaine à travers l'enquête annuelle de suivi avec la supervision, l'orientation et la coordination de l'Observatoire de la coopération universitaire au développement (OCUD)[64].

Les universités espagnoles forment partie de toutes les commissions du Conseil (Commission de suivi et PACI, qu'elles président actuellement et la Commission pour la cohérence des politiques) et elles forment aussi partie des groupes de travail qui se sont constituées dans celui-là: éducation pour le développement (qu'elles président), Genre, Agenda post 2015, Évaluation et suivi; Innovation et recherche pour le développement; Secteur économique et productif. La participation à ces groupes se fait à travers le Groupe de travail de coopération de la CRUE, internationalisation et coopération.

Parmi les faiblesses il faut signaler, en premier lieu, l'abandon scolaire et le gaspillage de ressources qu'il représente auxquels il faut ajouter une faible rentabilité des investissements et une distribution déficiente de la dépense. Les mécanismes de contrôle de la dépense souffrent de lenteur et de formalisme excessif. Il y a une bureaucratisation excessive qui est accompagnée aussi d'un formalisme excessif, ce qui exige nécessairement un contrôle juridique correct.

L'idée d'autonomie manque parfois d'une compréhension correcte ce qui mène à un manque de coordination dans le système universitaire et à certaines confrontations entre les institutions universitaires et les administrations éducatives qui les soutiennent.

La liberté de chaire entendue de manière exacerbée fait obstacle au développement convenable des programmes et provoque, parfois, des confrontations entre ses titulaires et les structures qui doivent coordonner l'enseignement: départements, facultés, centres de recherche, etc.

Cette instabilité des normes qui conforment le cadre règlementaire du système universitaire –que nous avons déjà cité– se reproduit au niveau interne de l'institution, avec le manque de prévisibilité subséquent.

La participation aux processus de désignation de postes pourrait s'améliorer ainsi que la participation à la vie universitaire en général, surtout de la part des étudiants dont la majorité se montre passive et ce malgré une offre universitaire d'activités d'habitude très vaste.

Malgré l'établissement de l'Espace européen d'éducation supérieure, il y a des difficultés dans la validation de crédits suivis par les étudiants. Cela obéit, d'une part, à la conformation des diplômes de la part des universités.

64. Consulté sur: *http://www.ocud.es/es/informacion-general/que-es-el-ocud.htm* [10/04/2016].

Sous prétexte de leur autonomie l'on n'a pas assez réfléchi à l'intitulé des matières et des contenus communs des programmes d'études, de sorte que les validations de matières étudiées dans différentes universités espagnoles ont été extrêmement compliquées, ce qui a entravé la mobilité nationale des étudiants espagnols.

Un autre facteur négatif est l'incertitude par rapport à la carrière professionnelle des enseignants, très conditionnée par la crise économique et par la diminution de la population universitaire par rapport aux effectifs d'enseignants excessifs, conséquence d'un passé récent.

La mise en place de l'Espace européen d'éducation supérieure –le plan de Bologne– a quelques conséquences négatives sur la qualité de l'enseignement. Le grand nombre d'inscriptions universitaires provoque des difficultés pour une association raisonnable d'espaces et de temps, ce qui se traduit par des horaires qui ne facilitent pas une distribution raisonnable du temps d'étude pour les élèves.

Finalement, concernant les objectifs du projet ABDEM on constate une réalité indéniable: l'absence d'une culture des droits de l'homme ressentie par tous les membres de la communauté universitaire, du moins du point de vue des connaissances. Autre chose est que la possibilité de leur exercice, même de manière inconsciente, mène à une situation de respect caché de ces droits.

Analyse AFOM

	Opportunités	Menaces
Facteurs Externes	1. Constitution normative qui reconnaît largement les droits fondamentaux. 2. Reconnaissance constitutionnelle de la liberté d'enseignement et de création de centres d'enseignement et de création par des personnes physiques et morales (art. 27 CE). 3. Reconnaissance légale de l'autonomie universitaire dans un triple aspect: normatif, organisationnel et budgétaire. 4. Reconnaissance des droits des professeurs (recherche et enseignement) et des élèves (étude). 5. Égalité dans l'accès et non discrimination pour des raisons de genre, langue, religion ni toute autre considération personnelle ou sociale.	1. Manque d'équité dans le système. 2. Prix publics des inscriptions élevés. 3. Insuffisance d'investissements en éducation universitaire et en R+D+I et distribution budgétaire discutable. 4. Influence pernicieuse de la structure régionale de l'État et prolifération de normes fragmentées. 5. Difficultés pour la mobilité nationale du professorat et des élèves. 6. Non considération de la formation aux droits de l'homme comme un mérite lors des processus de sélection du professorat. 7. Instabilité des normes qui régulent l'éducation universitaire.

	Opportunités	Menaces
Facteurs Externes	6. Plan national de droits de l'homme (2008). 7. Plan étatique de recherche scientifique et technique et d'innovation 2013-2016. 8. Existence d'organes de coordination du système universitaire. Conseil des universités et Conférence de politique universitaire.	
	Atouts	**Faiblesses**
Facteurs Internes	1. Participation acceptable aux programmes de mobilité internationale des étudiants. 2. Existence de mécanismes adéquats pour la défense des droits des membres de la communauté éducative. 3. Appels publics aux candidatures aux bourses soumis au droit. 4. Existence de mécanismes internes et externes d'évaluation de la qualité, l'enseignement et de la recherche. 5. Caractère électif des postes de gouvernement. 6. Attention aux collectifs défavorisés –prisonniers, handicapés, étrangers, etc.– 7. Existence de l'institution du Défenseur universitaire. 8. Connexion université/société à travers le Conseil social et de la coopération universitaire au développement.	1. Abandon scolaire. 2. Faible rentabilité des investissements. 3. Faiblesse des mécanismes de contrôle de la dépense. 4. Excès de bureaucratisation. 5. Gestion parfois arbitraire de l'idée d'autonomie. 6. Considération inadéquate de la liberté de chaire. 7. Faible réponse aux mécanismes de participation. 8. Faible stabilité des normes. 9. Faible réponse aux possibilités formatives qu'offrent les activités extra-curriculaires. 10. Incertitude en ce qui concerne la carrière professionnelle des enseignants. 11. Difficultés de validation de crédits au moment de les faire valoir dans d'autres universités espagnoles ou études. 12. Difficultés dans la répartition raisonnable d'espaces et d'horaires pour l'enseignement. 13. Faible culture des droits de l'homme du point de vue des connaissances. 14. Peu d'initiatives dans la recherche et dans les plans d'action relatifs aux droits de l'homme.

2. BILAN DES INDICATEURS DES INSTITUTIONS UNIVERSITAIRES ESPAGNOLES

2.1. UNIVERSITÉ DE LA RIOJA

ISABEL MARTÍNEZ NAVAS
NEUS CAPARRÓS CIVEIRA
Universté de La Rioja

2.1.1. Au sujet de l'Université de La Rioja

L'université de La Rioja n'a que vingt ans. Créée par la Loi 17%1992, du 15 juin, elle est constituée aujourd'hui d'un campus compact où coexistent six centres chargés de l'organisation de l'enseignement: l'école de master et doctorat, l'école technique supérieure de génie industriel et les facultés de sciences, d'études agroalimentaires et d'informatique, d'études commerciales, de sciences juridiques et sociales et, finalement, des lettres et des sciences de l'éducation.

Depuis l'année académique 2010, l'université de La Rioja conforme, avec L'université de Saragosse, l'université publique de Navarre et celle de Lleida, le *Campus d'excellence international Iberus*.

Pendant 2013/14 l'offre académique de L'université de La Rioja représentait dix neuf grades –parmi lesquels ceux de droit, d'enseignement maternel et primaire, et de travail social particulièrement traités dans cette recherche– douze diplômes et masters universitaires et treize programmes de doctorat. Cette année-là, l'université ajoutait à son offre d'études officielles, quinze diplômes de post-grade dans divers domaines scientifiques de spécialisation. Soulignons deux spécialisations, pour leur rapport avec l'objet de notre recherche, l' «Analyse de problèmes sociaux par l'approche basée sur les droits de l'homme» et celle d'«Agent en égalité de chances des femmes et hommes».

L'université comptait, pendant l'année académique 2013/14, 384 professeurs, 248 membres du personnel de l'administration et des services et 4.951 étudiants.

2.1.2. Les indicateurs et leur application

Les indicateurs établis au projet ABDEM ont permis de réunir l'information nécessaire pour élaborer un diagnostic de la situation de L'université de La Rioja sous la perspective des droits de l'homme. Ils nous ont fourni, d'abord, des données précises sur les politiques universitaires et leur matérialisation en normes et structures de gouvernement et administratives

(Axe I. Politiques et mesures) et ils ont permis de collecter des informations sur le développement de deux des principales missions de l'université: l'enseignement et la recherche (Axes II et III. Processus et instruments d'enseignement et l'apprentissage et la recherche). Ensuite, ils nous permettent de nous approcher de l'espace de convivance que représente l'université (Axe IV. Milieu d'apprentissage). Et, finalement, ils livrent de l'information sur la formation et le perfectionnement du corps enseignant (Axe V. Éducation et perfectionnement professionnel du corps enseignant).

Obtenir les réponses demandées par les indicateurs n'a pas supposé en général de difficultés et cela nous permet d'affirmer qu'il n'y a pas eu d'obstacles à l'application de la méthodologie du projet pour la recherche sur l'université de La Rioja. Les exceptions venaient toujours de l'absence des données requises, soit parce qu'il s'agissait de données antérieures à la mise en place des plates-formes et des applications informatiques qui supportent la gestion dans notre université, soit parce qu'il s'agissait de données relatives à l'année académique 2013/2014 qui n'étaient pas encore disponibles au moment où elles ont été demandées, avant la fin de l'année académique.

2.1.3. Analyse AFOM

Atouts	Faiblesses
1. Autonomie universitaire. 2. Participation de la communauté universitaire à la gouvernance de l'université et à la représentation. 3. Information publique et accessible. 4. Reconnaissance, en temps que valeur, du respect des droits de l'homme. 5. Politiques spécifiques pour garantir l'accès à l'éducation supérieure, la formation du corps enseignant et des chercheurs et l'innovation dans l'enseignement. 6. Méthodologie de l'enseignement basée sur les compétences. 7. Système de garantie de qualité des cursus universitaires. 8. Disponibilité de bases de données et de sources bibliographiques. 9. Reconnaissance et mesures d'incitation à la recherche du personnel enseignant. 10. DIALNET. 11. Existence de structures de recherche en ligne sur les droits de l'homme.	1. Absence d'un plan stratégique d'université. 2. Faible participation des élèves aux élections des organes de gouvernance et de représentation de l'université. 3. Absence d'un comité d'éthique. 4. L'éducation sur les droits de l'homme n'est pas transversale dans les études au niveau de la licence et aux niveau supérieurs. 5. Absence de diplôme de licence, de masters et de doctorat en droits de l'homme. 6. Faible développement de compétences associées aux droits de l'homme. 7. La reconnaissance de la recherche comme partie des tâches du personnel enseignant est peu à peu réduite et, ces dernières années, elle est associée aux ressources externes captées par le chercheur. 8. Crise dans la disposition de ressources motivée par la situation économique.

Atouts	Faiblesses
12. Mesures d'attention à la diversité dans les processus d'enseignement-apprentissage. 13. Systèmes transparents d'évaluation des résultats de l'apprentissage. 14. Participation d'institutions et d'entités externes à des activités de formation non officielle. 15. Design et mise en marche d'activités extra officielles sur les droits de l'homme. 16. Contrôle de qualité des cursus universitaires. 17. Projets de recherche portant sur les droits de l'homme auxquels participent des chercheurs de l'université. 18. Organisation de congrès, de journées et de séminaires scientifiques sur les droits de l'homme. 19. Le respect des droits de l'homme fait partie des chartes des droits et des obligations des membres de la communauté universitaire. 20. Participation de la communauté universitaire à la gouvernance de l'université et à sa représentation. 21. Défenseur des droits. 22. Existence d'un réseau d'associations et de bénévolat qui travaille pour les droits de l'homme. 23. Collaboration avec des institutions et des entités concernées par la défense des droits de l'homme.	9. Nombre presque inexistant de thèses doctorales, de mémoires de masters et de travaux de fin de licence traitant spécifiquement des droits de l'homme. 10. Absence d'appels aux projets de coopération au développement.
Opportunités	**Menaces**
1. Alliances externes et collaboration avec la structure sociale. 2. Projet de réforme des universités et du système national d'accréditation du personnel académique des universités qui est actuellement traité par le ministère compétent en matière d'enseignement supérieur. 3. Participation des chercheurs à des appels publics de projets européens, nationaux et régionaux. 4. Programmes de mobilité du personnel enseignant et des chercheurs.	1. Diminution du financement public de l'université. 2. Projet de réforme des universités et du système national d'accréditation du personnel académique des universités qui est actuellement traité par le ministère compétent en matière d'enseignement supérieur.

Conformément à la méthodologie accordée, le diagnostic sur l'application de l'ABDH à l'université de La Rioja s'est fait à partir de l'élaboration d'une matrice AFOM fixant les atouts, les faiblesses, les opportunités et les menaces qui accompagnent cette institution. Les items considérés dans chacun des cas sont relevés brièvement et suivis des conclusions obtenues.

a. Atouts

Les statuts de L'université de La Rioja, respectueux du principe d'autonomie universitaire, contemplent expressément les différents aspects sur lesquels repose l'autonomie, c'est à dire ceux qui concernent la structure de gouvernement de l'université, l'élection et le retrait des organes de gouvernement, l'élaboration et l'approbation de ses normes, des plans d'études et de ses plans de recherche. L'université est aussi autonome en ce qui concerne la gestion financière et la sélection et gestion de son personnel.

Conformément aux exigences découlant de la Constitution, de la loi organique des universités (LOU) et des propres statuts de l'université de La Rioja, cette dernière a un système de gouvernement basé sur la participation à tous les niveaux possibles de sorte que tous les postes de gouvernement ont caractère représentatif et sont légitimés par des élections directes ou de deuxième grade selon les cas.

Le principe d'autonomie universitaire apparaît lié dans notre agencement juridique à celui de gestion responsable et transparente. Les statuts de L'université de La Rioja font ainsi référence à l'obligation de rendre des comptes annuellement de l'exécution budgétaire et de les remettre à l'organe de fiscalisation externe correspondant. L'université publie, sur son site Web, son plan annuel d'action, le mémoire annuel d'activités et l'apurement des comptes qui inclue le rapport correspondant d'audit. Le site Web de L'université de La Rioja fait publics et accessibles les statuts et autres normes approuvés par les organes de gouvernance de l'université, l'information portant sur la composition de ses organes unipersonnels et professionnels de gouvernement, les plans et appels à aides à la recherche, les plans d'études, les listes de postes de travail, etc.

L'université de La Rioja reconnaît parmi ses valeurs, de manière générale, le respect des droits de l'homme. Les statuts de l'université de La Rioja assument certaines valeurs universelles telles que «l'encouragement du respect des droits de l'homme et de la paix», le pluralisme et la démocratie. Par rapport à sa mission en tant qu'institution éducative consacrée à l'enseignement supérieur, ces valeurs sont l'autonomie universitaire, la liberté de chaire, de recherche et d'études et le respect des droits et des libertés des membres de la communauté universitaire. D'autres valeurs comme l'équité et l'égalité de chances, le développement durable, l'attention à la diversité ou l'égalité des genres ont été déclarées assumées par l'université de La Rioja dans d'autres instruments tels que le Plan d'action 2011-2012, la Déclaration de politique environnementale de l'université de La Rioja de l'année 2009 ou un Protocole d'action à l'égard des étudiants handicapés qui a donné lieu, récemment, au développement d'une règlementation sur l'attention aux étudiants handicapés approuvée au printemps 2014.

Dans l'exercice de son autonomie, l'université de La Rioja peut, comme le prévoient ses statuts, disposer de bourses, d'aides ou de crédits octroyés aux étudiants pour faire face au paiement total ou partiel des prix publics de la prestation de services académiques. En ce sens, et pour respecter l'objectif général de garantir l'égalité des chances et l'accès à l'éducation supérieure, en 2014, l'université a mis en marche un modeste plan d'aide aux étudiants en situation de crise économique survenue qui demandent une attention urgente. L'UR lance des appels à projets annuels à l'innovation dans l'enseignement qui se complètent par l'établissement de Plans et programmes de formation du personnel enseignant et chercheur portant sur des aspects différents, parmi lesquels figurent, à titre d'exemple: l'application des nouvelles technologies à l'enseignement, le programme de l'activité éducative, l'évaluation, etc. Par ailleurs, elle a adopté une attitude active dans ce domaine, en évaluant la participation des professeurs à ces activités au moment d'octroyer des mesures d'incitation.

Les guides d'études de toutes les matières des différents cursus universitaires demandent que les élèves atteignent un niveau adéquat de compétences associées aux matières propres à chaque discipline. En cohérence avec cette approche, l'activité éducative vise l'acquisition de ces compétences d'une partie des élèves par le biais de différentes méthodologies. De même, les guides établissent des systèmes transparents d'évaluation des résultats d'apprentissage.

L'UR maintient un système de mesures d'incitation pour soutenir l'enseignement et la recherche de son corps enseignant au moyen d'appels à projets annuels, en fonction de ses disponibilités budgétaires, suivant les orientations du Conseil social.

Il existe des procédés pour le contrôle de la qualité des cursus universitaires, contrôle à charge des agences de l'État (par exemple, l'Agence nationale d'évaluation de la qualité et d'accréditation / ANECA) et il n'existe aucun obstacle statutaire à ce que l'université recoure à d'autres évaluations externes, en plus des officielles.

Au chapitre des bonnes pratiques, on relève des expériences en mesures d'attention à la diversité dans les processus d'enseignement-apprentissage.

Il ne s'agit que de rendre effectif ce qui est prévu à l'article 26 du Statut de l'étudiant universitaire.

L'UR est ouverte à la participation d'institutions et entités externes dans des activités de formation non officielle, et, de fait, elle collabore régulièrement avec diverses ONG, des entités bancaires, des associations sportives ou des syndicats. Au chapitre des bonnes pratiques on relève des expériences d'activités hors cursus sur les droits de l'homme avec l'appui de la chaire UNESCO Citoyenneté démocratique et liberté culturelle ou celui du Groupe sur l'égalité des genres.

L'UR dispose des bases de données et de sources bibliographiques nécessaires pour une recherche et un enseignement de qualité. Au fil des ans, différents systèmes sont venus couvrir les déficiences naturelles dans une université nouvellement créée. DIALNET, créé par l'université de La Rioja en 2011 est un portail de diffusion de la production scientifique, principalement espagnole et d'Amérique latine. Sa base de données, libre d'accès, constitue une bibliothèque de périodiques virtuelle qui contient les index des revues scientifiques et de sciences humaines d'Espagne, du Portugal et d'Amérique Latine dont les universités contribuent au chargement de sommaires des revues; mais le portail inclue aussi des livres (monographies), des thèses doctorales, des mélanges en hommage et d'autres documents. Le texte complet de nombreux documents est disponible en ligne. DIALNET incorpore aussi des bases de données avec des documents en d'autres langues. Dans la mesure où sont chargés des sommaires de revues spécialisées en droits de l'homme le portail devient un instrument important d'information bibliographique sur ce thème.

Le Centro de Investigación y desarrollo de Derechos Fundamentales, Políticas Públicas y Ciudadanía democrática (CIUDUR), Centre de recherche et de développement des droits fondamentaux, des politiques publiques et de la citoyenneté démocratique, a été créé le 16 juin 2008 par accord du Conseil de gouvernement de l'université de La Rioja. C'est son centre de recherche dont le but est d'encourager la recherche sur les droits fondamentaux, les politiques publiques et la citoyenneté ainsi que porter conseil technique et diffuser les connaissances dans ces matières par le biais d'équipes multidisciplinaires et d'excellence qui réalisent dans l'UR de la recherche fondamentale et appliquée (art. 4 de son règlement). L'on remarque au nombre de ses objectifs: la formation permanente de chercheurs et d'enseignants ainsi que du personnel d'organismes, tant publics que privés, qui sont demandeurs de cette collaboration du centre, l'application et la publication des résultats obtenus, le conseil technique dans le domaine de leurs compétences à des institutions publiques et privées et le développement d'actions de coopération universitaire au développement qui assument les objectifs cités (art. 5 de son règlement).

Le projet ABDEM auquel nous participons est une bonne preuve que les chercheurs de l'UR participent à des Projets de recherche en matière de droits de l'homme. Ce n'est cependant pas le premier: d'autres se sont occupés de la diversité religieuse ou de la participation des parents à l'école. L'organisation de congrès, de journées et de séminaires sur les droits de l'homme à l'UR est la suite logique des projets auxquels participent ses chercheurs.

Les droits de l'homme associés à la liberté de recherche, de chaire et d'études sont garantis aux membres de la communauté universitaire par la législation nationale (LOU et statut de l'étudiant universitaire) et par les statuts de l'université de La Rioja et à travers l'institution du Défenseur universitaire. Comme nous le signalons au point des bonnes pratiques, la Défense universitaire a été créée pour la défense des droits fondamentaux que la Constitution et la LOU reconnaissent aux différents sujets de la communauté universitaire. Les années passées depuis sa création mettent en évidence l'importance de sa mission. Ses succès sont relevés dans les rapports annuels que le défenseur présente au conseil sur l'activité réalisée. L'Oficina de Responsabilidad Social, Bureau de responsabilité sociale, est un autre instrument adéquat pour contribuer à une ABDH. Au paragraphe des bonnes pratiques nous apportons une description de ses origines et certaines de ses réalisations concrètes.

Il y a aussi une autre sorte de plateformes et d'initiatives mises en place dans l'UR qui contribuent efficacement à l'intégration globale de l'ABDH au campus universitaire. Le programme UR Integra, un programme d'appui et d'intégration d'étudiants handicapés, s'est fixé comme objectif de leur faciliter les adaptations de curricula nécessaires, à leur demande. Il est pensé pour les étudiants qui, démontrent volontairement, conformément au règlement applicable, la reconnaissance d'un handicap qui fait obstacle à leur activité académique à l'université. Le programme est géré par l'Office des relations internationales et de la responsabilité sociale de l'université.

Même s'il n'y a pas, au sens strict du terme, de réseau associatif qui travaille pour les droits de l'homme, des groupes d'étudiants universitaires, institutionnalisés ou pas, réalisent des activités liées aux droits de l'homme. Le paragraphe consacré aux bonnes pratiques relève des expériences de collaboration avec des institutions et des entités engagées dans la défense des droits de l'homme.

La chaire Unesco «Citoyenneté démocratique et liberté culturelle» est une institution universitaire adscrite à l'université de La Rioja. Elle forme partie du programme Unitwin et des chaires Unesco, créé en 1991 lors de l'assemblée générale tenue lors de la XXXe période de réunions de l'Unesco. Sa mission est de promouvoir les actions d'enseignement, de recherche, coopératives et divulgatrices portant sur les droits de l'homme qui figurent à son programme depuis sa constitution en 2007. La chaire aspire à devenir un pôle d'excellence international en matière de droits de l'homme et des libertés culturelles. Elle recherche des synergies et la collaboration avec des institutions d'enseignement supérieur, des centres de recherche publics et privés, des administrations publiques, l'initiative privée et la société civile. La chaire donne priorité à la coopération entre les hémisphères nord et sud et aux régions les plus sensibles par rapport aux droits de l'homme: l'Afrique et l'Amérique du Sud. Elle a participé à une dizaine de projets internationaux de programmes supranationaux et à des appels à projets promus par des organismes européens, tels que la Commission européenne ou le Conseil de l'Europe.

L'on retrouve aussi dans l'UR des groupes de recherche associés aux droits de l'homme, comme celui qui dépend de la chaire Unesco ou celui nommé Égalité et genre. Ce dernier, créé en 2009, à partir de l'initiative de plusieurs femmes provenant de différents milieux académiques et professionnels mais unies par la même volonté de dénoncer et d'éliminer la discrimination à l'égard des femmes. L'objectif du groupe est la sensibilisation et la dénonce de l'injustice sociale que suppose l'inégalité des genres dans tous les domaines où elle se manifeste.

Le point consacré aux bonnes pratiques reprend quelques expériences associées à l'organisation de journées, de séminaires et d'activités de divulgation en matière de droits de l'homme, même si elle n'est pas systématique.

b. Faiblesses

L'application des indicateurs a permis de constater l'absence d'un plan stratégique en vigueur à L'université de La Rioja –le dernier instrument de planification auquel nous avons eu accès correspond à la période 2011-2012–, ce qui rend difficile la connaissance de la mission et la vision de l'université par rapport à l'ABDH, au-delà de la référence aux valeurs de l'université qui figure aux statuts et que nous avons déjà mentionnée. Même si la mission, la vision et les valeurs de l'université sont latentes dans ses statuts et dans les normes relatives à des institutions connexes, elles ne sont pas expressément formulées dans les statuts ni dans d'autres documents de l'institution. Il est rare de retrouver des adhésions à des prononcements et des déclarations en défense des droits de l'homme et, quand c'est le cas, elles sont conséquence d'un fait qui suppose une grave atteinte à ces droits, de grande répercussion dans l'opinion publique ou qu'une campagne institutionnelle les a mis en avant. Ces adhésions sont souvent cantonnées au milieu restreint des organes de gouvernement qui les adoptent, de sorte que celles qui sont connues et dont le contenu est public et accessible à l'ensemble de la communauté sont peu nombreuses.

Une autre constatation révélatrice est que, malgré des possibilités réelles de participation dans tous les domaines de la vie universitaire, les données que possède l'UR confirment la faible participation des élèves aux élections aux organes de gouvernement et de représentation de l'université et, l'engagement rare parfois des représentants élus dans la vie ordinaire de l'UR.

L'application des indicateurs montre que l'université de La Rioja n'a pas incorporé aux formulaires de conventions, de contrats, d'accords, etc., en tant que politique de l'institution, de clauses spécifiques relatives au respect des droits de l'homme. La recherche réalisée a permis de constater qu'il n'y a pas eu de développement d'une règlementation spécifique ni de protocole d'action relatifs à la promotion de l'égalité des genres[65].

Certes, certains cursus de grade mis en place à partir de l'année académique 2010/11 ont inclus dans leurs plans d'études des matières traitant les droits de l'homme mais l'éducation aux droits de l'homme n'est pas transversale dans les études de grade et de post-grade à l'université de La Rioja. La matière "droits de l'homme" se retrouve dans les grades de droit, de travail social, de relations professionnelles et enseignement de maternelle et primaire. L'université de La Rioja n'a pas de master spécifique en droits de l'homme, mais a eu des programmes de doctorat en la matière. Plus précisément, le programme «Droit et libertés fondamentales: le droit fondamental comme catégorie juridique transformatrice (D02N)» dispensé pendant les années académiques 2007-08, 08/09 et 09/10 qui a mérité la mention de qualité du ministère de l'éducation. La consultation réalisée permet toutefois d'observer que la recherche en droits de l'homme et, en particulier, en ABDH, ne figurait pas comme objet d'étude de nos doctorants. Parmi les étudiants de master dans les domaines objet d'étude de ce projet, un seul travail de fin de grade associé à l'ABDH a été présenté pendant les années académiques 2012/13 et 2013/14. Le nombre de travaux de fin de grade qui ont comme thème l'étude des droits de l'homme est à chaque fois plus important et plus représentatif.

Les plans d'aménagement de l'enseignement que l'université de La Rioja approuve chaque année contemplent des activités qui ne relèvent pas strictement de l'enseignement, à chaque fois moins considérées et qui sont associées à ce jour à la capacité de captation de fonds externes par les chercheurs.

65. Au moment de la fermeture de la publication finale du rapport, l'UR a créé en juin 2016, une Unité de l'égalité adscrite au rectorat. Son objectif est de diminuer les inégalités basées sur le genre et/ou l'orientation affective/sexuelle, à travers l'implication de la communauté universitaire.

Pour la recherche, on observe une réduction progressive de son appréciation dans les travaux du personnel académique et ces dernières années elle a été associée au volume de ressources externes captées par le chercheur. La recherche –qui constitue le principal élément à prendre en compte dans les processus d'accréditation nationale du professorat– est pauvrement reconnue par la propre université. Les propres plans de recherche que l'université a mis en place ne contemplent pas d'appels à projets, de programmes d'assistance à congrès, etc. spécifiques en matière de droits de l'homme. Les Centres et groupes de recherche de l'université de La Rioja ne reçoivent pas aujourd'hui de financement de l'institution et les appels annuels à des aides ont été supprimés les deux dernières années. En outre, parmi les publications périodiques éditées ou coéditées par l'université de La Rioja aucune n'a, à ce jour, comme objet spécifique l'étude des droits de l'homme.

L'UR ne lance plus d'appels à projets et aides pour la coopération au développement. La formation spécifique aux droits de l'homme n'est pas appréciée comme un mérite dans les processus de recrutement d'enseignants en général. Il n'y a pas non plus d'appels à la mobilité qui se réfèrent spécifiquement à la formation aux droits de l'homme ni de bourses ou d'aides à la réalisation de formation spécifique en la matière. Cela ne veut pas dire que les professeurs, à titre individuel ou en groupe, ne puissent pas concourir à des appels nationaux ou internationaux pour cette matière.

c. *Opportunités*

L'université de La Rioja a mis en place au fil des ans un important réseau d'alliances avec d'autres universités. Certaines d'entre elles, comme le Grupo 9 de Universidades ou le plus récent Campus de Excelencia Internacional Iberus, agglutinent des universités qui partagent des intérêts stratégiques. Dans d'autres cas, il s'agit d'alliances centrées sur la collaboration avec des institutions d'enseignement supérieur, nationales et étrangères. Les différents groupes de travail auxquels participent des représentants des universités membres du consortium ABDEM pourraient aborder conjointement le projet de développer l'ABDH dans nos campus.

La collaboration avec la trame sociale la plus proche, ainsi que les alliances avec des entités qui se consacrent à l'amélioration de la qualité de vie des personnes à partir d'actions sociales ponctuelles, s'articule à travers de nombreux accords et conventions. Même si les alliances établies dans les études traditionnellement le plus proches de la réalité sociale, comme celles de travail social, sont les plus fréquentes, on retrouve des collaborations avec différentes institutions et entités. Ce réseau d'alliances constitue une opportunité pour l'université et une bonne occasion de travailler à l'ABDH.

Le projet de réforme des universités espagnoles qui est traité aujourd'hui par le ministère compétent en enseignement supérieur en Espagne pourrait donner un grand essor à l'ABDH mais cette opportunité peut aussi devenir une menace en fonction de l'orientation qu'adoptera le processus. La mise en place, il y a six ans, des premiers cursus d'études adaptés à la nouvelle structure du système universitaire espagnol implique, entre autres choses, qu'à partir de l'année académique 2014/15 commence un processus d'accréditation des cursus. Dans ce contexte et à conséquence des propositions d'amélioration qui pourraient résulter de l'exercice d'autoévaluation et de l'évaluation externe appliquées aux carrières on pourrait encourager des stratégies et des mesures d'appui à la croissance de l'ABDH.

Le projet de réforme du système espagnol d'accréditation du corps enseignant universitaire apparaît aussi comme une opportunité à long terme de mettre en valeur les mérites associés à la recherche ou l'enseignement des droits de l'homme. De la même manière, rien n'empêche qu'un professeur, quel qu'il soit, ou un chercheur ou un groupe de professeurs ou de chercheurs se présentent à des appels publics à projets européens, nationaux et régionaux portant sur les droits de l'homme mais le nombre réduit de professeurs de l'UR, en général, et plus encore, celui de professeurs intéressés aux droits de l'homme, donnerait des résultats toujours modestes, du moins en quantité.

L'UR promeut, ou du moins ne s'oppose pas, à la mobilité de ses professeurs, visant à s'intégrer temporairement dans des centres de recherche et des universités nationales ou étrangères, tant européennes que d'Amérique latine.

d. *Menaces*

Depuis des années, la principale menace pour l'université en Espagne est celle du contexte économique qui a signifié une réduction soutenue dans le temps des ressources destinées au financement des universités. La diminution du financement public de l'université de La Rioja les cinq dernières années est de -2,6%. La situation économique du pays pourrait faire obstacle à l'assignation de ressources pour la R+D+I dans la région et dans le pays bien que, c'est évident, les ressources économiques ne soient pas essentielles au moment d'appliquer une approche basée sur les droits de l'homme.

Par ailleurs, l'incertitude par rapport à la portée de la réforme des universités espagnoles à laquelle travaille le ministère compétent en matière d'enseignement supérieur en Espagne, en fait une menace potentielle pour l'ABDH. Il en va de même pour le projet de réforme du système d'accréditation du professorat appartenant aux corps enseignants universitaire. Le gouvernement pourrait ignorer les modifications nécessaires pour inclure, comme exigence à l'accréditation, la possession de connaissances et de compétences didactiques pour l'enseignement des droits de l'homme.

2.1.4. Bonnes pratiques à l'Université de La Rioja

L'application des indicateurs nous a permis de constater l'existence de *bonnes pratiques* d'une approche basée sur les droits de l'homme dans différents domaines de la vie universitaire à l'université de La Rioja. D'une part, on y retrouve l'institution de la Défense universitaire qui a comme principale mission d'être le garant des droits et des libertés de la communauté universitaire et, d'autre part, un Bureau de responsabilité sociale universitaire, chargé de gérer les politiques de promotion de l'égalité, les environnementales et celles d'appui au bénévolat universitaire.

L'université de La Rioja a incorporé à ses politiques des programmes d'attention à la diversité et d'incorporation du principe d'égalité effective, en promouvant –ou du moins en accueillant souvent– un bon nombre de forums de réflexion et d'espaces pour la diffusion de la bonne gouvernance, du développement durable et de l'élimination de barrières.

Au niveau institutionnel on constate aussi la collaboration de l'université de La Rioja avec diverses institutions et sa participation à des initiatives citoyennes de sensibilisation au respect des droits de l'homme. Par ailleurs, l'université a inclus dans son offre académique de post-grade ses propres cursus associés, respectivement, à l'égalité entre hommes et femmes et à l'analyse de problèmes sociaux par l'approche basée sur les droits de l'homme.

En ce qui concerne les membres de la communauté universitaire nous détections les bonnes pratiques suivantes: 1) l'existence d'un tissu associatif, modeste mais d'une activité intense et prolongée dans la coopération avec les plus démunis ii) l'encouragement à la participation du professorat, du personnel de l'administration et des services et des étudiants de L'université de La Rioja au design d'activités culturelles et d'activités hors cursus qui a permis de nombreuses activités en matière de droits de l'homme et iii) l'appel à bourses et autres aides pour le financement de projets de mobilité des membres de la communauté universitaire au nombre desquelles des activités de formation en matière de droits de l'homme peuvent prendre place. Finalement, l'université de La Rioja a adhéré à différents prononcements et déclarations en matière de droits de l'homme et elle a mérité la reconnaissance de différentes institutions et entités pour sa contribution à la propagation de la culture des droits de l'homme.

a. Le Défenseur universitaire

Le système universitaire espagnol a incorporé la figure du Défenseur universitaire à partir de la quatorzième disposition additionnelle à la Loi organique 6/2001, du 21 décembre, relative aux universités (LOU) qui prévoyait son incorporation à la structure organisationnelle des universités. Cette loi étendait ainsi à l'ensemble du système universitaire espagnol –formé par des universités publiques et privées– une institution qui était présente alors dans une vingtaine d'universités espagnoles. «*Ses actions, toujours dirigées à l'amélioration de la qualité universitaire dans tous ses domaines, ne seront soumises à aucun mandat impératif d'aucune instance universitaire et seront régies par les principes de l'indépendance et de l'autonomie*». Cette norme lui assigne aussi la mission de «*veiller au respect des droits et des libertés des professeurs, des étudiants et du personnel de l'administration et des services, face aux actions des différents organes de gouvernement et services universitaires*». Quant aux étudiants – le seul collectif de la communauté universitaire pour lequel à ce jour le cadre statutaire correspondant a été développé[66]– ces droits et libertés se matérialisent dans le droit à l'égalité de chances, le droit à une formation académique qui inclue ses propres valeurs d'une culture démocratique et du respect des autres et du milieu, le droit à la liberté d'expression, de réunion et d'association dans le milieu universitaire, le droit à participer et à être représentés aux organes de gouvernement de l'université, le droit d'élire ses représentants aux organes cités, le droit de recevoir un traitement non sexiste et à l'égalité entre hommes et femmes, entre autres.

Le Défenseur universitaire commençait son travail à l'université de La Rioja pendant l'année académique 2006/2007. Ses mémoires annuels présentés à l'Assemblée de l'université de La Rioja permettent de faire un suivi de son activité –du nombre d'actions et de leur nature– mais surtout des propositions d'amélioration qu'il formule aux organes de gouvernement de l'université[67].

b. Bureau de responsabilité sociale

Depuis l'année 2006 l'université de La Rioja a incorporé à son organisation une unité chargée de la gestion de ses politiques en tant qu'institution

66. *Vid.* Décret royal 1791/2010, du 30 décembre, portant approbation du *Statut de l'étudiant universitaire.*

67. Depuis ses débuts, le Défenseur universitaire a traité 879 consultations et 63 plaintes, est intervenu 4 fois comme médiateur et a mis en marche des enquêtes d'office 27 fois. L'information sur le cadre normatif, les compétences, l'organisation et l'activité réalisée par le défenseur universitaire est disponible sur: *http://www.unirioja.es/universidad/defensor/*; consulté en juin 2016.

socialement responsable. Le premier pas en ce sens était la nomination d'un Délégué du recteur à la responsabilité sociale, mandaté pour une analyse de situation après la conception de l'instrument de planification correspondant et la mise en marche du Bureau de responsabilité sociale universitaire, qui, dans la structure actuelle, s'insère dans le Bureau de relations internationales et de responsabilité sociale, de plus grande taille. Pour le diagnostic initial on utilisait, entre autres instruments, une enquête ouverte à l'ensemble de la communauté universitaire et à des entités et des institutions liées à l'université et à l'organisation de différentes tables auxquelles participaient des organes de gouvernement, des équipes de chercheurs, d'enseignants et des gestionnaires.

Pendant ses premières années, le Bureau de responsabilité sociale de l'université a organisé, directement ou en collaboration, le design et l'organisation de nombreuses activités de diffusion de la culture de la responsabilité sociale entre les universitaires. Ces dernières années, ce rôle de dynamiseur de la vie universitaire sous l'approche aux droits de l'homme a diminué. En 2016, un nouveau vice-rectorat, de responsabilité sociale, assume entre autres compétences: la coopération au développement, les politiques d'égalité et environnementales et les stratégies d'internationalisation de l'université de La Rioja.

c. Collaboration avec des institutions qui veillent au respect des droits de l'homme et participation à des initiatives citoyennes de sensibilisation aux droits de l'homme

Nous devons signaler sous ce titre l'existence d'un bon nombre de conventions de collaboration établies avec diverses institutions et entités qui ont comme objets, entre autres, la promotion et la sauvegarde des droits de l'homme ainsi que la formalisation de conventions avec différentes administrations en ciblant toujours l'organisation conjointe d'activités de formation ou le développement de projets de recherche. En ce sens, et à titre d'exemple, depuis plus de quinze ans l'université de La Rioja a souscrit une convention de collaboration avec le ministère compétent en services sociaux dont l'objet principal est de faciliter la tâche, dans le milieu universitaire, des organisations non gouvernementales d'action sociale, qui se matérialise ensuite dans la collaboration entre les deux institutions aux niveaux suivants:

i. la réalisation de travaux de recherche, d'études et de rapports qui mettent en exergue l'activité réalisée par les entités à but non lucratif et les valeurs pour lesquelles elles travaillent.
ii. l'organisation d'activités de formation et de forums de débat qui favorisent l'innovation au sein de ces entités et la sensibilisation de la société dans son ensemble.

iii. la réalisation d'actions de conseil.
iv. l'appui matériel et technique aux organisations non gouvernementales actives dans le milieu universitaire.
v. la collaboration aux initiatives visant à diffuser, au sein de la communauté universitaire, le travail des entités à but non lucratif et les différentes formules de collaboration avec elles.

L'université participe par ailleurs à de nombreuses journées, séminaires et cours de formation organisés conjointement avec des entités qui interviennent sur son milieu le plus proche, telles que l'Association d'attention aux personnes atteintes de déficience intellectuelle (ARPACE), l'Association riojana pour personnes handicapées intellectuellement (ARPS), Caritas-Rioja, l'Association pour l'enfance riojana (APIR), ou encore l'Association Logroño sans barrières, qui réunit des personnes handicapées physiques depuis 1990.

La collaboration au travail de sensibilisation au respect des droits de l'homme a obtenu quelques reconnaissances, sous forme de distinction octroyée à l'université de La Rioja. En ce sens, en 2006, l'Organisation nationale de malvoyants (ONCE en espagnol) lui a décerné la «cane d'argent» et en 2012 elle recevait le Prix spécial valeurs, décerné par le groupe COPE-Rioja. Par ailleurs, l'association universitaire ASUR a reçu en 2011 le prix La Rioja «Une âme solidaire» pour son projet d'attention intégrale aux enfants immigrants.

d. L'attention portée à la diversité

En ce qui concerne l'attention portée aux personnes atteintes de diversité fonctionnelle nous relevons comme bonnes pratiques:

i. l'organisation ou l'accueil de différentes initiatives sous forme de journées, de séminaires ou de cours, desquels nous pouvons citer les Journées d'information, formation et sensibilisation aux handicaps, organisées par l'université de La Rioja en collaboration avec la mairie de Logroño en 2007, ou, plus récentes, les Premières journées sur la femme et le handicap, tenues en 2014.
ii. l'engagement de l'université envers l'intégration d'étudiants universitaires atteints de diversité fonctionnelle, qui l'a menée, en 2006 et 2008, à participer aux programmes d'accueils d'étudiants européens. En 2006, dans le cadre du programme européen «Jeunesse en action», l'université de La Rioja accueillait dans ses classes des étudiants handicapés en provenance d'Italie, de Hongrie et de Lettonie. En 2008, l'université de La Rioja a souscrit une convention de collaboration avec un centre de formation d'étudiants handicapés en Allemagne proposant des stages pratiques à l'université –avec un

programme adapté à chacun des participants– dans le cadre du Réseau européen de mobilité du programme Leonardo da Vinci.

iii. le développement d'un Protocole d'attention aux étudiants handicapés, qui, en 2014, a donné naissance à un Règlement sur l'attention portée aux étudiants handicapés[68].

iv. la mise en marche, en 2013-14, d'un programme spécifique d'appui et d'intégration d'étudiants handicapés pour faciliter les adéquations de curriculum nécessaires pour adapter la planification des études aux besoins spécifiques des élèves à diversité fonctionnelle[69].

Par ailleurs, l'université de La Rioja a voulu un campus ouvert et accessible. La *Guía práctica de accesibilidad* (guide pratique de l'accessibilité), élaboré par l'association Logroño sin barreras, établissait un diagnostic des installations de L'université de La Rioja par rapport à leur accessibilité[70]. L'université collabore fréquemment avec cette association en accueillant des activités de sensibilisation de la société envers les personnes handicapées et de formation à l'engagement pour l'accessibilité, l'éducation et l'insertion professionnelle des personnes à diversité fonctionnelle.

L'université de La Rioja organise depuis 2009 des Jornadas de educación en diversidad afectivo-sexual, journées d'éducation à la diversité affective-sexuelle, visant à apporter des connaissances, des stratégies et les techniques et ressources nécessaires pour travailler de manière transversale les valeurs de respect de la diversité sexuelle et l'égalité des genres dans les contextes scolaires, pour prévenir et, le cas échéant, pour fournir des stratégies pour traiter la discrimination. Les journées qui à leur cinquième édition en 2013-2014 avaient pour titre Une opportunité éducative pour la convivance, étaient dirigées de préférence aux étudiants des grades de sciences de l'éducation et du travail social et à ceux du master en formation des professeurs d'enseignement secondaire.

Finalement, nous remarquons, par rapport à la diversité culturelle et d'ordre socio-économique les bonnes pratiques suivantes:

i. les programmes développés par l'association universitaire ASUR, en particulier les programmes d'attention aux enfants immigrants, auxquels participent les professeurs et les étudiants de L'université de La Rioja et qui représentent, pour ces derniers, la reconnaissance de l'équivalence en crédits.

---

68. Disponible sur: *http://www.unirioja.es/universidad/rii/RSU/URINTEGRA/Normativa.pdf*; consulté en juin 2016.
69. Disponible sur: *http://www.unirioja.es/universidad/rii/RSU/URINTEGRA/URINTEGRA.shtml*; consulté en juin 2016.
70. Disponible sur: *http://www.unirioja.es/universidad/presentacion/campus.shtml*; consulté en juin 2016.

ii. le fait que l'université de La Rioja ait accueilli depuis 2008 plusieurs éditions des Rencontres internationales sur les migrations traitant de l'inclusion sociale, de l'interculturalité, du respect de la différence, de la convivance solidaire et de la culture de la paix. Les rencontres, organisées en collaboration avec différentes associations et la mairie de Logroño sont un rassemblement en faveur de l'inclusion et de la convivance interculturelle au sein d'une société plurielle auquel participent des élus et des entités sociales, des éducateurs, du personnel sanitaire, des experts du monde académique et des migrants vivant des situations variées.

iii. L'inclusion aux curricula des études de grade en droit, de travail social et d'enseignement de maternelle et primaire de matières optionnelles sur la diversité culturelle et religieuse.

e. Égalité des chances

Dans le contexte de l'égalité des chances nous pouvons relever des bonnes pratiques pour l'égalité des chances à l'accès à l'enseignement universitaire ainsi qu'à la promotion de l'égalité de femmes et hommes. Pour contribuer à l'effectivité du principe d'égalité dans l'accès à l'enseignement supérieur, la communauté autonome de La Rioja et l'université de La Rioja signent chaque année une convention de financement pour destiner des ressources à l'exemption des prix publics pour les études de grade et de post-grade des élèves. En 2013-14, 54 étudiants de L'université de La Rioja ont obtenu une de ces aides à l'étude.

Pendant l'année académique 2013-14, L'université de La Rioja, sensibilisée aux situations délicates découlant d'un contexte économique difficile qui se prolonge depuis des années, a lancé un nouvel appel à des aides destiné spécifiquement aux étudiants en situation économique adverse et survenue pendant l'année.

Par rapport à l'égalité entre femmes et hommes, l'institution adhérait récemment au Manifeste institutionnel des universités du campus Iberus à l'occasion du jour international de la femme. Toujours dans ce sens, chaque année, l'université souscrit les manifestes promus depuis les pouvoirs publics et procède à leur lecture publique pendant un acte simple auquel sont conviés tous les membres de la communauté universitaire.

Par ailleurs, l'université de La Rioja a inclus, dans son offre de formation de post-grade non officielle, un Diplôme d'agent d'égalité des chances de femmes et hommes et elle a un groupe de recherche en égalité et genre inscrit au registre de groupes de recherche depuis 2009. Tous ses membres sont des femmes qui tiennent un séminaire permanent sur des thèmes relatifs au genre.

Finalement on remarque au chapitre des bonnes pratiques le récent accord des universités, dans le cadre du Groupe 9, sur l'appel à un nouveau Prix de thèses doctorales sur l'égalité visant à encourager la recherche sur l'égalité dans le milieu universitaire qui vient rejoindre une initiative mise en marche il y a deux ans pour récompenser des thèses doctorales liées à la coopération au développement.

f. Développement durable

L'université de La Rioja a rendu publique en 2009 une Déclaration de politique environnementale assumant l'engagement à associer à ses objectifs éducatifs, de recherche, de transfert de connaissances et de technologie, les principes de solidarité et durabilité environnementale, sociale et économique, en promouvant la santé et l'usage responsable des ressources naturelles.

En 2009 la Première semaine verte de L'université de La Rioja accueillait de nombreuses activités –expositions, conférences, un concours de photographie, etc.– visant à la sensibilisation des universitaires et de leur milieu envers l'environnement de l'université. Récemment, L'université de La Rioja a accueilli la *VI caravane universitaire pour le climat*. Il s'agit d'une initiative lancée par l'Oficina *verde*, l'Office vert, de l'université de Saragosse, dans le cadre du campus d'excellence international IBERUS, duquel l'université de La Rioja est membre. La caravane formée par soixante bénévoles –trois d'entre eux de l'université de La Rioja– veut rapprocher les citoyens de la culture de la défense de l'environnement.

Concernant la promotion de la santé, la Bureau de responsabilité sociale de l'université de La Rioja a lancé en 2008, *l'incorporation au réseau espagnol d'université saines* (REUS en espagnol) dont forment partie vingt-quatre autres universités, la conférence des recteurs des universités espagnoles (CRUE), le ministère compétent dans le domaine de la santé publique et quelques-unes des structures autonomiques de santé publique. Le réseau, constitué en 2008, cherche à renforcer le rôle des universités comme entités promotrices de la santé.

g. Coopération au développement dans le milieu universitaire

Pendant les années académiques 2007 et 2008, dans le contexte des Plans opérationnels de coopération au développement correspondants à ces deux années, gérés conjointement par l'université et le gouvernement de La Rioja, différentes actions de formation ont été mises en place, ainsi que des bourses qui permettaient d'accueillir des étudiants étrangers aux programmes de coopération. Près d'une vingtaine de projets ont été déployés en Afrique (Côte d'ivoire, Burundi) et en Amérique latine (Bolivie, Brésil, Nicaragua, Pérou, Uruguay et Venezuela). Les actions de coopération se centraient sur:

i. le développement de programmes de formation de professeurs des écoles à l'alphabétisation

ii. la formation de personnes handicapées

iii. la formation de personnes provenant de milieux ruraux

iv. la création de classes mobiles informatiques

v. l'éducation aux droits de l'homme

vi. le développement et la mise en place de formation de post-grade: gestion de la qualité dans des institutions d'enseignement, direction stratégique de production, énergies alternatives ou non conventionnelles et protection de l'environnement, outils didactiques pour améliorer la pratique de l'enseignement.

vii. la formation de femmes universitaires pour leur autonomisation et leur action comme agents de développement;

viii. un projet de collaboration interuniversitaire et d'appui à des entreprises familiales dans le domaine de l'énologie,

Dans ce qui a représenté sans doute une position ferme pour son engagement à la coopération au développement dans le milieu universitaire, l'université de La Rioja était présente à la Première rencontre ibéro-africaine de coopération interuniversitaire à laquelle participaient les universités membres du Groupe 9 des universités.

Ces dernières années, différentes initiatives de coopération universitaire au développement ont vu le jour. Dans le milieu enseignant avec des travaux de fin de grade et des mémoires de masters; dans la recherche et le transfert de connaissances comme celle qui vient d'être formalisée par une équipe de chercheurs de l'université de La Rioja pour collaborer avec l'ONG de la Rioja Kaipacha Inti, dont l'université est membre d'honneur depuis 2010 pour le développement d'un projet d'impulsion de la commercialisation de produits agricoles autochtones et le développement touristique de Satipo (Pérou), qui jouit du soutien financier du gouvernement de La Rioja.

Le contexte financier a cependant restreint les attentes par rapport à des plans de coopération ambitieux et durables. Exception faite d'actions isolées, et par conséquent insignifiantes, il n'y a pas eu de projets de coopération ces dernières années sous la houlette d'appels à projets officiels lancés par l'université de La Rioja.

h. *Bénévolat à l'Université de La Rioja*

L'université de La Rioja a un réseau d'associations en accord avec sa taille. Du point de vue de l'approche basée sur les droits de l'homme et son objet, rappelons ici le travail de l'association déjà citée Ayuda social universitaria de La Rioja (ASUR) dont le but déclaré est de faire prendre conscience, sensibiliser et impliquer les étudiants universitaires dans l'action sociale avec des collectifs en risque d'exclusion ou en difficulté pour cause de situation personnelle ou de milieu de désavantage social. ASUR, fondée en 1995, est une association qui a collaboré avec de nombreuses organisations a but non lucratif avec la participation des membres de l'association et des étudiants qui collaborent chaque année. Elle a développé en même temps ses propres programmes de bénévolat centrés sur l'attention aux étudiants handicapés, les enfants immigrants, les personnes atteintes de maladies dégénératives, le troisième âge.

À côté du travail intense réalisé par ASUR, deux autres associations comptent des étudiants de l'université de La Rioja parmi leurs membres. Il s'agit de AIPC-PANDORA, une association de bénévolat internationale qui, en 2013, a participé à de micro-projets de coopération dans de nombreux pays: Argentine, Brésil, Cambodge, Équateur, Égypte, Ghana, Guatemala, Inde, Népal, Palestine, République dominicaine, Sierra Leona, Afrique du sud et Tanzanie. L'association Subiendo al sur est un projet éducatif auquel participent des étudiants de différentes universités. En 2013 elle organisait deux traversées, la traversée andine et la traversée andalusí, qui prétendent rapprocher la réalité sociale, culturelle et environnementale des lieux parcourus par la convivance dans les endroits visités.

Finalement, l'université de La Rioja a accueilli plusieurs fois les Journées de bénévolat socia) coordonnées par la Fédération riojana de bénévolat.

i. *Participation du professorat, des étudiants et du personnel de l'administration à la proposition et au développement de formation hors programme et d'activités culturelles et d'extension universitaire*

À partir de l'approche basée sur les droits de l'homme, une bonne pratique est l'encouragement à la participation des membres de la communauté universitaire au design, à l'organisation et au développement d'activités d'ordres très différents. Elles se maintiennent au moyen des différents appels à programmes que subventionne l'université, tels que les programmes consolidés d'aides à l'organisation d'activités culturelles ou de cours d'été. Ces dernières années, ces programmes ont permis de consolider des initiatives surgies au sein de la communauté universitaire associées à divers aspects des droits de l'homme. Citons, à titre d'exemple, le cycle de conférences sur l'intervention sociale auprès des marginalisés, les ateliers et les cours sur des questions de genre, le cours *Outils pour le design de projets d'intervention sociale* ou encore différentes journées de dialogue interculturel.

À côté de ces activités qui ont leur place dans des programmes concrets, l'université de La Rioja a mis en marche d'autres initiatives qui peuvent être qualifiées de bonnes pratiques du point de vue de l'approche basée sur les droits de l'homme. Par exemple, la bibliothèque universitaire a mis à la disposition des usagers des livres de sa collection à un prix symbolique et les montants perçus ont été destinés à une ONG locale. Dans ce même sens, la recette obtenue chaque année des inscriptions au Prix *Rector*, créé par l'université de La Rioja en 2008 est destinée à des entités à but non lucratif.

j. Politiques de disponibilité et de libre accès aux sources de recherche respectueuses du droit à l'intimité

La bibliothèque de l'université de La Rioja a un Plan de gestion de la collection de la bibliothèque de l'UR qui contemple spécifiquement le respect des droits d'auteur, la propriété intellectuelle et le droit au respect de la vie privée. Par ailleurs, le Règlement général de la bibliothèque de l'université de La Rioja, plus récent, détaille à l'annexe I, la liste d'actions des usagers qui constituent une infraction et signale, entre elles, «*l'utilisation inadéquate des technologies de l'information disponible à la bibliothèque, la manipulation de la configuration des équipements, périphériques ou applications, l'accès à des contenus violents, pornographiques ou autres non académiques et inadéquats, les téléchargements ou usages qui contreviennent la règlementation relative à la propriété intellectuelle, les téléchargements massifs, la redistribution ou les usages commerciaux non autorisés de l'information incluse dans les ressources électroniques souscrites par la bibliothèque, les accès non autorisés à des serveurs institutionnels ou externes ou autres usages indus*». D'autre part, la bibliothèque gère le dépôt et la consultation de travaux de fin de grade et les mémoires de masters des étudiants qui sont incorporés, après consentement explicite de l'auteur, au registre institutionnel de travaux académiques[71].

En ce qui concerne les thèses doctorales défendues à l'université de la Rioja, le *Guide de bonnes pratiques pour la direction de thèses doctorales de l'université de la Rioja*, approuvé par le comité de doctorat en 2012, se réfère

71. *Vid.* art. 16 du Règlement de l'université de La Rioja portant sur les travaux de fin de grade régulés conformément au décret royal 1393/2007.

aux cas de financement total ou partiel de la recherche doctorale de la part d'une entité à but non lucratif, et dispose que figure explicitement, dans les accords passés, les droits de propriété intellectuelle et industrielle des parties, en garantissant les droits du doctorant en tant qu'auteur du travail de thèse doctorale.

k. Formation du personnel enseignant et chercheur et innovation éducative

L'université de La Rioja, consciente de l'importance de la formation pédagogique continue de son personnel académique pour l'appui et l'amélioration constantes de la qualité pédagogique de l'enseignement et de l'apprentissage, en syntonie avec les recommandations de l'Union Européenne pour la modernisation de l'enseignement supérieur, a adapté et élargi sa stratégie de formation du professorat. Dans le design des plans de formation de son personnel académique on a tenu compte, d'une part, des besoins et des intérêts en formation manifestés par les destinataires de la formation consultés par enquêtes en ligne. On a aussi encouragé la participation active des autorités académiques responsables des études de grade, de master et de doctorat dans les différentes écoles et facultés.

Les plans de formation mis en place ces dernières années ont permis des avancées dans la formation initiale pour le professorat débutant ou récemment recruté et par l'établissement d'un programme de formation permanente pour l'amélioration et l'innovation académique du professorat.

La formation du personnel académique est étayée maintenant d'appels à projets d'innovation pédagogique visant l'amélioration continue des processus d'enseignement et d'apprentissage au moyen du design de projets basés sur la recherche collaborative, l'échange d'idées et la réflexion critique sur la pratique éducative.

l. Activités des cursus spécifiques en éducation aux droits de l'homme

L'éducation aux droits de l'homme forme maintenant partie de la formation dans les cursus des grades en droit et en travail social – matières «Droits fondamentaux et droits de l'homme» et «Nationalité, statut d'étranger et intégration sociale». Dans les grades d'enseignement en maternelle et primaire, la matière «Éducation pour la convivance» consacre un module spécifique à «l'Éducation aux droits de l'homme et à la citoyenneté démocratique». Finalement, dans le cursus du grade de droit, un des parcours de spécialisation inclue la matière «Gestion de la diversité culturelle et religieuse».

2.2. UNIVERSITÉ DE LA COROGNE

JUAN FERREIRO GALGERA
Université de la Corogne

2.2.1. Introduction

L'université de La Corogne a été créée par la Loi 11/1989 du 20 juillet portant sur l'aménagement du système universitaire de la Galice. L'Assemblée constitutive approuvait le 4 février 1992, les statuts de l'université qui seraient publiés au DOG du 17 septembre 1992. Il s'agit d'une institution publique qui a comme fins essentielles la génération, la gestion et la diffusion de la culture et des savoirs scientifique, technologique et professionnel par le développement de la recherche et de l'enseignement.

L'UDC conçoit cette vocation comme un service public de qualité orienté à l'obtention de niveaux plus élevés de bien-être pour l'ensemble de la société en recherchant des progrès sociaux, scientifiques et technologiques dans un cadre de valeurs éthiques acceptés généralement. La formation d'une citoyenneté ouverte, culte, critique, engagée, démocratique et solidaire, capable d'analyser la réalité, de diagnostiquer des problèmes, de formuler et de mettre en place des solutions basées sur la connaissance et cherchant le bien commun, forme partie de sa mission.

A l'horizon 2020 l'UCD aspire à être:

- une université proche de la société pour être à l'écoute de ses besoins et donner réponse aux changements qui s'y produisent.
- une université qui collabore avec tous les agents sociaux et les entités publiques et privées pour étudier, établir des diagnostics et apporter des solutions aux défis lancés par la société.
- une université génératrice de voies de participation solidaire et engagée envers le développement durable et l'environnement par le biais de l'innovation.

L'UDC, dans l'application de ses visées et en tant qu'institution publique, civile, autonome, inclusive et laïque sera régie par les valeurs et principes suivants:

- l'égalité des chances en appliquant les critères de mérite, de capacité ainsi que la défense de l'accès universel et l'encouragement d'une culture de non discrimination.
- l'effort des personnes en tant que pièce essentielle du progrès et du développement individuel, dans la coordination de volontés et des capacités personnelles visant la résolution de problèmes, le dépasse-

ment de conflits et l'atteinte des objectifs collectifs pour le bien commun.

- la participation, encourageant des voies de communication entre tous les membres de la communauté universitaire dans le processus de prise de décisions, comme instrument pour utiliser au mieux toutes les capacités et les ressources disponibles.
- l'engagement et la responsabilité sociale pour contribuer activement à l'amélioration du système socioéconomique de notre milieu et pour nous impliquer dans la génération de bien-être économique pour l'ensemble de la société.
- l'engagement envers la Galice, en transformant et développant la société galicienne, en nous responsabilisant de la culture, de la protection et de la transmission des valeurs patrimoniales et culturelles dans le milieu artistique mais aussi dans l'urbaniste, l'architectural, le documentaire ou le linguistique.
- le respect de l'environnement en tant qu'université socialement responsable en gérant les ressources mises à notre disposition pour le moindre impact environnemental possible et en procurant efficience et efficacité dans leur utilisation.
- l'efficience, en tant que responsable de la gestion de ressources publiques pour leur utilisation efficace, visant à satisfaire les besoins de la société et le bien commun.
- la qualité, en tant que but et volonté d'amélioration continue dans l'enseignement, la recherche, la gestion et dans les services pour atteindre des cotas de bien-être social plus élevés.
- la transparence en tant que mécanisme de reddition de comptes pour justifier nos décisions et encourager la vérification adéquate de nos actions.

L'université de La Corogne manifeste explicitement son engagement envers l'étude et le développement intégral de la Galice, en particulier de son identité sociale, culturelle et linguistique et elle promouvra sa pleine intégration dans l'Espace européen d'enseignement supérieur et sa projection en Amérique Latine.

Elle est structurée en deux campus: celui de La Corogne et celui de Ferrol. Le campus de La Corogne est distribué dans six emplacements (Maestranza, Riazor, Elviña, Zapateira, Bastiagueiro et Oza) alors que celui de Ferrol est concentré dans une zone urbaine (Esteiro) et une rurale (Serantes), consacrés aux différentes carrières et aux services administratifs de l'université.

Les cursus analysés, dans le cadre du projet ABDEM, à L'université de La Corogne sont le grade en droit, en éducation primaire et en éducation sociale qui sont dispensés au campus de La Corogne, à Elviña. Conformément aux années académiques analysées dans le projet il faut souligner que pendant la dernière (2012/2013) des cursus d'apprentissage coïncidaient dans notre institution adaptés à l'Espace européen d'enseignement supérieur mis en place en 2009/2010 convergents avec le processus de Bologne et d'autres, non adaptée, proches de disparaître.

Cette année, les étudiants inscrits étaient au nombre de 19 084 (9602 hommes et 9482 femmes). La radiographie des cursus de l'université de La Corogne (voir Tableau 1 et Tableau 2) nous montre une perspective de la distribution des étudiants inscrits:

Tableau 1. Élèves inscrits à des carrières adaptées à l'EEES

Campus	Cursus adapté à l'eees	Hommes	Femmes	Total
La Corogne (Elviña)	Grade en éducation premier degré	29	471	500
	Grade en éducation primaire	131	326	457
	Grade en éducation sociale	37	263	300
	Grade en droit	169	341	510
	Grade en administration et direction d'entreprises et grade en droit	78	139	217

Tableau 2. Élèves inscrits à des cursus non adaptés à l'EEES

Campus	Diplôme non adapté	Hommes	Femmes	Total
La Corogne (Elviña)	Diplôme en éducation sociale	8	45	53
	Professeur des écoles spécialiste en audition et langage	2	17	19
	Professeur des écoles spécialiste en éducation physique	28	7	35
	Professeur des écoles spécialiste en éducation premier degré	4	53	57
	Professeur des écoles spécialiste en éducation primaire	13	14	27
	Licence en droit	244	383	627
	Licence en droit et licence en administration et direction d'entreprises	59	111	170

Les tableaux 1 et 2 mettent en lumière que les études analysées sont surtout suivies par des femmes plus nombreuses en nombre que les hommes. Si nous réalisons une distribution du pourcentage des élèves inscrits à ces carrières comparée à la totalité des élèves inscrits aux autres études de l'université de La Corogne le résultat montre qu'ils représentent 15.57% du total.

2.2.2. Analyse AFOM

Figure ci-après une analyse AFOM de l'université de La Corogne, basée sur les indicateurs du centre qui présente, à notre avis et d'après les indicateurs déjà définis, les faiblesses, les atouts, les menaces et les opportunités de notre institution par rapport à l'approche basée sur les droits.

Cette AFOM prétend aider à choisir les stratégies et les tâches les plus adéquates pour réaliser la mission et atteindre la visée du projet (l'application ABDH dans l'enseignement supérieur au Maghreb). Nous expliquons ci-dessous chacune des variables analysées:

Faiblesses: Nous avons inclus, au nombre des faiblesses, les facteurs ou circonstances internes (de l'université) qui, à notre avis et selon les indicateurs apportés, peuvent entraver la bonne marche du projet ABDEM et la capacité d'agir ou d'obtenir de meilleurs résultats. En ce sens, et tenant compte des dimensions analysées au projet, nous avons identifié les faiblesses suivantes

- **Absence de norme spécifique relative aux droits de l'homme:** au moyen de cette variable nous faisons référence au fait que l'UDC sur sa page Web spécifique appliquant la règlementation n'inclue pas de point différencié portant sur le thème de l'étude: les droits de l'homme.
- **Difficulté d'accès à des données concrètes:** une tentative d'analyse du respect des droits de l'homme dans les activités de recherche met en évidence que ce genre de données est très difficile à obtenir et qu'il faut recourir directement au Service de recherche (nombre de docteurs hommes et femmes, de chercheurs hommes et femmes, de projets de recherche sur les droits de l'homme accordés, de thèses, de travaux de fins de grade ou de fin de master défendus...) de sorte que, parfois, l'accès à toute l'information demandée n'a pas été possible.
- **Absence de programmes spécifiques d' "Éducation aux droits de l'homme":** il n'existe pas de programmes spécifiques sur les droits de l'homme (grade, master, doctorat) à l'UDC. De même, aucun des cursus analysés ne contient de matière d'éducation aux droits de l'homme malgré la présence de quelques contenus relatifs aux droits

de l'home, dispersés dans certaines des options facultatives de ces plans d'études.

- **Absence d'un catalogue de recherche spécialisé en droits de l'homme:** absence de centre ou de groupe de recherche spécialisé dans le thème qui fait l'objet de notre étude.

Atouts: Nous avons inclus comme atouts, les facteurs ou circonstances internes (de l'université) qui peuvent faciliter l'obtention de bons résultats ou devenir un avantage. Nous avons identifié les atouts suivants:

- **Autonomie universitaire:** Nous faisons référence, au moyen de cette variable, au fait que, conformément aux indicateurs analysés, nous avons pu vérifier que l'UDC est autonome pour l'élection des organes de gouvernement, l'élaboration de statuts, de plans d'études, de la sélection de personnel, et qu'elle est respectueuse des droits de l'homme.
- **Information publique:** L'UDC rend publique et accessible la plupart de l'information nécessaire pour l'analyse de ce projet. De sorte que l'on peut accéder, sans difficultés, à l'information associée aux droits de l'homme, par le biais d'une simple analyse de l'information disponible sur sa page Web (statuts, organes de gouvernement, mission, visée, valeurs, plans de formation, RPT, budgets et mémoires annuels).
- **Transparence dans le processus d'enseignement-apprentissage:** l'UDC respecte les droits de l'homme dans chacun des processus et des instruments d'enseignement/apprentissage, de sorte que ces processus sont orientés au développement de compétences tant dans le design de plans d'études et de chacune des matières que dans la méthodologie didactique employée (participative, réflexive, apprentissage expérimentale), et dans les systèmes d'évaluation, connus à l'avance par les élèves. Il faut souligner aussi le travail de l'Unité d'attention à la diversité, chargée de planifier avec le corps enseignant concerné les mesures d'adaptation des processus d'enseignement-apprentissage aux personnes handicapées tant à travers l'adaptation de postes d'étude que par l'incorporation d'aides techniques, le cas échéant.
- **Disponibilité de sources bibliographiques:** on remarque le grand volume de sources bibliographiques de l'UDC liées au thème de notre étude ainsi que la facilité de recherche de cette information par le biais de mots clés «Human rights» ou «Human Rights and Education» dans le catalogue de l'UDC ou dans d'autres bases de données.
- **Perfectionnement professionnel et éducatif dans le milieu d'apprentissage:** à l'UDC le médiateur de l'université est chargé de veil-

ler au respect des droits de l'homme dans l'institution, dans le milieu d'apprentissage, et d'élaborer un mémoire annuel qui reprend et analyse l'information disponible relative aux plaintes reçues à l'UDC. Il existe aussi un Centre universitaire de formation et d'innovation éducative (CUFIE) qui organise, met en marche et évalue des programmes de formation du professorat et veille à articuler des procédés de consultation auprès du corps enseignant pour identifier ses besoins et intérêts en formation.

Menace: Pour ce qui est des menaces nous avons voulu identifier celles qui, de l'extérieur, peuvent affecter la bonne marche, augmenter les risques ou réduire le succès du projet ABDEM. En ce sens et tenant compte des dimensions analysées au projet nous avons identifié les menaces suivantes:

- **Coupes budgétaires continues aux études, à l'enseignement et à la recherche universitaire:** les universités espagnoles sont actuellement sujettes par le gouvernement à des «mesures exceptionnelles» qui répercutent sur l'étude, l'activité éducative et la recherche (annulation de projets de recherche, augmentation du montant des droits d'inscription).
- **Faible sensibilisation de la société aux droits de l'homme:** les droits de l'homme, considérés comme un ensemble de codes éthiques de projection juridique, naissent du besoin de tous les individus d'avoir des conditions essentielles à une vie digne et ils sont le produit d'un long processus de construction et de changement. Ainsi, dans l'identification des droits l'on commence par prendre en compte les droits civils et politiques; les sociaux, les économiques et les culturels; les droits à la paix, au développement et à un milieu sain et les droits des peuples. Ces dernières années, une conception des droits de l'homme s'est développée qui a remis en question la validité universelle de l'androcentrisme et du modèle de l'homme occidental. À conséquence de ce phénomène, est apparu le besoin de tenir compte des spécificités des individus, de genre, d'ethnie, d'âge ou de toute autre sorte, partant du principe de la pluralité et du respect des différences et de la diversité; parfois, sans qu'une partie de la société soit sensible à ces questions.
- **Contraintes dans les processus de vérification de cursus:** les plans d'études menant à l'obtention de diplômes officiels seront vérifiés par le Conseil des universités et l'Agence Nationale d'Évaluation de la Qualité et d'Accréditation (ANECA en espagnol) est chargée d'établir les protocoles de vérification et d'accréditation, d'évaluer les plans d'études élaborés par les universités et d'élaborer le rapport d'évaluation. Une des menaces à un éventuel cursus sera l'exi-

gence que cette entité émette un rapport favorable ou pas du parcours proposé.

- **Restreindre l'éducation aux droits de l'homme exclusivement aux cursus universitaires en Sciences sociales et juridiques:** nous considérons que le respect et l'évaluation des droits de l'homme et des libertés dans les conditions sociales, ethniques, religieuses, économiques et culturelles ne devraient pas être cantonnés à des domaines spécifiques mais former partie de la formation générale des élèves.

Opportunités: Nous avons identifié comme opportunités, ce qui, de l'extérieur peut faciliter l'obtention de bons résultats, en tenant compte des dimensions analysées dans le projet, ou devenir un avantage. En ce sens et tenant compte des dimensions analysées nous avons identifié les opportunités suivantes:

- **Réforme du système universitaire:** nous considérons qu'il devrait y avoir des négociations au niveau étatique qui permettraient d'établir des contenus minimums liés aux droits de l'homme dans toute institution universitaire, renforçant ce qui est visé à la Loi organique 4/2007 du 12 avril, modifiant la Loi organique 6/2001, du 21 décembre relative aux universités: «*tous les plans d'études proposés par les universités doivent être créés depuis le respect et la promotion des droits de l'homme et les principes d'accessibilité universelle et conçus pour tous*».
- **Collaboration avec des organisations à but non lucratif:** l'UDC collabore avec des institutions qui veillent au respect des droits de l'homme (Amnesty Internationale, Interes Galicia, Solidaridad Internacional Galicia…) et facilite la participation d'entités à but non lucratif (principalement des ONG) à l'organisation d'enseignements formels. On remarque ici le travail de coordination réalisé dans chacun des centres analysés (Faculté de sciences de l'éducation et Faculté de droit) par rapport à la gestion et à l'organisation de ces activités.
- **Renforcement de la collaboration communautaire avec des institutions et des entreprises étrangères à l'université:** L'université de La Corogne devrait renforcer ses liens avec la société, par exemple à travers la Fondation Universidad de A Coruña (fondation privée à caractère bénéfique d'enseignement constituée pour la promotion, le développement, le financement des activités propres à L'université de La Corogne et ses relations avec la société).
- **Expérience de travail en réseau avec d'autres institutions d'enseignement supérieur:** prendre en compte les expériences de travail

en réseau avec des entités sociales et en tirer parti dans l'enseignement serait une bonne opportunité à saisir pour le développement du projet.

Analyse AFOM

	Opportunités	Menaces
Facteurs externes	1. Réforme du système universitaire. 2. Collaboration avec des organisations à but non lucratif. 3. Renforcement de la collaboration communautaire. 4. Expérience de travail en réseau avec d'autres IES.	1. Coupes budgétaires continues appliquées aux études, à l'enseignement et à la recherche universitaire. 2. Faible sensibilisation de la société aux droits de l'homme. 3. Limitations dans les processus de vérification des cursus universitaires. 4. Restreindre l'éducation sur les droits de l'homme exclusivement aux cursus de sciences sociales et juridiques.
	Atouts	**Faiblesses**
Facteurs internes	1. Autonomie universitaire. 2. Information publique. 3. Transparence dans le processus d'enseignement/apprentissage. 4. Disponibilité de sources bibliographiques. 5. Perfectionnement professionnel et éducatif dans le milieu de l'apprentissage.	1. Absence de règlement spécifique relatif aux droits de l'homme. 2. Difficulté d'accès à des données concrètes. 3. Absence de programmes spécifiques en éducation sur les droits de l'homme. 4. Inexistence d'un catalogue de recherche spécialisé en droits de l'homme.

Viennent exposées ci-après, partant de l'analyse AFOM réalisée, les principales conclusions extraites pour tirer profit des atouts et des opportunités du milieu et de l'urgence qu'il y a pour le projet à corriger ses faiblesses et à se protéger des menaces externes.

Établir une relation entre toutes ces variables nous permettra de définir les lignes stratégiques pour atteindre les objectifs définis au programme. D'une part, nous devons établir un lien entre les différentes opportunités détectées dans le milieu et les atouts et les faiblesses du projet. De l'autre, nous associerons chacune des menaces du milieu à tous les atouts et les faiblesses du projet. Nous obtiendrons ainsi une matrice formée de quatre quadrants (Tableau 3).

Tableau 3. Relation opportunités / atouts et opportunités / faiblesses

<table>
<tr><th></th><th></th><th>Opportunités
O1. Réforme su système universitaire
O2. Collaboration avec des organisations à but non lucratif
O3. Renforcement de la collaboration communautaire
O4. Expérience de travail en réseau avec d'autres IES</th><th>Menaces
A1. Coupes budgétaires continues aux études, à l'enseignement et à la recherche universitaire
A2. Faible sensibilisation de la société aux droits de l'homme
A3. Contraintes dans les processus de vérification des diplômes
A4. Limiter l'éducation aux droits de l'homme aux seules carrières des sciences sociales et juridiques</th></tr>
<tr><td>Atouts</td><td>F1. Autonomie universitaire.
F2. Information publique.
F3. Transparence dans le processus d'enseignement/apprentissage.
F4. Disponibilité de sources bibliographiques.
F5. Perfectionnement professionnel et éducatif dans le milieu d'apprentissage.</td><td>Q1. Dans quelle mesure les forces permettent de tirer parti des opportunités?</td><td>Q2. Dans quelle mesure les forces permettent de contrecarrer les menaces?</td></tr>
<tr><td>Faiblesses</td><td>D1. Absence de règlement spécifique relatif aux droits de l'homme.
D2. Difficulté d'accès à des données concrètes.
D3. Absence de programmes spécifiques d'éducation aux droits de l'homme.
D4. Inexistence d'un catalogue de recherche spécialisée en droits de l'homme.</td><td>Q3. Dans quelle mesure la correction des faiblesses permettra de tirer parti des opportunités?</td><td>Q4. Dans quelle mesure la correction des faiblesses permettra de contrecarrer les menaces?</td></tr>
</table>

Pour identifier et prioriser chacune des lignes stratégiques, nous avons posé dans chacun des quadrants les questions suivantes pour les relations duelles de chacun des facteurs en obtenant les lignes suivantes:

En premier lieu, comme le montre le Tableau 4, nous avons identifié une premier quadrant Q.1 pour lequel nous avons formulé la question suivante: Dans quelle mesure l'atout permet de tirer parti de l'opportunité ? Nous avons ainsi obtenu les lignes stratégiques suivantes pour le projet ABDEM:

- Utiliser l'autonomie de l'université pour réformer le système universitaire avec davantage de garanties de succès.
- Faciliter de manière publique l'information de l'UDC concernant les droits de l'homme favorisera l'accessibilité à l'université des organisations à but non lucratif et de la société.
- Le perfectionnement professionnel du professorat de l'UDC favorisera la réalisation de travaux en réseau avec d'autres institutions d'enseignement supérieur.

Tableau 4. Relation atouts / opportunités

<table>
<tr><td colspan="2" rowspan="2"></td><td colspan="4">Oportunités</td></tr>
<tr><td>O1. Réforme du système universitaire</td><td>O2. Collaboration avec des organisations à but non lucratif</td><td>O3. Renforcement de la collaboration communautaire</td><td>O4. Expérience de travail en réseau avec d'autres IES</td></tr>
<tr><td rowspan="5">Atouts</td><td>F1. Autonomie universitaire.</td><td colspan="4" rowspan="5">– Autonomie universitaire pour réformer le système universitaire.
– Faciliter l'information pour favoriser l'accessibilité externe.
– Perfectionnement professionnel pour favoriser des réseaux.</td></tr>
<tr><td>F2. Information publique.</td></tr>
<tr><td>F3. Transparence dans le processus d'enseignement / apprentissage.</td></tr>
<tr><td>F4. Disponibilité de sources bibliographiques.</td></tr>
<tr><td>F5. Perfectionnement professionnel et éducatif dans le milieu d'apprentissage.</td></tr>
</table>

En deuxième lieu, comme le montre le Tableau 5, nous avons identifié un second quadrant Q.2 pour lequel nous avons formulé la question suivante: Dans quelle mesure l'atout permet de contrecarrer la menace ? Nous avons obtenu ainsi les lignes stratégiques suivantes pour le projet:

– La disponibilité de sources bibliographiques permettra de contrecarrer une éventuelle faible sensibilisation de la société aux droits de l'homme.
– La transparence dans le processus d'enseignement/apprentissage permettra de freiner les possibles limitations imposées au processus de vérification des carrières conçues.
– Le perfectionnement professionnel et pédagogique dans le milieu d'apprentissage de l'université permettra de contrecarrer le cantonnement de l'Education aux droits de l'homme aux seules carrières de la branche des sciences sociales et juridiques.

Tableau 5. Relation atouts / menaces

<table>
<tr><td colspan="2"></td><td colspan="4">Menaces</td></tr>
<tr><td colspan="2"></td><td>A1. Coupes budgétaires continues aux études, à l'enseignement et à la recherche universitaires</td><td>A2. Faible sensibilisation de la société aux droits de l'homme</td><td>A3. Limitations aux processus de vérification des cursus universitaires</td><td>A4. Restreindre l'éducation aux droits de l'homme exclusivement aux carrières de sciences sociales et juridiques</td></tr>
<tr><td rowspan="5">Atouts</td><td>F1. Autonomie universitaire.</td><td rowspan="5" colspan="4">– Disponibilité de sources bibliographiques pour contrecarrer la faible sensibilisation sociale.
– Transparence dans le processus d'enseignement/apprentissage pour contrecarrer des limitations aux processus de vérification de cursus universitaires.
– Perfectionnement professionnel et pédagogique pour contrecarrer le cantonnement de l'éducation aux droits de l'homme aux branches des Sciences sociales et juridiques.</td></tr>
<tr><td>F2. Information publique.</td></tr>
<tr><td>F3. Transparence dans le processus d'enseignement/apprentissage.</td></tr>
<tr><td>F4. Disponibilité de sources bibliographiques.</td></tr>
<tr><td>F5. Perfectionnement professionnel et pédagogique dans le milieu d'apprentissage.</td></tr>
</table>

Ensuite, comme il est montré au Tableau 6, nous avons identifié un troisième quadrant Q.3 dans lequel nous avons formulé la question suivante: Dans quelle mesure la correction de la faiblesse permettra de tirer parti de l'opportunité? Nous avons obtenu ainsi les lignes stratégiques suivantes pour le projet:

– La création de normes concrètes relatives aux droits de l'homme permettra d'apporter des évidences pour la réforme du système universitaire.
– L'existence d'un catalogue de recherche spécialisé en droits de l'homme favorisera l'expérience de travail en réseau avec d'autres institutions d'enseignement supérieur.
– La création de programmes spécifiques en droits de l'homme exigera la collaboration de la société et des organisations pour justifier ces études.

Tableau 6. Relation faiblesses/opportunités

<table>
<tr><td colspan="2" rowspan="2"></td><td colspan="4">Opportunités</td></tr>
<tr><td>O1. Réforme du système universitaire</td><td>O2. Collaboration avec des organisations à but non lucratif</td><td>O3. Renforcement de la collaboration communautaire</td><td>O4. Expérience de travail en réseau avec d'autres IES</td></tr>
<tr><td rowspan="4">Faiblesses</td><td>D1. Absence de règlementation spéciale relative aux droits de l'homme.</td><td colspan="4" rowspan="4">– Règlementation concrète sur les droits de l'homme pour apporter des évidences à la réforme du système universitaire.
– Catalogue de recherche spécialisé pour favoriser des expériences en réseau avec d'autres Institutions d'Éducation Supérieure (IES).
– Programmes spécifiques en droits de l'homme, en collaboration avec la société et des organisations.</td></tr>
<tr><td>D2. Difficulté d'accès à des données concrètes.</td></tr>
<tr><td>D3. Absence de programmes spécifiques d'éducation aux droits de l'homme.</td></tr>
<tr><td>D4. Absence d'un catalogue de recherche spécialisé en droits de l'homme.</td></tr>
</table>

Finalement, nous avons identifié un quatrième quadrant, le Q.4 du tableau 7 pour lequel nous avons formulé la question suivante: Dans quelle mesure la correction de la faiblesse permettra de contrecarrer la menace ? Nous avons obtenu les lignes stratégiques suivantes pour le projet:

– L'incorporation de règlement spécifique relatif aux droits de l'homme permettra de contrecarrer son cantonnement aux sciences sociales et juridiques.
– Pouvoir accéder à davantage de données précises sur le respect des droits de l'homme lors des activités de recherche permettra d'éviter

les coupes budgétaires continues appliquées à la recherche universitaire.

- La création de programmes spécifiques d'éducation aux droits de l'homme permettra de porter remède à la faible sensibilisation de la société aux droits de l'homme.
- L'existence d'un catalogue de recherche spécialisé en droits de l'homme permettra d'éviter les possibles limitations lors des processus de vérification des cursus universitaires.

Tableau 7. Relation faiblesses/menaces

		Menaces			
		A1. Coupes budgétaires continues appliquées aux études, à l'enseignement et à la recherche universitaire.	A2. Faible sensibilisation de la société envers les droits de l'homme.	A3. Contraintes aux processus de vérification de diplômes.	A4. Restreindre l'éducation aux droits de l'homme exclusivement aux carrières de Sciences sociales et juridiques
Faiblesses	D1. Absence de règlement spécifique relatif aux droits de l'homme.	– Règlement spécifique relatif aux droits de l'homme pour contrecarrer le cantonnement aux Sciences sociales et juridiques.			
	D2. Difficulté d'accès à des données précises.	– Accès à des données concrètes lors des activités de recherche pour éviter les coupes budgétaires.			
	D3. Absence de programmes spécifiques d'éducation aux droits de l'homme.	– Programmes spécifiques pour contrecarrer la faible sensibilisation.			
	D4. Absence d'un catalogue de recherche spécialisé en droits de l'homme.	– Catalogue de recherche spécialisé pour éviter les possibles limitations lors des processus de vérification des cursus universitaires.			

2.2.3. Bonnes pratiques

Nous remarquons à L'université de La Corogne les bonnes pratiques suivantes relatives à l'éducation aux droits de l'homme et à l'approche basée sur les droits de l'homme dans l'éducation:

- La Oficina de Cooperación y Voluntariado (OCV-Bureau de Coopération et bénévolat) en tant que membre fondateur de la Red Gallega de Cooperación Universitaria al Desarrollo (RGACUD-Réseau galicien de coopération universitaire au développement), qui développe, avec les deux autres universités galiciennes des activités de bénévolat, d'éducation, de coopération au développement et de formation. Il prône aussi la défense des droits de l'homme, la justice sociale et la promotion de la diversité culturelle. Ces dernières années il a mis en marche une série d'initiatives qui mettent en évidence son approche aux droits de l'homme:

- Participation à la XVe rencontre en réseau de la jeunesse solidaire en octobre de 2013, avec des activités relatives à l'éducation au développement au Collège Jesús Maestro de Ferrol autour du thème des droits de l'homme.
- Célébration de la Quinzaine de la justice sociale (La Corogne et Ferrol, février 2013) et de la Journée sur la santé et les inégalités sociales (avril 2013, Ferrol) organisées par le bénévolat de notre Programme de bénévolat en éducation pour le développement et la sensibilisation.
- Journées de coopération au développement et action humanitaire (Ferrol 2011 et 2013).
- Cours d'éducation et communication pour le développement (La Corogne 2013).
- Journées *Les crises oubliées. Conflits armés, réfugiés et action humanitaire* (La Corogne 2009).
- Cours *Approche-toi du Sud* (La Corogne 2009).
- Journées de sensibilisation à l'émigration et l'interculturalité (de 2002 à 2013).
- Journées *Personnes sans-abri* (5 éditions organisées à La Corogne).
- Expositions en collaboration avec Médecins sans Frontières (maladies oubliées, etc.); Fonds Galicien de Coopération et Solidarité (Objectifs de développement du millénaire)

– L'université de La Corogne promeut des actions pour garantir l'accès à l'enseignement supérieur de tous les groupes sociaux et l'égalité de chances à travers:

- Des aides aux étudiants en situation de difficulté économique survenue.
- La Unidad de Atención a la Diversidad (Unité d'attention à la diversité), service chargé de faciliter la pleine intégration des élèves, du corps enseignant et du personnel de l'administration et des services qui, pour des raisons, physiques, sensorielles psychiques ou socioculturelles souffrent de difficultés ou de barrières externes pour un accès adéquat, égalitaire et utile à la

vie universitaire) par le biais d'activités de formation, de conférences, de journées… prêt de dispositifs, de logiciel, transports adaptés, assistance personnelle, interprète de langue de signes,…

- Le I Plan d'égalité entre femmes et hommes de l'UDC, approuvé en novembre 2013, articulé autour des axes d'action suivants:
  - ♦ Promotion de l'égalité, de la responsabilité sociale et de la gouvernance
  - ♦ Intégration de la perspective de genre dans l'activité pédagogique et de recherche
  - ♦ Conditions de travail, politique de personnel et formation
  - ♦ Communication, diffusion et relations institutionnelles
  - ♦ Prévention de la violence sexiste sous toutes ses formes.

  Le développement de ce plan se matérialise au Séminaire de formation pour l'égalité de genres qui organise des cours, des séminaires, etc. traitant de l'égalité.

– L'université de La Corogne a souscrit plusieurs déclarations et décisions en matière de droits de l'homme tels que:

- Communiqué institutionnel à l'occasion du Jour de la non-violence à l'égard des femmes
- Déclaration institutionnelle de la journée de la Mémoire de l'Holocauste
- Communiqué institutionnel de l'université de La Corogne à l'occasion de la Journée internationale des femmes
- Communiqué institutionnel d'appui à la candidature de la tradition orale galaïco-portugaise à patrimoine immatériel de l'humanité.
- Déclaration institutionnelle de l'université de La Corogne, le Jour des lettres galiciennes
- Déclaration institutionnelle de l'UDC à l'occasion de la Journée européenne des langues.

– L'université de La Corogne collabore avec des institutions qui veillent au respect des droits de l'homme telles que: Le Défenseur du peuple, Amnesty International, Intered Galicia, Solidaridad Internacional Galicia, Acoes Honduras, Solidariedade Galega, Enxeñería sen Fronteiras Galicia, Arquitectura sen Fronteiras, Asamblea de Cooperación por la Paz, Agareso, Ecodesarrollo Gaia, etc.

– En outre, notre institution consacre des fonds à l'organisation et au développement d'activités telles que:

- Appels à projets sur la Connaissance de la réalité depuis 2006

- Appels à projets sur la Connaissance de la Coopération depuis 2012
- Appel Fond 0.7 UDC pour la promotion de la recherche au titre du développement, des inégalités et de la coopération internationale qui représentent de l'intérêt et de l'utilité pour le travail des organismes professionnels qui travaillent dans ces domaines.

2.3. UNIVERSITÉ D'ESTRÉMADURE

JAIME ROSSELL GRANADOS
RAFAEL VALENCIA CANDALIJA
Université d'Estrémadure

2.3.1. Presentation de l'Université

L'université d'Estrémadure (Uex en espagnol), créée en 1973[72], est la seule institution universitaire de la communauté autonome d'Estrémadure, à laquelle elle est étroitement liée, où l'enseignement est présentiel. Elle était formée à ses débuts par la faculté des sciences de Badajoz, le collège universitaire de Cáceres, les écoles universitaires du professorat des écoles de Cáceres et de Badajoz et par l'école de génie technique agricole de Badajoz. Au fil du temps, le nombre d'élèves, de carrières et de centres augmentaient jusqu'à former à ce jour quatre espaces constitués par le campus de Badajoz, celui de Cáceres, le centre universitaire de Mérida et le centre universitaire de Plasencia.

L'Uex compte plus de 24.000 étudiants en grade et post-grade et 8.000 autres qui sont doctorants, ses propres carrières ou de la formation continue. 1 500 professeurs forment le corps enseignant et l'université a des effectifs de 800 personnes au PAS, le personnel administratif, technique et des services.

Aujourd'hui, l'université d'Estrémadure participe à l'appel d'offre de 2011 à campus d'excellence Internationale dans le cadre du projet Hidranatura (Gestion efficiente de ressources hydro naturelles), aux côtés de l'institut polytechnique de Leiria et de l'université d'Évora. Le projet prend forme comme une amélioration visant à la spécialisation dans le domaine stratégique des ressources et il prétend agglutiner dans le campus portugais-estrémègne des installations scientifiques et des entreprises solvables pour transférer à la société les résultats de ses recherches sur les ressources hydro naturelles. En

72. *Vid.* art. 16 du Règlement de l'université de La Rioja portant sur les travaux de fin de grade régulés conformément au décret royal 1393/2007.

outre, l'université d'Estrémadure a misé sur un campus d'excellence international 2011 avec un second projet sur la bioénergie et le changement global. Dénommé Énergie intelligente et placé sous la houlette de l'université Rey Juan Carlos de Madrid le projet est porté par les universités d'Alcalá, de Murcie et la Polytechnique de Carthagène et l'université d'Estrémadure.

Au Plan stratégique approuvé par l'Uex pour la période 2014-2018, cette université est définie comme une institution publique engagée envers la société. Sa mission est la formation intégrale des personnes par le biais de la création et de la diffusion de savoirs et de la culture scientifique dans un enseignement et une recherche de qualité à vocation de leadership intellectuel et culturel. L'Uex réalise sa mission guidée par les valeurs de liberté, de pluralisme, de participation et d'égalité. Elle tente d'adapter ses services à la demande sociale et à la réalisation scrupuleuse des fonctions qui lui sont assignées[73].

De cette manière, et toujours dans le respect du Plan stratégique, l'Uex aspire à:

1. Être une université publique avec un enseignement et une recherche reconnus, qui aspire à la spécialisation comme marque d'identité.
2. Être une université innovatrice et entreprenante, flexible dans l'adaptation et de projection internationale croissante tant dans les milieux auxquels elle a été traditionnellement rattachée (L'Amérique latine et la région EUROACE) que dans d'autres émergents.
3. Constituer un moteur de développement de la société en étroite collaboration avec son milieu socio-économique, avec une offre éducative adaptée au besoins du marché du travail qui mettront en lumière sa capacité de comprendre le milieu et ses évolutions et de générer des idées novatrices et des solutions viables, fruits de l'étude et de la recherche scientifique.
4. Servir d'élément dynamiseur de la culture dans son milieu le plus proche, permettant l'accès à une formation continue tout au long de la vie et l'évolution vers un monde meilleur, où l'égalité des chances sera réelle et la conscience de la durabilité environnementale sera croissante.
5. Elle se doit aussi d'être une communauté universitaire engagée envers la société, qui applique à son activité des critères de responsabilité sociale et génère un milieu de travail qui favorise le meilleur développement de la vie professionnelle de son équipe.

La mission, la visée et les valeurs de l'Uex reposent sur cinq axes d'action qui se développent dans un cadre de gouvernance. Ces axes constituent

73. Décret 991/1973, du 10 mai 1973 BOE du 18 mai 1973.

les domaines d'action générale où se concentre l'activité de l'université pour mener à bien sa mission et ils sont, d'une part, la création et la transmission de savoirs par le processus d'enseignement par l'apprentissage, la recherche, le transfert et l'innovation, et, d'autre part, la définition d'un cadre de travail qui veille à la bonne gouvernance au moyen d'une gestion efficace de l'institution dans son ensemble. En parallèle, on incorpore aussi le besoin d'un financement durable adéquat et efficace, dans la transparence et la responsabilité. L'internationalisation est présente, tous niveaux confondus et de manière transversale, dans tous les axes.

2.3.2. Analyse AFOM

En conséquence de ce qui précède, un bilan de situation de l'Uex par rapport à l'approche aux droits de l'homme nous permet de présenter une analyse AFOM qui signale, entre autres, les suivantes:

	Opportunités	Menaces
Facteurs externes	1. Les possibilités que l'Espace Européen d'enseignement supérieur offre dans le milieu éducatif pour générer de nouvelles études. 2. L'augmentation de la demande en formation faite par la société, à tous les niveaux éducatifs. 3. La situation privilégiée qu'elle maintient avec l'étranger, en particulier avec l'Amérique Latine, conséquence de liens historiques et culturels. 4. L'existence d'une politique, de la part du gouvernement régional, sensible à l'essor et à la revitalisation du développement, de l'innovation et de la R+D.	1. Manque de développement et de coordination entre certains services universitaires ce qui rendra leur fonctionnement plus difficile. 2. Un financement public insuffisant qui fera obstacle à la planification pluriannuelle et par conséquent au développement de certains projets éducatifs et de recherche. 3. La rigidité des processus administratifs qui pourrait répercuter négativement sur l'efficacité des services que l'institution doit prêter.
	Atouts	**Faiblesses**
Facteurs internes	1. Le rôle important que l'Uex joue dans le développement régional au niveau de la formation est soutenu par un grand nombre d'entreprises et d'institutions. 2. La taille moyenne de l'Uex qui lui permet une capacité de réponse rapide aux changements qui se produisent dans le milieu universitaire.	1. Dispersion géographique de l'Uex sur tout le territoire d'Estrémadure. 2. Un manque de spécialisation en formation sur les droits de l'homme dans les études au niveau de la licence et aux niveaux supérieurs. 3. Une distribution inégale d'effectifs entre les différents domaines de savoirs et les départements qui la composent.

	Atouts	Faiblesses
Facteurs internes	3. Les alliances internationales qu'elle maintient avec d'autres institutions d'enseignement supérieur, en particulier celles à caractère transfrontalier, qui permettent un échange d'étudiants et de professeurs. 4. Des effectifs d'enseignants et de chercheurs qui augmentent et qui sont en croissance continue dans le cas des docteurs. 5. Une augmentation des moyens technologiques de soutien à l'enseignement et à la recherche, déjà mis en place et en développement continu. 6. Une augmentation des plans de formation du personnel enseignant et des chercheurs ainsi que du personnel de l'administration et des services.	4. L'absence d'un cadre de financement stable garantissant une stabilité économique. Une faible implémentation de procédés d'administration électronique ce qui ne favorise pas certains processus administratifs.

Ceci dit, l'analyse des dimensions 1 et 2 identifiées au projet ABDEM met en lumière une AFOM qui pourra coïncider parfois avec l'analyse AFOM de l'université mais qui, d'autres fois, s'en éloignera. En ce sens, nous analyserons les matières les plus associées à la présence des droits de l'homme dans l'activité de l'Uex, recouvrant une large perspective qui va de l'organisation générale de la politique académique et de recherche à la formation du personnel enseignant et chercheur et à la participation d'associations d'étudiants dans l'encouragement de la sensibilisation aux droits de l'homme ou dans le gouvernement de l'institution.

a. Faiblesses

Nous avons inclus au titre des faiblesses les facteurs propres à notre université et qui, selon les indicateurs apportés, peuvent limiter la bonne marche du projet ABDEM et la capacité d'agir ou d'obtenir de meilleurs résultats. En ce sens, et tenant compte des dimensions analysées dans le projet, nous avons identifié les faiblesses suivantes:

– **Absence dans l'Uex, d'une règlementation spécifique relative au respect et à la protection des droits de l'homme.**

Aucune référence n'est faite, dans les statuts de l'Uex, ni dans aucun autre texte normatif, aux droits de l'homme qui aille au-delà de ce que suppose le respect de l'aménagement juridique et de notre texte constitutionnel. Cela signifie donc qu'il n'y a pas, non plus, de référence au respect des droits fondamentaux ni dans les contrats ou conventions de coopération pédagogique ni dans ceux qui permettent la célébration de stages pratiques pour nos étudiants ou dans les conventions de recherche.

– **Difficulté d'accès à des données déterminées**

Malgré la transparence de l'offre éducative et des processus de gouvernement de l'Uex, il est très difficile d'avoir accès, à l'université, à des données de caractère économique telles que, par exemple, les dépenses en innovation et recherche ou celles qui pourraient découler de l'activité des groupes de recherche. Cela oblige à recourir directement au Service de la recherche pour connaître le nombre de projets de recherche autorisés sur les droits de l'homme, les thèses, les mémoires de fin de grade ou de fin de master défendus. Et parfois, toute l'information demandée n'est pas obtenue.

– **Absence de programmes spécifiques d'«éducation ou de formation aux droits de l'homme» dans l'offre pédagogique de grades, de post-grades mais aussi dans la formation du personnel enseignant et chercheur et du personnel de l'administration et des services.**

Notre université souffre de carence en offre spécialisée de formation aux droits de l'homme, au-delà des programmes de sensibilisation offerts par l'Office de coopération au développement qui ne sont pas des programmes d'enseignement formel. De même, aucune des carrières analysées ne dispense une matière spécifique où il y ait présence de formation aux droits de l'homme malgré quelques contenus éparpillés dans certaines des matières optionnelles ou dans d'autres obligatoires, associées. Il n'existe donc pas de spécialisation en droits de l'homme. De la même manière, malgré la présence d'un Service d'orientation et de formation à l'enseignement qui établit des programmes de formation pour le personnel enseignant et chercheur et le personnel d'administration, technique et de services, aucun cours ou spécialisation n'est dispensé qui développe la matière objet de notre analyse. De même, alors qu'il y a des mesures d'incitation à la formation à un meilleur enseignement, il n'existe rien de semblable quand il s'agit de former les enseignants aux droits de l'homme.

– **Absence d'un catalogue de recherche spécialisé en droits de l'homme ou d'un nombre significatif de groupes de recherche spécialisés dans ce domaine.**

Une des grandes faiblesses de notre université est l'absence de groupes de recherche qui se consacrent à ces thèmes et le manque de mesures d'incitation pour que les chercheurs ouvrent des lignes de recherche dans ces matières. Une preuve en est le fait qu'il y ait très peu de thèses doctorales qui défendent ces sujets. Il n'y a pas, non plus, d'appels à projets de recherche spécifiques sur les droits fondamentaux.

b. Atouts

Les atouts dans notre université sont toutes les circonstances ou situations qui peuvent faciliter l'obtention de bons résultats ou devenir un avantage. En ce sens, nous avons identifié comme atouts:

- **L'autonomie universitaire par rapport à l'élection des organes de gouvernance, l'élaboration de statuts, les cursus universitaires, la sélection du personnel, la gestion de ressources ou la planification de la recherche.**

  L'Uex est très forte en ce sens et ce malgré l'absence d'une loi de financement universitaire de caractère autonomique ce qui pèse parfois sur la planification de l'université.

- **Transparence dans le processus d'enseignement-apprentissage, malgré l'absence d'une formation spécifique dans ce domaine.**

  Malgré l'absence de formation spécifique reconnue, le fait est que l'Uex respecte la formation aux droits de l'homme dans chacun des processus et des instruments d'enseignement/apprentissage où ces matières figurent. En ce sens, l'analyse des plans d'études, permet de constater comment ces processus sont orientés vers le développement de compétences tant dans le design de plans d'études et de chacune des matières que dans la méthodologie didactique employée (participative, réflexive, critique, apprentissage expérimental, etc.) et dans les systèmes d'évaluation connus a priori par une partie des apprenants.

- **Disponibilité d'une vaste bibliographie sur des matières relatives aux droits de l'homme.**

  L'Uex a un catalogue riche en sources bibliographiques relatives au thème sujet d'étude et d'autres bases de données auxquelles elle est souscrite, d'accès libre et gratuit pour les usagers du service, qu'ils soient élèves ou chercheurs.

- **Existence de différentes unités ou services associés à la protection et au développement des droits de l'homme.**

  L'Uex a des organes qui ont des compétences associées aux droits de l'homme tels que le Défenseur des droits, l'Office pour l'égalité et l'Office universitaire de coopération au développement. C'est de ce dernier que dépend le Programme de sensibilisation et d'éducation pour le développement qui inclut des activités telles que l'Apprentissage des droits de l'homme, le Programme de bénévolat Uex ou encore le Programme de stages pratiques pour des étudiants en coopération au développement.

c. *Menaces*

À partir des dimensions analysées par rapport au projet, nous avons identifié les menaces suivantes:

– **Coupes budgétaires appliquées aux études, à l'enseignement et à la recherche universitaire, à conséquence d'un manque de stabilité financière du gouvernement régional.**
  On l'a déjà dit, l'absence d'une loi de financement universitaire autonomique a parfois empêché l'Uex de planifier avec des garanties la mise en place de nouvelles carrières et le recrutement de professeurs ou de nouveaux chercheurs et des mesures d'incitation aux lignes de recherche qu'elle considère stratégiques. Cela a provoqué que divers projets associés à l'étude, au développement et au renforcement des droits fondamentaux n'ont pas été organisés par l'université et qu'il a fallu recourir à des sources de financement diverses et exogènes qui ont déterminé le fonctionnement de programmes tels ceux développés par l'Office universitaire de coopération au développement.
– **Faible sensibilisation de la société et de la communauté universitaire à la formation aux droits de l'homme.**
  Bien que la formation aux droits de l'homme soit conçue comme une formation à caractère transversal qui doit être présente dans toute l'offre éducative de notre système universitaire, le fait est que l'on n'a pas encouragé l'incorporation de ces enseignements dans les carrières qui ne sont pas du ressort des sciences sociales et juridiques. Les autorités universitaires ne se sont donc pas engagées dans la promotion de la formation aux droits de l'homme et n'ont pas appuyé les services universitaires qui essaient de les promouvoir.
– **Limitations aux processus de vérification des cursus universitaires qui répercutent sur la planification des enseignements.**
  L'autorisation de la création d'un diplôme ou d'une carrière officielle est compétence du gouvernement régional. Une fois mis en place, ces plans d'études sont vérifiés par le Conseil des universités. L'Agence Nationale d'Évaluation de la Qualité et d'Accréditation (ANECA) est chargée d'établir les protocoles d'évaluation, de vérification et d'accréditation de ces plans. Cette autorisation représente

donc une menace car elle limite à l'université sa possibilité de mettre en place de nouvelles études en raison de critères économiques et non académiques.

– **Confinement de la formation et de l'éducation aux droits de l'homme au seul domaine des diplômes de grade en sciences sociales et juridiques.**

On a souvent insisté sur le fait que le respect et l'appréciation des droits de l'homme et des libertés ne devraient pas êtres confinés à des domaines spécifiques mais au contraire former partie de la formation transversale des apprenants. En ce sens, cette politique éducative est allée de pair avec l'absence de formation de post-grade (programmes de doctorat et masters spécifiques) et l'absence de mesures d'incitation à la recherche dans ces matières.

d. *Opportunités*

On a identifié comme opportunités celles qui peuvent faciliter l'obtention de bons résultats ou devenir un avantage. En tenant compte des dimensions analysées dans le projet, nous avons identifié les suivantes:

– **Réforme du système universitaire espagnol et introduction de nouveaux enseignements.**

Le nouvel espace européen d'enseignement supérieur ainsi que la règlementation étatique en vigueur permet d'ouvrir la possibilité de nouveaux diplômes de grade et post-grade qui aient comme objet spécifique la formation aux droits de l'homme. En ce sens, la loi organique 4/2007, du 12 avril, modifiant la loi organique 6/2001 du 21 décembre relative aux universités signale que «*tous les plans d'études proposés par les universités doivent prendre en compte que la formation à une activité professionnelle quelle qu'elle soit, doit se faire dans le respect et la promotion des droits de l'homme et les principes d'accessibilité universelle et être conçus pour tous*». Cela permettra l'introduction de nouvelles carrières ou de matières dans les plans d'étude déjà en vigueur.

– **Politique d'internationalisation de l'Uex**

Une partie du plan stratégique de l'université passe par l'encouragement et l'augmentation d'alliances internationales avec d'autres institutions d'enseignement supérieur qui permettent de générer des réseaux de recherche et des programmes communs d'éducation. Dans ce contexte, la formation aux droits de l'homme devient une priorité tant dans l'Espace d'Amérique Latine comme au Maghreb et cela comme conséquence des liens historiques et culturels qui unissent notre région avec ces territoires. Ce n'est qu'en créant des synergies entre les différentes institutions d'enseignement que ces enseignements auront la place qui leur correspond.

– **Collaboration avec des institutions publiques, des entreprises et des organisations à but non lucratif comme conséquence du rôle important de l'Uex dans le développement régional.**
  L'Uex a signé, il est vrai, un grand nombre de conventions avec différentes institutions, entreprises et ONG mais il est tout aussi vrai qu'il faut les renforcer. Le rôle important de l'Uex en tant qu'unique entité d'enseignement supérieur qui dispense de l'enseignement présentiel dans notre région fait de nous l'interlocuteur reconnu par de nombreuses entités publiques et privées qui travaillent à la protection, au développement et à la défense des droits de l'homme. Les possibilités pour les étudiants de suivre des stages pratiques ou le développement de projets et de conventions avec les différentes institutions devrait être une priorité. Il faut, en outre, que ces bonnes pratiques de collaboration soient promues et institutionnalisées à long terme, au-delà du bon travail personnel de ceux qui occupent temporairement des postes de responsabilité à l'université.

2.4. UNIVERSITÉ DE SARAGOSSE

ZOILA COMBALÍA SOLÍS
PILAR DIAGO
ALEJANDRO GONZÁLEZ-VARAS
Université de Saragosse

Par rapport à la matière objet de recherche du programme TEMPUS, nous analyserons ci-après les aspects liés aux faiblesses, aux menaces, aux atouts et aux opportunités de l'université de Saragosse. Une analyse qui se penchera sur les matières concrètes associées à la présence des droits de l'homme dans l'activité de cette université, en recouvrant un vaste panorama qui va de l'organisation générale de la politique académique jusqu'à la formation du personnel enseignant et chercheur ou encore à la participation d'associations d'étudiants à la sensibilisation aux droits de l'homme.

2.4.1. Règlementation et politiques éducatives

a. Atouts et opportunités

La règlementation de la communauté autonome d'Aragon 5/2005, du 14 juin, régulatrice de son système universitaire, reconnaît à l'université une large autonomie, la participation au gouvernement de l'université et les droits et devoirs des différents collectifs tels que le personnel enseignant et chercheur (PDI), les étudiants et le personnel de l'administration, technique et des services (PDA), comme le font les statuts de l'université de Saragosse. Ces statuts promeuvent des activités liées aux droits de l'homme et, entre autres, des actions de bénévolat et de coopération internationale au développement.

b. Faiblesses et menaces

L'accès à cette participation est fréquemment organisé par groupes, candidatures, etc. ce qui entraîne le danger de gouverner pour les intérêts du groupe plus que pour l'ensemble et un certain risque de «luttes de pouvoir» dans l'université.

Par ailleurs, il arrive parfois que des politiques qui, en principe, manifestent une tendance claire en faveur de la défense des droits de l'homme, finissent par se centrer, dans la pratique, sur des aspects très concrets de ces droits et en écartent d'autres qui seraient intéressants. C'est le cas, par exemple, des activités de politique sociale et d'égalité qui ciblent, en grande mesure, l'égalité des chances sans prêter l'attention nécessaire à d'autres aspects sociaux liés aux droits fondamentaux.

2.4.2. Garantie des droits des membres de la communauté universitaire

a. Atouts et opportunités

Le règlement interne de l'université de Saragosse est fécond en matière de droits et obligations des membres de la communauté académique (PDI, étudiants et PAS) et fait une référence explicite au principe de non-discrimination et à la liberté académique. Il reconnaît largement aussi la participation des étudiants à la législation statutaire et il reprend une liste de leurs droits et devoirs.

Un autre atout est que ces reconnaissances sont accompagnées des systèmes de garantie correspondants. Il existe des mécanismes adéquats pour garantir la protection des droits des membres de la communauté universitaire et le plus marquant est l'institution du «Défenseur des droits de l'étudiant universitaire». D'autres procédés, tels que le Q213, un procédé de suggestions, de réclamations et d'allégation pour l'amélioration du cursus universitaire, permettent de combiner la qualité académique et la reconnaissance des droits des membres de la communauté universitaire.

b. Faiblesses et menaces

La volonté d'assurer les droits des étudiants limite parfois excessivement la liberté de chaire du professeur. C'est le cas du guide de l'enseignement, unique et extrêmement détaillé, qui laisse peu de place à l'initiative du professeur.

Par ailleurs, les destinataires ont des difficultés à se familiariser avec leurs droits et leurs mécanismes de garantie et, au lieu de canaliser leurs suggestions par les voies prévues à cet effet, ils utilisent des moyens inadéquats qui dénaturent le fonctionnement de l'université. C'est surtout le cas avec les étudiants: ils ont pour coutume de réclamer davantage d'information, de qualité, l'accès à des stages pratiques, etc. alors que l'université met déjà tous ces services à leur disposition. Curieusement, ces services sont ignorés ou mal employés mais cela n'évite pas la présentation désordonnée de réclamations et de plaintes.

On peut dire, finalement, que la liberté de recherche est reconnue mais que l'excès d'enseignement, de bureaucratie et des financements insuffisants font obstacle à la réalisation de cette liberté.

2.4.3. Contrôles de qualité

a. Atouts et opportunités

La *Agencia de calidad y prospectiva universitaria de Aragón,* ACPUA, (l'Agence de la qualité et la prospective universitaire d'Aragon) et la *Agencia nacional de evaluación de la calidad y acreditación,* ANECA (l'Agence nationale d'évaluation de la qualité et accréditation), suivent des procédés spécifiques pour l'accréditation externe de la qualité des études. Les masters doivent renouveler l'accréditation de leurs diplômes chaque quatre ans et les grades chaque six ans. Dans les deux cas, la commission d'évaluation correspondante doit réaliser un auto-rapport et des visites d'experts externes sont prévues.

L'université a aussi des mécanismes de contrôle internes. Il existe un Bureau de la qualité et la rationalisation, spécifique qui fournit des informations –surtout aux coordinateurs de grades et de masters– sur les mesures nécessaires pour améliorer la qualité. Des enquêtes permettent d'évaluer la satisfaction des étudiants par rapport aux matières, au corps enseignant, au cursus; d'autres interrogent la satisfaction du PDI et du PAS. D'autres encore traitent la mobilité nationale et l'internationale. Finalement, ce bureau et Universia se chargent de faire un suivi des diplômés et de leur situation professionnelle. Tout cela est complété par les réunions maintenues régulièrement par les coordinateurs des carrières avec les étudiants –surtout les délégués– et par les rapports annuels d'évaluation de résultats et d'apprentissage. Les coordinateurs doivent aussi élaborer chaque année un plan d'innovation et d'amélioration.

Finalement, le site Web de l'université montre les différents procédés, disponibles pour toute la communauté universitaire et destinés à assurer la qualité de l'enseignement.

b. Faiblesses et menaces

Les mécanismes de contrôle, largement règlementés, opèrent conformément à des paramètres, des indicateurs, des objectifs, etc. qui ne sont cependant pas des indicateurs de qualité. Par ailleurs, les destinataires n'y recourent pas assez. C'est du moins le cas de la carrière de droit où le nombre d'étudiants qui réalise les enquêtes n'atteint pas 20% (et il est même inférieur au 10%) des inscrits ce qui met en évidence le manque de conscience de l'importance de leur rôle dans l'évaluation de la qualité. Les délégués ne manifestent pas non plus d'intérêt particulier pour assister aux réunions avec les coordinateurs. Mais, on l'a déjà dit, ils se plaignent du peu de cas fait à leur opinion. Le problème réel est que, manifestement, le sujet les intéresse peu.

Tous ces systèmes de contrôle et d'élaboration de données augmentent par ailleurs la bureaucratisation dans l'université et il serait souhaitable d'y trouver plus d'agilité dans sa gestion et des mécanismes d'action plus précis et efficients.

2.4.4. Recherche

a. Atouts et opportunités

Les chercheurs de L'université de Saragosse ont la possibilité de choisir en toute liberté le thème de leur recherche. L'accès aux archives de l'université leur est garanti ainsi qu'à celles d'autres institutions publiques –et, en général, aux privées aussi– de Saragosse et par extension d'Aragon et celles de tout le territoire national. L'université leur garantit l'accès aux publications scientifiques, la collaboration avec d'autres pays ou groupes et, en général, toutes les facilités possibles du moment, soumises surtout aux difficultés économique dont souffre le pays.

Les installations universitaires sont riches en bibliographie, documentation et bases de données sur les droits de l'homme. Les services universitaires d'aide au chercheur –tels que les prêts interbibliothèques– fonctionnent de manière très efficace et assurent à tout moment l'accès aux documents qui peuvent intéresser et ne seraient pas disponibles à l'université. On relève plus de 6000.000 titres faisant référence aux droits de l'homme dans la bibliothèque universitaire, 42 sur support électronique (CD ou similaire) et 2 associés à l'éducation aux droits de l'homme.

Il y a aussi des appels à projets publics pour la promotion de la recherche. On compte au moins quatorze groupes de recherche inscrits à l'université de Saragosse dont le champ d'action répercute directement sur le domaine des droits de l'homme. Et l'institution publie douze revues qui abordent ce thème depuis différentes disciplines (essentiellement le droit, les sciences de l'éducation, les sciences humaines) et un nombre important de monographies aux Presses universitaires.

b. Faiblesses et menaces

Le manque de ressources économiques rend insuffisants les appels à projets publics de promotion de la recherche. La raison est la même quand on constate la charge de cours importante qui pèse sur certains membres du corps enseignant et empêche leur travail de recherche. D'autres éléments viennent s'ajouter aux précédents et empêchent le chercheur de jouir de la concentration suffisante pour mener son travail à terme. S'occuper de multiples activités, suivre des cours d'innovation dans l'enseignement, publier à ce sujet ou préparer et assister à de nombreuses et fréquentes réunions sont autant de charges que la bureaucratisation croissante de l'université exige, ce qui ne facilite pas les choses. Le manque de personnel d'appui oblige le professeur à assumer des tâches purement administratives à chaque fois qu'il veut organiser des congrès, des séminaires ou des journées.

Ajoutons que les mesures d'incitation à la recherche sont limitées à L'université de Saragosse. A titre d'exemple, elle fait une application réduite du décret royal qui prévoit un allègement des heures d'enseignement pour périodes sexennales de travail reconnu. En outre, il y a chez le corps enseignant des différences importantes entre les charges de cours et par conséquent des disponibilités différentes pour la recherche.

2.4.5. Formation pour l'enseignement

a. Atouts et opportunités

L'université de Saragosse a un vaste programme de formation du corps enseignant par le biais de l'Institut des sciences de l'éducation (ICE en espagnol). Il s'agit de cours sur l'innovation pédagogique, l'usage des TIC et, plus récemment, de cours de formation pour la recherche. Ces derniers ne sont pas dispensés par des professeurs de la faculté de sciences de l'éducation ou, comme c'est le cas ailleurs, par des enseignants d'autres facultés mais par des fonctionnaires spécialisés en recherche ou des bibliothécaires qui apportent une perspective plus réaliste. Chaque année des appels à projets d'innovation dans l'enseignement sont lancés auxquels peuvent briguer des professeurs ou les centres en tant qu'institutions.

Chaque année aussi, l'université de Saragosse organise les *Journées de l'innovation et de la recherche en éducation qui représentent le moment décisif du cycle annuel de l'innovation dans l'enseignement à l'université, celui de la présentation des résultats et des réflexions sur les activités et les projets menés à terme durant l'année antérieure et de l'annonce des appels d'appui à projets pour l'année académique suivante.*

b. Faiblesses et menaces

L'université a compté durant plusieurs années au nombre de ses cursus celui de Formation pédagogique du professorat universitaire, structuré en plusieurs modules enseignés durant un an mais cette formation n'est plus dispensée depuis trois ans.

Par ailleurs, les cours de formation à l'enseignement, en particulier s'ils sont dispensés par des professeurs de sciences de l'éducation, sont très abstraits et ne s'ajustent pas tant à l'enseignement universitaire qu'aux besoins existants dans des milieux pré-universitaires. Ajoutons à cela leur caractère généraliste qui fait que les propositions formulées dans ces cours ne sont pas toujours applicables dans toutes les facultés.

L'innovation est encouragée mais elle n'est pas dotée de ressources pour une amélioration efficace de l'enseignement. À titre d'exemple, un professeur de la faculté de droit peut avoir jusqu'à trois cent élèves pendant une année académique ce qui rend impossible un suivi adéquat. La situation se compliquera à l'avenir si l'initiative proposée d'augmenter le nombre d'heures de cours aux enseignants prospère.

2.4.6. Coopération au développement et promotion des droits de l'homme

a. Atouts et opportunités

L'université de Saragosse a un Vice-rectorat de la culture et la politique sociale qui héberge un Secrétariat de politique sociale et de l'égalité et un Observatoire de l'égalité. Un autre atout est la Chaire de coopération au développement qui organise de nombreuses activités chaque année et promeut des études de post-grade qui ne sont pas directement liées aux droits de l'homme mais à la coopération. Elle lance aussi des appels d'offre à des aides pour des équipes de recherche. L'université compte aussi un Service de bénévolat européen.

Il y a d'autres initiatives telles que le projet CEDERUL (Centre d'études pour le développement durable) et le Projet intégral pour lutter contre la malnutrition infantile dans la zone tribale du District de Kandhamal en Orissa (Inde) ou encore le programme de Bourses pour des stages pratiques de coopération avec des pays défavorisés, de l'université de Saragosse et du gouvernement d'Aragon. Ce vice-rectorat est à l'origine de programmes de coopération au développement, de collaboration avec des ONG et de bénévolat entre les universitaires. En ce sens il faut signaler la portée significative du programme Structures solidaires et du Service de bénévolat européen (SVE en espagnol) de l'université de Saragosse SVE-UNIVERSA.

L'université de Saragosse décerne différents prix et des reconnaissances dans le même sens, tels que: le prix *Formation et valeurs* à l'université, le prix *Coopération université-société (COOPERACION I+D)*, le prix Concours de photographie *"Images de la Coopération Internationale "*, le *Prix à la recherche féministe* du Séminaire interdisciplinaire d'études de la Femme, etc.

En outre, chaque professeur peut promouvoir, à titre personnel, des cours de cette matière mais ils ne sont pas promus par l'Université. C'est le cas des membres du projet Tempus ABDEM de l'université de Saragosse qui ont organisé ces dernières années six cours d'été et deux congrès internationaux liés au droit islamique et l'interculturalité abordant des matières relatives aux droits de l'homme.

b. Faiblesses et menaces

Les activités indiquées sont nombreuses mais elles sont davantage centrées sur la coopération au développement que sur la formation aux droits de l'homme. Elles octroient un grand espace à la politique d'égalité de genres, de sorte que les autres activités et programmes peuvent être relégués. Par ailleurs, la participation et l'implication des membres du collectif universitaire sont limitées et ne reçoivent pas la diffusion nécessaire pour plus de participation de la communauté universitaire.

2.4.7. Évaluation de l'étude des droits de l'homme

a. Atouts et opportunités

L'attention prêtée aux droits de l'homme en général n'est pas négligeable mais se fait de manière transversale ou très générique à travers quelques matières du grade en droit ou d'autres connexes comme les relations professionnelles ou le travail social. Cette donnée est donc à la fois un atout, puisque les droits de l'homme sont traités en général, et une faiblesse car le traitement n'est pas assez spécifique. En même temps, cette faible présence de la matière «droits de l'homme» aux plans d'étude est une opportunité pour le groupe car le master conjoint peut être intéressant.

b. *Faiblesses et menaces*

La formation aux droits de l'homme ne s'apprécie pas comme un mérite au moment de recruter des enseignants excepté dans le cas d'un poste pour dispenser cette matière précise. Il n'y a pas non plus de promotion des projets qui focalisent sur les droits de l'homme, ni dans le domaine de la recherche ni dans celui de l'innovation en éducation. Nous ne disposons pas de données exactes qui nous permettraient de connaître le nombre de projets d'innovation dans l'enseignement ou de cours de formation à l'enseignement ou à la recherche[74]. Nous retrouvons une situation parallèle dans les études spécifiques que suivent les étudiants dans ce domaine. Plus précisément, les sujets des thèses doctorales, mémoires de fin de master et de fin de grade sont publics mais ne sont pas classés. Par conséquent il est quasi impossible de savoir combien de travaux de ce genre ont à voir avec le domaine des droits de l'homme. Ceci dit, et de nouveau à conséquence du processus de renouvellement des accréditations des diplômes, ils sont maintenant en phase de classification.

Par ailleurs, nous avons déjà fait référence à la faible présence de la matière «droits de l'homme» dans les plans d'étude (de grade et de post-grade). Il n'existe pas non plus de centre ou de programme spécifique sur les droits de l'homme ni de bourses spécifiques pour la formation et la recherche traitant des droits de l'homme.

2.4.8. Évaluation finale: synthèse des principales faiblesses et menaces

La synthèse met en évidence les données suivantes:

- Pénurie de ressources économiques.

74. Il s'agit d'une situation que l'on tente de solutionner maintenant. Le motif est que la plupart des grades de L'université de Saragosse, à peu près quarante, seront soumis tout au long de cette année au processus de renouvellement de leurs cursus. Et les auto-rapports de chaque cursus devront incorporer précisément le nombre de cours et de projets d'innovation dans l'enseignement proposés par leurs centres et enseignants. C'est le motif pour lequel l'Office de qualité et de rationalisation a demandé à l'ICE de classer ces données et d'élaborer le rapport correspondant. À la fin de cette année académique nous saurons avec plus d'exactitude quelle est la présence des droits de l'homme dans ces initiatives académiques.

- Excès de bureaucratisation.
- Plus d'intérêt envers les domaines scientifiques-technologiques ou «productifs» qu'envers les droits de l'homme. Perception que les droits de l'homme ne sont pas un problème dans notre milieu culturel.

3. ITALIE

MICHELLE BRUNELLI
PAOLA GANDOLFI
Université de Bergame

3.1. RAPPORT NATIONAL

3.1.1. Le système éducatif supérieur en Italie

Le système éducatif italien présente une évolution historique intéressante depuis l'unité nationale, en 1861, jusqu'à nos jours. Une évolution évidente si nous comparons surtout les taux d'analphabétisme national: de 78% en 1861 à 1,2% en 2001 ce qui a contribué fortement à consolider la fragile unité nationale.

Il s'agit de résultats intéressants fruits d'un processus législatif d'amélioration du système scolaire et par là-même de la société, qui traverse l'histoire italienne. La scolarisation massive a permis la consolidation du pays et contribué au développement d'une société moderne et dynamique. L'accès à l'université a été utilisé comme instrument politique bien avant l'unité du pays ou comme un outil pour «faire les italiens», c'est-à-dire former une nouvelle société forte de l'idée d'unité nationale.

Les premières lois organiques de la réforme de l'enseignement supérieur dans sa dimension laïciste et centraliste datent d'avant l'unité de l'Italie. Les lois Boncompagni de 1848 visaient le contrôle par le gouvernement des écoles à tous les niveaux, publiques et privées, à travers le Conseil Supérieur de l'Éducation (*Consiglio Superiore della Pubblica Istruzione*) à charge du système d'enseignement, des plans de l'éducation, du contrôle et de l'approbation des programmes et des livres adoptés. La loi supprimait aussi le pouvoir de choisir les professeurs, attribué aux évêques, dans une tentative concrète de laïciser le monde de l'enseignement. La loi Boncompagni, du nom de l'un des membres de la commission qui prépara la loi, aurait voulu opposer à la pédagogie des jésuites une pédagogie de structure militaire, sur le modèle de l'académie, mais cette tentative échoua. En 1858, la loi Lanza (20 juin 1858) créait l'École Normale. Pour y accéder il fallait passer un examen auquel étaient admis les hommes à partir de 16 ans et les femmes à 15 ans. Cette règle sanctionnait une distinction claire entre les écoles masculines et féminines.

Avec la loi Casati (décret royal 1 du 3 novembre 1859 n. 3725 du Royaume de Sardaigne), entrée en vigueur en 1860 et plus tard élargie, après l'unification, à tout le territoire italien, on insistait sur le centralisme déjà exprimé par les lois Boncompagni et Lanza. Il s'agissait d'une loi «pour faire les Italiens». Avec ses 380 articles, la loi dotait de structure organique le système éducatif en définissant les cycles, les sujets, les programmes, les effectifs et l'appareil administratif.

En particulier le Titre II «Enseignement Supérieur» prévoyait des règles précises sur les études universitaires et académiques. Aux trois facultés traditionnelles –la Théologique, héritage de la culture jésuite pré-Casati, abolie ensuite en 1873, la faculté de Loi et celle de Médecine– venaient s'ajouter la faculté de Physique, mathématique et sciences naturelles, l'Ecole d'application d'ingénierie, et celle de Philosophie et Lettres. L'accès à l'université était réservé aux étudiants en provenance des lycées, exception faite de la faculté de Sciences physiques laquelle acceptait des étudiants provenant des instituts techniques. La loi Casati n'a jamais été une véritable loi «nationale», car dans certaines universités elle n'a jamais appliquée. C'était le cas de l'université de Bologne, par exemple, qui était encore soumise à la *bulla pontificalis Quod Divina Sapientia* de 1824.

À la proclamation du Royaume d'Italie, le 17 mars 1861, le pays comptait 20 universités, dont quatre étaient des universités libres. Le nombre des étudiants était de 6.500 environ. Une tentative de réformer le système se faisait à travers la *Reforme Gentile* (RD 30 septembre 1923 n. 2102), un renouvellement structurel de l'enseignement supérieur, établissant une distinction entre les universités et les autres instituts d'enseignement supérieur (les écoles pour pharmaciens, architectes et ingénieurs, vétérinaires et agronomes, et des sciences économiques et commerciales). Le décret affirmait que le but essentiel et principal de l'éducation supérieure était la promotion «du progrès et de la science». On attribuait aux universités une personnalité juridique et l'autonomie administrative, didactique et disciplinaire, mais dans des limites établies au même décret. Elles continuaient, en effet, soumises au contrôle du ministère. Les nouveautés de cette réforme seront contrecarrées par une sorte de contre-réforme des années 1933 (Texte Unique sur l'éducation supérieure RD 31 août 1933 n. 1592) qui annulait *de facto* l'autonomie en introduisant de très graves limitations à la liberté d'enseignement. C'était le reflet de la nouvelle politique fasciste.

Après la II Guerre mondiale, les universités reprennent lentement leurs activités mais en conservant l'agencement rigide prévu par la loi Gentile.

En effet, entre la fin des années 1940 et 1960, exception faite des mesures pour éliminer les traits autoritaires de la législation fasciste, il n'y a pas de modification substantielle du modèle universitaire. Avec l'approbation de la Constitution républicaine en 1948, le cadre législatif reconnaissait de nouveau la liberté didactique et d'enseignement. Dans le détail, l'autonomie universitaire, prévue à l'article 33, est conçue comme un «droit», tout comme l'enseignement supérieur:

> *Art. 33: L'art et la science sont libres ainsi que leur enseignement. La République fixe les règles générales concernant l'éducation et crée des écoles publiques de tous les ordres et tous les degrés. Les organismes privés et les particuliers ont le droit de créer des écoles et des établissements d'éducation, sans charges pour l'État. La loi, en fixant les droits et les obligations des écoles ne relevant pas de l'État et qui demandent la parité, doit assurer à celles-ci une pleine liberté et à leurs élèves un traitement scolaire équivalent à celui des élèves des écoles publiques.*
>
> *Un examen d'État est établi pour l'admission aux divers ordres et degrés des écoles ou à la fin de ces derniers et pour l'obtention des brevets d'aptitude professionnelle. Les instituts de haute culture, les universités et les académies ont le droit de se doter de statuts autonomes dans les limites fixées par les lois de l'État.*

Un droit qui est naturellement étendu à l'enseignement fondamental, par l'article 34 de la Constitution qui stipule:

> *L'enseignement est ouvert à tous. L'éducation fondamentale, dispensée durant au moins huit ans, est obligatoire et gratuite.*
>
> *Les élèves doués et méritants, même s'ils sont dépourvus de moyens financiers, ont le droit d'atteindre les niveaux les plus élevés des études.*
>
> *La République rend ce droit effectif par des bourses d'études, des allocations aux familles et par d'autres moyens attribués par concours.*

Cette loi revient aussi sur le rôle de l'éducation (supérieure), en plaçant les activités sous l'égide de la République, avec l'article 9:

> *La République favorise le développement de la culture et la recherche scientifique et technique. Elle protège le paysage et le patrimoine historique et artistique de la Nation.*

Ces deux articles découlent directement de l'art. 2 qui contient une référence spécifique aux droits de l'homme en matière de formation:

> *La République reconnaît et garantit les droits inviolables de l'homme, en tant qu'individu et comme membre de formations sociales où s'exerce sa per-*

sonnalité, et exige l'accomplissement des devoirs de solidarité politique, économique et sociale auxquels il ne peut être dérogé.

Un article qui se perfectionne aussi dans le 6:

La République protège les minorités linguistiques par des normes spécifiques [75]

L'année académique 1951 / 52 les étudiants inscrits à l'université étaient au nombre de 226.543 dont 167.000 hommes, 60.000 femmes,[76] soit 0,48%de la population.

Ce sera seulement avec les gouvernements de centre-gauche au début des années 1960 et sous la pression de la contestation des étudiants de 1968, que le décret du Président de la République (DPR) n. 1236 du 31 octobre 1969, traduit en loi au mois de décembre, approuvera une grande réforme.

La Loi du 11 décembre 1969 n. 910 réforme donc l'accès à l'enseignement supérieur: dorénavant tout possesseur d'un diplôme d'école supérieure (la *maturità*, équivalent du baccalauréat) pourra accéder à l'université, ce qui venait abolir la contrainte imposée par Gentile sur le passage obligé par le lycée classique. La loi permettait aussi une liberté de choix pour les étudiants, liberté de composer un cursus d'études différent des plans prévus par l'agencement didactique

Avec la loi 9 mai 1989 n. 168 (Loi Ruberti) le ministère de l'Université et de la Recherche Scientifique et Technologique (MURST) nouvellement créé, séparait l'activité des universités de celles des institutions de l'éducation, primaire et secondaire. La loi Ruberti est connue comme la «loi de l'autonomie» car son principal but était de rendre autonomes les administrations de chaque université. La loi introduisait aussi le *principe d'autonomie statutaire* en attribuant à chaque université le pouvoir d'élaborer elle-même sa propre «mini-constitution», fruit du travail conjoint des représentants des professeurs, les doyens et le recteur, et éventuellement les représentants des étudiants et du personnel administratif. Elle introduisait aussi l'autonomie financière.

A partir de 1999, les universités italiennes réforment l'enseignement supérieur et les diplômes délivrés afin de répondre aux objectifs du «Processus de Bologne». L'offre formative universitaire est désormais organisée en 3 cycles: le premier cycle permet d'obtenir la Licence (*Laurea*) qui donne la possibilité d'accéder au second cycle, ou Master (*Laurea Specialistica / Magistrale*), qui permet à son tour d'accéder au troisième cycle, ou Doctorat (*Dottorato*

75. Tous les articles ici cités sont tirés de la traduction officielle du texte constitutionnel italien. Secrétariat Général de la Présidence de la République Italienne: Voir: *http://www.quirinale.it/qrnw/statico/costituzione/pdf/costituzione_francese.pdf*
76. ISTAT Série Historique: Censimento generale della popolazione e delle abitazioni 1951.

di ricerca). Cette structure reflète le schéma de l'enseignement supérieur de Bologne. Mais il existe aussi d'autres diplômes de deuxième ou troisième cycles (Master, Spécialisation).

La dernière réforme porte le nom de Loi Gelmini (Loi 30 décembre 2010 n. 240). Elle établit une série de normes qui affectent aussi les droits. Elle impose l'adoption d'un code éthique pour éviter des incompatibilités et des conflits d'intérêt à l'intérieur de chaque université. La loi impose aussi une limite au mandat des recteurs. Le recteur ne pourra être réélu qu'une seule fois et il pourra être soumis à procédure de mise en accusation. On établit un *Nucleus d'évaluation d'Athénée* de majorité externe, pour garantir une évaluation objective et impartiale. Les étudiants pourront évaluer les professeurs et cette évaluation sera déterminante pour l'attribution de fonds du Ministère. La loi prévoit aussi des financements pour les étudiants afin de favoriser soit l'accès à l'université soit la mobilité.

Tableau 1. Données de l'enseignement supérieur en Italie: 2013/2014

- Nombre de cours: 9.966
- Total étudiants universitaires: 1.683.851
- Étudiants de "*Lauree Triennali*": 1.069.254
- Étudiants du cycle unique: 329.843
- Étudiants de "*Lauree Specialistiche*": 284.754

Source: MIUR.

Figure 1. Structure du système universitaire en Italie

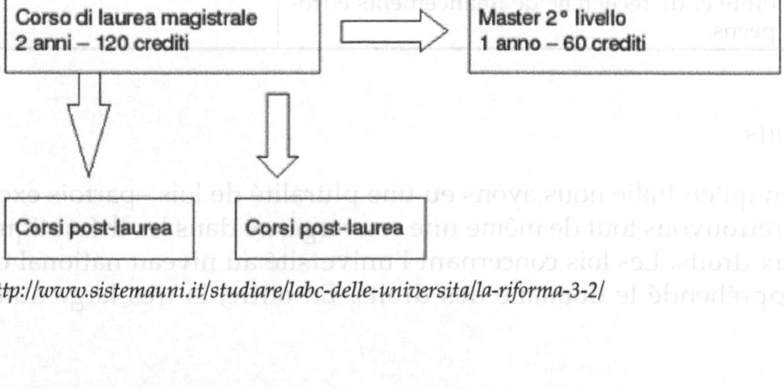

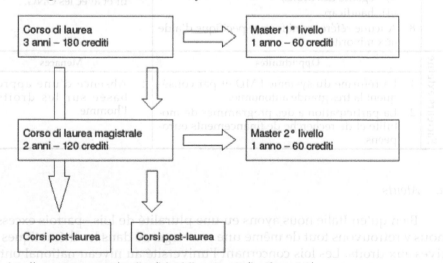

Source: *http://www.sistemauni.it/studiare/labc-delle-universita/la-riforma-3-2/*

3.1.2. L'analyse AFOM

Le but de l'analyse est de prendre en compte dans la stratégie à la fois les facteurs internes et externes, en maximisant les potentiels des atouts et des opportunités et en minimisant les effets des faiblesses et des menaces. Dans ce cas spécifique l'analyse AFOM vise à présenter les atouts, les faiblesses, les menaces et les opportunités du système de l'éducation nationale par rapport à l'intégration de l'approche fondée sur les droits.

En ce qui concerne l'application de la méthodologie AFOM au niveau national dans le domaine de l'ABDH, sur la base de l'analyse effectuée, soit à travers les indicateurs proposés, soit par le biais de plusieurs discussions et rencontres entre les membres de l'équipe de recherche de Bergame, on remarque les atouts et les faiblesses suivants au niveau national:

	Atouts	**Faiblesses**
Facteurs internes	1. Très grande autonomie assignée aux universités. 2. Autonomie dans l'élection des organes. 3. Reconnaissance du droit de participation à la gouvernance de l'établissement. 4. La transparence dans l'accès à l'information. 5. Attention aux minorités linguistiques. 6. Inclusivité. 7. Pluralité d'organes qui visent à contrôler le respect des droits: i) commission paritaire, ii) égalité des droits, iii) handicap. 8. Aucune référence ni forme spécifique d'aide aux minorités.	1. Absence d'une référence explicite (du terme) «droits de l'homm» dans la loi. 2. Bien que la loi impose la transparence, l'accessibilité des données est difficile. 3. Les résultats en termes de pourcentage sont insuffisants voire absents. 4. Absence de collaboration institutionnalisée avec les associations à but non-lucratif et avec les ONG.
	Opportunités	**Menaces**
Facteurs externe	1. La réforme du système LMD et par conséquent la très grande autonomie. 2. La participation à des programmes de mobilité et de recherche de financements européens.	1. Absence d'une approche basée sur les droits de l'homme.

a. Atouts

Bien qu'en Italie nous ayons eu une pluralité de lois –parfois excessive– nous y retrouvons tout de même une convergence dans les thématiques relatives aux droits. Les lois concernant l'université au niveau national ont toujours appréhendé le domaine des droits. En outre, la très large autonomie

–l'un des premiers atouts– dont jouit l'université lui permet d'intégrer ou de mieux spécifier le domaine de certains droits ou de certaines protections.

Cette large autonomie se reflète dans l'élection des organes à partir de la reconnaissance du droit de participation à la gouvernance de l'établissement. C'est à travers la pluralité des organes, établis par loi nationale, tels que: i) commission paritaire, ii) commission pour l'égalité des chances, iii) commission handicap, que les institutions universitaires disposent d'outils concrets pour contrôler le respect des droits fondamentaux.

On peut constater que dans les lois relatives à ce domaine il n'y a aucune référence, ni forme spécifique d'aide aux minorités. Si ce manque peut être apparemment considéré comme une faiblesse importante ou une menace pour l'effectivité des droits, en réalité l'absence de toute référence à des minorités spécifiques est une garantie d'égalité. En Italie, la notion d'aides repose sur le mérite et sur les revenus, donc sur un besoin effectif et non pas sur la nationalité.

Un autre atout concerne la non-discrimination dans l'accès ou la non-discrimination fondée sur la race, la langue, la religion, le sexe… Avec la loi du 15 décembre 1999, n. 482. *Norme in materia di tutela delle minoranze linguistiche storiche,* [Règles en matière de protection des minorités linguistiques historiques, publiées au Journal officiel no 297 du 20 décembre 1999], les articles 2 et 6 mettent sous tutelle soit les langues, soit la culture non italienne des populations nationales.

> Article 2: *En vertu de l'article 6 de la Constitution et en harmonie avec les principes généraux établis par les organisations européennes et internationales, la République protège la langue et la culture des populations albanaise, catalane, germanique, grecque, slovène et croate, et de celles qui parlent le français, le franco-provençal, le frioulan, le ladin, l'occitan et le sarde.*

Dans les formes de tutelle, la loi demande aussi à l'université d'avoir un rôle actif dans ce domaine.

> Article 6: *Conformément aux articles 6 et 8 de la loi du 19 novembre 1990, no 341, les universités des régions intéressées, en exerçant l'autonomie dont elles disposent et en faisant l'établissement régulier de leur budget, assument l'initiative nécessaire, y compris l'institution de cours de langue et de culture dans les langues mentionnées à l'article 2, pour favoriser la recherche scientifique ainsi que les activités culturelles et les activités de formation, ce qui permettra d'atteindre les objectifs visés par la présente loi.* [77]

D'autres droits garantissant par exemple l'accès physique aux établissements d'enseignement y compris l'université ou le droit à une Éducation

77. *Vid. http://www.axl.cefan.ulaval.ca/europe/italie_loi1999.htm*

inclusive concernant les personnes handicapées sont incluses dans des lois générales auxquelles l'université doit se référer. C'est à travers les commissions que l'université vérifie aussi le respect de la loi générale et donc son application au niveau de l'université.

En particulier la loi cadre du 5 février 1992, n. 104 (in GU du 17 février 1992, n. 39), «*Legge-quadro per l'assistenza, l'integrazione sociale e i diritti delle persone handicappate* «, [loi-cadre pour l'assistance, l'intégration sociale et les droits des personnes handicapée] vise le développement des potentialités pour une insertion sociale et professionnelle, posant les principes suivants:

– respect de la dignité et des droits de liberté et d'autonomie,
– prévention, attention et réparation des déficiences,
– promotion de la pleine intégration dans la famille, l'école, le travail et la société,
– suppression des obstacles à l'autonomie et à la participation à la vie collective,
– lutte contre la marginalisation et l'exclusion sociale de la personne handicapée.

La loi 104 pose une nouvelle définition du handicap, axée sur les conséquences sociales de l'incapacité:

> «*Est handicapée la personne qui présente une incapacité physique, psychique ou sensorielle, stabilisée ou progressive, cause de difficulté dans l'apprentissage, de relation ou d'intégration au travail telle qu'elle entraîne un processus de désavantage social et de marginalisation*».

et impose l'élimination des barrières physiques pour les personnes à mobilité réduite car elle la considère un outil pour favoriser l'insertion et l'intégration sociale de la personne handicapée. (art. 8 alinéa c; art. 24 alinéa 1, 2). En 2013, un plan annuel sur l'inclusion a été élaboré[78] pour renforcer la loi.

Art. 1. Finalità garantisce il pieno rispetto della dignità umana e i diritti di libertà e di autonomia della persona handicappata e ne promuove la piena integrazione nella famiglia, nella scuola, nel lavoro e nella società;

Art. 12. Diritto all'educazione e all'istruzione.

Comma 2. E'garantito il diritto all'educazione e all'istruzione della persona handicappata nelle sezioni di scuola materna, nelle classi comuni delle istituzioni scolastiche di ogni ordine e grado e nelle istituzioni universitarie.

---

78. BES nota 2551 del 27/6/2013 sul P.A.I. (Piano Annuale inclusività) Piano Annuale per l'Inclusività – Direttiva 27 dicembre 2012 e C.M. n. 8/2013 + CIRC MIUR 2563 22/11/2013.

Art. 13. Integrazione scolastica. comma 1. L'integrazione scolastica della persona handicappata nelle sezioni e nelle classi comuni delle scuole di ogni ordine e grado e nelle università si realizza, fermo restando quanto previsto dalle leggi 11 maggio 1976, n. 360, e 4 agosto 1977, n. 517, e successive modificazioni,

Art. 13, comma 6 bis: Agli studenti handicappati iscritti all'università sono garantiti sussidi tecnici e didattici specifici, realizzati anche attraverso le convenzioni di cui alla lettera b) del comma 1, nonché il supporto di appositi servizi di tutorato specializzato, istituiti dalle università nei limiti del proprio bilancio e delle risorse destinate alla copertura degli oneri di cui al presente comma, nonché ai commi 5 e 5 -bis dell'articolo 16. (1 quater)

Art. 16

Comma 4. Gli alunni handicappati sostengono le prove finalizzate alla valutazione del rendimento scolastico o allo svolgimento di esami anche universitari con l'uso degli ausili loro necessari.

Comma 5. Il trattamento individualizzato previsto dai commi 3 e 4 in favore degli studenti handicappati è consentito per il superamento degli esami universitari previa intesa con il docente della materia e con l'ausilio del servizio di tutorato di cui all'articolo 13, comma 6 -bis. É consentito, altresì, sia l'impiego di specifici mezzi tecnici in relazione alla tipologia di handicap, sia la possibilità di svolgere prove equipollenti su proposta del servizio di tutorato specializzato. *(2 bis)*

Comma 5.bis. Le università, con proprie disposizioni, istituiscono un docente delegato dal rettore con funzioni di coordinamento, monitoraggio e supporto di tutte le iniziative concernenti l'integrazione nell'ambito dell'ateneo. (2 ter)

L'éducation inclusive concerne aussi les personnes privées de liberté et à cette fin la loi nationale, dans ce cas aussi, a un impact significatif sur l'université. Il s'agit de la loi n° 354 du 26 juillet 1975, la source première du droit pénitentiaire italien. C'est un texte élaboré par le Parlement pour la mise en œuvre du principe énoncé à l'art. 27 alinéa 3 de la Constitution Républicaine, selon lequel " *les peines ne peuvent consister en des traitements contraires au sentiment d'humanité et doivent poursuivre la rééducation du condamné* ". L'art. 19 de cette loi concerne l'instruction scolaire et la formation professionnelle, et dispose qu'une attention spécifique doit être portée à la formation des détenus de moins de 25 ans. L'enseignement doit être prodigué en s'adaptant aux programmes d'enseignement se déroulant à l'extérieur et en s'appuyant sur des méthodes pédagogiques adaptées aux conditions des bénéficiaires. Alors que l'organisation de l'enseignement secondaire du premier degré doit être assurée (art. 19 al. 1er l. pénit.), pour les établissements du deuxième degré, on se limite à fixer qu'ils «peuvent être institués» (art. 19 al. 3 l. pénit.). Il faut relever le fait que, sur le terrain, le nombre de lycées est assez réduit, et par conséquent le seul remède –non exempt de conséquences négatives– passe par transférer les détenus concernés dans les quelques établissements équipés. Une allocation fixée par décret ministériel est versée aux détenus qui suivent une formation professionnelle ainsi qu'à ceux qui suivent les cours des lycées (art. 45 al. 1er et 3 r. app.). Des facilités –comme par exemple, être exempté de l'obligation de travailler– sont prévues pour les détenus inscrits à des formations universitaires (art. 44 r. app.).

b. Faiblesses

En analysant les textes des lois italiennes relatives au sujet, on relève l'absence d'une référence explicite aux termes «droits de l'homme». Toutefois, les lois ici concernées font référence à l'article 2 de la Constitution, dans lequel la référence est très bien soulignée:

> Article. 2: *La République reconnaît et garantit les droits inviolables de l'homme, comme individu et comme membre de formations sociales où s'exerce sa personnalité, et exige l'accomplissement des devoirs de solidarité politique, économique et sociale auxquels il ne peut être dérogé.*

Une autre faiblesse concerne l'accessibilité aux données. Bien que la loi –sur la base de l'idée de transparence– impose aux institutions universitaires de collecter les données et de les transmettre au ministère, l'accès en est compliqué et dans la plupart des cas presque impossible. La plupart des données sont effectivement disponibles, mais ne sont pas mises à jour.

Une troisième faiblesse concerne l'absence de collaboration institutionnalisée par la loi avec les associations à but non-lucratif et les ONG. Cette forme de collaboration n'est pas règlementée. Dans le cadre de l'autonomie universitaire, chaque athénée peut se doter d'une législation interne autonome.

c. Opportunités

La réforme du système LMD introduite avec la loi Gelmini, et par là-même le renforcement de l'autonomie de l'université, constitue une des principales opportunités de promouvoir une approche basée sur les droits de l'homme. Une campagne de sensibilisation nationale sur l'opportunité et l'importance d'ABDEM pourrait susciter l'émulation d'autres universités, un système qui pourrait être implanté grâce à l'autonomie. La diffusion et l'adoption d'une ABDEM seraient ainsi facilitées par la participation à des programmes de mobilité et de recherche à travers les financements européens, financements qui constituent une autre opportunité très importante.

Il s'agit d'opportunités à exploiter nécessairement car l'absence d'une approche basée sur les droits pour cause d'absence de loi qui les garantisse constitue en soi une menace.

3.2. BILAN DES INDICATEURS PAR RAPPORT À L'ÉTABLISSEMENT D'ENSEIGNEMENT SUPÉRIEUR: UNIVERSITÉ DE BERGAME

3.2.1. Présentation de l'Université de Bergame

Une première structure universitaire naissait 1961 à Bergame avec l'ouverture de l'École supérieure de journalisme et des media, une école de spécialisation *post-lauream* en lien avec l'université catholique de Milan. L'école posait les prémisses d'une nouvelle sensibilité et sa présence dans le quartier historique de la ville marquait un nouveau rapport avec le centre historique. En 1968, un accord passé entre des institutions comme la municipalité de Bergame, la Province de Bergame et la Chambre de commerce créait les conditions pour la naissance de L'université de Bergame. Après la clôture des Cours de langues étrangères de l'université Bocconi de Milan, en 1968, l'Institut de langues et ittératures étrangères *de* Bergame prenait le relais, sous la direction du Professeur Branca.

Le premier statut de l'université était approuvé au mois de décembre 1968 et les premiers cours commençaient pendant l'année académique 1968-69. En 1974-75 c'était le tour des *Cours d'économie et commerce* et le nombre de professeurs et d'étudiants augmentait franchement. Le rapport entre institutions locales (qui financent) et l'Université devient alors fondamental car les institutions reconnaissent le service donné par l'université aux activités économiques et aux administrations locales. Dans les années 80 l'Université se renforce encore autour de deux facultés, celle d'économie et celle de langues. 1991 est l'année de la création de la faculté de génie à Dalmine (Bg).

En 1991 l'Université devient une institution de l'État sous le nom d'*Università degli Studi di Bergamo.* L'articulation de l'offre en formation dans les trois secteurs d'études se construit par rapport à la demande du territoire, au niveau local et au niveau aussi de la région, la Lombardie.

L'université se développe surtout entre 1997 et 2009 et devient siège de doctorats internationaux et de centres d'études en plusieurs domaines (langue russe, enseignement de la langue italienne pour les étrangers, cours d'excellence en anthropologie, observatoire sur les fusions bancaires, centre d'étude sur le territoire, centre pour la qualité de l'enseignement et de l'apprentissage, école de management, etc.). Depuis 2004, l'université a une Chaire UNESCO des droits de l'homme et éthique de la coopération Internationale.

Le système de relations avec le territoire local est original et efficace et le monde des entreprises aide l'université dans ses activités en contribuant à son financement. A travers une association ad hoc (*Pro Universitate Bergomensi*) les entreprises et les différentes institutions locales financent des laboratoires de recherche et des projets de recherche et des études spécialisées liées aux besoins locaux (telle la spécialité de génie textile, unique en Italie).

Actuellement l'université de Bergame est active dans 6 branches didactiques, ou 6 départements (droit, études de génie, sciences humaines et sociales, lettres et philosophie, langue et littératures étrangères et communication, sciences économiques et méthodes quantitatives). Elle propose 14 cours d'études triennales, 15 masters, 3 masters en anglais et un master de cycle unique en droit.

Elle propose aux étudiants de multiples opportunités de formation par le biais d'échanges avec l'étranger (le pourcentage d'étudiants du programme *Erasmus* est très significatif en Italie). Elle propose aussi des stages, des cours de perfectionnement, des cours *post-lauream*, des masters de premier et de deuxième niveau. L'offre en formation est donc très diversifiée (avec des projets d' *E-Learning* aussi); les laboratoires pour les étudiants sont bien équipés; les centres de recherche sont très nombreux.

Le nombre total des étudiants de l'université de Bergame en 2012-13 est de 15206 (5725 hommes et 9481 femmes). Le pourcentage des étudiants universitaires de Bergame par rapport au total des étudiants inscrits aux universités en Italie est de 8,9%.

Les cours de doctorat de l'université de Bergame sont au nombre de 12 pour un total de 274 étudiants inscrits à un doctorat de recherche en 2013.

En 2013, l'université de Bergame compte 331 professeurs et 224 personnes à l'administration, d'un total de 555 salariés (261 hommes et 294 femmes).

L'université de Bergame a une présence forte et importante dans la réalité de la province et de la région et une relation forte aussi avec un territoire qui est parmi les plus dynamiques du Nord de l'Italie au niveau économique.

Pour ce qui concerne le rapport avec les entités privées de la Province de Bergame, dans le respect de l'autonomie fonctionnelle, l'Université a une totale capacité en droit public et privé. En excluant, bien évidemment, tout but lucratif. Selon l'article 7 de ses statuts, les sources de financement viennent de transferts d'argent de l'État, de financements d'institutions publiques et privées et de ressources internes (taxes et contributions universitaires, rentes, contrats, conventions, etc..). Le Conseil d'administration établit les critères pour les services de l'université à des tiers. Pour des bilans de période pluriannuelle, l'université peut recevoir des crédits ou leasing.

Parmi les nombreuses associations qui collaborent ou financent l'université de Bergame on relève: Pro Universitate Bergomensi, Amici dell'Università, ALEB, ALLIUB (LUB), les fondations Luigi Ciocca, Banque Populaire, Cariplo, Lombardini, Bergamo nella Storia, la Province et la Chambre de Commerce, la Banque Credito Bergamasco, Federmanager, Bozzetto SpA, les entreprises Italcementi, Gewiss, Humanitas Gavazzeni, Malpensa express, Sacbo, SIAD, Radicinylon, Tenaris Dalmine, BAS, Promatech, Kilometro Rosso et d'autres encore.

3.2.2. Analyse AFOM de l'Université de Bergame à partir des indicateurs

	Atouts	Faiblesses
Facteurs internes	– Autonomie de l'université dans sa gestion et organisation – Autonomie de l'enseignement et de la recherche pour le personnel enseignant – Reconnaissance du droit de participation à la gouvernance de l'établissement – Référence explicite aux droits de l'homme dans le statut et dans le code éthique (Référence explicite aux droits individuels, au respect de la dignité humaine, etc.) – Investissement dans la recherche et dans la qualité de la recherche et internationalisations. – Institution du CUG depuis 2013 – Pluralité d'organes qui visent à contrôler le respect des droits (CUG, Commission paritaire, etc.) – Transparence dans l'accès à l'information et à la gestion universitaire – Bonnes pratiques dans le secteur de la formation et de la recherche dans le domaine des droits de l'homme – Présence à l'Université d'une Chaire Unesco des droits de l'homme et de l'éthique de la coopération Internationale	– Activité du CUG positive mais relative et très récente. – Absence de la figure du «défenseur des étudiants» – Manque de formation et de professionnalisation du personnel enseignant (pas du personnel en tant qu'individus) dans le domaine des droits de l'homme – Manque de référence aux droits de l'homme dans les conventions et dans les contrats – Absence de référence à l'éducation sur les droits de l'homme dans la sélection du personnel.
	Opportunités	**Menaces**
Facteurs externe	– La Chaire Unesco comme moteur de promotion des activités pour un nombre plus important de professeurs et d'étudiants et en tant qu'incitation à la sensibilisation et processus de monitorat plus large et constant sur les activités de l'université dans leur multiplicité – La longue et étroite tradition de collaboration entre l'université et le territoire (entités et institutions locales) pourrait se jouer autour d'un parte-	– Le risque de voir diminuer ou disparaitre les activités le jour où les membres de la Chaire Unesco et du comité scientifique ne travailleront plus dans l'université.

	Opportunités	Menaces
Facteurs externe	nariat sensible aux questions relatives aux droits de l'homme dans les relations de collaboration et établirait les droits de l'homme comme base et condition pour une collaboration. – Face à une crise actuelle de financements, l'accès aux programmes européens et aux financements des entreprises ou des entités privés pourrait garantir la réalisation d'actions et d'activités spécifiques dans le domaine des droits de l'homme.	

3.2.2.1. *Les forces à partir des indicateurs structurels*

a. L'autonomie de l'Université: une véritable force

L'analyse de l'université de Bergame en fonction des indicateurs structurels de l'institution nous montre que l'autonomie de l'université est reconnue de manière explicite dans les statuts de l'université. Les statuts eux-mêmes sont un moyen très important d'autonomie de l'institution. On retrouve une grande marge d'autonomie dans l'élection, la désignation et la cessation de fonctions des organes de gouvernement, selon l'article 1 alinéa 2 et l'article 5 des statuts (concernant la nature juridique et les finalités institutionnelles et l'organisation de l'université). L'autonomie est soulignée de la même façon dans l'élaboration et l'approbation des statuts de l'université, selon l'article 33 de la Constitution nationale (qui affirme que «l'art et la science sont libres et libre est leur enseignement») et selon l'article 11 des statuts de l'université. Il y une totale autonomie pour l'élaboration et l'approbation des programmes d'enseignement et de recherche, selon les articles 33, 34, 35, 39 des statuts de l'université (relatifs à la structure de la didactique et la recherche, la nature et l'organisation des départements, la nature et les rôles de la commission paritaire enseignants-étudiants). Les programmes d'enseignements et de recherche sont donc choisis de manière autonome par les départements et sont l'objet d'observation et d'évaluation par d'autres organes, tels que la Commission paritaire enseignants-étudiants.

L'autonomie est prévue aussi dans la sélection, la formation, la promotion et la rémunération du personnel académique et non académique, conformément à l'article 2 des statuts (concernant les activités didactiques, de recherche et d'internationalisation, comme l'organisation de l'université, la capacité juridique et l'exercice de l'autonomie fonctionnaire) et l'article 48 des statuts (concernant indemnités et rémunérations). La sélection, la formation et la promotion du personnel académique et non académique sont donc totalement autonomes, tout comme l'établissement des droits d'inscription et des bourses d'étude.

L'autonomie pour l'admission des étudiants et leur poursuite des études est établie par l'article 3 des statuts concernant le droit à l'étude et l'article 8 concernant l'égalité des chances pour les étudiants. L'université encourage le droit à l'étude de tous, selon le principe de la condition économique et du mérite. L'université ne considère pas d'autres critères pour l'attribution de bourse d'études, tels que le genre ou l'appartenance à des minorités linguistiques et culturelles.

b. Le droit à l'information et à l'orientation – Le droit à l'étude

L'université de Bergame est très active dans l'inclusion à l'apprentissage des étudiants handicapés ou ayant des maladies spécifiques (article 3, alinéa 2). Elle répond aussi aux exigences en orientation et formation culturelles des étudiants avec un bureau spécifique pour l'orientation (*Ufficio Orientamento*) et l'attribution de multiples ressources et des activités.

Le Bureau *Orientation, stage & placement* encourage et organise des activités d'orientation des étudiants au moment de leur entrée à l'université et au moment de leur sortie vers le monde du travail. Le but est de promouvoir l'interaction entre l'université et les différentes réalités productrices de services présentes sur le territoire et ailleurs.

Le Bureau pour la recherche et l'internationalisation est la structure administrative pour la gestion et l'organisation des programmes d'échanges internationaux. Entre autres, il s'occupe de:

- nouveau programme d'action communautaire dans le domaine de l'apprentissage permanent qui regroupe les précédents programmes Erasmus et Leonardo da Vinci;
- les programmes d'échanges avec des universités non européennes (USA, CAN, MEX, AUS);
- le programme pour les diplômes reconnus à l'étranger (par exemple pour les cours d'économie (NL, UK, FR);
- le programme Erasmus Mundus Masters, les cours du Master Européen *"Crossways in Cultural Narrative* «;
- le programme Erasmus Mundus Joint Doctorat, le doctorat européen en *"Cultural Studies in Literary Interzones "* coordonné par L'université de Bergame.

Le Bureau d'internationalisation publicise régulièrement les opportunités nationales et internationales pour la mobilité des étudiants. Il y a donc une véritable prise en charge de la promotion de la mobilité internationale des étudiants.

En outre, l'attention portée aux étudiants à mobilité réduite a une longue tradition à L'université de Bergame. Dans le cas d'étudiants handicapés, le bureau compétent prévoit:

- une consultation didactique avec des enseignants responsables dans ce domaine, dans chaque département
- un tutorat spécifique
- un service d'accompagnement
- l'enregistrement des textes et des cours
- des équipements spécifiques et des aides didactiques adéquates
- des parcours individualisés pour les examens finaux.

En ce qui concerne les étudiants étrangers, en 2006 leur nombre représentait 2,4% du total des étudiants, tandis qu'en 2013 il est 5,2%. L'université de Bergame peut donc facilement être qualifiée d'université internationale et elle a accueilli récemment 60 *visiting professors* en provenance de 15 pays différents et plus de 20 professeurs étrangers.

L'Université est autonome aussi dans la recherche de ses fonds et dans la gestion des ressources, conformément à l'article 7 de ses statuts (concernant les ressources financières). La recherche de fonds est établie par les départements, conformément à l'article 34, alinéa 2 et à l'article 36, alinéa 2 et à l'article 6, alinéa 3. L'autonomie est totale dans ce domaine aussi. La fixation des droits d'inscription et des bourses d'études est aussi garantie par l'article 3, alinéa 1,2, mais aussi par les articles 7 et 10 des statuts. L'autonomie est donc reconnue de façon formelle et en continu par les différents articles des statuts et elle constitue un atout essentiel de l'université.

c. Le droit de participation à la gouvernance

Le droit de participation à la gouvernance de l'université est reconnu dans les statuts à travers, en particulier, de l'organe du Sénat académique (article 13 concernant les fonctions du Sénat, article 20 concernant la composition, la modalité de constitution et la durée du mandat du Sénat académique), du Groupe d'évaluation (article 29), de La consultation des étudiants (article 30).

d. La transparence des actions

Le principe de transparence et de l'obligation de reddition des comptes et des actions est reconnu dans les statuts, conformément à l'article 26 concernant les fonctions du Collège des Réviseurs des Comptes).

En synthèse, pour ce qui concerne les indicateurs structurels de l'université on constate que l'université agit en intégrant clairement une approche basée sur les droits à l'autonomie et à la transparence des actions et des gestions des ressources, financières et autres.

3.2.2.2. Les forces à partir des indicateurs de processus

a. Contrôle externe de la qualité de l'enseignement et accès aux informations

L'agence externe contrôlant la qualité de l'enseignement est l'ANVUR (Agence Nationale pour l'Évaluation de l'Université et de la Recherche) au niveau national et le Groupe d'évaluation au niveau interne.

L'université rend publiques et accessibles les informations sur les statuts, la législation, les organes de gouvernement, la sélection et promotion du personnel, etc. sur son site Web *www.unibg.it* (actif et actualisé constamment), mais aussi à travers le guide des étudiants et des panneaux d'affichage dans les couloirs des établissements.

Le budget et le rapport économique de l'Université son faits publics sur demande. L'Université garantit donc l'accès à l'information et la communication avec le personnel et les étudiants.

b. Le code éthique: un atout en soi

En ce qui concerne de façon explicite les déclarations et les énoncés sur les droits de l'homme, l'université adhère à la Constitution Italienne, à la Charte de Nice et aux déclarations internationales de sauvegarde des droits fondamentaux de la personne.

Par le biais de l'adoption du code éthique de l'université et avec la promotion de la Chaire Unesco pour les droits de l'homme et l'éthique de la coopération internationale, l'université inclue clairement des lignes d'action et des activités de promotion des droits de l'homme. En particulier, l'article 12 des statuts relatif au code éthique et le code éthique lui-même reconnaissent le respect des droits de l'homme comme fondamentaux parmi les valeurs de l'université.

Les articles 2, 3, 4, 5 du code éthique établissent la reconnaissance et le respect des droits individuels, la valorisation du bien-être des travailleurs de l'université, la lutte contre toute forme de discrimination et d'abus, les modalités pour régler les cas de conflits d'intérêt et de propriété intellectuelle. Le préambule du code éthique affirme en outre le respect et la promotion de la dignité humaine, de la liberté et des droits fondamentaux. On y retrouve aussi le refus de toute forme de discrimination, la valorisation des diversités individuelles et culturelles, la promotion de l'équité, l'impartialité, l'honnêteté et la transparence en tant que valeurs fondamentales pour l'université.

Dans ce cadre on relève une faiblesse, celle de l'absence, dans les contrats et dans le cadre de conventions, de références explicites au respect des droits de l'homme.

c. Le Comité unique de garantie pour l'égalité des chances: un instrument précieux

L'article 31 des statuts prévoit l'institution du Comité Unique de Garantie (CUG) pour l'égalité des chances, la valorisation du bien-être des travailleurs et contre la discrimination.

Une première enquête a été réalisée par le CUG (en 2014) auprès les professeurs et du personnel administratif sur les conditions de travail. Trois questions traitaient de l'égalité des genres aux postes de travail et de situations de discrimination et de *mobbing*.

Dans ce cadre, on relève une faiblesse: dans l'enquête promue par le même comité CUG et adressée aux étudiants il n'y a pas de références explicites au respect des droits de l'homme. Pour résumer, l'université inclue des lignes d'action et des activités pour la promotion des droits de l'homme dans sa planification stratégique, en adoptant le code éthique et en créant le CUG (Comité unique pour l'égalité des chances) et la promotion de la Chaire Unesco des droits de l'homme et éthique de la coopération internationale à l'université.

Un point à souligner, par rapport à la garantie d'accès à L'université de tous les groupes sociaux, est la présence d'un système de bourses d'études en fonction des conditions économiques des étudiants et de leur mérite. En ce sens, l'université suit le paramètre officiel de la politique nationale qui ne prévoit de bourses que suivant des paramètres de conditions économiques et de mérite.

3.2.2.3. *Les atouts par rapport aux indicateurs de résultat*

a. Les rapports hommes-femmes et enseignants-étudiants: une évolution positive

Toutes les indicateurs montrent que le nombre de diplômés (pourcentage de diplômés par rapport au nombre d'inscrits), le pourcentage de professeurs par rapport au nombre d'étudiants, le pourcentage des femmes professeurs sur le nombre total de professeurs, ont augmenté au cours des années et que les données de 2000, 2006, 2013 évoluent positivement.

En l'an 2000, le nombre de diplômés était de 7,2%, en 2006 il montait à 14,4%, pour arriver à 17,8% en 2013. Le nombre de professeurs titulaires par rapport au nombre total des professeurs est significatif: 56,4% en 2000, 53,3 en 2006 et 71, 6 en 2013 (en consonance avec les indications de la loi nationale qui oblige les universités à faible pourcentage de professeurs titulaires à se réorganiser d'une manière significative).

Les objectifs pour le pourcentage d'hommes et de femmes étudiants et professeurs montrent des résultats positifs. Les étudiantes sont 62% du total et les professeurs femmes 40%, les femmes représentent aussi 74% des effectifs du personnel administratif.

Une faiblesse relative des rapports de genre: les rôles académiques tels que les fonctions de recteur, vice-recteur, doyen et coordinateur de cours et directeur de département sont occupés en grande partie par les hommes. Il faudrait quand même relever que cette donnée est en rapport avec le pourcentage et la tendance au niveau national: de fait, l'Italie est encore un pays dans lequel le nombre des femmes qui occupent des fonctions de direction et de cadres dans les institutions est inférieur au nombre d'hommes.

b. Niveau de participation du personnel et des étudiants

Un autre atout de l'université de Bergame est la presque totale participation des secteurs tels que les personnels enseignant et de recherche, le personnel administratif et des services et les étudiants à l'élection au poste du recteur.

Les dernières données de 2009 montrent une participation de 315 des 339 enseignants, 16 sur 17 du personnel de l'administration et de 15 des 18 étudiants.

c. Processus et outils d'enseignement et apprentissage

En ce qui concerne le respect des droits de l'homme dans les processus et les outils d'enseignement et apprentissage, l'université a un Centre pour la qualité de l'enseignement et de l'apprentissage (CQIA) qui est plutôt spécialisé en formation des enseignants externes à l'université (les professeurs des écoles, les professeurs des lycées, etc.) et dans la collaboration avec des institutions sociales pour des activités hors curriculum. Le centre ne parle pas de manière explicite dans ses statuts de travailler pour le respect des droits de l'homme dans les processus d'enseignement –apprentissage, mais il le fait de façon indirecte et implicite dans la mesure où il agit pour la promotion de la qualité de l'enseignement et l'apprentissage sous leurs multiples modalités.

d. La ressource des conventions pour la réalisation de stages

Le nombre d'accords avec des entités à but non lucratif est de 368 en 2013 d'un total de 3256 accords signés. Le nombre d'étudiants réalisant des stages dans des entités à but non lucratif est très important et montre les possibilités offertes aux étudiants par l'université pour promouvoir leur droit à l'orientation et la formation en collaboration avec les entités du territoire et les entités internationales aussi.

3.2.2.4. Les atouts à partir des indicateurs sur la recherche

a. Le respect du droit à la liberté de choix et de méthodologie dans la recherche

Les statuts reconnaissent en particulier et réglementent la liberté de choisir le sujet et la méthodologie de recherche, la liberté de consulter les archives et les publications scientifiques, la liberté de collaborer avec des chercheurs d'autres pays ou groupes, conformément à l'article 1, alinéa 2 des statuts (concernant la nature juridique et les finalités institutionnelles) et de conformité avec l'article 33 de la Constitution Italienne, article 2 alinéa 1, l'article 1 alinéa 7, l'article 2 alinéa 9 des statuts (relatif aux activités didactiques de recherche et aux activités d'internationalisation). On y retrouve la pleine reconnaissance de liberté dans ce sens.

L'Université élabore en toute autonomie sa politique de recherche et l'approuve par le biais des départements et des centres de recherche.

b. Le droit de libre accès aux sources et le droit à l'intimité dans la recherche

Il y a une politique de libre accès aux sources dans le respect des droits à l'intimité. Le nombre de documents bibliographiques dans les bibliothèques universitaires a sensiblement augmenté (158403 en 2000, 209096 en 2006 et 258081 en 2013) qui montre l'investissement réalisé pour faciliter l'accès aux sources bibliographiques dans les centres universitaires. L'Université encourage la liberté de consultation des archives et des publications scientifiques de ses bibliothèques et archives et des catalogues nationaux et internationaux, avec des facilités pour son personnel enseignant et des services spécifiques pour les étudiants.

c. Présence d'instruments et d'actions pour la promotion de la recherche à l'université

L'Université prévoit des appels à proposition pour la promotion de la recherche par le biais de prix à la recherche pour les chercheurs, et la publication des recherches innovantes et de haut niveau scientifique.

Pour les années 2000 et 2006 les financements de l'université ont été planifiés en tant que fonds de l'université[79], et en 2013 aux financements ordinaires de l'université s'ajoute le projet ITALY (Italian Talent Ed Young Researchers)[80].

L'université ne prévoit pas de mesures spécifiques internes pour la promotion de la mobilité internationale de ses chercheurs, mais cette dernière est une valeur très reconnue par l'université et financée par des ressources externes, entre autres les financements européens.

Les effectifs doivent remplir un *timesheet* pour que l'université connaisse mensuellement leur temps productif. Depuis 2010 le pro-recteur pour la recherche applique une modalité de calcul de la distribution des fonds aux départements à partir de 4 indicateurs de production à chaque département relatifs aux produits de la recherche et à la participation de chaque membre du personnel enseignant aux projets nationaux et internationaux sur une période de 4 années. Chaque département peut donc établir des mesures d'encouragement à la recherche dans ce contexte.

La reconnaissance et la promotion de la recherche sont en consonance avec l'intégration des droits et la promotion de la dignité humaine et du travail des effectifs de l'université.

L'évolution les dernières années du nombre de doctorants et de centres de recherche explique combien l'université a investi dans ce domaine d'activités. En 2000 le nombre des doctorants était de 4, de 15 en 2006 et ils sont 99 en 2013. En 2013, l'université inclue 7 centres de recherche universitaires et 10 centres de recherche départementaux et interdépartementaux.

3.2.2.5. Les atouts à partir des indicateurs dans les milieux d'apprentissage

a. Référence explicite aux droits de l'homme dans les statuts et le code éthique

On trouve des références explicites aux droits de l'homme dans les statuts et dans le code éthique de L'université de Bergame.

La non-discrimination et la liberté académique sont citées et réglementées respectivement par les articles 12, alinéa 4 et 2, alinéa 6 des statuts et par l'article 2 alinéa 1, 7, 9,10 et l'article 2, relatifs à la recherche et l'internationalisation.

L'université reconnait le respect des droits de l'homme parmi ses valeurs, en particulier:

79. Voir *http://www.unibg.it/struttura/struttura.asp?cerca=uffric_finnaz_ateneo*
80. Voir: *http://www.unibg.it/struttura/struttura.asp?cerca=uffric_italyr*

1. le respect des droits individuels et de la dignité humaine dans les statuts;
2. la valorisation du bien-être des travailleurs dans le code éthique;
3. la non-discrimination et la lutte contre l'abus dans le code éthique;
4. la réglementation en cas de conflits d'intérêts et pour la propriété intellectuelle dans le code éthique.

Une faiblesse est que la liberté d'expression des étudiants n'est réglementée que dans le code éthique, mais qu'elle n'est pas mentionnée de manière explicite dans les statuts.

La liberté de participation à la prise de décisions et à l'organisation d'activités des étudiants figure aux statuts.

Une faiblesse à souligner est que l'université ne prévoit pas de mécanismes visant à protéger le respect des droits de l'homme dans le cas spécifique de protection des étudiants, (à travers par exemple la création de la figure du «défenseur de l'étudiant») et qu'elle ne prévoit pas de collaboration avec des institutions dans ce même sens.

Les libertés de participation des étudiants à la prise de décisions, et d'organisation de leurs propres activités sont stipulées par l'article 13, alinéa 1-c et par l'article 3 alinéa 4. La représentation, la médiation et la défense des intérêts des étudiants est promue par le Comité paritaire enseignants- étudiants.

b. Absence de plaintes relatives aux droits de l'homme: un atout

L'université n'a pas reçu de plaintes concernant des atteintes aux droits de l'homme. Il faudrait s'interroger sur cette donnée, car si, d'une part, cela signifie qu'il n'y a probablement pas de cas graves d'atteintes aux droits fondamentaux, d'autre part on pourrait s'interroger sur les actions mises en place pour promouvoir la dénonce de cas d'atteintes portées aux droits de l'homme surtout quand elles sont indirectes et implicites, quoique tout aussi importantes légalement, dans les comportements quotidiens à l'intérieur de l'université.

c. Formation du corps enseignants aux droits de l'homme

L'université organise à travers la Chaire UNESCO des programmes de formation pour les enseignants ou autres acteurs sociaux et culturels du territoire.

d. Absence de la composante «éducation aux droits de l'homme» dans les processus de sélection du personnel: une faiblesse

Une faiblesse à relever: la législation universitaire ne tient pas compte de l'éducation aux droits de l'homme dans le processus de sélection du personnel enseignant.

3.2.3. Bonnes pratiques. Cas d'étude: la Chaire UNESCO des droits de l'homme à L'université de Bergame

A travers la Chaire UNESCO des droits de l'homme et éthique de la coopération internationale l'université prévoit et encourage des projets d'innovation pédagogique et favorise la recherche dans le domaine des droits de l'homme.

La Chaire UNESCO des droits de l'homme et éthique de la coopération internationale naissait en 2004 en tant que structure de formation et de recherche. Elle s'insère dans le cadre du programme UNITWIN (*University Twinning and Networking) / Chaires UNESCO*, promu par l'UNESCO en 1992, dans le but de promouvoir la recherche et la formation en droits de l'homme, la coopération interuniversitaire et la circulation des savoirs entre des pays différents. L'activité de formation et de recherche de la Chaire UNESCO a comme objet la promotion des activités de coopération internationale dans une approche éthique, surtout dans le domaine des politiques de promotion des droits de l'homme et des diversités culturelles et religieuses, et la participation aux programmes de recherche et de formation nationaux, européens, internationaux dans le domaine des droits de l'homme, des migrations, de la démocratisation des relations internationales.

La finalité de la Chaire UNESCO est donc la mise en réseau d'universités, d'entités, d'institutions, et d'acteurs sociaux et politiques, pour une coopération internationale sur les droits de l'homme.

La formation prévoit un master interdépartemental en «droits de l'homme et éthique de la coopération internationale» et un doctorat en «Études humaines interculturelles». Le cours spécifique «Éducation aux droits de l'homme et à la coopération internationale» est dispensé dans deux cours, en Sciences de l'éducation et en droit dans les études de Bachelor[81]. Le master en droits de l'homme et éthique de la coopération internationale, un master interdisciplinaire de droit, sciences sociales, sciences de l'éducation et sciences économiques[82] inclut un cours d'«Éducation aux droits de l'homme».

Le doctorat qui, à l'origine, incluait l'enseignement et la recherche sur l'éducation aux droits de l'homme était le doctorat en science de la coopération Internationale Vittorino Chizzolini. Ce doctorat est maintenant renommé Doctorat en études humaines interculturelles (Curriculum Interculturel et Coopération Internationale) et il offre 2 ou 3 bourses d'études chaque an-

81. Code 68003 Pedagogia dei diritti dell'uomo, dans la discipline MPED01 pedagogie generale et sociale, depuis le 2007-2008.
82. Code 10638 Pedagogia dei diritti dell'uomo; Code 68027 mod 1 Pedagogia dei diritti dell'uomo, dans la discipline MPED01 pédagogie générale et sociale, depuis 2009-2010.

née. Destiné aux diplômés ès lettres, sciences sociales (sociologie, anthropologie, etc.), sciences de la communication, sciences de l'éducation, sciences de la coopération, etc. il existe depuis 2008 et chaque année un étudiant originaire d'un pays étranger peut briguer une bourse. Un étudiant du Honduras et une étudiante d'Équateur en ont bénéficié. En moyenne, il y a eu 40 étudiants inscrits au Master en droits de l'homme et éthique de la coopération internationale les trois dernières années.

Pour ces activités de formation et pour les activités de recherche, la Chaire UNESCO de l'Université de Bergame a mérité de nombreux prix: Prix de l'université de la Havane, Prix de la Région Lombardie, Prix de la municipalité de Bergame, Prix de la chambre de commerce de Bergame, Prix de l'université Catholique du Honduras, Prix de L'université de Sétif.

La Chaire UNESCO participe à des projets de recherche pour le développement de méthodologies et d'outils pour l'éducation aux droits de l'homme, en collaborant, entre autres, avec l'université de Fribourg, le Conseil de l'Europe et l'Union Européenne. Nous citerons plus avant certains projets.

En accord avec les principes qui fondent l'Association pour le développement de l'éducation en Afrique(ADEA), laChaire UNESCO soutient les activités proposées à la suite de la Triennale de Ouagadougou 2012 et en particulier une plateforme pour le dialogue politique sur L'éducation pour un développement durable. Il s'agit avant tout d'analyser les expériences des différents pays qui pourraient promouvoir des programmes éducatifs centrés sur les communautés.

Le projet Éducation et culture de la démocratie – ECUD (2014-2016), coordonné par le *Conseil de l'Europe,* réunit l'Algérie, l'Albanie et l'Italie. La recherche montre que la transparence des systèmes d'enseignement est un élément fondamental pour assurer la qualité de l'enseignement universitaire. Pour affronter ces exigences de transparence et de qualité, il faut que la société dans son ensemble et les acteurs des processus de formation puissent avoir accès à des informations fiables. Le projet veut étudier l'accessibilité et la qualité des informations dans les pays concernés en utilisant une approche basée sur les droits de l'homme.

La Chaire UNESCO a participé à la publication et édité elle-même de nombreuses publications sur les droits de l'homme.

De nombreux accords et collaborations existent entre l'université et des organisations nationales et internationales pour la réalisation de projets de recherche en droits de l'homme, entre autres avec BIE, BREDA, ARADESC, IHEID, le Conseil de l'Europe, IIPE, ISESCO, OIDEL, OIM, la Région Lombardie, la Commune de Bergame, le Diocèse de Bergame, la Province de Bergame et la Chambre de commerce de Bergame.

La Chaire UNESCO collabore avec de nombreuses Chaires UNESCO dans le monde (Europe, Amérique Latine, Maghreb et Moyen Orient, Afrique, Asie) pour la réalisation de séminaires et à des projets de recherche.

L'université participe à des initiatives citoyennes de sensibilisation aux droits de l'homme avec, entre autres, des associations de migrants, la société civile, les syndicats, la municipalité, etc. La Chaire UNESCO organise de cours de formation aux droits de l'homme pour la société civile, des *Summer Schools* (à Genève), des Séminaires d'études internationales, etc.

Le nombre de thèses doctorales en droits de l'homme est passé de 3 en 2006 à 5 en 2013; le nombre d'étudiants diplômés à la fin du master avec des sujets d'études relatifs aux droits de l'homme était de 9 en 2006 et il est passé à 18 en 2013.

Le pourcentage de projets de recherche sur les droits de l'homme par rapport au total des projets est petit mais d'importance et il a augmenté de façon significative entre l'an 2006 et l'an 2013.

Le nombre des enseignants faisant des séjours ou suivant des programmes de formation aux droits de l'homme dans d'autres institutions était de 3 en 2013.

On constate qu'il y a pour les étudiants des bourses de doctorat en droits de l'homme et pour l'organisation d'activités spécifiques en éducation aux droits de l'homme, telles que des séminaires internationaux, des *Summer Schools*, etc.

On relève des subventions et des bourses pour la promotion de la recherche sur les droits de l'homme promues par la Chaire UNESCO de L'université de Bergame, le Conseil de l'Europe, l'Union Européenne.

Un nombre d'accords très significatif existe entre l'université, représentée par la Chaire UNESCO, des organisations nationales et internationales et des ONG pour la réalisation de projets de recherche sur les droits de l'homme. On peut donc facilement identifier ces activités de formation et d'éducation aux droits de l'homme, l'organisation de séminaires avec les associations de migrants, la société civile, les syndicats et la municipalité, ainsi que l'organisation de cours de formation pour la société civile locale et des Ecoles d'été comme des exemples de bonnes pratiques.

Tout cela nous montre que l'université de Bergame par le biais de la Chaire Unesco investit clairement dans le domaine de la formation et de la recherche sur les droits de l'homme comme priorité, mais le risque est que les activités dans ce domaine soient promues essentiellement par la Chaire UNECO sans qu'il n'y ait de réflexion plus vaste et plus partagée dans d'autres contextes et secteurs de l'Université.

La création récente du Comité unique pour la garantie de l'égalité des chances, avec la présence de la Chaire Unesco, pourrait être le premier pas vers la sensibilisation à la question des droits de l'homme d'un nombre plus important des effectifs de l'université et vers la réalisation de projets de promotion effective des droits de l'homme au sein de l'université. En outre, la création récente de «*unibg-international*» contribue à l'internationalisation de l'université, dans une perspective interculturelle et avec une mise en réseau des projets de recherche partagés au niveau international, pour un dialogue intellectuel et un échange international constant. La Chaire UNESCO contribue activement à ce projet d'internationalisation et de promotion des échanges interculturels.

3.2.4. Conclusions

L'université de Bergame est sans doute un exemple positif de respect des droits de l'homme dans sa manière de se doter de moyens à travers ses statuts et son code éthique (établi par loi nationale) qui garantissent: l'autonomie dans sa gestion et son organisation et dans la recherche de financements, la pleine autonomie de l'enseignement et de la recherche pour son personnel enseignant, le droit de participation à la gouvernance de l'institution, la transparence dans l'accès à l'information et à la gestion universitaire, l'évaluation de la qualité de l'enseignement et de la recherche par un organisme externe, etc.

Parmi les faiblesses à souligner dans ce cas d'étude se trouve un manque de référence aux droits de l'homme dans les modèles-cadres de conventions et dans les contrats et une absence de référence à l'éducation aux droits de l'homme dans les conditions pour la sélection du personnel.

Une analyse attentive nous montre aussi la présence d'un nombre majeur de faiblesses dans parmi les indicateurs relatifs aux milieux d'apprentissage.

Au-delà de certaines faiblesses, parfois de nature structurelle, il faut souligner les références explicites aux droits de l'homme dans le code éthique et dans les statuts, tels que la dignité humaine et les droits individuels, la qualité de vie aux postes de travail, etc. L'Université a créé dernièrement le Comité unique de garantie pour l'égalité des chances, qui va rejoindre d'autres organes de contrôle du respect des droits déjà existants tels que la Commission paritaire enseignants-étudiants, etc.

L'université répond donc adéquatement aux demandes de la loi nationale d'une majeure promotion des droits. La valeur ajoutée de cette université est la présence d'une Chaire Unesco des droits de l'homme et l'éthique de la coopération internationale depuis 2004.

Les nombreux échanges nationaux et internationaux et actions de formation et de recherche sur les droits de l'homme réalisés ces dix dernières années par la Chaire UNESCO vont constituer un ensemble de bonnes pratiques, essentielles pour l'université de Bergame.

4. ROYAUME-UNI

PARESH KATHRANI
MARGHERITA BLANDINI
Université de Westminster

4.1. RAPPORT NATIONAL

4.1.1. Introduction: L'enseignement supérieur au Royaume-Uni

Le Royaume-Uni(RU) est un des pays qui n'ont pas de constitution écrite[83]. En effet, les règles juridiques et non juridiques qui règlementent le fonctionnement de ses organes publics et de diverses agences de l'État sont recueillies dans diverses sources, comme les statuts parlementaires, la législation secondaire, le droit coutumier et les conventions historiques[84]. Cette architecture confère une flexibilité considérable à la constitution du RU.

Cette flexibilité se reflète dans l'équilibre du pouvoir des nations du RU. Le RU est divisé en quatre nations: l'Angleterre, le Pays de Galles, l'Écosse et l'Irlande du Nord, et depuis 1997, certains pouvoirs législatifs et exécutifs ont été transférés progressivement à l'Écosse, le Pays de Galles et l'Irlande du Nord. Ce transfert a permis à ces nations d'assumer le contrôle sur un grand nombre de questions nationales et régionales.[85]

Ce cadre constitutionnel a des conséquences dans le domaine de de l'enseignement supérieur également.[86] Comme l'analyse des données contenues dans ce rapport le révèle plus loin, les auteurs de celui-ci se sont rapportées à plusieurs sources juridiques et non juridiques pour compiler les informations requises, et ils ont constaté les différences existantes entre les systèmes d'enseignement supérieur des quatre nations.

---

83. WEBLEY, L et SAMUELS H, «*Public Law: Text, Cases and Materials*», (Oxford: University Press, 2012), p. 50.
84. Ibid.
85. «*Devolution of powers to Scotland, Wales and Northern Ireland*», Orientation des Cabinets du Royaume Uni, l'Écosse, l'Irlande du nord et le Pays de Galles, (18 février 2013): *https://www.gov.ru/devolution-of-powers-to-scotland-wales-and-northern-ireland*
86. Pour en savoir plus, cf., par exemple, Universities UK, *'Devolution and Higher Education: impact and future trends'*, (2008): *http://www.universitésuk.ac.ru/higheréducation/Pages/DevolutionAndHE.aspx#.VGxig4eKzdk*

Pour établir ce rapport, les auteurs se concentrent néanmoins sur le système actuel d'enseignement supérieur du RU - et, ici, le système d'enseignement supérieur fait référence à l'ensemble de l'enseignement supérieur au RU, et englobe les principales parties intéressées, c'est à dire les fournisseurs et les étudiants de l'enseignement supérieur, les organes de réglementation et de la filière, et le gouvernement (y compris les agences publiques pertinentes).[87]

4.1.2. Les règles juridiques et non juridiques de l'enseignement supérieur au Royaume-Uni

Comme indiqué dans l'introduction précédente, le Droit sur l'enseignement supérieur au RU, qui constitue le cadre juridique pertinent pour ce rapport national, et dont provient une partie des données principales, n'est pas compilé dans un code juridique distinct comme dans certains états européens. La disposition constitutionnelle du RU a UE un impact considérable sur la configuration de ce droit en particulier. Les grands principes juridiques relatifs à l'enseignement supérieur, tels que l'autonomie institutionnelle, la liberté d'expression, l'accès aux institutions de l'enseignement supérieur, la non-discrimination etc., se trouvent dans une variété de sources légales; par ailleurs, certaines de ces sources sont spécifiquement relatives à l'enseignement supérieur, tandis que d'autres, comme la Loi sur les Droits de l'homme de 1998, ont un champ d'application plus vaste.[88] Ainsi, le Droit de l'enseignement supérieur au RU reflète son aménagement constitutionnel complexe.

Toutefois, comme nous l'avons signalé, la constitution ne se limite pas aux sources juridiques seulement. Elle comprend également de grands corps de règles non juridiques. Si, strictement parlant, elles ne sont pas juridiques, et d'aucuns soutiennent qu'elles ne sont pas nécessairement de nature constitutionnelle, mais plutôt administrative, elles jouent néanmoins un rôle essentiel pour le contrôle du fonctionnement des autorités. Ceci est également vrai pour les entités qui se consacrent à l'enseignement supérieur. Les agences tant publiques comme privées, comme la Quality Assurance Agency for Higher Education (*Agence d'assurance de la qualité pour* l'enseignement supérieur (QAA) [89] et l'Equality Challenge Unit (Unité pour l'Égalité),[90]

87. Vous trouverez une définition du système d'enseignement supérieur sur: *http://www.hefce.ac.ru/glossary/#letterH*
88. Par exemple, la Section 6(1) de la Loi sur les droits de l'homme de 1998, ne s'applique pas uniquement aux universités, mais établit, d'une manière générale, que: *«Toute action d'une autorité publique incompatible avec un droit reconnu par la Convention est illégitime».*
89. Site Internet de la Quality Assurance Agency for Higher Education (*QAA*): *http://www.qaa.ac.ru/en*
90. Site Internet de l'Equality Challenge Unit: *http://www.ecu.ac.ru/*

entre autres, fournissent des cadres réglementaires utiles, applicables aux organismes de l'enseignement supérieur au RU.

Les règles sur l'enseignement supérieur au RU constituent un système intriqué de règles juridiques et non juridiques, constitutionnelles et administratives [91]; ce canevas est le cadre de référence dans duquel il faut lire ce dossier. Le large éventail de sources comprend:

1. Des statuts portant *spécifiquement* sur l'enseignement supérieur, par exemple: la Loi sur la réforme de l'enseignement (Education Reform Act, ERA, 1988); La loi sur l'enseignement supérieur et avancé (Further and Higher Education Act, FHEA, 1992); La loi sur l'enseignement supérieur et avancé (Écosse) (Further and Higher Education (Scotland) Act de 1992, FHESA92), la Loi sur l'enseignement et l'éducation supérieure (Teaching and Higher Education Act de 1998 THEA); la Loi sur l'Enseignement Supérieur de 2004 (Higher Education Act, HEA), et la Loi sur l'Enseignement supérieur et avancé (Écosse) de 2005, FHESA05);
2. Le droit écrit en général, qui comprend: la Loi sur les droits de l'homme de 1998 (HRA), qui transpose la Convention Européenne de sauvegarde des droits de l'homme et des libertés (CEDH) et son Premier protocole au droit du RU; la Loi sur l'Égalité de 2010; la Loi sur les organisations de bienfaisance 2006; la législation sur la protection des données et la liberté d'information et le droit relatif à la propriété intellectuelle;
3. La législation secondaire développée sous le chapeau la loi principale, comme les Réglementations sur (l'extension de) l'enseignement supérieur de 2010, développées en application de la Loi sur l'enseignement supérieur de 2004;
4. Le droit coutumier et la jurisprudence sur des affaires importantes comme R (sur la demande de Yonas Kebede et Abiy Kebede) contre la Mairie de Newcastle [2013] EWCA 960 Civ sur la manière dont les autorités locales doivent évaluer si elles doivent payer les frais de scolarité en vertu de la Loi sur l'enfance de 1999[92];
5. Des Chartes et des Lois Royales passées et modifiées depuis l'époque médiévale[93];

---

91. FARRINGTON, D. and PALFREYMAN, D., «*The Law of Higher Education*», (Oxford, University Press: 2012) p. 3.
92. KEBEDE & ANOR, *R (on the application de) v Newcastle City Council* [2013] EWCA Civ 960 (31 Juillet 2013) at *http://www.bailii.org/cgi-bin/markup.cgi?doc=/ew/cases/EWCA/Civ/2013/960.html&query=Kebede&méthode=boolean*
93. FARRINGTON and PALFREYMAN, Op cit. *Ibid.* pp. 5 et 6.

6. Des cadres et des orientations non juridiques, qui comprennent les orientations développées par des organismes comme l'Equality Challenge Unit et les conseils de financement de l'enseignement supérieur, et qui, en conjonction avec le droit mentionnée précédemment, contribuent à tisser le canevas de règles juridiques et non juridiques qui règlementent le fonctionnement du système d'enseignement supérieur du RU.

4.1.3. Les institutions d'enseignement supérieur (IES)

Il est important de noter qu'au RU, l l'enseignement supérieur est dispensé par des institutions très variées, dont les universités et les centres d'enseignement supérieur. Dans le cadre du système constitutionnel et administratif décrit précédemment, au RU toutes les IES sont des organismes autonomes, qui coordonnent et sont responsables de leurs propres activités, comme la gestion, l'enseignement, la recherche et le transfert des connaissances. Les universités sont la catégorie principale d'IES. Généralement, elles sont constituées en vertu d'une Charte, sous forme d'«organisations d'enseignement supérieurs», ou de sociétés à responsabilité limitée.[94] Les trois formes juridiques constituent la base légale des IES pertinentes, et elles consacrent son autonomie. Il existe néanmoins des différences importantes entre:

a. Les Universités à Charte

Jusqu'en 1992, les IES pouvaient être créées en vertu d'une Charte Royale.[95] Ces universités créées avant 1992, sont parfois dénommées les universités «*anciennes*» ou «*traditionnelles*» ou «*d'avant* 1992». Certaines d'entre elles ont été créées pendant les années 1950 et 1960; les universités «civiques» ont été fondées dans les grandes villes au 19ème et au 20ème Siècle, tandis que les Universités de Oxford et Cambridge sont encore plus anciennes, puisqu'elles datent du 12ème et du 13ème Siècle. La distinction entre les IES à charte et sans charte est particulièrement importante aux égards du statut des membres de l'institution, des pouvoirs de l'institution, et de la relation de ces institutions avec le gouvernement. En particulier, la règle *ultra vires* (c'est à dire que l'institution ne peut pas outrepasser ses pouvoirs) n'est

94. Cf. EASTWOOD, D., «*University Autonomy: Changing Times, Changing Challenges*», (Octobre 2010) sur *http://www.birmingham.ac.ru/documents/university/universityautonomy-chinaspeech.pdf*
95. Dans l'actualité, le Privy Council et la Companies House peuvent accorder l'utilisation du titre «université» à toute institution, sur recommandation du Département d'Entreprise, Innovation et Compétences (BIS).

pas applicable aux universités à charte.[96] En plus des Chartes, ces universités possèdent leurs propres «statuts», ou documents constitutifs, accordés par le Conseil Privé le («Privy Council», un organe constitué par des anciens ministres désignés directement par le Monarque), qui sont passibles de modifications. La Charte et les statuts constituent dès lors la base légale de ces universités, dont elles protègent l'autonomie, et leur confèrent le droit d'accorder des diplômes à perpétuité.

b. Les Institutions sans Charte

a'. Les organisations d'enseignement supérieur

Une des caractéristiques de la constitution du RU est que, dans l'actualité, il est également possible de fonder, refonder ou confirmer des IES à travers une Loi du Parlement (statut) de nature publique ou privée.[97] Un de ces types d'IES, les 'organisations d'enseignement supérieur', a été créé en vertu d'un statut - la Loi sur l'enseignement supérieur et avancé de 1992. Cette Loi a modifié le panorama de l'enseignement supérieur au Royaume-Uni, en permettant par exemple aux anciennes polytechniques de se transformer en universités. Elle constitue le principal outil de création de nouvelles universités dans l'actualité.[98] Conformément à la Loi de 1992, les organisations d'enseignement supérieur sont créées par décision du Secrétaire d'État.

b'. Les sociétés à responsabilité limitée

Certaines IES peuvent être constituées sous forme de société à responsabilité limitée en application des lois sur les sociétés. Elles bénéficient également du droit de délivrer des diplômes et de toucher des financements publics sur un pied d'égalité avec celles qui sont gouvernées par la Loi de 1992. Ces universités tendent à avoir des organes de direction beaucoup plus petits, mais vis à vis de l'extérieur, elles ne diffèrent pas beaucoup des universités qui opèrent en vertu de la Loi de 1992 exclusivement. L'Acte constitutif et les Statuts des IES créées en vertu de la Loi sur les Sociétés reproduisent les dispositions d'une Charte et des Statuts, et stipulent par exemple la mission et les pouvoirs de l'institution.[99]

---

96. FARRINGTON and PALFREYMAN, op. cit., pp. 134-135.
97. Ibid. p. 139.
98. Pour pouvoir créer une université en vertu de cette loi, celle-ci doit compter un minimum de 3 000 étudiants, réussir une inspection conduite par la Quality Assurance Agency, et elle doit être jugée financièrement viable par le Conseil du Financement de l'enseignement supérieur.
99. FARRINGTON and PALFREYMAN, op. cit., p. 140.

4.1.4. Le financement: les IES au RU

La plupart des IES du RU bénéficient d'un financement public. Les Conseils de financement de l'enseignement supérieur sont des organisations non gouvernementales qui fournissent un financement public pour l'enseignement, la recherche, le transfert des connaissances et d'autres activités voisines. Les Conseils de financement de l'enseignement supérieur au RU sont le Conseil de financement de l'enseignement supérieur d'Angleterre (HEFCE), le Conseil de financement écossais (SFC), et le Conseil de financement de l'enseignement supérieur du Pays de Galles (HEFCW). Il n'existe pas de conseil de financement en Irlande du Nord, où les IES sont financés directement par le Département de l'Emploi et l'Enseignement d'Irlande du Nord (DELNI)[100].

Au RU, certains étudiants doivent payer des frais de scolarité pour assister aux IES: si les étudiants éligibles qui assistent aux IES écossais ne payent pas de frais de scolarité, [101] ceux qui font leurs études en Angleterre, par contre, doivent les payer. Les IES qui encaissent des droits de scolarité sont responsables de fixer les tarifs pour certaines catégories d'étudiants (notamment des élèves du premier cycle); ces droits sont toutefois soumis à certaines limites fixées par le Gouvernement. Par exemple, l'Office for Fair Access (le Bureau pour l'accès équitable) dit que:

«L'Office for Fair Access (OFFA) est une organisme public indépendant qui aide à sauvegarder et encourager un accès équitable à l'enseignement supérieur. Il assure *cette fonction est assurée notamment par l'approbation et la surveillance des "conditions d'accès". Toutes les universités et les centres d'enseignement anglais qui souhaitent imposer des frais de scolarité plus élevés doivent souscrire avec nous un «accord sur les conditions d'accès»*[102].

Or, la plupart des étudiants de l'UE (étudiants du RU compris), qui doivent payer des frais de scolarité peuvent également demander des prêts pour payer les frais de scolarité. Les prêts couvrent ces frais, et ne doivent être remboursés que lorsque l'étudiant a obtenu son diplôme et rempli d'autres critères établis. Il est important de signaler que les IES sont obligées d'assurer et d'élargir l'accès et la participation à l'enseignement supérieur, à travers, entre autres, la mise en application de politiques et l'organisation d'activités destinées à garantir que tout ceux qui ont le potentiel de profiter de l'enseignement supérieur aient l'opportunité de le faire quels que soient leurs antécédents, et chaque fois qu'ils en auront besoin. L'OF-

---

100. Veuillez trouver des informations supplémentaires sur les Conseils de financement sur le site internet: *http://www.hefce.ac.ru/glossary/#letterF*
101. Scottish Government, «Financial help for students»: *http://www.Écosse.gov.ru/topics/éducation/universitéscolleges/16640/financial-help*
102. Office of Fair Access, Page d'accueil: *http://www.offa.org.ru/*

FA, par exemple, joue un rôle important de promotion et de sauvegarde de l'accès équitable à l'enseignement supérieur pour les groupes de population sous-représentés, notamment en vue de l'application de frais de scolarité variables depuis l'année scolaire 2006-07[103].

4.1.5. Autonomie et Qualité des IES au RU

Comme nous l'avons expliqué, au RU les IES sont des entités autonomes: leur documents constitutifs établissent que leurs organes de direction ou leurs conseils académiques sont les principaux responsables de la direction efficace de l'institution et de la planification de leur développement futur. Ces organes sont les responsables ultimes de toutes les affaires relatives à cette IES en particulier. Par ailleurs, même si, en vertu des dispositions constitutionnelles et administratives du RU, il existe diverses agences externes pertinentes, comme la QAA, qui ont une responsabilité de contrôle de la qualité, les IES sont également responsables de leurs standards individuels. Elles utilisent une gamme vaste et sophistiquée de structures et d'outils d'assurance qualité communs, comme une supervision annuelle, des structures de comité, le recours universel aux examinateurs externes, des pratiques réflectives, l'adhésion à des références comparatives et des indicateurs établis par la QAA[104] et, dans les domaines professionnels, par les organismes professionnels, les organismes constitués par la loi et les organes de réglementation. Tout ceci tisse un cadre réglementaire solide, qui garantit que ces institutions respectent, entre autres, les standards nationaux décrits dans le Cadre pour les qualifications de l'enseignement supérieur en Angleterre, Pays de Galles et Irlande du Nord (FHEQ). Par ailleurs, la Loi sur la Qualité de l'enseignement supérieur du RU énonce les attentes formelles que tous les fournisseurs d'enseignement supérieur du RU supervisés par la QAA sont tenus de satisfaire[105] et la QAA réalise des audits et des révisions des institutions d'enseignement supérieur conduits par leurs pairs, avec la possibilité de révision spécifique par matière si besoin est. Cette information est diffusée au grand public et donne un aperçu sur les règles juridiques et non juridiques que les IES du RU doivent respecter.

4.1.6. Dimension nationale 1

L'introduction précédente fournit une description du cadre juridique et non juridique du système d'enseignement supérieur du RU. Les deux sec-

103. Ibid.
104. Site Internet QAA, op cit.
105. RU QAA Code for Higher Education: *http://www.qaa.ac.ru/assuring-standards-and-quality/the-quality-code*

tions suivantes de ce rapport considèrent la congruence de ce système avec une approche de l'enseignement supérieur basée sur les droits de l'homme[106].

Dans cette démarche, la définition du Programme Mondial en faveur de l'Éducation aux Droits de l'Homme des Nations Unies de l'approche basée sur droits de l'homme dans le système d'enseignement supérieur qui établit la nécessité de garantir les «droits de l'homme par le canal de l'éducation» (dimension 1) et des «droits de l'homme dans le système d'enseignement» (dimension 2) est appliquée spécifiquement. La première dimension appelle à ce que «tous les éléments et processus d'apprentissage, y compris les programmes d'étude, les supports éducatifs, les méthodes et la formation soient favorables à l'apprentissage des l'homme»; tandis que la deuxième comporte qu'il y ait un «respect des droits de l'homme de tous les acteurs, ainsi que l'exercice de ces droits dans le système de l'enseignement supérieur» [107].

Pour faciliter cette évaluation, l'équipe du projet a développé un ensemble d'indicateurs afin de leur permettre d'apprécier la mesure dans lesquelles ces deux dimensions sont effectivement remplies aux niveaux national et institutionnel de chaque partenaire. Ensuite, les indicateurs ont été ensuite sous-divisés en deux catégories: la première mesure la reconnaissance des standards internationaux pertinents en matière de droits de l'homme aux niveaux juridiques et politiques (*structurels*); et les autres évaluent les procédures pour honorer les obligations respectives (de *processus*); et les systèmes d'évaluation des résultats de ces processus (de *résultat*)[108].

a. Les indicateurs structurels

Le droit à l'éducation. En général, la première dimension considère en quelle mesure les éléments de l'enseignement sont propices à l'apprentissage des droits de l'homme, et les partenaires ont développé une série d'indicateurs structurels qui leur permettront d'évaluer si et en quelle mesure leurs lois et leurs politiques nationales favorisent cet apprentissage. On pourrait plaider que si la discrimination n'est pas interdite, elle peut miner l'apprentissage effectif des droits de l'homme; or, la protection contre la discrimination au RU est explicitement garantie par un statut parlementaire, la Loi sur l'égalité (2010). Cette Loi parlementaire établit un cadre juridique solide et exhaustif pour répondre aux désavantages et à la discrimination

106. L'institution pertinente est l'institution partenaire, c'est-à-dire l'Université de Westminster, Londres, Royaume-Uni.
107. Programme Mondial des Nations Unies en faveur de l'éducation aux droits de l'homme, Rapport sur la deuxième phase (2010-2014): *http://www.ohchr.org/documents/publications/wphre_phase_2_fr.pdf*
108. «*Human Rights Indicators, A Guide to Measurement et Implementation*», (2012): *http://www.ohchr.org/Documents/Publications/Human_rights_indicators_en.pdf*

au RU, et elle s'applique notamment à l'enseignement supérieur. Comme le préambule de la Loi l'annonce clairement, il s'agit de:

> *«Une loi qui impose aux Ministres, à la Couronne et aux autres responsables une exigence de prise en compte de la désirabilité de réduire les inégalités socio-économiques dans la prise de décisions stratégiques sur l'exercice de leurs fonctions…»*

L'Article 14 de la CEDH et l'Article 2 du Protocole 1 CEDH, qui abordent la discrimination, sont également transposés au Droit du RU par un autre statut d'une grande importance constitutionnelle: la Loi sur les droits de l'homme de 1998, qui interdit toute discrimination en matière d'accès à l'éducation.[109]

D'autres dispositions générales de la Loi sur l'Égalité (2010) portent sur les personnes handicapées et la suppression des entraves physiques qui leur font obstacle, ainsi que sur les minorités et les groupes vulnérables. Au RU, les Règles sur les Prisons (1999) réglementent le droit à l'éducation des prisonniers.

Création d'IES: La dimension 1 établit implicitement que la création d'IES est une autre manière dont un État peut garantir que ses processus soient favorables à l'apprentissage des droits de l'homme. En vertu du droit du RU, la Loi sur l'enseignement supérieur et avancé de 1992 (FHEA), avec les modifications apportées par la Loi sur l'enseignement et l'éducation supérieure de 1998 (THEA), la Loi sur l'enseignement supérieur de 2004 (HEA), la Loi sur l'enseignement supérieur et avancé (Écosse) de 1992 (FHESA92) et la Loi sur l'enseignement supérieur et avancé (Écosse) de 2005 (FHESA05), accordent les pouvoirs ministériels pertinents pour la création d'IES au RU. Ceux-ci comprennent, entre autres, les pouvoirs de création de nouvelles institutions pour dispenser toute forme d'enseignement supérieur (en Écosse seulement) et de dissolution les organisations d'enseignement supérieur (en Angleterre et au Pays de Galles) etc.[110]

Autonomie des IES: L'autonomie institutionnelle est cruciale pour la l'aboutissement de la dimension 1, et en vertu du droit du RU, les IES sont autonomes. La forme d'autonomie réelle dont bénéficient les IES dépend de leur statut juridique respectif (institutions à charte, organisations d'enseignement supérieur, sociétés à responsabilité limitée), et les IES à charte ont une autonomie considérablement plus vaste que les IES sans charte. Comme indiqué dans l'introduction, l'autonomie des IES est consacrée dans ses documents constitutifs. Par ailleurs, certains textes législatifs du RU ga-

109. Ceci prouve l'importante de certains statuts parlementaires en vertu de la constitution du RU, comme souligné dans l'introduction de ce rapport.
110. FARRINGTON and PALFREYMAN, op cit. p. 89.

rantissent spécifiquement certains aspects de l'autonomie d'une IES, dont l'admission des étudiants (Loi sur l'enseignement supérieur de 2004) et les frais de scolarité des étudiants et les bourses d'aide aux études (Loi sur l'Enseignement et l'éducation supérieure de 1998). Voilà un autre exemple de la flexibilité du cadre constitutionnel et administratif du Royaume-Uni.

Gouvernance et Participation: Les structures du RU les appuient également. En règle générale, les documents constitutifs des IES leur confèrent la liberté d'établir leurs propres structures de gouvernement pour d'atteindre leurs objectifs. Chaque institution a un organe de direction, qui s'appuie sur diverses structures de comités et de sous-comités. Il s'ensuit que dans le droit du RU, la composition et la direction des IES relèvent du domaine de décision de la propre IES. Néanmoins, au RU les IES sont réglementées et doivent respecter des règles juridiques et non juridiques, comme les dispositions du guide du Conseil de financement de l'enseignement supérieur d'Angleterre (HEFCE) concernant les organismes de direction.[111] En outre, la Loi sur l'Éducation (N° 2) de 1986 réglemente spécifiquement la liberté d'expression des étudiants et les syndicats d'étudiants.

Reddition de comptes et Sauvegardes: Afin d'assurer que l'éducation dispensée au sein de l'IES soit favorable à l'apprentissage des droits de l'homme, il est important que les droits et les politiques structurels prévoient des mécanismes convenables de reddition de comptes. Dans ce sens, le RU dispose d'appareils solides, dont certains passent par les Conseils de financement et le Parlement à travers le Comité des Comptes Publics, comme l'exigent les Protocoles Financiers souscrits par les Conseils de financement et les IES, ainsi que la Loi sur la Responsabilité du Budget et d'audit national de (2011), entre autres.

Programmes d'enseignement et de recherche: Cet aspect aussi est crucial pour la dimension 1. Au niveau national, le Gouvernement du RU ne prescrit pas les programmes des IES; dès lors, il ne leur exige pas de dispenser une instruction formelle en matière des droits de l'homme. Cependant, les programmes tombent dans le domaine de décision de chaque IES, et la législation sur la culture et autres législations plus vastes garantissent, entre autres, le respect des droits de l'homme.

Les appels à projets de recherche émanent de diverses sources, dont, au niveau national, des conseils de recherche dédiés et divers organismes privés et/ou de bienfaisance.[112] Ces appels à projets sont plus disciplinaires,

111. HEFCE *Guide for Governing Bodies: http://www.hefce.ac.ru/media/hefce1/pubs/hefce/2009/0914/09_14.pdf*

112. Cf. par exemple, le site Internet du Conseil de Recherche du RU *http://www.rcuk.ac.ru/* qui contient des compléments d'information sur les conseils de recherche au RU.

et abordent des domaines particuliers, comme la science et les humanités. S'ils peuvent ne pas mentionner expressément les droits de l'homme, il est naturellement implicite dans ces appels à projet que tous les postulants auront les mêmes opportunités de participation, et que les demandeurs sont conscients de toutes les implications éthiques dans le déroulement de leur recherche. La collaboration scientifique internationale est encouragée de différentes manières au niveau national.

Statut des enseignants des IES: Les qualifications professionnelles peuvent être utilisées pour la promotion d'une approche de l'éducation basée sur les droits. Au RU, il n'est pas expressément exigé aux enseignants des IES de posséder des qualifications professionnelles pour l'enseignement supérieur. Ceci ne signifie cependant pas que les enseignants n'adhèrent pas à des standards basés sur les droits. Le RU est une démocratie libérale solide, et ses institutions possèdent une culture des droits de l'homme. Le gouvernement a toutefois exprimé son intention de professionnaliser le statut des professeurs universitaires dans le «Rapport Browne (2010): Assurer un avenir durable pour l'enseignement supérieur.»[113]. Par ailleurs, les IES sont désormais tenues de déclarer à la Higher Education Statistics Agency le nombre de qualifications pour l'enseignement et d'affiliations relatives à l'enseignement de leur personnel enseignant. L'intention et de publier ces statistiques d'ici un ou deux ans.

Liberté d'expression: Élément essentiel de la dimension 1, elle est consacrée dans plusieurs grandes sources constitutionnelles du RU. Par exemple, le droit à la liberté d'expression reconnu par l'article 10 de la CEDH a été transposé expressément au droit du RU par la Loi sur les droits de l'homme

---

113. *«Securing a Sustainable future for higher education: an independent review of higher education financement & student finance»*, (12 octobre 2010) sur *https://www.gov.ru/gouvernement/uploads/system/uploads/attachment_data/file/31999/10-1208-securing-sustainable-higher-education-browne-report.pdf* Page 48, point 6.3: *Les étudiants s'attendent également à ce que ceux qui les enseignent disposent d'un niveau minimum de compétence pour l'enseignement. L'enseignement dans l'ES est varié, et une licence unique pour toute sorte d'enseignement ne serait pas appropriée. L'Académie de l'ES a développe un cadre de standards professionnels qui peut être utilisé pour accréditer les activités de développement de l'enseignement déployées par les propres institutions individuelles, de manière à atteindre un niveau minimum reconnu sur le plan national. Ceci permet aux institutions de concevoir des programmes de développement de l'enseignement pour leur personnel qui soit pertinent au niveau local, tout en atteignant les standards reconnus au niveau national. Pour que les élèves puissent toucher des recettes pour couvrir leurs frais de scolarité dans le cadre du Plan de Financement des étudiants, les institutions doivent exiger à tous leurs nouveaux collaborateurs qui ont responsabilités d'enseignement de suivre une formation de qualification pour l'enseignement reconnue par l'Académie de l'ES, et la possibilité d'obtenir cette qualification doit être ouverte à tous les collaborateurs –y compris les chercheurs et les étudiants post-universitaires– qui ont des responsabilités d'enseignement. Chaque institution fournira des informations anonymes sur la proportion du personnel enseignant qui possède cette qualification, ventilées par matière»*.

de 1998, et il bénéficie de la protection supplémentaire conférée par la législation spécifique, Section 202 (2) (a) de la Loi ERA de 1998.

Droits de propriété intellectuelle (brevets, droits sur les dessins et les modèles, les bases de données, l'information confidentielle et les marques déposées): Tout système qui reflète les droits de l'homme doit reconnaître la propriété intellectuelle, et au RU, il existe des structures claires de réglementation des droits de propriété intellectuelle (IPR) comme la Loi sur les Droits d'auteur, les modèles et les brevets de 1998 (CDPA) modifiée par la Réglementation sur les droits d'hauteur et droits voisins de 2003, et l'application de la Directive de l'UE 2001/29/EC sur l'harmonisation de certains aspects du droit d'auteur et droits voisins dans la société de l'information.

b. Les indicateurs du processus

Contrôle de qualité: Jusqu'ici, cette section du rapport a examiné d'un point de vue structurel la mesure dans laquelle le droit et les politiques du RU encouragent la dimension 1. Maintenant, l'attention se concentre sur la mesure dans laquelle il existe des procédures en place au niveau national. Ici, le contrôle de qualité a une importance indubitable. Comme indiqué, une agence administrative dédiée joue un rôle majeur pour assurer la qualité. La QAA est un organisme public indépendant chargé de la supervision et du conseil externe sur les standards et la qualité dans l'enseignement supérieur du RU.

Processus et outils d'enseignement et d'apprentissage: Les processus et les outils d'enseignement et d'apprentissage aussi sont essentiels pour la dimension 1. Au RU, les référentiels nationaux par matière de la QAA sont une manière de les fournir. Ils établissent des standards spécifiques par disciplines, sur lesquels peuvent s'appuyer l'enseignement et l'apprentissage. Les services pertinents de l'IES les transposent aux résultats d'apprentissage au niveau du module, qui sont ensuite utilisés par les responsables de modules pour configurer leurs modules respectifs et leur l'apprentissage et enseignement. Les modules suivent ainsi les référentiels et les standards établis par la QAA au niveau national.

Mobilité internationale de Personnel de recherche: Le système du RU dispose de plusieurs mécanismes pour encourager la mobilité internationale de personnel de recherche. En particulier, ceux des Conseils de Recherche et des Conseils de Recherche du RU, entre autres: Mécanismes pour encourager la collaboration internationale[114]; Royal Society: mécanismes d'échanges

114. RCUK, «*International Financement Opportunities*»: *http://www.rcuk.ac.ru/international/financement/financementopps/*

internationaux;[115] British Academy: Partenariats internationaux et mécanismes de mobilité.[116]

c. Les indicateurs de résultats

Pourcentage du PIB consacré à l'enseignement supérieur et la recherche: Une autre manière d'analyser dans quelle mesure un état satisfait la dimension 1 est l'identification et l'analyse des résultats en général. Un de ces résultats concerne la portion du PIB du RU allouée au *Conseil de financement de l'enseignement supérieur d'Angleterre (HEFCE)*, qui a la responsabilité du financement du système du RU et joue un rôle essentiel dans le système de l'enseignement supérieur du RU, garantissant que les IES justifient leur utilisation du financement. D'après le HEFCE, le pourcentage du PIB alloué à l'enseignement supérieur était de 1,6% en 2002, puis il a augmenté à 1,7% en 2006, et s'est contracté de nouveau à 1,4% en 2013 en raison des réductions budgétaires appliquées au financement de l'enseignement et la recherche. D'après les données fournies par le Bureau National des Statistiques, le pourcentage du PIB consacré à la recherche était de 1,77% en 2000, 1,68% en 2006, et 1,72% en 2013.

Accès à l'éducation: Un autre indicateur de résultats pertinent pour mesurer les limites de l'application des standards des droits de l'homme sont les statistiques sur l'à l'éducation. D'après l'Agence des Statistiques de l'Enseignement supérieur (HESA), le pourcentage de filles étudiantes dans le système d'enseignement supérieur du RU était de 55% en 2002, 56% en 2006, et de nouveau 55% en 2013. Le pourcentage d'étudiants handicapés était de 6% en 2002, 8% en 2006, et 10% en 2013. Le pourcentage d'étudiants appartenant à des minorités ethniques était de 15% en 2002, 17% en 2006, et 20% en 2013.

4.1.7. Dimension nationale 2

Après avoir considéré la dimension 1 de la définition du Programme Mondial des Nations Unies pour l'Éducation aux Droits de l'homme de l'approche de l'enseignement supérieur basé sur les droits, le Rapport se penche maintenant sur la dimension 2. Elle comprend les «droits de l'homme dans le système d'enseignement (HRiE)» – et en général, vise à «assurer le respect des droits de l'homme de tous les acteurs, et l'exercice des droits dans le système de l'enseignement supérieur»[117].

115. The Royal Society, *«International Exchanges Scheme»: https://royalsociety.org/grants/schemes/international-exchanges/*
116. British Academy, *«International Partnership and Mobility Scheme»: http://www.britac.ac.ru/financement/guide/intl/International_Partenaireship_and_Mobility.cfm*
117. Programme Mondial des Nations Unies, Op cit, p. 4.

a. Les indicateurs structurels

Plans d'action nationaux sur les droits de l'homme: Ici aussi, le rapport commence par une révision des indicateurs structurels: il s'agit de constater si les droits et les politiques appliquées au niveau national garantissent intrinsèquement le respect des droits de l'homme au sein du système de l'enseignement supérieur. Les plans d'action nationaux peuvent être pertinents à cet égard; or, le seul plan d'action national existant au RU dans le domaine des droits de l'homme est le plan national de mise en application des Principes recteurs sur les Entreprises et les Droits de l'homme du RU.[118] Ce plan a mis à jour la «Boîte à outils pour les Entreprises et les Droits de l'Homme» du Gouvernement du RU, et contient des orientations spécifiques pour les responsables politiques, économiques, commerciaux et de développement en mission à l'étranger sur la manière d'encourager le bon comportement des sociétés du RU à l'étranger.

L'éducation aux droits de l'homme dans le système de l'enseignement supérieur: Un état peut, potentiellement, contribuer à la création d'une culture des droits de l'homme au sein du système de l'enseignement supérieur en exigeant aux IES de dispenser des formations portant sur les droits de l'homme. Or, au RU, le gouvernement n'établit pas le programme de l'enseignement supérieur. Une fois de plus, celui-ci relève de la compétence de chaque IES; mais de nombreuses IES, et notamment les Facultés de droit, dispensent des cours de droits de l'homme. Par ailleurs, certaines IES augmentent de plus en plus des tableaux d'attributs des diplômes qui comprennent des attentes de justice sociale, durabilité et citoyenneté globale en tant qu'expressions de leur rôle de fournisseurs d'enseignement supérieur. Ceci signifie que l'éducation du type des droits de l'homme est dispensée non seulement à travers la création de programmes spécifiques sur les droits de l'homme, mais aussi à travers la promotion d'un ensemble de valeurs qui doivent être incorporées dans tout le programme d'études.

Formation des formateurs aux Droits de l'homme: Comme indiqué précédemment, la législation du RU n'exige pas de procédures spécifiques pour la formation des enseignants de l'éducation supérieure, en matière des droits de l'homme par exemple. Au niveau national cependant, le Cadre de Standards Professionnels de l'Académie du RU (UKPSF) fournit une description générale des dimensions principales des postes

118. UK Government, «*Good Business: Implementing the UN Guiding Principles on Business and Human Rights*» (2013): *https://www.gov.uk/government/uploads/system/uploads/attachment_data/file/236901/BHR_Action_Plan_-_final_online_version_1_.pdf*

d'enseignement et de support à l'apprentissage dans le contexte de l'ES.[119] Il est rédigé dans l'optique du pratiquant, et trace un cadre de référence national pour reconnaître et comparer exhaustivement les rôles d'enseignement et de support à l'apprentissage au sein de l'enseignement supérieur. Le cadre comprend trois dimensions de la pratique: 1) les domaines d'activité; 2) les connaissances centrales; et 3) les valeurs professionnelles. Les valeurs des droits de l'homme, comme, par exemple, le respect de la diversité, sont considérées tant des connaissances centrales comme des valeurs professionnelles dans le Cadre des Standards Professionnels du RU (UKPFS).

Recherche sur les Droits de l'homme et Éducation aux Droits de l'homme: au RU, les plans et/ou stratégies nationales de recherche et développement sont divisés par filières (par exemple, la stratégie de recherche et développement du Système de Santé Publique). Souvent, ces plans et/ou stratégies nationaux n'encouragent pas spécifiquement la recherche sur les droits de l'homme et l'éducation aux droits de l'homme, mais ils contiennent et reflètent néanmoins des valeurs des droits de l'homme. Il existe en outre des programmes publics qui financent des projets pour la promotion de l'éducation aux droits de l'homme: par exemple, et entre autres, le programme des Droits de l'homme et la Démocratie déployé par le Bureau des Affaires étrangères et de la Commonwealth (FCO),[120] et le programme de Partenariat pour le Développement de l'enseignement supérieur (DelPHE) développé par le Département de Développement International (DFID).[121] Et des financements croissants sont consacrés aux droits de l'homme et l'éducation aux droits de l'homme à plusieurs niveaux différents: au niveau national à travers les divers conseils de la recherche, dans le domaine privé par le biais de organisations et d'organisations bénévoles, ainsi qu' niveau institutionnel. Certains financements sont des appels à projets généraux qui peuvent couvrir tout sujet, dont les droits de l'homme, tandis que d'autres sont spécifiques aux droits de l'homme exclusivement[122].

---

119. Higher Education Academy, «*RU Professional Standards Framework*»: *https://www.heacademy.ac.ru/sites/default/files/downloads/UKPSF_2011_English.pdf*
120. Human Rights and Democracy Program: *https://www.gov.ru/human-rights-and-democracy-programme*
121. Development Partnership in Higher Education: *https://www.gov.ru/development-partnerships-in-higher-education-delphe*
122. Voir, par exemple: The Bromley Trust Awards: *http://www.thebromleytrust.org.ru/index.php?/awards/butler-trust-awards/*; la bourse de doctorat Frederick Bonnart-Braunthal destinée à combattre l'intolérance, accordée par la London School of Economics (LSE) et l'University College London (UCL): *http://www.ucl.ac.ru/prospective-students/scholarships/graduate/RU-UE_Res/frederick*; et le Plan de Protection des Défenseurs des droits de l'homme en situation de risqué géré par l'Université de York: *http://www.york.ac.ru/cahr/defenders/*

b. Les indicateurs de processus

Publications sur les droits de l'homme: Après avoir passé en revue les cadres juridiques et politiques nationaux pertinents pour la promotion des droits de l'homme au sein des IES, le rapport considère maintenant les processus correspondants au niveau national.

Les connaissances en général peuvent être utilisées pour la promotion des droits de l'homme - et au RU, plusieurs publications académiques bien connues abordent les droits de l'homme, la politique et d'autres sujets relatifs au droits de l'homme en général: citons, entre autres, la *Human Rights Law Review*; la *Law Quarterly Review*, la *Essex Human Rights Review*, la *European Human Rights Law Review*, et l'*International Journal of Human Rights*. Il existe également d'autres publications essentielles sur les droits de l'homme, comme les Rapports du FCO sur les Droits de l'homme et la Démocratie,[123] les publications de la Commission sur l'Égalité et les Droits de l'homme Commission Publications,[124] les publications sur la Justice publications,[125] et les rapports institutionnel (c'est-à-dire des rapports produits par des universitaires au sein d'institutions éducatives).

c. Les indicateurs de résultats

L'éducation aux droits de l'homme dans le Programme de l'ES: Une fois de plus, les résultats peuvent être considérés dans cette dimension également, par exemple par la mesure et l'évaluation de l'incorporation des droits de l'homme aux programmes des IES. Comme nous l'avons déjà dit, le gouvernement du RU n'établit pas le programme de l'enseignement supérieur, qui relève du domaine de compétence de chaque IES. Dès lors, le degré et la manière dont l'éducation aux droits de l'homme est inclue dans les licences suivantes (Droit, Travail Social, Éducation, et Média) est spécifique pour chaque IES. Chaque IES peut inclure l'éducation aux droits de l'homme dans des licences différentes et de manières variées, en fonction de ses propres stratégies et de ses politiques d'enseignement et d'apprentissage.

123. FCO «*Human Rights and Democracy Report*»: *http://www.hrdreport.fco.gov.ru*
124. Publications de la Commission sur l'égalité et les droits de l'homme: *http://www.equalityhumanrights.com/publications*
125. JUSTICE publications: *http://www.justice.org.ru/pages/our-work.html*

Analyse AFOM: Niveau national

Atouts	Faiblesses
1. La constitution non codifiée et le système de suprématie parlementaire permettent une grande flexibilité. 2. Les cadres non juridiques fournissent un support administratif précieux aux normes légales. 3. Les agences telles que l'Agence d'Assurance de la Qualité et l'Unité du Défi de l'Égalité assurent une supervision spécialisée précieuse. 4. Le système basé sur la jurisprudence facilite la flexibilité et la participation au développement des lois. 5. Les crédits pour couvrir les frais de scolarité facilitent l'accès à l'enseignement supérieur. 6. Le RU est une démocratie libérale solide, et ses institutions ont une culture des droits de l'homme.	1. La multiplicité des sources qui gouvernent l'ES peut nuire à sa récupération et sa compréhension. 2. Des cadres non juridiques précieux n'ont pas la force de loi. 3. Les frais de scolarité peuvent être un obstacle pour certains étudiants.
Opportunités	**Menaces**
1. Intention du gouvernement de professionnaliser l'enseignement universitaire. 2. La constitution non codifiée permet au RU d'adapter plus facilement le système. 3. L'autonomie des IES facilite le contrôle local en fonction des besoins. 4. Le gouvernement du RU ne prescrit pas les programmes d'enseignement des IES, ce qui permet à celles-ci d'adapter leurs formations aux attentes du marché. 5. Diverses sources font des appels à projets de recherche, et fournissent un financement commun diversifié de la recherche.	1. La flexibilité constitutionnelle peut ne pas permettre l'équilibrage des besoins à tout moment. 2. L'absence d'une exigence explicite aux enseignants de disposer d'une qualification professionnelle pour l'enseignement supérieur peut engendrer des divergences dans la pratique. 3. Le fait que le gouvernement du RU ne prescrive pas les programmes d'enseignement peut avoir parfois une influence sur la cohérence des matières. 4. L'incertitude économique peut avoir un impact sur la capacité de payer les frais de scolarité.

4.1.8. Conclusions/Commentaires

Comme ce rapport l'a mis en évidence jusqu'ici, un des atouts principaux du système d'enseignement supérieur du RU est la nature exceptionnellement autonome des IES. D'après une étude comparative récente sur «L'autonomie des universités en Europe», le Royaume-Uni ouvre la marche dans le domaine de l'autonomie institutionnelle: son système d'enseignement supérieur remporte une note de 100% pour chacun des indicateurs, ce qui signifie que les institutions d'enseignement supérieur peuvent décider, sans ingérence de l'état, sur tous les aspects compris dans chaque domaine d'autonomie.[126] D'après cette même étude, le RU obtient un résultat de 89% dans le domaine de l'autonomie financière,[127] de 96% dans le domaine de l'autonomie en matière des ressources humaines,[128] et de 94% dans le domaine de l'autonomie académique[129].

La nature souple du système d'enseignement supérieur du RU est le reflet de sa constitution flexible, qui, à son tour, découle d'une diversité de sources écrites et non écrites, qui comprennent les statuts, la jurisprudence et des modèles de comportement politique bien établis (les «conventions constitutionnelles»). Traditionnellement, la structure de ce système constitutionnel particulier a donné la primatie à la gouvernance représentative à travers la doctrine de la souveraineté parlementaire, adhérant en même temps aux principes de l'état de droit[130].

Ceci signifie que le système constitutionnel du RU diffère de la plupart du reste, et notamment des systèmes de droit civil de nombreux pays européens, parce qu'il n'a pas de mécanismes codifiés pour déterminer si quelque chose est «anticonstitutionnelle» en soi; ce qui est «constitutionnel» ou non devient en dernière instance une question judiciaire et politique dont la réponse peut varier au fil du temps.

Cependant, en tant que démocratie libérale, le RU possède une culture des droits de l'homme solide. Ceci est vrai pour le système d'enseignement supérieur aussi. Il existe également des mécanismes externes de contrôle de qualité pour sauvegarder les standards et aider les fournisseurs d'enseignement supérieur à améliorer la qualité de l'éducation qu'ils dispensent.

Dès lors, l'introduction et les dimensions abordées jusqu'ici par ce rapport –les droits de l'homme *par le canal de* et *dans le système de* l'enseignement– révèlent ce qui suit:

1. La politique et la législation sur l'enseignement supérieur du RU favorisent le droit à une éducation de qualité pour tous et fournissent

126. Cf. une autre étude comparative pertinente sur l'autonomie des IES en Europe: ESTERMANN, T. NOKKALA, T. and STEINEL, M. «*University Autonomy in Europe II: The Scorecard*», (European University Association, 2011), p. 53: *http://www.eua.be/Libraries/Publications/University_Autonomy in _Europe_II_-_The_Scorecard.sflb.ashx*
127. Ibid. p. 56.
128. Ibid. p. 59.
129. Ibid. p. 62.
130. Pour en savoir plus sur la question, cf. O'Cinneide, Colm (2009), «*The Human Rights Act and the Slow Transformation of the RU's "Political Constitution"*», Institute for Human Rights Working Papers, nº 01.

des institutions d'enseignement supérieur robustes, qui disposent de ressources et de mécanismes adaptés pour appliquer ce droit de manière cohérente, efficace et transparente;

2. L'inclusion de l'éducation aux droits de l'homme dans le programme de l'lES et la formation des enseignants de l'éducation supérieure aux droits de l'homme découle en forte mesure de l'autonomie de l'IES. Ceci signifie que la plupart des temps, l'éducation aux droits de l'homme n'est pas nécessairement assurée à travers l'enseignement de programmes spécifiques sur les droits de l'homme, mais plutôt à travers la promotion intégrée d'un ensemble de valeurs fondamentales.

4.2. L'UNIVERSITÉ DE WESTMINSTER

4.2.1. Introduction

Cet exposé institutionnel constitue une des deux moitiés du rapport global rédigé par les partenaires du Royaume-Uni de l'université de Westminster sur l'approche de l'enseignement supérieur basée sur les droits dans le RU[131]. Comme le rapport national du RU l'indique, les partenaires du projet ABDEM ont conçu une série d'indicateurs afin d'évaluer l'approche de l'enseignement supérieur basée sur les droits, tel que le Programme Mondial des Nations unies pour l'éducation aux droits de l'homme [132] la définit, et ce tant au niveau national dans leurs états, comme au sein de leurs institutions respectives. Deux bases de données séparées leur ont été fournies afin de faciliter la saisie de ces données, ce qui a abouti à la rédaction de deux rapports: un rapport national et un rapport institutionnel, qui s'appuient tous les deux sur la définition de l'approche de l'enseignement supérieur basée sur les droits proposée par le Programme mondial des Nations unies. Comme indiqué précédemment, ce rapport institutionnel constitue la moitié de cette analyse sur l'approche de l'enseignement supérieur basée sur les droits au RU, et le rapport national en constitue l'autre moitié. Il est important de lire les deux rapports ensemble, non seulement parce que l'introduction du rapport national brosse le tableau juridique et réglementaire dans lequel s'inscrit l'analyse institutionnelle, mais aussi parce qu'elle fournit des informations sur la définition de l'approche des droits applicables contenues dans le Programme mondial des Nations unies. Ceci dit, ce rapport fera également allusion à ces parties de la définition dans des buts de définition du contexte.

---

131. L'analyse de «*l'approche de l'éducation basée sur les droits*» dans les pays partenaires respectifs du projet ABDEM constituait l'objectif de la phase 1 du projet.

132. «*Programme Mondial des Nations unies pour l'Éducation aux droits de l'homme, 2ème Phase*» (2010-2014), Rapport, pp. 4-5:Disponible: *http://www.ohchr.org/documents/publications/wphre_phase_2_fr.pdf*

4.2.2. L'Université de Westminster (London)

Comme indiqué précédemment, en plus de se pencher sur l'approche de l'enseignement supérieur basée sur les droits au niveau de leurs états respectifs, tous les partenaires du projet ABDEM devaient utiliser leurs propres institutions pour conduire une étude de cas pratique – ce qui pour l'équipe du RU, signifiait naturellement l'université de Westminster. Avant de présenter le résumé des résultats pertinents, nous exposons des informations importantes sur le contexte de l'université.

L'université de Westminster, créée en 1838, est la première polytechnique britannique. Elle a évolué depuis, pour devenir une université prospère qui tisse des liens très étroits avec les entreprises, les métiers et d'autres institutions universitaires sises au cœur de Londres, ainsi qu'à l'étranger. L'université possède des immeubles dans la zone du West End de Londres et à Harrow, et compte plus de 22 000 étudiants, qui suivent une grande diversité de cours de premier cycle, de licences et de qualifications de recherche, ainsi que des programmes professionnels et des stages.[133]

L'université a eu un tel succès de recrutement d'étudiants internationaux, qu'elle a des élèves provenant de plus de 150 pays, ce qui en fait une des institutions internationales les plus grandes et variées du monde.[134] Par ailleurs, une grande partie des effectifs de Westminster a des origines étrangères, preuve de la nature véritablement internationale de notre communauté universitaire. Ces raisons ont valu à Westminster l'attribution du Prix de la Reine à l'Entreprise internationale en 2001, et une deuxième fois en 2005[135].

Dans le contexte du panorama juridique décrit dans le rapport national, l'université de Westminster est une institution d'enseignement supérieur (IES) sans charte. Elle a été constituée en application de la Loi sur les sociétés, en tant que société privée à responsabilité limitée sans capital-actions, et elle est une organisation bénévole exonérée au sens de la loi sur les organisations bénévoles de 1993, modifiée par l'ordonnance sur les organisations bénévoles exonérées (N° 2) de 1996 (SI 1996/1932)[136]; son acte constitutif et ses statuts ont été approuvés par le Conseil privé.

---

133. Extrait de L'université de Westminster, «*Corporate Strategy*», (Août 2009): *http://www.westminster.ac.ru/__data/assets/pdf_file/0004/43582/corp_strategy_2009-2015-.pdf*
134. Le programme de bourses internationales a mérité le Prix THES dans la catégorie de «Soutien remarquable aux étudiants étrangers» en 2005; *ibid.*
135. Ibid.
136. Cf. University of Westminster, «*Charitable Status*»: *http://www.westminster.ac.ru/about-us/our-university/charitable-statut*

4.2.3. Dimension institutionnelle 1

Comme indiqué plus haut, ce volet institutionnel constitue une des moitiés d'un rapport qui analyse la correspondance du système d'enseignement supérieur du RU avec la définition du Programme mondial des Nations Unies d'une approche de l'enseignement supérieur basée sur les droits. Cette définition implique que cette approche a deux volets. Le premier aspect, appelé dimension 1 dans le rapport national, considère les «droits de l'homme par le canal de l'éducation», que le Programme mondial des Nations unies définit comme la garantie que «tous les éléments et processus d'apprentissage, y compris les programmes d'étude, les supports éducatifs, les méthodes et la formation favorisent l'apprentissage des l'homme». Nous avons retenu ici une définition large de «l'apprentissage des droits de l'homme». Elle n'est pas interprétée dans son sens littéral, désignant l'apprentissage «sur» les droits de l'homme en tant que tels, mais dans un sens plus large, qui comprend les principes généraux et l'éthique relative aux droits de l'homme. Voilà ce que les auteurs ont considéré concernant L'université de Westminster.

La méthode qu'ils ont employée pour ce faire, comme tous les autres partenaires, a été l'utilisation d'indicateurs conçus spécifiquement dans ce but. Comme il figure dans le rapport national, ces indicateurs sont sous-divisés en deux catégories: ceux qui mesurent la reconnaissance des standards internationaux pertinents en matière de droits de l'homme aux niveaux juridiques et politiques (*structurels*); ceux qui évaluent les procédures pour honorer les obligations respectives (de *processus*); et ceux qui se rapportent aux systèmes d'évaluation des résultats de ces processus (de *résultat*)[137]. En d'autres termes, pour la dimension 1, les auteurs ont utilisé des indicateurs structurels, de processus et de résultats pour l'évaluation générale du type d'apprentissage des droits de l'homme proposé par L'université de Westminster.

a. *Indicateurs structurels*

Le renseignement des indicateurs structurels comporte l'examen général des cadres et des politiques appliqués par L'université de Westminster, afin de vérifier s'ils sont favorables à l'apprentissage des droits de l'homme.

Suite à la consultation des documents pertinents, les auteurs souhaitent attirer l'attention sur un point soulevé spécifiquement dans le rapport national et indiqué ci-dessus. Les institutions de l'enseignement supérieur (IES)

137. *«Human Rights Indicators, A Guide to Measurement* et *Implementation»*, (2012): *http://www.ohchr.org/Documents/Publications/Human_rights_indicators_en.pdf*

au Royaume Uni sont des entités autonomes. Leurs organes de direction ou conseils académiques ont la responsabilité essentielle de garantir la direction efficace de l'institution et la planification de son développement. Ceci est recueilli dans leurs documents constitutifs[138].

Les documents «structurels» pertinents de l'université de Westminster étudiés pour évaluer la dimension 1 sont ses documents constitutifs, c'est-à-dire son acte constitutif et ses statuts[139]. Nous avons toutefois consulté d'autres documents politiques et d'encadrement importants. Toutes ces sources sur la politique éducative et le système de gouvernance ont été utilisées pour apréhender la dimension 1 dans une optique structurelle[140].

Autonomie: Un aspect de l'apprentissage des droits de l'homme dans le sens précisé ci-dessus consiste à développer un espace qui permette aux étudiants de les explorer. On estime que les institutions d'enseignement supérieur sont souvent les mieux placées pour y parvenir, car elles ont le contrôle quotidien d'une institution. Dans ce sens, leur accorder un élément de liberté serait favorable à l'apprentissage des droits de l'homme. Les documents constitutifs de L'université de Westminster, comme ceux d'autres institutions d'enseignement supérieur, confèrent cette autonomie. L'acte constitutif et les statuts de l'université de Westminster consacrent les règles sur la gouvernance de l'université. Ils peuvent être modifiés, et l'on été en 2010, avec le consentement du Conseil privé[141]. Ils confèrent à L'université de vastes facultés de collecte de fonds[142].

Gouvernance: La structure de gouvernance consolide cette autonomie. L'université a deux grands organes de direction: la Cour des gouverneurs et le Conseil académique. La première a des facultés très variées, et le deuxième a la responsabilité principale des questions académiques. La composition, désignation, séparation et démission des membres de la cour de gouverneurs est réglementée par l'acte constitutif et les statuts[143]. La cour de gouverneurs est la principale responsable de la détermination des frais

138. EASTWOOD, D. «*University Autonomy: Changing Times, Changing Challenges*», (Octobre 2010): *http://www.birmingham.ac.ru/documents/university/universityautonomy-chinaspeech.pdf*
139. University of Westminster, «*Memorandum and Articles of Association*»: *http://www.westminster.ac.ru/__data/assets/pdf_file/0006/78882/Articles-of-Association-Oct-2010.pdf*
140. En général, cf. les «*Conditions d'utilisation*» (*'Terms of use'*) de L'université de L'université de Westminster L'université de Westminster L'université de Westminster L'université de Westminster Université de Westminster sur: *http://www.westminster.ac.ru/about-us/our-university/information-compliance/website-terms-et-conditions*
141. Les Statuts ont été modifies en vertu d'une Décision spéciale adoptée le 12 juillet 2010, avec le consentement du Conseil Privé émis le 19 octobre 2010 en application de la section 129B de la Loi sur la réforme de l'Éducation de 1988 avec ses modifications.
142. University of Westminster, *'Memorandum* et *Articles of Association'*, Op cit. section 4.4
143. Ibid. section 3.

de scolarité[144]. Elle est également chargée de désigner les commissaires aux comptes externes et d'établir leurs règles de comportement[145].

Le développement et l'adoption des programmes et de la politique de recherche, ainsi que les questions relatives à l'admission des étudiants sont des responsabilités du conseil académique, qui est soumis à la responsabilité globale de la cour des gouverneurs, ainsi qu'aux responsabilités du recteur[146]. La cour des gouverneurs et le conseil académique partagent les responsabilités relatives à la sélection, formation, promotion et rémunération du personnel académique et non académique, ainsi qu'à la gestion des ressources[147].

Les droits de l'homme dans les activités de recherche: le propre Programme mondial des Nations unies reconnaît expressément que la recherche peut stimuler l'apprentissage des droits de l'homme. À Westminster, la recherche est dirigée et développée dans un cadre objectif de politique, réglementation et bonnes pratiques qui relèvent de la responsabilité du comité de recherche. Il faut noter que l'Université a un code de pratique de la liberté d'expression qui consigne l'approche de l'Université par rapport à la liberté d'expression des étudiants et de son personnel[148]. Cette approche est renforcée par d'autres documents du Cadre de la recherche, comme le Code des bonnes pratiques de recherche 2014/2015 de l'université[149]. Le Code sur la liberté d'expression par le Cadre de recherche et l'université de Westminster réglemente par exemple le droit à consulter les archives et les publications scientifiques[150]. L'université de Westminster a en outre une Stratégie pour la recherche, l'entreprise et le transfert des connaissances 2009-2015, qui soutient l'approche interdisciplinaire, la collaboration interne et externe et l'internalisation des activités de recherche, entreprise et transfert des connaissances[151].

Les droits de l'homme dans le milieu d'apprentissage. Pour ce qui a trait à la dimension 1, l'université de Westminster a également un engage-

144. Ibid. section 3.3.
145. Ibid. section 3.
146. Ibid. section 8.1.
147. Ibid. section 3.1, et 8.
148. *«Code of Practice on Freedom of Speech within the University of Westminster»*: *http://www.westminster.ac.ru/about-us/our-university/information-compliance/freedom-of-speech*
149. University of Westminster, *«Code of Research Good Practice»*, (2014/2015): *http://www.westminster.ac.uk/__data/assets/pdf_file/0004/268096/Code-of-Research-Good-Practice-2014-15.pdf*
150. University of Westminster, *«Research Framework»*: *http://www.westminster.ac.uk/research/research-framework*
151. University of Westminster, *«Research, Enterprise and Knowledge Transfer Strategy»*, (2009-2015): *http://www.westminster.ac.uk/__data/assets/pdf_file/0018/43452/Doc-C---Research,-Enterprise-and-Knowledge-Transfer-Strategy-2008-2015x.pdf*

ment culturel historique et solide de promotion de l'égalité et d'accueil de la diversité. Sa Charte des étudiants reconnaît, entre autres, «la dignité, le respect et la politesse et encourage un milieu solidaire et inclusif»[152]. L'Université propose également un portail de bénévolat en ligne qui permet aux étudiants de participer aux opportunités de travail bénévole social et relatif aux droits de l'homme.[153] Par ailleurs, la Stratégie de recherche, initiative et transfert des connaissances 2009-2015 de l'université de Westminster identifie, dans le cadre de sa vision stratégique exposée dans la section 1(g), que Westminster sera réputée: «pour son support d'une approche interdisciplinaire, de la collaboration interne et externe, et de l'activité de recherche, entreprise et transfert des connaissances de Westminster».

Participation des étudiants: Comme la définition de la dimension 1 du Programme mondial l'établit clairement, «tous les éléments et processus d'apprentissage, y compris les programmes d'étude, les supports éducatifs, les méthodes et la formation favorisent l'apprentissage des l'homme». Nous l'avons déjà dit, c'est une définition «culturelle» de «l'apprentissage de droits de l'homme» qui a été retenue ici. Ceci signifie qu'une université ne doit pas se limiter à dispenser une instruction formelle, mais doit proposer une culture ou un environnement plus vaste où les étudiants puissent apprendre les principes des droits de l'homme. Cette exigence inclut les aspects de la participation et l'autonomisation. L'université de Westminster dispose de nombreux mécanismes qui garantissent la participation des étudiants à la vie universitaire en général. Par exemple, les statuts prévoient un syndicat d'étudiants, ainsi que la participation des étudiants à la Cour des gouverneurs et au Conseil académique.[154] Les départements ont des comités de formation constitués par le personnel et les étudiants, où ceux-ci peuvent exprimer leurs opinions sur les cours. Les étudiants répondent à plusieurs enquêtes annuelles, et le Manuel d'assurance de la qualité et l'amélioration reconnaît le rôle des étudiants dans le développement et la mise en application de la stratégie d'enseignement et d'apprentissage.[155] Les étudiants dis-

152. University of Westminster, *«Student Charter»: http://www.westminster.ac.uk/study/current-students/resources/student-charter*

153. University of Westminster, «Volunteering»: *http://www.westminster.ac.uk/study/current-students/support-and-facilities/career-development-centre/volunteering*

154. University of Westminster, *«Memorandum and Articles of Association»*, Op cit. section 2.1 and 7.

155. La section 1.14 du «*Quality Assurance an Enhancement Handbook*» établit que «Le Comité de Support aux Étudiants, l'apprentissage, et l'enseignement (LTSSC) supervise le développement et la mise en application de la vision de l'apprentissage, l'enseignement et le développement, ainsi que des priorités stratégiques de la stratégie d'apprentissage, enseignement et évaluation. Il considère également les résultats du retour d'information des étudiants recueilli par des enquêtes internes et externes sur l'avis des étudiants». Disponible: *http://www.westminster.ac.ru/__data/assets/pdf_file/0005/81842/QAE-Handbook.pdf*

posent de mécanismes d'appel[156] et d'un service de conseil aux étudiants.[157] Tous ces outils leur permettent de faire l'apprentissage de la participation, de la communauté et de l'adhésion.

b. Indicateurs de processus

Suite à l'étude des indicateurs institutionnels structurels correspondants à la dimension 1, les auteurs abordent maintenant les indicateurs de processus. Ils considèrent d'une manière générale quelles procédures mises en place à l'université de Westminster sont cohérentes avec un apprentissage plus vaste des droits de l'homme.

Contrôle de qualité: Les éléments de l'enseignement supérieur devraient permettre aux étudiants de développer leur potentiel; la qualité à cet égard est intouchable. Comme le souligne le rapport national, les institutions d'enseignement supérieur utilisent un éventail vaste et sophistiqué de procédures et d'outils d'assurance de la qualité, tels qu'une supervision annuelle, des structures de comité, le recours universel aux examinateurs externes et les pratiques réflexives. Par ailleurs, le Code de la qualité de l'enseignement supérieur du Royaume-Uni précise les attentes formelles que les fournisseurs de services d'enseignement supérieur du Royaume-Uni supervisés par la QAA doivent satisfaire[158] et la QAA conduit des audits et des révisions des institutions de l'enseignement supérieur exécutées par leurs pairs, avec la possibilité d'une révision par matière le cas échéant. Cette procédure est vitale.

L'université de Westminster applique cette démarche. Elle possède un Manuel d'assurance de la qualité et d'amélioration 2010-11, qui contient, entre autres, des information extensives sur le rôle des conseils externes dans la validation interne de nouvelles formations dispensées par l'Université, ainsi que sur le rôle des étudiants dans le développement et la mise en application des stratégies d'enseignement et d'apprentissage.[159]

Information publique: la reddition de comptes et la transparence sont importantes. En général, l'information relative au contrôle de qualité externe des institutions d'enseignement supérieur est publique, et donne

156. University of Westminster, *«Appeals»*: *http://www.westminster.ac.ru/study/current-étudiants/your-studies/forms-et-procédures/appeals*
157. University of Westminster, *«Student Advice»*: *http://www.westminster.ac.ru/study/current-étudiants/support-et-facilités/étudiant-advice*
158. RU, *«QAA Quality Code for Higher Education»*: *http://www.qaa.ac.ru/assuring-standards-and-quality/the-quality-code*
159. University of Westminster, *«Quality Assurance* et *Enhancement Handbook»*, Op cit., section 1.14.

un aperçu sur les règles juridiques et non juridiques que les institutions d'eneignement supérieur du Royaume-Uni doivent respecter. Au niveau institutionnel, l'université de Westminster publie dans son site institutionnel (*http://www.westminster.ac.ru*) l'information sur: 1) la composition de organes de direction[160]; 2) les règles approuvées par les organes de direction[161]; 3) la mission, la vision et les valeurs de l'université[162]; 4) le recrutement et la promotion du personnel[163]; 5) le budget et les comptes annuels[164]; 6) les emplois vacants[165]; 7) le Cadre de recherche[166]; et 8) les manuels et la méthodologie d'évaluation[167].

Engagements en matière des droits de l'homme: L'université de Westminster offre un vaste contexte favorable à l'apprentissage des droits de l'homme. Une des valeurs fondamentales de l'université de Westminster est le respect et la célébration de la diversité[168]. Elle a remporté plusieurs succès associés aux droits de l'homme et la diversité, dont sa reconnaissance en tant que Défenseur de la diversité de Stonewall[169] et l'adhésion à la Charte Athena Swan[170]. La Stratégie sociétaire de l'Université mentionne clairement que l'université de Westminster s'efforce de renforcer sa réputation d'organisation accueillante et inclusive. L'Université dispose en outre de plusieurs cadres de référence qui reflètent divers aspects des droits de l'homme, dont la Responsabilité sociale de l'entreprise[171], la Charte des étudiants et sa «Politique de diversité et dignité au travail et aux études»[172].

L'université de Westminster applique de même une Politique d'investissement éthique qui l'empêche «d'investir dans des sociétés dont les ac-

160. University of Westminster, *«Our People»*: *http://www.westminster.ac.ru/about-us/our-people*
161. University of Westminster, *«Our University»*: *http://www.westminster.ac.ru/about-us/our-university*
162. Ibid. *http://www.westminster.ac.ru/about-us/our-university/vision-mission-and-values*
163. Ibid. *http://www.westminster.ac.ru/about-us/our-university/annual-rapporting*
164. Ibid. *http://www.westminster.ac.ru/about-us/our-university/annual-rapporting*
165. Ibid. *http://www.westminster.ac.ru/about-us/our-university/careers-westminster/vacancies*
166. University of Westminster, *'Research Framework'*: *http://www.westminster.ac.uk/research/research-framework.*
167. University of Westminster, *'Course Handbooks'*: *http://www.westminster.ac.ru/study/current-students/your-studies/course-handbooks*
168. University of Westminster, *'Our University '* Op cit. *http://www.westminster.ac.ru/about-us/our-university/vision-mission-and-values*
169. Ibid. *http://www.westminster.ac.ru/about-us/our-university/careers-westminster/why-work-with-us/equal-opportunités*
170. Ibid *http://www.westminster.ac.ru/about-us/our-university/careers-westminster/why-work-with-us/athena-swan*
171. University of Westminster, *'Our University'* Op cit. *http://www.westminster.ac.ru/about-us/our-university/vision-mission-and-values/corporate-social-responsability*
172. University of Westminster, *'Diversity and Dignity at Work and Study Policy'*: *https://www.westminster.ac.uk/__data/assets/pdf_file/0019/213382/Diversity-and-dignity-at-work-and-study-policy.pdf*

tivités et les pratiques comportent le risque de porter un dommage grave aux individus ou aux groupes dont les activités ne sont pas en ligne avec les valeurs fondamentales de l'Université (les exemples comprennent, sans caractère limitatif, l'appui à des opérations contraires à l'éthique, les violations des droits de l'homme; les impacts environnementaux et sociaux négatifs, la discrimination basée sur la race, le genre, l'invalidité ou la sexualité)»[173].

L'université de Westminster encourage la participation et l'accès des étudiants le plus vaste possible: dans ce domaine, l'Accord sur l'accès de 2012/13, inclus dans les demandes de financement public des universités, constitue un exemple de bonne pratique, puisqu'il dispose d'une manière générale que:

> *«Avec l'établissement de nouveaux tarifs et de mesures de financement à partir de l'année scolaire 2012/13 l'objectif de l'université de Westminster est de continuer d'attirer aux premières années de toutes les matières comprises dans son portefeuille académique des étudiants d'un bon niveau universitaire et créatifs, issus d'une grande variété de contextes sociaux, culturels et économiques»*[174].

Processus et outils d'enseignement et d'apprentissage: Généralement, l'éducation aux droits de l'homme est incluse dans les programmes d'enseignement du deuxième et du troisième cycle de L'université de Westminster. L'Université n'affecte pas de ressources exclusives à l'organisation spécifique d'une éducation sur les droits de l'homme, car ce sont les enseignants qui décident des activités qu'ils organiseront; l'Université a soutenu et promu de nombreuses manifestations en rapport avec les droits de l'homme, dont, entre autres, un modèle des Nations unies. Récemment, elle a aussi financé des formations de courte durée en rapport avec les droits de l'homme, intitulées «Au-delà de la loi: les mécanismes des Nations unies pour la protection des droits de l'homme»[175].

Activités de recherche sur les droits de l'homme: Répétons qu'en général, la recherche est importante pour la dimension 1, puisqu'elle peut conduire à la diffusion de connaissances qui peuvent favoriser l'apprentissage des droits de l'homme; il est dès lors important d'avoir en place des cadres de recherche solides. L'université de Westminster en possède un. Au sein de l'Université, la recherche est coordonnée à de nombreux niveaux. L'équipe de Haute Direction de l'Université comprend un vice-recteur pour

173. University of Westminster, *'Ethical Investment Policy'*: *http://www.westminster.ac.ru/__data/assets/pdf_file/0015/212433/Ethical-Investment-Policy_201210.pdf*
174. University of Westminster, *«Access Agreement»* (2012-13): *http://www.westminster.ac.ru/__data/assets/pdf_file/0011/275465/Access-Agreement-2012-13-University-of-Westminster.pdf*
175. University of Westminster, *'Beyond Law: UN Mechanisms for the Protection of Human Rights'*: *http://www.westminster.ac.ru/courses/professional-and-short/law/human-rights*

la recherche et l'échange de connaissances, responsable de la stratégie de recherche; l'Université a également une École Supérieure qui a la responsabilité spécifique de la stratégie en matière des diplômes de recherche. Les facultés aussi ont des directeurs de recherche, tout comme les écoles et les départements individuels.

La Stratégie pour la recherche, l'entreprise et le transfert des connaissances 2009-2015 de l'université de Westminster développe les stratégies au niveau de l'université pour permettre au personnel de répondre aux appels à projet et de participer à recherches plus vastes, en facilitant la collaboration entre chercheurs chevronnés et débutants.[176] Par ailleurs, l'université de Westminster fait partie du Programme Erasmus de l'Union Européenne, qui facilite la mobilité des personnels[177]. Des financements sont également disponibles au niveau des départements et des écoles pour aider à la mobilité du personnel en rapport avec la recherche.

À travers son portail de bibliothèque, l'université de Westminster offre un accès extensif aux sources et aux bases de données de littérature[178], y compris les journaux sur les droits de l'homme. Elle a mis en place des mécanismes qui permettent aux académiciens de disposer de temps pour la recherche. Le modèle d'affectation de la charge de travail de l'Université attribue à chaque professeur un nombre minimum d'heures allouées à la recherche, et chaque académicien peut obtenir une allocation supplémentaire en fonction des progrès de sa recherche. Plusieurs mesures d'incitation encouragent la recherche; un des critères de la promotion académique est basé sur le dynamisme et l'activité de recherche.

Les droits de l'homme dans la formation des formateurs: En ce qui concerne la dimension 1, le Programme mondial des Nations unies établit spécifiquement que «tous les éléments du système doivent être favorables à l'apprentissage des l'homme». Naturellement, ceci comprend la formation du personnel, surtout si elle permet de transmettre les valeurs fondamentales aux étudiants. À cet égard, l'université de Westminster dispose d'un département dédié qui propose au personnel des programmes de formation

176. La Section 19 établit que: «Les institutions d'enseignement doivent développer des systèmes qui facilitent la communication entre les chercheurs expérimentés et débutants. Les méthodes peuvent inclure le mentorat, le support, la révision, la critique, la pratique de la publication et la pratique professionnelle de la recherche. Ces systèmes doivent accorder une importance convenable aux contributions d'encadrement attendues des Professeurs et des Lecteurs ainsi que des Directeurs de Recherche des institutions (SRD) et à la compréhension de la recherche comme une activité conjointe plutôt que comme une tâche solitaire».
177. Voir University of Westminster, *'Erasmus Exchange':http://www.westminster.ac.uk/international/student-exchanges/current-students/erasmus-exchanges*
178. University of Westminster, *«Library and IT»*: *http://www.westminster.ac.ru/library-et-it*

des enseignants[179], et elle s'est également équipée d'un portail dédié au développement systématique en ligne du personnel, qui comprend un plan de développement personnel (My PPDR), que les effectifs peuvent utiliser pour évaluer et identifier leurs besoins de formation avec leur responsable de ligne. Il s'agit d'un portail dédié à l'apprentissage et l'enseignement, à travers lequel le personnel peut accéder rapidement aux outils de développement et aux ressources d'apprentissage et d'enseignement qui, en particulier, permet au personnel la mise en commun des bonnes pratiques, et propose également un panneau d'affichage pour partager des nouvelles sur l'apprentissage et l'enseignement. L'université dispense divers cours de formation professionnelle continue, et assure également l'accréditation et gère de même un programme de bourses pour l'enseignement financé par l'université de Westminster. Elle organise un symposium annuel sur l'apprentissage et l'enseignement, qui s'adresse à toute l'université et permet au personnel de faire des exposés sur leurs bonnes pratiques pour les collègues. Finalement, l'université de Westminster développe actuellement une nouvelle stratégie d'apprentissage et d'enseignement pour l'avenir appelée «Learning Futures» («Avenirs de l'apprentissage») à laquelle contribuent tous les membres de la communauté universitaire, personnel et étudiants confondus[180].

c. Les indicateurs de résultats

Comme indiqué dans le rapport national, une autre manière d'analyser la réalisation de la dimension 1 consiste à identifier et analyser les divers résultats.

Accès aux postes d'enseignement: Le pourcentage du personnel enseignant permanent du total des effectifs enseignants était de 51,7% en 2006, et de 5,7% en 2013[181], tandis que le pourcentage de femmes parmi les effectifs d'enseignants du personnel enseignant total était de 46,3% en 2006, et de 48,6% en 2013. Aujourd'hui[182], 2 vice-recteurs sur 3, 3 doyens sur 5, et 9 chefs de département sur 25 de l'université de Westminster sont des femmes.

179. University of Westminster, «*Westminster Exchange*»: *http://www.westminster.ac.ru/about-us/faculties/exchange*
180. University of Westminster, «*Learning Futures*»: *http://www.westminster.ac.uk/study/current-students/student-news/student-news/2014/learning-futures*
181. Les chiffres correspondent aux effectifs au 1er août de chaque année. Ainsi, les chiffres correspondants à «2013», par exemple, représentent l'année scolaire 2012/13. Ils comprennent également les «Maîtres de conférence invités à temps partiel» (PTVL), qui représentent une portion importante du personnel enseignant à L'université de Westminster.
182. University of Westminster, HR Services and Information, 12.11.2014.

Outils et processus d'apprentissage et d'enseignement: L'augmentation du nombre de stages professionnels est en ligne avec la dimension 1. L'université de Westminster a souscrit 60 contrats avec des organisations à but non lucratif pour permettre aux étudiants de travailler en stage à l'extérieur.

Activités de recherche sur les droits de l'homme: La recherche et les voyages internationaux sont également en ligne avec la dimension 1. L'université de Westminster a passé 125 contrats de recherche avec des universités étrangères[183]. La proportion du budget de l'Université consacré à la recherche était de 3% en 2014[184].

4.2.4. Dimension Institutionnelle 2

Après avoir considéré la Dimension 1, le rapport aborde maintenant le deuxième aspect de l'approche de l'enseignement supérieur basée sur les droits décrit par le Programme mondial des Nations unies. Comme dans le rapport national, il est dénommé «dimension 2». Le Programme mondial des Nations unies le définit comme les «droits de l'homme dans le système d'enseignement (RHiE)» et exige «d'assurer le respect des droits de l'homme de tous les acteurs, ainsi que l'exercice de ces droits dans le système d'enseignement supérieur». Aux effets de ce rapport, il a fallu examiner la réalisation intrinsèque des droits de l'homme à l'université de Westminster. Une fois de plus, des indicateurs structurels, de processus et de résultats ont été utilisés.

a. Les indicateurs structurels

Formation des formateurs aux droits de l'homme: Les auteurs ont consulté les documents cadre et d'autres documents politiques pour examiner la pratique relative aux droits de l'homme à l'université de Westminster. Cette approche a inclus l'examen de la formation des formateurs.

Comme précisé dans le rapport national correspondant, l'État n'exige pas aux enseignants de l'éducation supérieure d'obtenir des qualifications professionnelles formelles. Toutefois, les institutions d'enseignement supérieur doivent désormais communiquer à l'Agence des statistiques de l'enseignement supérieur le nombre de qualifications pour l'enseignement et les affiliations et adhésions pertinentes.

S'il n'est pas exigé au personnel d'obtenir des qualifications formelles pour l'enseignement, celui-ci défend cependant une culture très solide du respect, de la diversité et de l'inclusion à l'Université, reflétée dans de nom-

183. University of Westminster, Quality and Standards Office.
184. University of Westminster, Research Finance Office.

breux documents de l'Université. Par exemple la Charte des étudiants de l'université de Westminster, rédigée conjointement par le Syndicat des étudiants de l'université résume ce que les étudiants peuvent attendre de l'université de Westminster, et prévoit, entre autres, l'exigence de «traiter les étudiants avec dignité, respect et politesse et d'encourager un environnement solidaire et inclusif»; «offrir un éventail d'opportunités de développement personnel et professionnel complémentaires au programme de formation des étudiants»; «offrir aux étudiants des opportunités de participation aux activités culturelles, sociales, sportives et de loisirs», «aider les étudiants en leur assurant l'accès, l'orientation et l'assistance sur des sujets tels que la santé et le bien-être émotionnel, les finances, les profession, l'aide à l'apprentissage des handicapés, l'hébergement et les bourses».

Milieu d'apprentissage: L'Université a remporté plusieurs succès associés aux droits de l'homme et la diversité, à sa reconnaissance en tant que défenseur de la diversité de Stonewall et l'adhésion à la Charte Athena Swan[185]. Le Code de la pratique de la liberté d'expression de l'Université reconnaît explicitement que les principes de liberté d'opinion et d'expression dans le respect de la loi sont au nombre des principes fondamentaux de l'université. Cette liberté est également applicable aux étudiants.

b. Les indicateurs de processus

Ils considèrent la manière dont les diverses procédures de l'université maintiennent les standards par rapport aux droits de l'homme.

L'éducation aux droits de l'homme: Une partie précieuse du processus de validation des formations dispensées par l'université consiste à reconnaître les besoins plus larges des étudiants. Un exemple de bonne pratique dans ce domaine est le Manuel d'amélioration et de garantie de la qualité 2010-11 de L'université de Westminster, qui contient de vastes informations sur la validation interne des nouvelles formations dispensées par l'université. Par exemple, la section 10.13 établit clairement les attributions du Panel de validation de l'université, et précise «qu'il faut porter une attention particulière à la nécessité de garantir l'inclusion de compétences, des connaissances et des aptitudes qui aident à améliorer l'employabilité des étudiants et leurs compétences de gestion de leurs carrières, et dans les cas pertinents, ces compétences transversales fondamentales et les connaissances de la matière doivent avoir une orientation internationale. La confiance en soi et le potentiel de développement continu par le biais de l'apprentissage tout au

185. University of Westminster, *'Our University'* Op cit. *http://www.westminster.ac.ru/about-us/our-university/careers-westminster*

long de la vie sont des caractéristiques essentielles que l'Université doit développer chez ses étudiants».

La qualité est un autre élément essentiel pour permettre aux étudiants de réaliser leur potentiel. À cet égard, la QAA établit des références comparatives thématiques très importantes[186]. Elles établissent des standards spécifiques par matière sur lesquels peuvent s'appuyer l'enseignement et l'apprentissage. Les départements pertinents de l'IES les transposent aux résultats d'apprentissage par module, qui sont ensuite utilisés par les responsables des modules dans la conception de leurs modules individuels. Ainsi, les modules respectent les références et les standards établis par la QAA au niveau national.

Chaque manuel de formation de l'université de Westminster contient des informations détaillées sur la manière dont le cours est enseigné et géré, et sur la façon dont les étudiants seront évalués. Chaque manuel comprend la spécification du programme, qui souligne le savoir-faire, les compétences et les attributs que les étudiants obtiendront à la fin de chaque année scolaire. L'université offre aux étudiants handicapés ou qui ont des difficultés d'apprentissage spécifiques une aide adaptée pendant leurs études, tout en leur garantissant la confidentialité dans la gestion de leur information personnelle[187].

Recherche sur les droits de l'homme: L'université soutient divers centres de recherche sur des sujets relatifs aux droits de l'homme. Il s'agit, entre autres, du: 1) Centre d'études de la peine capitale[188]; 2) Centre d'étude de la démocratie[189]; 3) Centre de recherche sur les réseaux sociaux[190]4) et du Centre de droit et de théorie de Westminster[191].

Activités de sensibilisation aux droits de l'homme: L'université de Westminster favorise une culture de l'homme solide. Elle applique un programme de sensibilisation en liaison avec les écoles et les facultés, par le biais d'activités de sensibilisation aux droits de l'homme, comme le développement d'un programme modèle des Nations Unies[192]. Comme indiqué précédemment,

186. Voir le Rapport national du RU.
187. University of Westminster, *'Disability Support Learning'*: *http://www.westminster.ac.uk/study/current-students/support-and-facilities/disabilities*
188. University of Westminster, *«Centre for Capital Punishment Studies»*: *http://www.westminster.ac.ru/ccps/home*
189. University of Westminster, *«Centre for the Study of Democracy»*: *http://www.westminster.ac.ru/csd*
190. University of Westminster, *«Centre for Social Media Research»*: *http://www.westminster.ac.ru/csmr*
191. University of Westminster, *«Centre for Law and Theory»*: *http://www.westminster.ac.ru/law-and-theory*
192. University of Westminster, *'Schools and College Outreach'*: *http://www.westminster.ac.ru/study/schools-colleges-outreach*

l'Université a un portail de bénévolat en ligne qui offre aux étudiants l'opportunité d'un travail bénévole social et relatif aux droits de l'homme[193].

c. Les indicateurs de résultats

En ce qui concerne l'identification et l'analyse des résultats:

Succès en matière des droits de l'homme: L'université a remporté plusieurs succès associés aux droits de l'homme et la diversité, entre eux sa reconnaissance en tant que Défenseur de la diversité de Stonewall et son incorporation à Athena Swan[194]. Le programme des Défenseurs de la diversité de Stonewall est un forum sur les bonnes pratiques des employeurs en matière d'égalité des lesbiennes, homosexuels et bisexuels, qui encourage la création d'un milieu de travail favorable à tout le personnel et les étudiants actuels et potentiels, et aide à assurer le traitement égalitaire des personnes lesbiennes, homosexuelles ou bisexuelles[195]. La Charte Athena SWAN récompense la promotion des parcours professionnels des femmes aux postes d'enseignant en sciences, technologie, ingénierie, mathématiques et médecine (STEMM) dans l'enseignement supérieur. Adhérant à la Charte Athena SWAN, l'université de Westminster fait preuve de son engagement à promouvoir des carrières des femmes dans l'enseignement supérieur et la recherche dans le domaine STEMM[196].

L'éducation aux droits de l'homme; Outils et processus d'apprentissage et d'enseignement: Les droits de l'homme sont enseignés dans le cadre de diverses formations à L'université de Westminster, dont la licence de droit LLB[197], la LLM[198] et le doctorat en droit. La protection des droits de l'homme par les Nations unies et la législation du Royaume-Uni relative aux droits de l'homme, sont des exemples de formation aux droits de l'homme dispensée dans le cadre de la Licence de Droit LLB.

Les activités hors programme relatives aux droits de l'homme proposées aux étudiants comprennent, par exemple, le «Modèle de société des

193. University of Westminster, *'Volunteering'*, *http://www.westminster.ac.ru/study/current-students/support-et-facilités/career-development-centre/volunteering*
194. University of Westminster, «*Our University*» Op cit. *http://www.westminster.ac.ru/about-us/our-university/careers-westminster*
195. University of Westminster, «*Our University*» Op cit. *http://www.westminster.ac.ru/about-us/our-university/careers-westminster/why-work-with-us/equal-opportunities*
196. University of Westminster, «*Our University*» Op cit. *http://www.westminster.ac.ru/about-us/our-university/careers-westminster/why-work-with-us/athena-swan*
197. University of Westminster, «LLB (Hons) Law» Course: *http://www.westminster.ac.ru/courses/subjects/law/undergraduate-courses/full-time/u09fulaw-llb-honours-law*
198. University of Westminster, «LLM International Law Course»: *http://www.westminster.ac.ru/courses/subjects/law/postgraduate-courses/full-time/p09fpinl-llm-international-law*

Nations unies», qui propose aux étudiants de Westminster intéressés par les droits de l'homme une compréhension exhaustive du travail des Nations unies, à travers l'organisation de programmes et de discussions hebdomadaires, complémentaires des conférences et des visites internationales sur le terrain. «The Law of Killing»[199] est un exemple significatif des films sur les droits de l'homme produits par l'université de Westminster, qui accueille également des panels d'experts des ateliers et des conférences sur les droits de l'homme, dont «Une réaction défavorable aux droits de l'homme? Analyse des évolutions récentes concernant l'orientation sexuelle et l'identité de genre» est un exemple récent[200].

Les références bibliographiques de la Bibliothèque de Westminster atteignent un total de 80 000 ouvrages, livres, journaux et autres documentos, tous confondus. 1 248 sont des références aux droits de l'homme, dont 297 sont disponibles en line; 43 se penchent sur l'éducation aux droits de l'homme, dont 12 sont disponibles en line. Les publications sur les droits de l'homme gérées par les étudiants incluent, par exemple, la Westminster Law Review.[201] À titre d'exemple, les sociétés du syndicat des étudiants consacrées aux droits de l'homme comptent parmi elles, sur Amnesty International[202].

L'université de Westminster offre de nombreuses bourses, dont certaines peuvent être utilisées à des fins relatives aux droits de l'homme[203]. La Bourse de la «Open Society Foundation» («Fondation pour une Société Ouverte») est un exemple de bourse spécifique connexe aux droits de l'homme. Cette fondation est une organisation de bienfaisance dont le but est de modeler des politiques publiques favorables à la gouvernance démocratique, les droits de l'homme, et la réforme économique, juridique et sociale[204]. Les départements et les facultés peuvent également offrir des bourses en rapport avec les droits de l'homme.

4.2.5. Conclusions

Comme le rapport national du projet «ABDEM» l'a révélé, un des principaux atouts du système d'enseignement supérieur du Royaume-Uni est la

199. «*Act of Killing*» Film Website: *http://theactofkilling.co.ru/Partners*
200. University of Westminster, «Law, Gender and Sexuality»: *http://www.westminster.ac.ru/law-gender-sexuality/events/a-backlash-against-human-rights-analyzing-recent-developments-relating-to-sexual-orientation-and-gender-identity*
201. «*Westminster Law Review*», page d'accueil: *http://www.westminsterlawreview.org/about.php*
202. Ibid.
203. University of Westminster, «*Scholarships for International, UK and EU Students*» (2014-15): *http://www.westminster.ac.uk/__data/assets/pdf_file/0005/266450/UPDATED-2014-2015-Scholarships-Brochure.pdf*
204. University of Westminster, «*Open Society Foundation Scholarship*»: *http://www.westminster.ac.uk/study/prospective-students/fees-and-funding/scholarships/postgraduate-scholarships/open-society-foundation-scholarship*

nature exceptionnellement autonome de ses institutions d'enseignement supérieur. Ceci est vrai pour L'université de Westminster.

Par ailleurs, des mécanismes très solides de contrôle de qualité interne et externe sauvegardent les standards et aident l'université de Westminster à améliorer la qualité de l'éducation qu'elle dispense, notamment à travers la mise en commun des bonnes pratiques.

Pour résumer, l'analyse des deux dimensions révèle ce qui suit:

1. Toute l'information pertinente relative aux RHtE et RHiE (dimensions 1 et 2) est publique et accessible à travers le site Internet institutionnel;
2. La politique éducative et le système de gouvernance de l'université de Westminster garantissent une promotion et protection complète des droits de l'homme, qui constituent une question étique;
3. L'absence de législation nationale relative à la qualification professionnelle du personnel enseignant de l'éducation supérieure et à la définition des programmes de l'enseignement supérieur, n'a pas d'impact sur cette éthique. L'institution, et notamment ses effectifs, sa recherche et ses systèmes d'apprentissage et d'enseignement sont imprégnés d'une culture des droits de l'homme solide.

Chapitre 6

Bonnes pratiques dans les institutions de l'enseignement supérieur

ISABEL MARTÍNEZ NAVAS
Université de La Rioja

1. INTRODUCTION

L'analyse de la situation des universités participantes à l'ABDEM dans l'optique des droits de l'homme que nous nous sommes engagés à conduire au cours de la phase I du projet, nous a permis de constater l'existence de «bonnes pratiques» dans divers domaines de la vie universitaire.

La méthodologie employée pour l'analyse de la situation s'est appuyée sur l'élaboration d'*indicateurs* qui nous permettent de procéder à la recherche et à la saisie exacte des informations nécessaires pour le diagnostic, comme nous l'avons expliqué au prélable dans la section sur la méthodologie. Ces indicateurs comprenaient plusieurs mesures d'ordre réglementaire, administratif et autres qui peuvent être considérées comme de bonnes pratiques pour assurer un enseignement supérieur accessible et de qualité, dispensé dans un milieu respectueux des droits de chacun. Par ailleurs, les équipes de chaque institution ont rédigé un court rapport dans lequel elles ont commenté et encadré dans leur contexte les informations fournies par les indicateurs, et les ont complétées avec quelques données supplémentaires qu'elles ont jugées bon de transmettre.

Le récit sur les bonnes pratiques des universités européennes et maghrébines participantes au projet s'est donc construit sur la base des bonnes pratiques identifiées par les équipes de recherche de chaque institution et constatées à partir de ces deux sources: les indicateurs et les rapports.

L'exposition ordonnée de ces bonnes pratiques, regroupées dans les cinq axes définis par le Programme mondial en faveur de l'éducation aux droits de l'homme, doit nous permettre d'entamer une réflexion sur ce que nous faisons déjà, ce que nous n'avons pas encore entrepris et que nous pourrions entreprendre dans notre contexte institutionnel et réglementaire actuel, ainsi que sur la nécessité éventuelle de mettre en place d'autres politiques et d'autres mesures qui favorisent le développement ultérieur de nouvelles bonnes pratiques dans nos institutions.

2. LES RAPPORTS DES ÉTABLISSEMENTS

Le comité de pilotage n'a pas voulu conditionner la rédaction des rapports, et s'est limité à demander aux équipes de recherche de commenter les indicateurs, d'inclure les bonnes pratiques et d'évaluer la manière dont leur institution incorpore l'ABDH au moyen d'une analyse AFOM. De ce fait, les rapports rédigés par chaque équipe de recherche ne présentent pas une structure et une portée uniformes dans leur approche des bonnes pratiques dans l'institution en question. Tous les rapports n'ont pas consacré une section spécifique à la présentation des bonnes pratiques identifiées. Ceux qui l'ont fait –toutes les universités du Maghreb et deux européennes–

se penchent, dans certains cas, sur les bonnes pratiques qui concernent l'ensemble du système universitaire national, plutôt que sur la présentation de celles qui sont propres à l'établissement d'enseignement étudié. D'autre part, parmi les rapports qui se concentrent sur l'institution académique en soi, certains contiennent une présentation et l'analyse des données fournies par les indicateurs de procédures et de résultat qui exigeaient expressément l'identification des bonnes pratiques, tandis que d'autres rapports ont enrichi la liste des bonnes pratiques identifiées en incluant des données fournies par d'autres indicateurs, tant de résultat, comme de procédures ou de structures. Dans le reste des rapports, qui ne recueillent pas un répertoire des bonnes pratiques, il faut aller rechercher les informations à leur sujet dispersées dans les diverses sections.

3. LES INDICATEURS

Comme indiqué plus haut, dans certains cas les indicateurs construits pour la réalisation du bilan de situation exigeaient l'inclusion d'exemples de bonnes pratiques correspondantes à la rubrique en question. Ainsi, pour ce qui a trait à la **Dimension 1** de notre analyse, l'information requise concernait:

i. l'égalité des chances d'accès à l'enseignement supérieur [ICP1.18]
ii. l'égalité effective entre les hommes et les femmes [ICP1.18]
iii. la participation des organisations à but non lucratif à l'organisation des enseignements non réglementés dans le milieu universitaire [ICP2.7]
iv. l'existence de politiques de disponibilité et de libre accès aux sources de recherche qui respectent le droit à l'intimité [ICP3.8]
v. l'existence de mécanismes de surveillance du respect des droits de l'homme au sein de l'institution [ICP4.3]
vi. la participation active des membres de la communauté universitaire (enseignants, personnels administratif et de service et étudiants) à la proposition et au déroulement d'activités académiques et d'université ouverte [ICP4.6]
vii. la promotion d'actions d'amélioration et d'innovation éducative axées sur l'apprentissage actif de l'étudiant [ICP 5.4]

Par ailleurs, dans le cadre de la **Dimension 2,** les universités devaient fournir des exemples de bonnes pratiques en rapport avec les aspects suivants:

viii. les prix ou les reconnaissances décernés à l'Université pour sa contribution à la promotion des droits de l'homme [IICR 1.6]

ix. les activités du programme universitaire spécifiquement consacrées à l'éducation aux droits de l'homme entreprises par l'institution [IICR.2]

x. la participation de l'université aux initiatives des citoyens en matière de sensibilisation aux droits de l'homme [IICP 4.2]

xi. si l'université facilite à ses membres le développement de projets et d'activités complémentaires aux programmes [IICP 4.3]

xii. si l'université garanti la formation aux droits de l'homme de son personnel enseignant par le biais de mécanismes divers (mobilité, bourses, etc.).

En ce qui concerne les informations fournies par onze indicateurs qui permettaient de recueillir des nouvelles concrètes sur les bonnes pratiques, il convient de rappeler, d'une part, que toutes les universités n'ont pas complété toutes les données correspondantes à la totalité des indicateurs considérés au présent rapport, et d'autre part, que parmi celles qui ont effectivement répondu à toutes ces rubriques, certaines ont inclus des réponses négatives, tandis que d'autres, tout en ayant donné une réponse affirmative, n'ont pas fourni d'exemples de bonnes pratiques. Finalement, le niveau d'approfondissement des descriptions des bonnes pratiques n'est pas uniforme, ce qui, dans certains cas, a compliqué considérablement leur prise en compte dans la rédaction de ce rapport.

Ainsi, nous retrouvons le plus grand nombre de bonnes pratiques dans les axes I et IV, quelques-unes dans l'axe II, et très peu dans les axes III et V.

3.1. AXE I: POLITIQUES ET MESURES D'APPLICATION CONNEXES

L'existence de bonnes pratiques dans les domaines couverts par cet axe, c'est-à-dire l'institutionnel et la prise des décisions politiques, est mise en lumière par les réponses aux **indicateurs de procédures et de résultat.** L'application de ces indicateurs permet de constater si les politiques adoptées par l'institution académique se traduisent ou pas par une activité universitaire, qui, dans ses volets multiples, se déroule dans le respect des droits de l'homme (Dimension 1) et qui imprime l'essor nécessaire à l'éducation aux droits de l'homme (Dimension 2). Les domaines où on décèle des bonnes pratiques à ce niveau institutionnel varient de la reconnaissance du respect des droits de l'homme parmi les valeurs et les principes de l'institution, à l'inclusion de programmes et d'actions destinés à favoriser l'éducation aux *et pour* les droits de l'homme dans la planification stratégique de l'institution, la promotion de réseaux et d'accords avec des institutions de surveillance des droits de l'homme, le développement d'une gestion socialement responsable et transparente, ou l'existence de structures administratives chargées de la gestion des politiques et des mesures de promotion du respect des droits de l'homme, entre autres.

3.1.1. Principes et valeurs qui respectent les droits de l'homme

Concernant l'inclusion de principes et de valeurs qui respectent les droits de l'homme [ICPI.13], les réponses obtenues permettent de constater nettement que la plupart des universités assument un certain nombre de grandes valeurs universelles. Parmi les principes et les valeurs énoncés dans leurs statuts, chartes et codes éthiques, ainsi que dans d'autres instruments de planification stratégique des institutions, nous retrouvons souvent les principes d'égalité, de non-discrimination, de liberté, d'équité, de respect, de responsabilité, etc. Ensuite, en ce qui concerne leur mission en tant qu'institution d'enseignement supérieur, les références se concentrent sur la liberté académique et de recherche et, parmi les universités européennes, sur l'affirmation expresse de leur autonomie.

À la lumière des rapports respectifs, on peut constater que dans certaines universités, la gestion des politiques qui mettent en œuvre leurs principes et leurs valeurs de respect des droits de l'homme est confiée à une ou plusieurs unités de leur structure organisationnelle. Les universités espagnoles ont aménagé dans leur organisation des unités aux appellations diverses qui coordonnent leurs politiques d'institutions socialement responsables. Les universités algériennes, de leur côté, mentionnent l'existence d'unités de garantie de la qualité, chargées du développement des pratiques de gouvernance et de transparence au sein de l'université.

3.1.2. Planification stratégique pour la promotion des droits de l'homme

Cinq universités européennes sur six –dont quatre seulement font référence par la suite à un document stratégique en vigueur– et trois sur six maghrébines indiquent qu'elles disposent d'un instrument de planification stratégique qui comprend des lignes, des actions ou des programmes dont l'objet est d'encourager l'éducation aux droits de l'homme et leur expérience dans le cadre de l'institution [ICPI.15]. Parmi les lignes, actions ou programmes détaillés, on relève:

- la création d'un *comité unique de garantie de l'égalité des chances*, dans le cadre du Plan stratégique en vigueur à l'université de Bergame.
- l'existence d'un *programme d'éducation pour le développement* sur l'apprentissage des droits de l'homme qui a sa place dans la politique stratégique de l'université d'Estrémadure dans le domaine de la coopération au développement.

- l'inclusion d'une *section spécifique de responsabilité sociale* dans le Plan stratégique en vigueur à l'université d'A Coruña, qui, parmi ses objectifs stratégiques, précise l'engagement de l'Université dans la transformation sociale, l'égalité des chances et la promotion de la culture de la non-discrimination, et la responsabilisation de L'université de son propre impact environnemental.
- l'organisation d'*ateliers spécifiques* pour la promotion, la sensibilisation et la formation aux droits de l'homme, et la mise en place de mécanismes de garantie de l'égalité des chances des étudiants à l'université Hassan II.

3.1.3. Adhésion aux prononcés et déclarations d'autres institutions en matière de droits de l'homme

Concernant la question sur l'adhésion de l'université aux prononcés et déclarations d'autres institutions en matière de droits de l'homme [ICPI.14], on constate que seules les universités espagnoles ont interprété qu'on leur demandait des informations sur l'adhésion de l'université aux déclarations ou prononcés en faveur des droits de l'homme formulés par d'autres institutions. En outre, seules deux d'entre elles –l'université de La Corogne et l'université de La Rioja– ont inclus des données précises sur la teneur de leurs adhésions qui permettent de connaître leur relief.

3.1.4. Conventions de collaboration avec des institutions et des entités de promotion de la culture des droits de l'homme et de leur défense

Par contre, les universités participantes au projet mentionnent l'existence de nombreuses conventions de collaboration avec des institutions et des entités dont les objectifs comprennent la promotion de la culture des droits de l'homme et leur défense.

Parmi les universités du Maghreb, l'université Hassan II et l'université Mohamed V mettent en exergue la collaboration entamée avec les deux structures principales qui travaillent au Maroc pour la défense des droits de l'homme à l'échelle nationale. Les accords souscrits avec la Délégation interministérielle aux droits de l'homme et le Conseil national des droits de l'homme facilitent l'organisation de diverses activités en commun, ainsi que la réalisation de cours de formation pour la finalisation des études des élèves de la Faculté des sciences juridiques, économiques et sociales d'Ain Sebâa qui montrent leur intérêt envers le travail pour la défense des droits de l'homme. L'IPSI souligne de même la collaboration entre l'Université et la Commission des droits et libertés au sein de l'Assemblée constituante tunisienne, qui a permis l'organisation de visites d'étudiants pendant la période de rédaction du texte constitutionnel, enrichies par les débats libres sur la question des droits fondamentaux. L'IPSI mentionne également un accord de coopération avec le Syndicat des journalistes tunisiens, qui a permis d'organiser des séances de débat avec la participation de représentants de la Commission de la liberté d'expression des journalistes et de la Commission de la déontologie de la presse et des médias audiovisuels. Finalement, l'IPSI déclare la souscription de conventions de collaboration avec l'Association tunisienne de lutte contre la torture, une association qui se consacre au rétablissement et l'assistance psychologique portée aux détenus politiques, ainsi qu'avec UNICEF et plusieurs autres ONG internationales, qui permettent l'organisation de débats sur la liberté d'expression et d'opinion ainsi que sur l'accès à l'information et sa la libre circulation. L'INTES quant à lui, développe actuellement un partenariat important avec certaines institutions spécialisées accréditées en Tunisie (OIM, UNICEF, Handicap international, etc.) pour la promotion d'activités diverses (écoles d'été, formation spécialisée pour l'accompagnement des migrants, recherches sur le statut des personnes handicapées, etc.).

3.1.5. Existence de modèles de convention ou de contrats avec l'université qui incluent le respect aux droits de l'homme

Si nous nous penchons sur les instruments par le biais desquels les universités formalisent leurs accords, conventions et contrats avec d'autres entités, seules la moitié d'entre elles –trois européennes et trois du Maghreb– affirme disposer d'un modèle de convention ou de contrat où figurent les mêmes principes, engageant expressément les parties à respecter les droits de l'homme [ICPI.16]. En fait, l'analyse dans le détail des clauses indiquées révèle que celles reprises dans les conventions et les contrats concernent le respect strict de la légalité en vigueur. Nous entendons que ce respect est également implicite dans les conventions, accords ou contrats souscrits par les autres universités qui n'ont pas donné de réponse sur ce point ou qui ont répondu qu'elles ne disposent pas de modèles pour la formalisation de ces pactes, ou encore qu'elles en ont mais que ces modèles n'incluent pas expressément les clauses qu'on cherchait à connaître.

3.1.6. Reconnaissances ou prix décernés à l'université pour sa contribution aux droits de l'homme

La collaboration avec d'autres institutions pour assurer des actions de sensibilisation au respect des droits de l'homme, ou la mise en place de mesures internes de promotion de la culture des droits de l'homme a donné lieu, dans certains cas, à une reconnaissance sous forme de distinction décernée aux institutions universitaires. Trois universités participantes au projet répondent qu'elles ont reçu une reconnaissance ou prix pour leur contribution aux droits de l'homme (sic) [ICRI.6]:

- L'université de Westminster signale parmi ses reconnaissances décernées (i) la distinction correspondante à sa participation au programme Stonewall's Diversity Champions et (ii) sa condition de membre d'Athenea SWAN Charter, engagé envers le respect des droits de tous les individus quelles que soient leur orientation ou identité sexuelle, et pour les progrès et les réussites des femmes dans les domaines de la science, la technologie, l'ingénierie, les mathématiques et la médecine, respectivement.
- L'université de La Rioja mentionne qu'elle a reçu deux prix, en 2006 et en 2012 respectivement, décernés par la Organización Nacional de Ciegos Españoles (ONCE) et par un groupe de communication espagnol.
- L'université de Saragosse évoque plusieurs prix –«Formation et valeurs dans l'université», «Coopération université-société», etc.–, mais elle précise qu'ils sont décernés par l'université, et non pas reçues par celle-ci.

3.1.7. Mécanismes de pilotage du degré de satisfaction des membres de la communauté universitaire qui incluent des points concernant le respect des droits de l'homme

Six institutions n'ont pas donné de réponse à cet indicateur par rapport à leur fonctionnement interne. Parmi celles qui ont répondu –cinq universités européennes et deux du Maghreb– les réponses varient de (i) affirmer qu'on ne conduit pas d'enquêtes de satisfaction, dans le cas de l'université Hassan II et de l'ENSSP, à (ii) la réponse également négative de l'université de La Rioja, qui indique que l'on réalise une enquête auprès de tous les membres de la communauté universitaire, mais qu'elle ne contient pas de points spécifiques se référant aux droits de l'homme, passant par la réponse affirmative majoritaire, donnée par les universités de La Corogne, Bergame, Westminster et Saragosse.

3.1.8. Accès pour tous à l'enseignement supérieur et l'égalité des genres

Il convient de porter une attention particulière à l'existence de bonnes pratiques de garantie de l'accès pour tous à l'enseignement supérieur et pour l'égalité des genres [ICPI.18]. Dans ce cas, presque la totalité des universités participantes au projet a donné une réponse affirmative. Mais si nous creusons dans le détail de ce que les différentes institutions signalent comme bonnes pratiques dans ce domaine, nous constatons que seules cinq des institutions consultées ont présenté des exemples de bonnes pratiques correspondantes aux deux sujets sur lesquels l'informations était demandée. Par ailleurs, les réponses des établissements, loin d'être uniformes, comprennent un large éventail de mesures en rapport avec la promotion de l'égalité des chances d'accès à l'enseignement supérieur et avec la garantie de l'égalité effective entre les hommes et les femmes.

3.1.9. Accès pour tous à l'enseignement supérieur

Si nous nous penchons d'abord sur les bonnes pratiques destinées à favoriser l'accès pour tous à l'enseignement supérieur, nous constatons que les pratiques avancées par une bonne partie des universités européennes concernent notamment des mesures destinées à pallier les difficultés économiques pour l'accès à l'enseignement supérieur, alors que les universités du Maghreb ont mis l'accent sur d'autres mesures, de sorte que seule l'Université Hassan II mentionne les bourses ou les aides aux études, et le fait en signalant la garantie de l'égalité dans la sélection des étudiants bénéficiaires de ces aides ou qui participent aux échanges universitaires

L'information fournie par les universités européennes sur l'existence d'aides économiques aux étudiants universitaires, au moyen desquelles elles tentent de pallier aux difficultés d'accès à l'enseignement supérieur des groupes les plus démunis économiquement, ne permet pas d'établir nettement dans tous les cas si les aides évoquées sont promues et soutenues par la propre université, avec ses propres ressources, et si elles pourraient être qualifiées de «bonnes pratiques» aux effets considérés dans cette étude. Dans ce sens, deux universités seulement, celle de La Rioja et celle de Saragosse, mentionnent l'existence de leurs propres programmes d'aide aux étudiants de licence, de master et de doctorat.

Par ailleurs, la réponse majoritaire des universités espagnoles s'avère significative, en ce sens qu'elles ont adopté récemment des programmes spécifiques d'aides économiques qui consistent à payer les droits d'inscription des étudiants qui traversent des difficultés économiques survenues une fois entamées leurs études. Ces programmes ont été lancés les deux dernières années par les universités de La Corogne, La Rioja et Saragosse, et ils répondent à la situation particulièrement difficile des groupes sociaux frappés par la perte d'emploi qui a accompagné la crise économique dans le cas espagnol.

Outre ces aides, l'université de Saragosse mentionne l'existence d'un programme spécifique d'aides pour survenir aux droits d'inscription des étudiants étrangers non-résidents; l'université d'Estrémadure signale qu'elle a un programme spécifique pour étudiants de grade équato-guinéens cofinancé par l'AEXCID (Agence d'Estrémadure de coopération internationale au développement) et l'université de La Rioja a récemment mis en place, en collaboration avec la Fondation Ranstad, un nouveau programme de formation pour l'amélioration de l'employabilité –le «Programme parrain pour l'intégration professionnelle»– qui s'adresse aux parents directs des étudiants de l'université de La Rioja en situation de chômage de longue durée, de plus de 45 ans et qui se trouvent en situation de risque d' exclusion sociale.

Parmi les mesures destinées à garantir l'accès de tous les groupes sociaux à l'enseignement supérieur indiquées par les universités maghrébines, il faut souligner avant tout l'existence de campagnes de diffusion –dont celles de l'IPSI, mais sans préciser s'il s'agit de campagnes lancées et déployées par la propre université, ou promues et soutenues par d'autres institutions– entamées en milieu rural à l'intention des femmes notamment, et qui cherchent à les encourager à poursuivre leur formation et à faire des études universitaires. Dans d'autres cas, les bonnes pratiques signalées sont l'organisation de journées portes ouvertes et de forums avec la participation des étudiants, l'accessibilité et la publicité des conditions requises pour l'admission ainsi que des procédures d'inscription –l'université de La Rioja, l'université d'Estrémadure et l'université Hassan II–, ou la garantie de l'égalité et de la non-discrimination dans l'accès et l'admission ainsi que dans le développement et l'évaluation de la performance académique de l'étudiant –l'ENSSP–.

(ii) Égalité entre les hommes et les femmes

En ce qui concerne l'égalité entre les hommes et les femmes, on recense les bonnes pratiques suivantes:

- L'existence de **plans d'égalité**, comme celui adopté par l'université de La Corogne, qui prévoient des axes d'action pour la promotion de l'égalité et l'intégration de l'approche de genre dans l'activité académique et de recherche, ainsi que pour la prévention de la violence de genre dans toutes ses manifestations. Elle déploie son *Plan d'égalité* à travers la *Classe de formation pour l'égalité des genres*, qui organise des stages, des séminaires et d'autres activités en rapport avec la promotion de l'égalité.
- L'inclusion, dans la structure organisationnelle des universités, d'**unités de surveillance de la promotion de l'égalité des chances**.

À cet égard, l'université d'Estrémadure informe de l'existence d'un *Bureau universitaire pour l'égalité*, et l'université de Saragosse évoque l'*Observatoire de l'égalité des genres*. Ces unités, créées dans le but d'encourager l'égalité des chances de tous les membres de la communauté universitaire, encouragent et développent diverses activités pendant l'année scolaire. L'université de Bergame mentionne les actions pour l'égalité des genres entreprises par le *Comité unique de garanties* et par la *Commission de la parité*.

- L'existence de **programmes de formation en matière d'égalité inclus dans l'offre académique** postuniversitaire, ainsi que de groupes ou de lignes de recherche dans le domaine des études de genre et sur l'égalité. L'université de La Rioja signale dans son rapport l´existence de bonnes pratiques dans le domaine de la sauvegarde de l´égalité des sexes, telles que le diplôme postuniversitaire (non officiel) d´Agent de l´égalité des chances entre hommes et femmes ainsi que la création d´un groupe de recherche sur l´égalité et le genre, ce dernier étant particulièrement actif tout au long de l´année, organisant des réunions scientifiques et de diffusion de la culture de l´égalité entre les sexes. De même, sur le plan de l´enseignement et de la recherche, cette université a souligné comme bonne pratique récente la convocation d´un nouveau prix pour les thèses doctorales sur l´égalité. Dans ce même ordre de choses, l´université de Saragosse nous indique l´existence d´un «Prix de recherche féministe» décerné par le Séminaire interdisciplinaire des études de la femme de la même université.

3.1.10. Projets, programmes ou activités de divers types en matière de droits de l'homme promus et soutenus par l'université

Sept des douze institutions participantes au projet ont complété l'indicateur IICP1.5, correspondant à l'existence de projets, de programmes ou d'activités de diverses sortes en matière de droits de l'homme promus et soutenus par l'université. Six des sept répondants ont également donné des exemples de bonnes pratiques.

Ainsi, les universités de Saragosse et La Rioja s'accordent à signaler que les appels à projets de recherche, d'innovation académique ou à candidatures aux aides à l'organisation de stages, de journées ou d'activités d'université ouverte comprennent un encouragement ou une promotion spécifique des propositions en lien avec les droits de l'homme. Les activités et les manifestations liées aux droits de l'homme organisées au sein des deux institutions mentionnées chaque année scolaire sont très nombreuses.

Le rapport de l'université de Westminster s'exprime dans des termes très semblables. Il avance l'exemple de certaines des activités financées récemment, comme le cours «Beyond Law: The UN mechanisms for the protection of human rights». L'université de La Corogne, quant à elle, indique comme bonne pratique le fait de destiner une part de ses propres fonds à l'organisation et au déroulement d'activités dans le cadre d'appels à projets comme ceux dénommés: (i) «Fonds 0.7», pour la promotion de la recherche dans des matières qui intéressent et sont utiles à la tâche des organismes professionnels actifs dans le domaine du développement, des inégalités et de la coopération internationale, (ii) «Projets de connaissance de la Réalité», en place depuis 2006, ou (iii) «Projets de connaissance de la Coopération», créé en 2012. De même, l'université d'Estrémadure a mis en place le programme «Apprentissage aux droits de l'homme» depuis l'année 2009. L'idée structurante du programme est d'offrir à la communauté universitaire et au reste de la société d'Estrémadure un groupe d'activités spécifiques en EpD (éducation au développement) dont le concept est véhiculé à travers des outils éthiques: les droits de l'homme et la justice sociale.

Des universités du Maghreb, l'IPSI mentionne l'encouragement de la recherche sur les droits de la femme, des enfants et des personnes handicapées et l'université Hassan II publie et rend accessibles de nombreuses informations.

3.2. AXE II: PROCÉDURES ET INSTRUMENTS D'ENSEIGNEMENT ET D'APPRENTISSAGE

Dans ce cas, l'application des indicateurs de procédures et de résultats permet de connaître comment sont respectés les droits de l'homme dans les procédures et les instruments d'enseignement et d'apprentissage (Dimension 1) ainsi que les procédures et les outils employés pour l'éducation aux droits de l'homme (Dimension 2).

Il s'agit ici de savoir:

- Si l'éducation aux droits de l'homme est présente dans les études de licence et postuniversitaires des domaines du droit, du travail social, des sciences de l'éducation et des sciences de l'information [ICPII.2];
- Si l'université prévoit des mesures de prise en compte de la diversité dans ses procédures d'enseignement-apprentissage [ICPII.4]. La majorité des réponses à ce point est affirmative;
- Si l'université facilite la participation d'organisations à but non lucratif dans l'organisation d'enseignements non réglementés [ICPII.7], un point qui a également obtenu une réponse positive de la part de dix institutions;

- Si les stages des étudiants dans des institutions diverses de différentes universités [ICPII.8] prévoient des procédures de respect des droits de l'homme ou des références aux codes éthiques, point qui a obtenu la réponse positive de sept établissements;
- Finalement, on cherchait à connaître l'engagement de l'université dans l'organisation et le développement d'activités multidisciplinaires spécifiques en matière de droits de l'homme, et si elle destine ou pas des fonds propres à ces activités [IICP2.3]. La plupart des réponses obtenues à ce point ont été positives, mais quatre institutions n'ont pas répondu.

Malheureusement, aucun exemple de bonnes pratiques n'a été avancé pour ces rubriques. On peut néanmoins déceler l'existence de programmes, d'actions et de mesures concrètes de prise en compte de la diversité, ainsi que l'organisation de diverses activités destinées à la diffusion de la culture des droits de l'homme, ou des nouvelles abondantes sur la portée et la qualité de l'éducation aux droits de l'homme dans les universités participantes au projet.

3.2.1. Présence des droits de l'homme dans les programmes d'étude de licence et postuniversitaires

En ce qui concerne les cursus des études de licence et postuniversitaires analysés dans le cadre du projet, c'est-à-dire les programmes de droit, de travail social, de sciences de l'éducation et de l'Information, on constate l'inclusion de contenus sur les droits de l'homme dans ces études tant dans les universités d'Europe que dans celles du Maghreb. Parmi ces dernières, on signale l'introduction transversale de l'éducation aux droits de l'homme dans tous les programmes d'études dispensés par la FCJS de l'université Hassan II, qui précise qu'il en est ainsi malgré l'absence d'une directive nationale dans ce sens. De même, dans le cas de l'université Sétif 2, l'éducation aux droits de l'homme a été incorporée à diverses disciplines telles que le droit, la médecine, le journalisme, ou la sécurité. L'ENSSP, l'INTES et l'IPSI proposent également des matières sur les droits de l'homme dans les cursus des études de leur offre universitaire réglementée. L'INTES mentionne également comme bonne pratique le fait d'avoir recruté des enseignants spécialisés pour dispenser cette éducation.

L'absence de précision sur le caractère –commun, obligatoire/complémentaire pour l'étudiant, etc.– mais surtout l'absence de données concrètes sur la portée et le poids de ces contenus rendent très difficile leur évaluation. L'exemple des informations fournies dans leurs rapports par les universités suivantes constitue l'exception:

- L'université de Westminster indique que l'éducation aux droits de l'homme est présente dans diverses années des études juridiques au niveau des licences et des masters, et donne des détails concrets sur l'existence d'unités de programme spécifiques sur les droits de l'homme dans le cursus de la licence en droit, telles que «The United Nations Protection for Human Rights», ou «Human Rights Law in the UK».
- L'INTES évoque l'existence de cours qui abordent les droits des salariés, des enfants ou des personnes handicapées, par exemple, dans les études de droit et de travail social.
- L'université de La Rioja mentionne expressément l'existence de matières sur «les droits fondamentaux et les droits de l'homme» et «la nationalité, l'extranéité et l'intégration» qui constituent des contenus transversaux présents dans les études au niveau des licences en droit et en travail social; d'une unité de programmes spécifique sur «l'éducation aux droits de l'homme et la citoyenneté démocratique» dans la matière «Éducation pour la coexistence» à caractère transversal dans les études de licence en sciences de l'éducation, ainsi que d'un parcours de spécialisation qui comprend la matière «Gestion de la diversité culturelle et religieuse» dans le cadre de la licence en droit.

Les rapports établis par les équipes de recherche recensent des bonnes pratiques concernant divers aspects des procédures d'enseignement-apprentissage. En premier lieu, les universités de Bergame, Westminster, ou Sétif, entre autres, présentent, comme bonne pratique institutionnelle, l'existence de systèmes solides de garantie de la qualité interne, qui sont évoqués avec plus ou moins de détail dans leurs rapports. D'autre part, plusieurs rapports identifient comme bonne pratique la réalisation de stages par leurs étudiants dans diverses institutions, dont de nombreuses entités qui travaillent pour la défense et la promotion des droits de l'homme. Finalement, on a signalé comme bonnes pratiques des propositions méthodologiques, telle celle appliquée par l'IPSI pour l'éducation aux droits de l'homme, à travers les dénommés «cours intégrés» qui recherchent la participation active de la société civile représentée par les différentes associations de défense des droits de l'homme qui collaborent avec l'université. Dans cette même ligne, les universités Hassan II et Mohamed V évoquent la mise en route des «Cliniques juridiques des droits de l'homme».

3.2.2. Prise en compte de la diversité dans les processus d'enseignement-apprentissage

En ce qui concerne la prise en compte de la diversité dans les processus d'enseignement-apprentissage [ICPII.4], les universités qui participent au projet ont recensé un bon nombre de mesures ou d'actions qui peuvent être avancées comme de bonnes pratiques:

- L'université de Westminster s'enorgueillit de sa condition d'organisation inclusive et accueillante, et inclut l'affirmation des valeurs de dignité, de respect et convivance dans un climat intégrateur tant dans sa stratégie organisationnelle que dans des outils tels que la Charte des droits et des obligations des étudiants, ou la «Diversity and Dignity at Work and Study Policy».
- L'université d'A Coruña indique qu'elle dispose d'une *Unité de prise en charge de la diversité,* qui organise de nombreuses activités de formation et de diffusion destinées à faciliter l'intégration complète des étudiants, des enseignants et du personnel de l'administration et des services qui, pour des raisons physiques, psychiques ou socioculturelles, sont confrontés à des difficultés ou des barrières externes au développement de leur vie à l'université dans des conditions d'égalité. L'unité mentionnée prête une assistance personnelle, l'interprétation de la langue des signes, etc. et met à la disposition des membres de la communauté universitaire qui en ont besoin des dispositifs en régime de prêt, ainsi que des logiciels et des transports adaptés.
- INTES indique le déploiement de mesures d'aide aux étudiants handicapés qui leur facilitent, par exemple, le passage de leurs épreuves d'évaluation.
- L'université de La Rioja souligne dans son rapport, comme bonnes pratiques à l'endroit des personnes qui présentent une diversité fonctionnelle: (i) l'organisation de différentes initiatives sous forme de rencontres, de séminaires ou de stages de formation et de sensibilisation sur les handicaps; (ii) la participation de l'université à divers programmes d'accueil des étudiants européens handicapés; et depuis plusieurs années, (iii) le développement d'un protocole d'action destiné aux étudiants handicapés, qui, pendant l'année scolaire 2013-14, s'est traduit par la mise en place d'un programme de soutien et d'intégration des étudiants qui présentent une diversité fonctionnelle, appelé *UR-Integra,* dont l'objectif est de faciliter les adaptations des cursus nécessaires afin d'ajuster la planification des études aux besoins spécifiques des étudiants handicapés.
- Quant à l'université d'Estrémadure elle compte depuis l'année 2007-2008 sur l'Unité d'assistance à l'étudiant, formée par une psychologue, un psychopédagogue et une travailleuse sociale, sous la houlette d'un professeur, qui ont comme mission mettre en oeuvre des mesures d'assistance à la diversité dans le milieu universitaire.

Deux universités mettent également en relief de bonnes pratiques ayant trait à la *diversité affective-sexuelle*:

- L'université de Westminster participe à divers programmes qui lui ont rapporté des reconnaissances externes évoquées plus haut;
- L'université de La Rioja identifie parmi ses bonnes pratiques l'organisation, depuis 2009, des «Rencontres de l'éducation dans la diversité affective-sexuelle» par le biais desquelles elle travaille pour la promotion des savoir-faire et des techniques, ainsi que des ressources nécessaires pour un travail transversal sur les valeurs du respect de la diversité sexuelle et de l'égalité de genre dans les contextes scolaires, dans des buts de prévention mais aussi pour fournir, le cas échéant, des stratégies pour le traitement de la discrimination et la prévention de certains des dénommés crimes de haine.

Finalement, en ce qui concerne la *diversité culturelle et d'ordre socio-économique:*

- L'université Hassan II propose des programmes de tutorat pour favoriser l'apprentissage des étudiants qui ont un niveau de formation plus faible, dans le but de garantir l'égalité des chances des étudiants.
- L'université de La Rioja évoque (i) l'inclusion de matières optionnelles pour les étudiants sur la diversité culturelle et religieuse dans les cursus des études de licence de droit, de travail social et de sciences de l'éducation, (ii) le développement de programmes, promu par exemple par une association d'aide aux enfants immigrés, qui engagent des enseignants et des étudiants et qui rapportent à ces derniers la reconnaissance de l'équivalence correspondante en crédits dans leurs études et (iii) le fait d'avoir accueilli, à plusieurs reprises depuis 2008, plusieurs éditions des «Rencontres Internationales sur les migrations» portant sur l'inclusion sociale, l'interculturalité, le respect de la différence, la coexistence solidaire et la culture de la paix.
- L'université d'A Coruña mentionne la mise en place de diverses initiatives et activités, et en particulier, l'organisation, des Rencontres de sensibilisation à l'immigration et l'interculturalité depuis 2002.

3.2.3. Activités de promotion de la culture des droits de l'homme

En liaison avec ces initiatives, et en ce qui concerne l'organisation et le déploiement d'activités de promotion de la culture des droits de l'homme, les rapports sont extraordinairement précis dans l'énoncé des nombreux stages, rencontres, séminaires, ateliers et autres types d'activités que les institutions encouragent ou accueillent dans le cadre de leur activité académique; leur consultation ponctuelle permettra d'obtenir des informations détaillées sur le volume et le caractère des activités recensées. À titre d'exemples de bonnes pratiques on peut noter en outre l'engagement des universités Hassan II et et Mohammed V envers leurs étudiants et salariés, desquels il facilite la participation aux activités citoyennes de promotion des droits de l'homme, en leur permettant d'aménager leurs emplois du temps et en mettant à leur disposition des mesures logistiques dont dispose l'établissement d'enseignement qui peuvent s'avérer nécessaires pour le déroulement de l'activité en question. Pour sa part, L'INTES, organise «Les ateliers du social», occasion pour que les étudiants, enseignants et invités de la société civile débattent notamment des droits des personnes à besoins spécifiques avec l'animation d'un expert invité. Il consacre aussi et régulièrement (à l'occasion de l'anniversaire de la déclaration universelle des droits de l'homme) un séminaire aux droits sociaux de l'homme.

3.3. AXE III: RECHERCHE

L'information regroupée sous cet axe permet d'établir les conclusions suivantes:

- La plupart des institutions reconnaissent dans leurs statuts la liberté de choix de l'objet et la méthodologie pour la recherche, favorisent l'accès et la consultation des sources primaires et des publications scientifiques, et facilitent la collaboration avec des chercheurs d'autres groupes et pays [ICEIII.6].
- D'une manière générale, et notamment les universités européennes, les institutions disposent de vastes ressources documentaires et bibliographiques, qui sont facilement accessibles pour les chercheurs [ICEIII.8, ICEIII.9].
- La totalité des universités du consortium ABDEM qui ont répondu à cette rubrique –quatre européennes et cinq maghrébines– établissent et adoptent leurs propres plans de recherche [ICEIII.7].
- Une bonne partie des institutions consultées prévoit des mesures pour favoriser la mobilité de ses chercheurs [ICEIII.11], encourager la recherche, et la reconnaître comme une des tâches propres du personnel académique, tant et si bien que la promotion professionnelle est rattachée à la recherche, entre d'autres éléments [ICEIII.12 et 13].

3.3.1. Encouragement de la recherche sur des sujets spécifiquement liés aux droits de l'homme

Si on regarde de plus près la question de l'encouragement de la recherche sur des sujets spécifiquement liés aux droits de l'homme, les réponses sont moins encourageantes. En ce sens, quelques université sont signalé, parmi les faiblesses de l'institution, l'inexistence de politiques visant expressément à encourager la recherche sur les droits de l'homme et, en particulier, l'éducation aux et pour les droits de l'homme. D'autres, comme l'université Mohammed V, avancent comme bonne pratique du système universitaire marocain l'encouragement de la recherche sur les droits de l'homme au niveau du doctorat, mais sans fournir des données plus précises sur l'incidence de cette politique au sein de l'institution. L'université Sétif 2 mentionne l'existence d'un budget de recherche adapté, qui permet le financement d'actions de mobilité nationale et internationale des chercheurs et des étudiants des niveaux de master et de doctorat. Le même mécanisme de financement de la recherche et de la mobilité internationale des chercheurs existe à L'université de Carthage et notamment à l'INTES.

3.3.2. Groupes de recherche dont l'objet d'étude est en rapport direct avec les droits de l'homme

On peut affirmer que malgré l'absence de soutien institutionnel spécifique sous forme de ressources, d'appels à candidatures spécifiques pour l'attribution d'aides ou de reconnaissances académiques d'un autre ordre, la recherche sur ces matières occupe un bon nombre d'enseignants dans certaines universités. En effet, parmi les universités espagnoles, l'université de Zaragosse souligne l'existence de quatorze groupes de recherche dont l'objet d'étude est en rapport direct avec les droits de l'homme. L'université de La Rioja dispose d'un «Établissement de Recherche et Développement de droits fondamentaux, des Politiques Publiques et de la Citoyenneté Démocratique» (CIUDUR) et de deux groupes de recherche dont l'objet d'étude est la défense et la promotion des droits de l'homme. L'université de Westminster, pour sa part, indique qu'elle dispose d'un bon nombre de groupes de recherche, parmi lesquels elle mentionne «The Centre for Capital Punishment Studies», «The Centre for the Study of Democracy», «The Centre for Social Media Research», et «The Westminster Law and Theory Centre». L'université de Sétif2 mentionne, parmi ses principaux atouts, l'existence d'un «Laboratoire sur les droits de l'homme», créé en 2009.

Deux des universités participantes au projet –l'Université de Bergame et L'université de La Rioja– ont une Chaire UNESCO. La «Chaire Unesco pour les droits de l'homme et l'Éthique de la Coopération Internationale» de l'Université de Bergame et la «Chaire Unesco sur la Citoyenneté démocratique et la liberté culturelle» de L'université de La Rioja constituent le foyer de dynamisation principal de l'éducation aux droits de l'homme, chargé de coordonner les projets d'innovation pédagogique, les activités de formation et la recherche sur les droits de l'homme dans leurs institutions respectives. Toutes deux organisent pendant l'année scolaire des stages, des rencontres, des congrès et autres types d'activités sur les droits de l'homme et la Coopération internationale pour le développement, et elles ont établi depuis longtemps des liens solides entre elles ainsi qu'avec les chaires UNESCO de L'Amérique Latine, l'Afrique et l'Asie.

3.3.3. Ressources documentaires et bibliographiques

Pour ce qui a trait aux ressources documentaires et bibliographiques, il faut souligner la référence du rapport de L'université de Saragosse, qui affirme disposer de douze revues spécialisées sur ses matières dans les domaines du Droit, des Sciences de l'Éducation et des Sciences humaines. Ce rapport signale de même le grand nombre de monographies sur les droits de l'homme publiées par la propre Université. On peut également considérer comme une bonne pratique le développement de DIALNET, un projet en collaboration pour l'accès ouvert à la documentation et la bibliographie, en langue espagnole notamment, lancé par la Bibliothèque et le Service Informatique de L'université de La Rioja, et qui est devenu un des portaux bibliographiques les plus importants du monde. A l'INTES la plateforme nationale bibliothèque - numérique (BIROUNI) est à même de faciliter davantage l'accès aux références spécifiques sur les droits de l'homme à condition qu'elle soit aménagée dans ce sens. Par ailleurs, l'ensemble des universités espagnoles forme partie de REBIUN (Réseau de bibliothèques universitaires espagnoles), une initiative mise en marche par la Conférence des présidents des universités espagnoles qui contribue de manière importante à la diffusion des résultats en recherche. Considérant les études réalisées par REBIUN à la fin de l'année 2012, trente deux universités espagnoles avaient souscrit la Déclaration de Berlin [...], quoique seules treize universités avaient leur propre politique institutionnelle d'accès ouvert. Cependant, cinquante deux institutions universitaires comptaient sur des archives institutionnelles qui permettaient le développement de ces politiques d'accès ouvert, en garantissant la diffusion et la sauvegarde de leur production scientifique et trente trois universités disposaient d'un service de conseil à ce sujet, les droits d'auteur, les licences, etc. Finalement, au vu des données recueillies par REBIUN, les archives citées accumulaient à ce moment - là près d'un demi-million de documents.

Dans ce même domaine, pour savoir si l'institution a déployé des politiques de libre accès et de disponibilité des sources de recherche qui respectent les droits de l'homme [ICPIII.8], plus de la moitié des institutions consultées ont répondu affirmativement, mais très peu de rapports ont donné ultérieurement des détails sur leur portée.

3.3.4. Codes éthiques pour la recherche

Finalement, il faut s'arrêter sur la référence à l'existence de codes éthiques pour la recherche, car ils ne semblent être naturellement présents que dans certaines universités. Comme exemple de respect à cet égard, on peut citer l'université de Westminster, qui mentionne l'existence de divers outils –tels que l'«University of Westminster Research Framework» ou le «University's Code of Research Good Practice 2014/2015»– qui réglementent le déroulement de l'activité de recherche et constituent une bonne pratique institutionnelle. Dans le code éthique de l'Université Mohammed V, un paragraphe est consacré à la question de la recherche. Dans d'autres, cas comme celui de l'université de La Rioja et l'université de Carthage (INTES), l'absence de codes éthiques constitue une des principales faiblesses décelées par l'analyse de la situation.

3.4. AXE IV: MILIEU D'APPRENTISSAGE

Cet axe a mis en lumière des données plus nombreuses et plus riches sur l'existence de bonnes pratiques. D'un côté, les indicateurs de structure ont permis de connaître le degré d'inclusion majoritaire des principes de non-discrimination, de liberté académique, de liberté d'expression et d'opinion, entre autres, dans les chartes des droits et des obligations de étudiants, des enseignants et des personnels administratifs [ICEIV.1] des universités du Maghreb et des deux universités d'Europe qui ont répondu à este rubrique. On a également obtenu des informations sur la question de si la réglementation de la propre université encourage les actions de bénévolat, de coopération internationale pour le développement, ou de prise en charge de personnes ou de groupes cible en situation de désavantage social, économique ou culturel, etc. [IICEIV.1], avec la réponse affirmative de deux universités européennes et trois universités du Maghreb.

D'autre part, l'application des indicateurs de procédures et de résultat a permis de constater l'existence de mécanismes de sauvegarde des droits des membres de la communauté universitaire [ICPIV.3] dans la moitié des institutions consultées, ainsi que la participation à des initiatives citoyennes de sensibilisation sur les droits de l'homme [IICPIV.2] six des universités engagées au sein d'ABDEM, ou la réalisation de projets et d'activités en matière de droits de l'homme complémentaires au cursus, destinés aux étudiants et développés en collaboration avec d'autres institutions [IICPIV.3], dans six autres universités participantes au projet.

3.4.1. Mécanismes spécifiques de sauvegarde des droits des membres de la communauté universitaire

Les rapports des universités européennes font ressortir l'existence de mécanismes spécifiques de sauvegarde des droits des membres de la communauté universitaire. En particulier, dans le système universitaire espagnol, à partir de 2001, la plupart des universités ont incorporé progressivement à leur structure organisationnelle la figure d'un «Médiateur Universitaire», qui était déjà présente alors dans une vingtaine d'universités. Le Médiateur Universitaire a la mission de «veiller au respect des droits et des libertés des enseignants, des étudiants et des personnels de l'administration et des services, par les actions des divers organes et services universitaires» et jouit d'une indépendance totale dans l'exercice de ses fonctions; sa saisie peut intervenir d'office ou à la demande d'une partie, et son activité se concentre sur la solution de plaintes et de consultations, ainsi que sur des tâches de médiation entre les parties engagées dans un conflit, et l'émission d'avis contenant des propositions d'amélioration, qu'elle adresse aux organes de gouvernement de l'Université. Chaque année, elle présente le mémoire de ses activités à l'assemblée des professeurs de l'Université, et les informations sont mises à la disposition de la communauté universitaire, toujours, logiquement, dans la garantie du respect des coordonnées personnelles et de l'intimité des personnes concernées. Le Médiateur Universitaire est présent aux universités de La Corogne Coruña –où il se dénomme Défenseur Universitaire–, d'Estrémadure, La Rioja et Saragosse.

L'Université de Bergame –qui affirme manquer d'une figure comme le Médiateur Universitaire mentionné pour veiller à la défense des droits des étudiants– dispose, depuis 2013, d'un Comité Unique des Garanties, investi par ses statuts de la mission de veiller au respect de l'égalité des chances et à la non-discrimination, ainsi qu'au déroulement du travail des enseignants et des salariés de l'Université dans un cadre convenable. La Faculté des Sciences Juridiques de l'Université Hassan II ne dispose pas non plus de mécanismes spécifiques de défense des droits des membres de la communauté universitaire, tandis que l'INTES mentionne l'existence notamment de syndicats et d'associations estudiantins à côté de syndicats enseignants pour la défense et la promotion des droits de l'homme dans un contexte post-révolution marqué par plus de libertés d'action. L'administration de l'enseignement supérieur œuvre par ailleurs au soutien de la participation des étudiants à la vie académique, même en ce qui concerne le non-respect des droits de l'homme.

3.4.2. Droit de participation des étudiants

Pour ce qui a trait au droit de participation des étudiants et à l'exercice effectif de la liberté d'opinion et d'expression, les universités tunisiennes mentionnent l'élan de la participation des étudiants aux conseils scientifiques des universités depuis quelques ans, ce qui les engage dans la prise de décisions sur des questions pédagogiques relatives au contexte d'apprentissage également. Cet encouragement à la participation des étudiants est également prôné pour d'autres aspects de leur vie académique en défense de leurs propres intérêts.

Dans toutes les universités espagnoles, les étudiants exercent leur droit de participation par le biais de leur représentation avec voix délibérative au sein de tous les organes collégiaux de gouvernement (Assemblée des professeurs, Conseil de gouvernement de l'université, Conseil de faculté et départements). Toutes les universités disposent de même de *conseils des étudiants*, un outil institutionnel formé et élu par les étudiants exclusivement. Ils constituent l'organe supérieur de délibération, consultation et représentation des étudiants auprès des organes de gouvernement de l'université. Ils assurent trois fonctions principales: a) la représentation de la communauté des étudiants, qui est un interlocuteur légitime pour toutes sortes d'organismes (organes de gouvernement de l'université, villes, communauté Autonome); b) la défense des droits de l'ensemble des étudiants, en se prononçant auprès des organismes qui l'exigent; et c) la promotion de la participation des étudiants, tant sur le plan institutionnel comme dans le cadre d'associations. Les membres du Conseils ont élus par les propres étudiants. Le fonctionnement des Conseils est réglementé par le statut national de l'étudiant universitaire, par les statuts de l'université et par leur propre règlement. Normalement, ils disposent d'installations et de leur propre budget de frais de maintenance et de déroulement d'activités des étudiants: visites culturelles, concerts, théâtre, etc.

3.4.3. Responsabilité sociétale

Plusieurs rapports font référence à l'engagement des universités en tant qu'institutions socialement responsables. La responsabilité sociétale est mise en évidence non seulement sur le plan réglementaire ou théorique, mais surtout à partir de différents programmes et d'activités entrepris par les universités, parmi lesquels semblent se détacher deux niveaux ou domaines différents:

- Le niveau institutionnel proprement dit, c'est-à-dire la politique en matière de coopération internationale pour le développement dans le domaine universitaire, le développement durable, ou le soutien au bénévolat.
- Ceux qui sont fruit de l'initiative des propres membres de la communauté universitaire –de son tissu associatif et de bénévoles– et obtiennent le soutien institutionnel pertinent.

À cet égard, en matière de programmes ou des actions promues par les propres institutions, on peut souligner les exemples de bonnes pratiques suivants, mentionnés par les établissements dans leurs rapports:

- L'université de La Corogne, à travers son *Oficina de Cooperación y Voluntariado* (Bureau de coopération et de bénévolat), fait partie de la Red Gallega de Cooperación Universitaria al Desarrollo. Au sein de ce réseau, avec d'autres universités de la région, elle déploie des activités de bénévolat, de formation, de coopération pour le développement et la formation, dont le détail est repris dans le rapport de cet établissement. De même, elle participe à des rencontres, des journées, et des séminaires de sensibilisation organisés par d'autres institutions avec lesquelles elle collabore, et parmi lesquelles elle a cité Amnistie Internationale, Asamblea de Cooperación para la Paz, Arquitectura sin Fronteras, etc.
- À l'université de Saragosse, la Vice-Présidence de la culture et la politique sociale centralise la politique de coopération pour le développement et la promotion du bénévolat universitaire. Sont à noter (i) l'existence d'un programme de bourses, financées par l'université en collaboration avec le gouvernement d'Aragon, dont l'objet est la réalisation de stages de coopération dans des pays en développement, (ii) le financement d'un Centre d'études pour le développement durable, (iii) l'existence d'une Chaire de coopération pour le développement, et (iv) l'existence d'un Projet intégral pour combattre la malnutrition des enfants dans la zone tribale du district de Kandhamal à Orissa (Inde), ainsi que (v) les prix mentionnés plus haut, au moyen desquels l'université reconnaît l'engagement social de ses membres.
- L'université de La Rioja, dans le cadre des «Plans opérationnels de coopération pour le développement» successifs, gérés en commun avec le Gouvernement de La Rioja, a organisé diverses actions: a) de formation pour la coopération, b) de mobilité des enseignants et des chercheurs pour conduire des projets de recherche et/ou d'innovation éducative dans des pays en développement; c) le financement de bourses pour des étudiants étrangers provenant d'institutions de l'enseignement supérieur encadrées dans des programmes de coopération; et le déploiement de programmes de formation d'instituteurs pour l'alphabétisation, la formation des personnes handicapées, la formation de personnes issues du milieu rural, la création de salles de cours mobiles informatiques, l´éducation aux droits de l'homme, etc., mis en place en Côte d'Ivoire, au Burundi, en Bolivie, au Brésil, Nicaragua, Pérou, Uruguay et Vénézuela.

- L'université d'Estrémadure, par le biais de son *Oficina Universitaria de Cooperación para el Desarrollo* (Bureau universitaire de coopération pour le développement), gère un «Programme de sensibilisation et d'éducation pour le développement» qui permet de déployer des actions de promotion des droits de l'homme telles que le programme «Université sans frontières», le programme «Apprentissage des droits de l'homme», un «Programme de stages pour les étudiants de coopération pour le développement», ou le Programme de bénévolat de l'université.

3.4.4. Vie associative et bénévolat

Quant à la vie associative et au bénévolat au sein des institutions d'enseignement supérieur, nous relevons les bonnes pratiques suivantes:

- L'université de Saragosse dispose d'un Service du bénévolat européen qui lui est propre ainsi que du programme dénommé *Estructuras solidarias propias* («Structures solidaires propres»).
- L'université de Westminster dispose d'un portail de bénévolat en ligne et d'autres mécanismes pour encourager la participation des étudiants à la vie universitaire, ainsi qu'aux actions de diffusion des droits de l'homme et de bénévolat.
- L'existence d'un réseau associatif à l'université de La Rioja qui encadre, entre autres, des associations consacrées à l'action sociale au bénéfice des groupes de population en risque d'exclusion ou qui souffrent de difficultés découlant de leur situation personnelle ou d'un milieu de désavantage social. À souligner, entre autres, l'Asociación Ayuda Social Universitaria de La Rioja (ASUR), constituée par des enseignants et des étudiants, dont le but est de sensibiliser et d'engager les étudiants universitaires dans l'action sociale, et qui déploie depuis vingt ans une activité intense qui lui a valu la reconnaissance et le soutien tant au sein de la propre institution d'enseignement, que dans le milieu social destinataire de son activité. ASUR bénéficie du soutien direct de l'université, sous forme de disponibilité d'espaces et d'autres ressources matérielles, de collaboration dans la diffusion de ses activités et de reconnaissance, sous forme de crédits universitaires, du temps consacré par les étudiants aux projets de l'association. En outre, l'université de La Rioja a accueilli à plusieurs reprises des journées de bénévolat social coordonnées par la Federación Riojana de Voluntariado.
- L'université de La Corogne et l'université d'Estrémadure soutiennent leurs bénévoles par le biais de leurs Bureaux ou services de coopération, bénévolat, etc.

- L'existence à l'INTES (université de Carthage) de deux associations –Association tunisienne du service social et l'Association tunisienne des sciences du travail– œuvrant dans le domaine de la promotion de la réflexion autour des questions sociales, de la diffusion de la culture des droits sociaux et des modes d'intervention auprès des populations concernées. L'INTES accueille périodiquement des associations qui promeuvent l'action au profit de certaines personnes atteintes de certaines maladies (VHS).

3.5. AXE V: ÉDUCATION ET PERFECTIONEMENT PROFESSIONNEL DU PERSONNEL ENSEIGNANT

Au moyen des indicateurs conçus pour cet axe, on cherchait à obtenir des informations précises sur les programmes de formation permanente destinés aux enseignants de nos institutions, ainsi qu'à savoir s'ils proposent ou non des cours spécifiques sur les droits de l'homme, et sur les aspects abordés par ceux-ci. [ICPV.2, IICPV.2 et IICPV.3]. En général, les universités ont répondues affirmativement aux questions posées dans la dimension 1 sur l'existence de programmes de formation du personnel enseignant.

Ces aspects sont alignés avec les recommandations formulées par le Groupe de haut niveau pour la modernisation de l'enseignement supérieur de l'Union Européenne, qui en 2013 a formulé un certain nombre de recommandations pour l'amélioration de la qualité de l'enseignement et de l'apprentissage, base de l'élaboration de la stratégie de formation des professeurs des universités européennes. Parmi ces recommandations, on peut souligner les suivantes:

- Recommandation 1: Les autorités publiques responsables de l'enseignement supérieur devraient veiller à l'existence d'un cadre durable, solidement financé, en mesure d'aider les établissements d'enseignement supérieur dans leurs efforts pour améliorer la qualité de l'enseignement et de l'apprentissage.
- Recommandation 2: Chaque institution devrait élaborer et mettre en œuvre une stratégie de soutien et d'amélioration régulière de la qualité de l'enseignement et de l'apprentissage, en consacrant suffisamment de ressources humaines et financières à cette tâche, et intégrer cette priorité dans sa mission générale en plaçant dûment l'enseignement au même niveau que la recherche.
- Recommandation 4: En 2020, l'ensemble du personnel enseignant des établissements d'enseignement supérieur devrait avoir reçu une formation pédagogique certifiée. La formation professionnelle conti-

nue à l'enseignement devrait devenir une exigence pour les enseignants de l'enseignement supérieur.

- Recommandation 5: Les décisions de recrutement, d'avancement et de promotion du personnel universitaire devraient tenir compte d'une évaluation des compétences pédagogiques, parallèlement à d'autres facteurs.

Dans ce cadre, les universités espagnoles ont défini les stratégies formatives de leur personnel enseignant. À titre d'exemple, voici celles de l'université de la Rioja.

Chaque année scolaire, l'université de la Rioja établit son Plan de formation et d'innovation pédagogique en tenant compte des besoins et des intérêts des professeurs en matière de formation par le biais d'une enquête en ligne. Le plan de formation est structuré en trois domaines d'action bien définis et étroitement liés entre eux: a) le Programme de formation initiale pour les professeurs débutants ou nouvellement recrutés; b) Le Programme de formation permanente pour l'amélioration et l'innovation pédagogique des professeurs; et c) des projets d'innovation pédagogique élaborés pour et à partir de la propre pratique éducative.

En accord avec ces prémisses et au vu de la réalité pédagogique des facultés et des écoles de La Rioja, le *Vicerrectorado de profesorado, planificación e innovación docente*, par le biais de la Direction académique de formation et innovation pédagogique, a établi un plan qui se caractérise par une procédure d'action double: en premier lieu, il présente une offre systématique d'activités de formation (cours, ateliers, séminaires et journées) organisées sous forme d'unités de programme d'apprentissage adaptés aux priorités, aux besoins et aux intérêts de l'activité pédagogique à l'université de La Rioja. En deuxième lieu, il encourage des projets et des expériences d'innovation pédagogique qui s'appuient sur une recherche collaborative, sur l'échange d'idées et la réflexion critique sur la propre pratique éducative. Le propre Conseil social de l'université de La Rioja, dans son effort d'amélioration de la qualité de l'éducation, se fixe l'objectif d'encourager et reconnaître les expériences d'innovation pédagogique développées au sein de l'université.

Les objectifs de l'appel à projets d'innovation pédagogique sont les suivants:

– Encourager l'échange de connaissances et d'expériences de bonnes pratiques pédagogiques universitaires dans le cadre général des diplômes de l'université de La Rioja.
– Stimuler la recherche et l'expérimentation dans diverses scènes d'enseignement et d'apprentissage universitaires (salle de cours, laboratoires, atelier, travail sur le terrain, etc.), afin de développer une éducation de meilleure qualité par le biais de stratégies pédagogiques innovantes.

- Encourager la création ou la consolidation de groupes multidisciplinaires pour aborder des questions sur les systèmes d'évaluation et de certification des compétences, les systèmes de gestion de la qualité de l'apprentissage, les modèles ou expériences pratiques d'apprentissage proches de la réalité professionnelle du nouveau diplômé, ainsi que les systèmes de gestion et de coordination de l'activité pédagogique.
- Favoriser l'emploi pédagogique des technologies de l'information et la communication afin d'améliorer les procédures éducatives de l'université.
- Encourager de nouvelles actions de formation dans le domaine de l'apprentissage en ligne (mobile learning, video learning, logiciels éducatifs, etc.), qui permettent d'enrichir les expériences et les opportunités d'apprentissage universitaire.

Voici quelques projets d'innovation pédagogique sélectionnés et subventionnés par l'université:

- Stages externes: gestion, coordination et suivi;
- L'évaluation en fonction des compétences du projet de fin de licence de la Faculté des sciences commerciales;
- La mise en place de systèmes de coordination et de nouveaux outils d'évaluation adaptés à l'enseignement en ligne;
- Le développement et mise en œuvre d'outils informatiques pour améliorer la vision spatiale des figures géometriques;
- La création de matériel audiovisuel pour la méthode du Cas pratique des sciences commerciales;
- Le suivi et l'amélioration du modèle d'autorisation et d'évaluation de Projets de fin de licence pour les diplômes de la faculté des Lettres et de Sciences de l'éducation;
- PID en ingénierie pour la matière: Élasticité et résistance des matériaux, de la Licence d'ingénierie mécanique;
- La formation pour l'accès au barreau. Simulation de procédures judiciaires et de procédures de médiation;
- L'expérience de l'enseignement - apprentissage sur la base de projets d'ingénierie dans le domaine du génie pour les handicapés;
- Les cartes conceptuelles comme outil d'encouragement de l'apprentissage significatif.

Les nouvelles technologies sont de plus en plus présentes dans les diverses stratégies de formation des professeurs pour l'amélioration de l'activité pédagogique, car elles offrent des espaces d'échange d'informations et d'expériences pédagogiques. L'université de Westminster, par exemple, en plus du département de formation des professeurs qui a ses programmes de perfectionnement (staff teacher-training programmes), dispose d'un *portail en ligne* consacré au développement des enseignants, par le biais duquel les professeurs peuvent programmer leur processus d'apprentissage à travers le *Staff development plan* (My PPDR). Le personnel peut ainsi identifier ses besoins de formation agrâce à ses conseillers en orientation. Ce portail permet d'accéder rapidement à des outils et des ressources d'enseignement-apprentissage, ainsi que de partager de bonnes pratiques pédagogiques. À cet égard, il faut souligner comme bonne pratique l'organisation d'un A*nnual University wide Learning and Teaching Symposium*, où les professeurs peuvent présenter leurs bonnes pratiques à leurs collèges.

Il faut également souligner une autre initiative que l'université de Westminster développe dans l'actualité. Il s'agit d'une nouvelle stratégie d'enseignement et d'apprentissage dénommée *'Learning Futures'*, ouverte à la participation de tous les membres de la communauté universitaire, y compris les étudiants.

Toutes les universités du consortium disposent de programmes de formation des professeurs. Signalons cependant une carence en programmes d'éducation aux droits de l'homme dans l'offre qui s'adresse aux professeurs [IICPV.2 et IICPV.3; IICPV.4]. Néanmoins, dans certains cas, les contenus des actions de formation contiennent les droits de l'homme de manière implicite, comme c'est le cas des cours consacrés aux méthodologies actives d'enseignement-apprentissage. De même, comme l'indique l'université de Westminster, plusieurs documents prouvent l'existence d'une culture solide du respect, de la diversité et de l'inclusion, comme, par exemple, la Charte des étudiants *(The University of Westminster Student Charter*) qui contient un résumé de ce que les étudiants peuvent attendre de l'université, et qui comprend, entre autres, les aspects suivants:

- Être traités avec dignité, respect et courtoisie;
- Disposer d'un éventail de chances de développement personnel et professionnel;
- Opportunités de participation aux activités culturelles, de loisirs, sociales et sportives;
- Soutien et orientation en matière de santé, de bien-être émotionnel, handicap, logement, etc.

Pour résumer, les informations recueillies dans les rapports des établissements concernant l'axe V permettent de constater un grand nombre d'actions de perfectionnement des professeurs. Ces activités de formation ne mentionnent toutefois pas de manière explicite une offre de formation aux droits de l'homme, à part les éléments recensés dans les paragraphes précédents.

Chapitre 7

Analyse de la mise en œuvre de l'ABDH dans les pays du consortium ABDEM

NEUS CAPARRÓS CIVERA
FERMÍN NAVARIDAS NALDA
Université de La Rioja

SOMMAIRE: 1. OPORTUNITÉS. 2. MENACES. 3. ATOUTS. 4. FAIBLESSES. 5. TABLEAU DES AFOMS NATIONALES.

L'information fournie par les indicateurs a été systématisée et évaluée par chaque équipe de chercheurs pour élaborer un diagnostic de la situation actuelle dans chaque pays et dans chaque institution universitaire du consortium ABDEM, par rapport à l'approche basée sur les droits de l'homme. C'est dans ce but que nous présentons une évaluation des résultats obtenus d'abord dans chaque pays puis dans chaque institution.

L'analyse comparée de tous les pays nous permet de détecter de nombreuses convergences dans les différents éléments (faiblesses, atouts, menaces et opportunités) du diagnostic et certaines divergences. Il convient toutefois d'avertir que certaines réalités exposées sont susceptibles d'une évaluation ambivalente: dans certains cas, les opportunités se montrent aussi comme des atouts internes ou encore comme des faiblesses en fonction du parti que l'on en tire.

1. OPORTUNITÉS

Tous les pays, exceptés l'Italie et le Royaume-Uni qui ne le relèvent pas, coïncident au moment d'apprécier comme une opportunité la **ratification des textes internationaux sur les droits de l'homme** les plus significatifs. Cela représente, sans doute, un point de rencontre d'une part entre tous les pays du Consortium où ils peuvent identifier valeurs et droits universels, mais des mises en contexte géopolitiques et culturelles s'avèrent nécessaires. Pour la mise en place de l'approche aux droits dans l'éducation, la perception et l'assomption de cette «unité dans la diversité» acquièrent une valeur pédagogique très significative car elle connecte directement avec les buts du droit à l'éducation proclamés dans la Déclaration universelle des droits de l'homme de 1948[1]. Dans ce contexte, les mesures nationales visant à encourager la participation à des **actions de mobilité internationale** acquièrent une valeur particulière. Ce type d'actions facilite l'élaboration de rapports et de projets sur les droits de l'homme dans d'autres pays, ce qui rend possible un travail collaboratif interdisciplinaire et interculturel sur l'approche aux droits.

Par ailleurs, la ratification de ces textes implique un engagement institutionnel très fort de la part des États, qui les oblige à adopter des législations et des politiques conformes aux droits de l'homme assumés. De fait, les droits et les libertés publiques associées à l'éducation (liberté scientifique, de chaire, d'opinion, d'expression, d'accès à l'information, etc.) jouissent de **protection constitutionnelle** dans tous les pays du consortium. La liberté de création d'universités privées est citée expressément par l'Algérie, l'Espagne et la Tunisie comme une opportunité, quoique cette liberté soit reconnue aussi en Italie, au Maroc et au Royaume-Uni. L'Algérie l'apprécie comme un moyen pour pallier aux déficiences des universités publiques et pour résoudre le problème de leur massification qui répercute inévitablement sur la qualité des enseignements.

En cohérence avec ce cadre normatif, certains pays (l'Espagne, le Maroc, la Tunisie, l'Algérie) ont des **plans et des institutions nationaux** pour mettre en place des processus et des stratégies qui veillent au respect des droits de l'homme, certains avec une incidence directe à tous les niveaux de l'enseignement. Sans aucun doute, ce type de politique est un aval de poids pour mettre en œuvre l'approche aux droits de l'homme dans l'éducation, de manière intégrale.

Une autre opportunité où convergent plusieurs pays (la Tunisie, le Maroc, l'Espagne et le Royaume-Uni) est la **mise en place de mécanismes externes et internes pour évaluer la qualité de l'enseignement supérieur**. Cette circonstance permettrait d'inclure l'ABDH dans le concept et la mesure de la qualité dans différents domaines de l'activité universitaire, de telle sorte que l'on pourrait identifier et standardiser des objectifs, des processus

1. «La educación tendrá por objeto el pleno desarrollo de la personalidad humana y el fortalecimiento del respeto a los derechos humanos y a las libertades fundamentales; favorecerá la comprensión, la tolerancia y la amistad entre todas las naciones y todos los grupos étnicos o religiosos, y promoverá el desarrollo de las actividades de las Naciones Unidas para el mantenimiento de la paz» (art. 26.2).

et des résultats d'enseignement-apprentissage des droits de l'homme dans toutes les carrières, et dans le gouvernement et la gestion des universités.

La Tunisie, l'Algérie, le Maroc, l'Espagne et l'Italie considèrent que l'actuelle **réforme des études universitaires pour mettre en place le système LMD et celui des ECTS** peut être aussi une magnifique occasion pour travailler dans ce sens. Surtout parce que l'on apprécie un développement croissant des compétences (connaissances, habiletés et valeurs) associées à la formation des droits de l'homme, et d'une éducation pour une citoyenneté démocratique active et responsable.

En marge de ces convergences, les pays citent certaines circonstances particulières qu'ils évaluent comme des opportunités pour la mise en place de l'ABDH dans leurs pays. Le Maroc et la Tunisie soulignent **l'ouverture universitaire vers la formation à l'approche des droits** ainsi que le **volume important des activités académiques et culturelles** sur les droits de l'homme, pour influencer les comportements associés aux valeurs démocratiques, au respect d'autrui ou la solidarité. Ces actions comptent parfois sur l'appui d'organismes internationaux reconnus au Maroc.

La Tunisie signale aussi comme opportunité pour l'application de l'ABDH, sa **culture de participation et de dialogue** ainsi que l'attention aux personnes à besoins particuliers et aux moins favorisés dans le cadre de la réforme du système supérieur d'enseignement. Et l'Algérie évalue sa stabilité économique comme une opportunité.

2. MENACES

Les menaces sont les situations que tout pays souhaite éviter mais ce sont aussi les situations qui peuvent être converties en stimulation pour ouvrir de nouvelles voies, pour entreprendre et pour donner une réponse à des situations non résolues jusqu'à ce jour.

Une menace commune à tous les pays du consortium est **l'absence d'une stratégie stable et consolidée sur l'information et la formation aux droits de l'homme pour le corps enseignant universitaire et cette formation ne constitue pas non plus un facteur d'importance pour la qualification, l'habilitation et la sélection du corps enseignant**. La constatation de cette carence est paradoxale et même contradictoire avec les objectifs et les priorités signalées par les pays par rapport au besoin d'encourager une culture des droits de l'homme. Les raisons qui expliquent ce vide peuvent être variées et, dans certains cas, elles sont contemplées aussi comme une faiblesse du système: la carence de corps enseignant et de personnel administratif spécialisé en ABDH (Le Maroc et La Tunisie), le poids très faible et le peu de reconnaissance académique et scientifique de ces matières au nom d'une politique générale qui favorise la recherche technologique au détriment de la sociale (Maroc, Tunisie et Espagne), la résistance aux approches pédagogiques interdisciplinaires (Tunisie et Algérie), l'absence d'un droit à la formation continue (Tunisie), la faible culture des droits de l'homme du point de vue des connaissances (Espagne).

L'Italie et tous les pays du Maghreb soulignent **l'absence de la mise en place de l'ABDH dans le pays, avec des nuances différentes dans chacun** (certains pays comme l'Algérie, le considèrent une faiblesse).

En ce sens, les pays du Maghreb convergent à nouveau: même s'il y a un cadre législatif et une claire volonté politique favorable à l'approche aux droits de l'homme, son implantation n'est ni visible ni évidente, excepté le Maroc. Les trois pays maghrébins dénoncent la **dispersion normative** associée aux droits de l'homme et l'éducation supérieure et au **manque flagrant de convergence entre les textes juridiques en vigueur et l'adoption de mesures** concrètes au niveau national et par les propres universités. De la même manière, ils constatent des **divergences de perspectives et de visions pédagogiques** entre les professeurs et une dispersion de savoirs associés à l'ABDH, ce qui empêche l'existence d'un véritable impact sur les acteurs clés dans le domaine de l'éducation. Ils manifestent aussi qu'il y a encore une **absence de participation et d'adhésion de la société civile aux politiques d'éducation**, qu'elles sont une affaire d'État. Sauf le Maroc, où la société civile est très dynamique. L'Algérie constate l'existence de pressions et d'influences externes sur le rôle de la femme dans la société algérienne qui limitent de fait leur promotion professionnelle.

Dans le cas des pays européens, **l'autonomie universitaire** est alors évaluée comme une menace, une faiblesse et un atout. Cette ambivalence est justifiée par l'énorme potentiel que renferme l'autonomie universitaire tant pour le design des plans d'étude et des matières du cursus universitaire que pour l'articulation des principes de bonne gouvernance des institutions universitaires (participation, transparence, reddition de comptes, etc.). En fonction du bon ou mauvais usage que les universités en font, l'implantation de l'ABDH peut devenir un succès ou un échec. Au contraire, l'Algérie considère **l'excessive centralisation administrative** comme une menace car elle peut freiner la mise en place de l'ADBH par les différentes universités.

L'Espagne et le Royaume-Uni signalent la **fragmentation de leur structure organisationnelle nationale** comme une menace et une faiblesse, ce qui provoque à son tour une prolifération de normes qui font obstacle à la mise en place de nouvelles mesures dans l'enseignement. L'Espagne et la Tunisie signalent en outre **l'instabilité des normes** qui régulent l'enseignement supérieur, soumise aux allers et retours de l'alternance politique des gouvernements, ce qui empêche une mise en place sereine et soupesée des changements réclamés par l'Espace européen de l'enseignement supérieur.

Le **manque de moyens économiques** (Tunisie, Maroc et Espagne), la distribution budgétaire déficiente (Espagne) et le **déséquilibre entre les secteurs public et privé** (Tunisie et Espagne) constituent aussi une menace pour introduire des changements dans l'université qui exigent des investissements tant en ressources humaines qu'en ressources matérielles.

3. ATOUTS

Tous les pays considèrent comme un facteur important **l'intérêt croissant qui existe pour développer des stratégies à faveur des droits de l'homme**, en particulier dans le domaine de l'enseignement, en cohérence avec leurs législations nationales respectives. L'Algérie, le Maroc et l'Espagne comptent en outre sur des plans et des institutions nationales engagées dans ce sens.

Plusieurs pays (Tunisie, Algérie, Italie et Espagne) apprécient come un point fort la reconnaissance de **l'égalité et de la non-discrimination à l'accès à l'enseignement supérieur et l'adoption de mesures pour l'inclusion sociale de populations vulnérables concrètes (handicapés, prisonniers, étrangers, minorités, etc**.). L'Algérie souligne le rôle croissant octroyé à la femme et à la reconnaissance de ses droits. Tous les pays du Maghreb soulignent la présence active d'ONG prêtes à collaborer à la présence à chaque fois plus importante des droits de l'homme dans leur société.

L'Italie, l'Espagne, l'Algérie et la Tunisie convergent dans l'évaluation très positive des **programmes de mobilité internationale d'élèves et de professeurs** car ils favorisent l'échange de savoirs et d'expériences et qu'ils peuvent résulter très efficaces pour l'enseignement/apprentissage de l'université des droits de l'homme dans des contextes différents et des compétences correspondantes.

Les pays européens, la Tunisie et le Maroc reconnaissent divers aspects de **l'autonomie universitaire** (la participation de la communauté universitaire à la gestion, des mécanismes qui lui sont propres d'autoévaluation, le caractère électif des postes de gouvernement, la soumission au droit des appels publics à bourses, l'approbation des plans d'étude, etc.) comme un atout qui peut faciliter la mise en oeuvre de l'ABDH; mais aussi le fait que dans leurs universités il existe différents **mécanismes qui veillent à l'application des droits de l'homme** des membres de la communauté universitaire. De même, le Maroc, l'Espagne et l'Italie citent le **droit à l'accès à l'information** comme un atout favorable à l'EBDH.

Finalement, la Tunisie et le Maroc qualifient d'atout le fait que **l'enseignement des droits de l'homme soit présent dans diverses disciplines et niveaux**, y compris avec un caractère obligatoire.

Viennent s'ajouter à ces convergences quelques points forts particuliers à chaque université. C'est le cas, par exemple, du Royaume-Uni qui souligne la flexibilité du système d'éducation et la multiculturalité qui définit son identité nationale et qui est aussi présente dans la composition de ses universités. L'Espagne signale les prix publics des inscriptions à l'université et la connexion institutionnelle entre l'université et la société civile à travers le Conseil social, organe de gouvernement de l'université.

Le Maroc souligne le fort engagement envers la formation initiale et continue. La Tunisie compte sur des ressources matérielles (bibliothèques, supports pédagogiques, etc.) et sur des professeurs qui recourent fréquemment à des méthodes de pédagogie différenciée, ce qui pourrait favoriser l'ouverture et l'intérêt à incorporer l'ABDH dans leur enseignement et leur recherche.

Ce panorama nous permet de conclure qu'il est possible de convertir ces atouts en facteurs stimulants pour introduire l'ABDH dans l'enseignement supérieur au moyen de politiques qui, au-delà de la reconnaissance formelle des droits de l'homme, articulent des dispositifs de suivi et d'évaluation capables de veiller à leur mise en place fiable par le travail associatif et collaboratif de tous les agents concernés.

4. FAIBLESSES

Tous les pays du Maghreb coïncident pour constater un **manque de vision stratégique de l'ABDH**, menace et une faiblesse à la fois. Les actions sont nombreuses mais insuffisantes et pas assez visibles pour que l'on remarque le travail à faveur des droits de l'homme. Différents facteurs contribuent à ce déficit. En général, on apprécie une **absence de coordination** de toutes les actions réalisées entre les différentes institutions publiques et privées, l'université et les structures de formation en matière des droits de l'homme, ralentissant ainsi le progrès à faveur des droits de l'homme. Plus précisément, l'Italie, l'Algérie, et la Tunisie manifestent que la **coordination avec la société civile a peu de poids**. Dans d'autres cas (l'Espagne), la réponse à l'offre variée de mécanismes de participation est rare tout comme la réponse des étudiants aux activités hors-cursus.

La Tunisie et l'Algérie soulignent en outre que le **discours des droits de l'homme est très politisé** dans leurs pays respectifs: d'une part, on y défend sa propre interprétation culturelle des principes universels des droits de l'homme et on se méfie des interprétations provenant des institutions internationales ou d'autres pays pour ce qu'elles peuvent supposer de «colonisation culturelle et idéologique» qui sont logiquement rejetées. D'autre part, le discours des droits de l'homme contribue à la polarisation de positions dans les débats nationaux à cause de leurs différentes appropriations idéologiques. De surcroît, la législation universitaire en matière de droits de l'homme a peu de poids dans tous les pays du Maghreb et l'on apprécie un manque de cohérence parce que l'on ne promeut pas non plus l'autonomisation des personnes, qu'il y manque des actions ou des initiatives concrètent qui mènent à une véritable approche et qui garantissent leur mise en marche.

La Tunisie, l'Italie et le Maroc dénoncent le **manque de ressources pour évaluer les mesures adoptées** à faveur des droits de l'homme dans les différents domaines universitaires, ce qui ne permet pas de les quantifier, ni de savoir avec certitude à quoi elles sont vraiment destinées. Il n'existe donc pas d'évaluation sérieuse et cohérente par objectifs. Cela répond, dans certains cas, à l'absence de dispositifs qui les recueillent et systématisent et, dans d'autres, à l'absence de transparence et d'accessibilité à l'information.

L'Algérie, la Tunisie et l'Espagne accusent aussi l'**excessive bureaucratisation et, parfois, la faible rentabilité de l'investissement économique dans l'enseignement supérieur** qu'elles considèrent comme une difficulté décourageante pour la volonté de transformations pédagogiques dans l'enseignement supérieur.

Parmi les appréciations particulières, l'Espagne indique comme faiblesses du système: le taux élevé d'abandon des études, la faiblesse des mécanismes de contrôle de la défense; les difficultés à reconnaître les crédits étudiés dans d'autres universités ou dans d'autres carrières de la même université, ce qui rend difficile la mobilité nationale et internationale des élèves; les difficultés à aménager raisonnablement espaces et horaires des matières, empêchant ainsi *de facto* le libre choix de matières par les élèves.

La flexibilité propre à la *Common Law*, est considérée au Royaume-Uni comme une opportunité mais aussi comme une faiblesse pour l'application de l'ABDH, car il n'y a pas de mécanismes légaux prédéterminés pour définir comme institutionnelle une mesure ou norme.

Le Maroc trouve une faiblesse dans l'absence de mécanismes qui veillent à la défense des droits de l'homme des membres de la communauté universitaire ainsi qu'au caractère obligatoire des matières associées aux droits de l'homme.

La Tunisie souligne l'absence d'objectifs et de mesures concrètes pour les groupes de personnes défavorisées. Le pays signale aussi que les processus d'enseignement et d'apprentissage sont surtout centrés sur les contenus, ce qui ne favorise pas la participation et l'émancipation de l'étudiant. Elle dénonce aussi le manque de plans de formation initiale et continue appropriés qui pourraient servir à renforcer l'ABDH.

5. TABLEAU DES AFOMS NATIONALES

Opportunités	Menaces	Pays	Atouts	Faiblesses
– Intention du gouvernement de professionnaliser l'enseignement universitaire. – La constitution non codifiée permet au RU d'adapter plus facilement le système. – L'autonomie des IES facilite le contrôle local en fonction des besoins. – Le gouvernement du RU ne prescrit pas les programmes d'enseignement des IES, ce qui permet à celles-ci d'adapter leurs formations aux attentes du marché. – Diverses sources font des appels à projets de recherche, et fournissent un financement commun diversifié de la recherche.	– La flexibilité constitutionnelle peut ne pas permettre l'équilibrage des besoins à tout moment. – L'absence d'une exigence explicite aux enseignants de disposer d'une qualification professionnelle pour l'enseignement supérieur peut engendrer des divergences dans la pratique. – Le fait que le gouvernement du RU ne prescrive pas les programmes d'enseignement peut avoir parfois une influence sur la cohérence des matières. – L'incertitude économique peut avoir un impact sur la capacité de payer les frais de scolarité.	**Royaume-Uni**	– La constitution non codifiée et le système de suprématie parlementaire permettent une grande flexibilité. – Les cadres non juridiques fournissent un support administratif précieux aux normes légales. – Les agences telles que l'Agence d'Assurance de la Qualité et l'Unité du Défi de l'Égalité assurent une supervision spécialisée précieuse. – Le système basé sur la jurisprudence facilite la flexibilité et la participation au développement des lois. – Les crédits pour couvrir les frais de scolarité facilitent l'accès à l'enseignement supérieur. – Le RU est une démocratie libérale solide, et ses institutions ont une culture des droits de l'homme.	– La multiplicité des sources qui gouvernent l'ES peut nuire à sa récupération et sa compréhension. – Des cadres non juridiques précieux n'ont pas la force de loi. – Les frais de scolarité peuvent être un obstacle pour certains étudiants.

Opportunités	Menaces	Pays	Atouts	Faiblesses
– La réforme du système LMD et par conséquent la très grande autonomie. – La participation à des programmes de mobilité et de recherche de financements européens.	– Absence d'une approche basée sur les Droits de l'homme.	**Italie**	– Très grande autonomie assignée aux universités. – Autonomie dans l'élection des organes. – Reconnaissance du droit de participation à la gouvernance de l'établissement. – La transparence dans l'accès à l'information. – Attention aux minorités linguistiques. – Inclusivité. – Pluralité d'organes qui visent à contrôler le respect des droits: * commission paritaire, * égalité des droits, * Handicap. – Aucune référence ni forme spécifique d'aide aux minorités.	– Absence d'une référence explicite (du terme) « droits de l'homme » dans la loi. – Bien que la loi impose la transparence, l'accessibilité des données est difficile. – Les résultats en termes de pourcentage sont insuffisants voire absents. – Absence de collaboration institutionnalisée avec les associations à but non-lucratif et avec les ONG.

Opportunités	Menaces	Pays	Atouts	Faiblesses
– Constitution normative qui reconnaît largement les droits fondamentaux. – Reconnaissance constitutionnelle de la liberté d'enseignement et de création de centres d'enseignement et de création par des personnes physiques et morales (art. 27 CE). – Reconnaissance légale de l'autonomie universitaire dans un triple aspect : normatif, organisationnel et budgétaire. – Reconnaissance des droits des professeurs (recherche et enseignement) et des élèves (étude). – Égalité dans l'accès et non discrimination pour des raisons de genre, langue, religion ni toute autre considération personnelle ou sociale. – Plan national des droits de l'homme (2008). – Plan étatique de recherche scientifique et technique et d'innovation 2013-2016.	– Manque d'équité dans le système. – Prix publics des inscriptions élevés. – Insuffisance d'investissements en éducation universitaire et en R+D+I et distribution budgétaire discutable. – Influence pernicieuse de la structure régionale de l'État et prolifération de normes fragmentées. – Difficultés pour la mobilité nationale du professorat et des élèves. – Non considération de la formation aux droits de l'homme comme un mérite lors des processus de sélection du professorat. – Instabilité des normes qui régulent l'éducation universitaire.	**Espagne**	– Participation acceptable aux programmes de mobilité internationale des étudiants – Existence de mécanismes adéquats pour la défense des droits des membres de la communauté éducative. – Appels publics aux candidatures aux bourses soumis au droit. – Existence de mécanismes internes et externes d'évaluation de la qualité, de l'enseignement et de la recherche. – Caractère électif des postes de gouvernement. – Attention aux collectifs défavorisés – prisonniers, handicapés, étrangers, etc. – Existence de l'institution du Défenseur universitaire. – Connexion université / société à travers le Conseil social et de la Coopération universitaire au développement.	– Abandon scolaire. – Faible rentabilité des investissements. – Faiblesse des mécanismes de contrôle de la dépense. – Excès de bureaucratisation. – Gestion parfois arbitraire de l'idée d'autonomie. – Considération inadéquate de la liberté de chaire. – Faible réponse aux mécanismes de participation. – Faible stabilité des normes. – Faible réponse aux possibilités formatives qu'offrent les activités extracurriculaires. – Incertitude en ce qui concerne la carrière professionnelle des enseignants. – Difficultés dans la validation de crédits au moment de les faire valoir dans d'autres universités espagnoles ou études.

Opportunités	Menaces	Pays	Atouts	Faiblesses
– Existence d'organes de coordination du système universitaire. Conseil des Universités et Conférence de Politique Universitaire.		**Espagne**		– Difficultés dans la répartition raisonnable d'espaces et d'horaires pour l'enseignement. – Faible culture des droits de l'homme du point de vue des connaissances. – Peu d'initiatives dans la recherche et dans les plans d'action relatifs aux droits de l'homme.
– Etat signataire de la Déclaration universelle des DH et de presque tous les traités internationaux. – L'intégration dans le processus des réformes internationales. – La stabilité économique – L'expérience de l'État en matière de stabilité territoriale du voisinage et de protection des DH. – La participation aux rapports annuels sur les droits de l'homme.	– Absence totale de l'ABDH – Absence de participation et d'adhésion. – Influences externes sur le rôle de la femme dans la société plurielle. – L'autonomie universitaire est relative et insuffisante. – Influence culturelle sur les la femme dans la société plurielle. – L'autonomie universitaire est relative et insuffisante. – Influence culturelle sur les principes universels des droits de l'homme.	**Algérie**	– L'existence d'une législation en faveur des droits de l'homme. – Ratification de tous les traités Internationaux. – Une forte participation de la femme. Droit de la femme. – La présence des ONG, et notamment, de la Commission Nationale Consultative de la Protection et de la Promotion des Droits de l'Homme (CNCPPDH). – La constitution algérienne est conforme à la Déclaration des droits de l'homme.	– Les droits de l'homme ont une connotation politique. – L'arsenal juridique relatif aux droits de l'homme est très épars. – Très faible coordination avec la Société civile. – Gestion bureaucratique. – Décalage entre les textes et la pratique.

Opportunités	Menaces	Pays	Atouts	Faiblesses
– Réel intérêt politique pour l'amélioration des droits de l'homme au Maroc – Ratification par le Maroc des principales conventions internationales liées aux droits de l'Homme – Création d'institutions nationales et gouvernementales pour la promotion des droits de l'homme (Délégation interministérielle aux droits de l'homme, Conseil National des Droits de l'Homme, Le Médiateur, ainsi que la future instance pour la Parité et la Lutte contre toutes Formes de Discrimination prévue dans la nouvelle Constitution de 2011). – Engagements des décideurs politiques dans le processus de la mise en œuvre des stratégies ABDH: présence dans les plans d'actions sectoriels de programmes d'éducation sur les droits de l'homme (mais de faible teneur)	– La non-reconnaissance explicite des DH et de leurs valeurs dans la législation nationale de l'enseignement supérieur. – Absence de convergence institutionnelle et de textes juridiques. – La législation nationale ne considère aucunement l'éducation sur les droits de l'homme comme un critère de sélection et de recrutement du personnel enseignant – Inexistence de dispositifs d'information et de formation du personnel enseignant aux droits de l'homme. – Indifférence des politiques de recherche nationales envers la recherche liée aux droits de l'homme. – Diminution critique de la masse des enseignants chercheurs et des administratifs formés à l'approche ABDH. – Rareté des spécialistes et des professionnels de l'ABDH	**Maroc**	– Reconnaissance de l'autonomie de l'université dans la gestion et l'élaboration de ses politiques. * Reconnaissance du respect des droits de l'homme dans la charte éthique et dans les valeurs de l'université. – Notoriété de l'université marocaine sur la formation initiale et continue, en lien avec l'ABDH. – Collaboration et partenariat avec des organismes et des institutions œuvrant dans le domaine des droits de l'homme – Présence de cours et d'enseignements obligatoires portant sur les droits de l'homme tout au long des cursus. – Le droit à l'accès à l'information est garanti. – Participation de l'ensemble de la communauté. – Enseignants qualifiés, expérimentés et engagés – Organisation et encouragement des initiatives et des activités culturelles et	– Faiblesse de la législation universitaire en matière des droits de l'Homme. – La non prise en compte de l'éducation sur les droits de l'homme dans le processus de sélection du personnel enseignant. – La politique globale de recherche de l'université ne porte que peu d'intérêt aux droits de l'homme. – Absence de formations en faveur du personnel enseignant et administratif portant sur les droits de l'homme. – Absence de mécanisme de défense contre les éventuelles atteintes aux droits de l'homme au sein de la faculté. – Le caractère obligatoire des enseignements et des activités portant sur les droits de l'homme. – Absence de vision stratégique sur l'approche CDH et manque de dispositif d'information, de données et d'archivage.

Opportunités	Menaces	Pays	Atouts	Faiblesses
– Intérêt porté aux droits de l'homme par le Conseil supérieur de l'enseignement. – Exigence de la compétitivité nationale et internationale en termes de standardisation des outils éducatifs et pédagogiques visant l'ABDH. – Développement croissant des connaissances et savoir-faire dans le domaine de la culture des droits de l'homme (CDH) à niveau national et international. – Ouverture de l'université marocaine sur la qualité de l'éducation et de la formation initiale et continue en lien avec l'ABDH.	– Eparpillement des savoirs liés à l'ABDH et absence d'impact sur les acteurs clés du domaine éducatif.	**Maroc**	spécifiques de formation en lien avec l'ABDH (thèses, ateliers ; séminaires ; forums et journées d'études). – Engagement des collaborateurs administratifs et académiques.	– Manque de coordination entre les structures de formation en lien avec l'ABDH. – Effectifs limité d'enseignants formés en l'ABDH. – Eparpillement des activités, incohérence des filières et absence de visibilité du plan de formation. – Absence de coordination interuniversitaire.
Politiques et mesures d'application connexes				
– L'approche par compétences faciliterait énormément l'aspect transversal de l'éducation des droits de l'homme. – Ratification des conventions internationales les plus importantes.	– Inexistence d'une stratégie globale d'enseignement des droits de l'homme en tant qu'approche à part entière – Absence de l'intégration d'une approche basée sur les droits de l'homme dans	**Tunisie**	– Existence d'un projet de réforme du système d'enseignement supérieur – Existence d'une Circulaire du ministère de tutelle sur l'enseignement des Droits de l'Homme sous forme d'un module d'en	– Equipements logistiques universitaires très moyens par rapport à l'effectif croissant des étudiants. – Pas de projets particuliers pour les étudiants défavorisés

Opportunités	Menaces	Pays	Atouts	Faiblesses
– Les budgets consacrés à l'éducation sont importants mais baissent de plus en plus.	la législation nationale tunisienne régissant les programmes d'enseignement universitaire. – L'arsenal juridique relatif à l'enseignement supérieur et notamment aux Droits de l'Homme est très épars. – Peu de garanties juridiques au droit à l'éducation.		seignement transversal dans toutes les disciplines. – L'enseignement supérieur en Tunisie est accessible à tous et en toute égalité.	– Un déséquilibre entre la recherche universitaire, l'encadrement et l'enseignement.
Procédures et outils d'enseignement et d'apprentissage				
– Obligation d'aménagement de l'espace pour les personnes handicapées – Le système d'évaluation de l'apprentissage est prescrit par des textes juridiques. Ce système est transparent et connu par les étudiants.	– Défaillance d'une approche «co-disciplinaire » sur l'éducation des droits de l'Homme – Culture disciplinaire rigide qui refuse de s'ouvrir sur d'autres disciplines. – Manque de moyens financiers. – Dominance de l'approche transmissive en rapport avec l'approche des droits de l'homme – Conflit d'approches et de visions pédagogiques, ce qui a généré une grande disparité de méthodes pé dagogiques entre les enseignants.	**Tunisie**	– L'Enseignement d'un module transversal sur les droits de l'homme à tous les étudiants. – Disponibilité de références bibliographiques plus ou moins importantes – Le personnel enseignant tente de faire appel à la pédagogie différenciée de façon courante	– L'enseignement universitaire est centré sur le contenu du cours et non sur l'apprentissage – Les méthodes d'enseignement ne permettent pas à l'étudiant de participer et de « problématiser » le contenu dispensé par rapport à son milieu environnant. – Les méthodes d'enseignement ne développent pas un regard intérieur et extérieur du milieu universitaire. – Les méthodes d'enseignement ne favorisent pas l'émancipation personnelle

Opportunités	Menaces	Pays	Atouts	Faiblesses
				de l'étudiant : l'épanouissement de sa personnalité et le renforcement de l'esprit d'initiative .
Recherche				
– Le cadre général de la recherche scientifique est juridiquement règlementé. – Le personnel enseignant bénéficie de la garantie des différents droits inhérents à la liberté académique. – Cadre juridique propice à la réflexion critique sur le domaine des Droits de l'Homme.	– Pas de politique claire sur la recherche Scientifique universitaire. – Orientation politique tournée vers la valorisation de la recherche technologique au détriment de la recherche sociale relative au domaine des droits de l'Homme – Manque d'un véritable soutien porté à la recherche scientifique. – Peu d'intérêt pour les études et recherches sur les Droits de l'Homme : pas de programmes universitaires multidisciplinaires et interdisciplinaires sur les Droits de l'Homme. – Connaissances insuffisantes sur les droits de l'homme dues à un refus de certaines disciplines à s'ouvrir sur ce domaine.	**Tunisie**	– Existence d'un projet de réforme du système d'enseignement supérieur – Mesures incitatives à la mobilité internationale – Existence de convention de partenariat nationale et internationale qui permet de créer des coopérations universitaires facilitant la collaboration et l'échange entre pairs	– Pas de valorisation de la recherche sur de l'Homme. – Pas de mesures concrètes pour la promotion de l'Education sur les Droits de l'Homme dans les universités – Pas de valorisation de la recherche sur les Droits de l'Homme

Opportunités	Menaces	Pays	Atouts	Faiblesses
Contexte de l'apprentissage				
– Existence d'un projet de réforme du système d'enseignement supérieur. – Existence de textes juridiques sur la participation des différents acteurs aux instances scientifiques – Début de rénovation du statut des établissements d'enseignement supérieur par la promotion de l'autonomie académique et l'existence d'une commission nationale de l'évaluation de l'enseignement supérieur rattachée au ministère de l'Enseignement Supérieur tunisien. – La gouvernance devient un sujet qui avive les débats publics. – Contexte favorable à la pluralité des partenariats entre les universités tunisiennes et étrangères.	– Le droit à la gouvernance est assez absent. – Absence d'une approche d'évaluation basée sur les objectifs – Un déséquilibre entre les secteurs universitaires publics et privés au niveau des moyens.	**Tunisie**	– Existence d'une autonomie financière et administrative relative. – Existence des mécanismes d'auto- évaluation.	– Des comptes rendus périodiques qui ne débouchent pas sur des mécanismes d'assurance-qualité spécifiques pour l'éducation des droits de l'homme au sein des universités
Perfectionnement professionnel du personnel enseignant				
– Existence d'un projet de réforme du système d'enseignement supérieur.	– Défaillance d'une politique. globale de formation sur les Droits de l'Homme		– Existence d'un intérêt pédagogique et d'un besoin pressant d'éducation	– Pas de formation initiale sur les droits de l'homme, appropriée.

Opportunités	Menaces	Pays	Atouts	Faiblesses
– Existence d'un système d'évaluation scientifique et pédagogique pour la promotion professionnelle des enseignants. – Existence d'une période de stage et d'un cycle de formation pédagogique pour les enseignants nouvellement recrutés	pour la promotion du personnel enseignant – Défaillance d'un droit à la formation continue. – Risque d'instrumentalisation politique des droits de l'homme par les partis politiques et par les instances de la société civile.	**Tunisie**	sur les droits de l'homme dans toutes les disciplines. – Existence d'un système d'aide financière à la mobilité. – Existence de programmes de coopération internationale.	– Pas de formation continue sur les droits de l'homme, en cours. – La formation n'est pas considérée comme un critère de qualification, d'accréditation et d'évolution des études du personnel enseignant.
– L'application du système des ECTS (réforme du système LMD). – Participation aux programmes de coopération tels Erasmus+ et Capacity Building. – Volonté de démocratiser l'ES grâce à des nouvelles mesures de distribution. – Système d'équivalence et de reconnaissance des diplômes. – Loi statuant sur les universités privées. et les définissant.	– Absence totale d'ABDH. – Employabilité ambiguë : pas de débouchés sur le marché socioéconomique. – Autonomie limitée dans la gestion de l'université. – Fort niveau de centralisation. – Manque de développement du secteur privé et faible degré de transparence dans l'accès à l'information.	**Universités Setif2 Enssp Algérie**	– La présence de nouvelles infrastructures consacrées à l'ES. – Le budget consacré à la formation et à la recherche scientifique est très conséquent. – Gratuité de l'Enseignement et de la prise en charge des étudiants – Conventions de mobilité et de recherche nationale et internationale. – Présence d'un laboratoire sur les droits de l'homme et d'une cellule d'Assurance Qualité.	– Surnombre des étudiants. – Critères de sélection par quota : le quantitatif prime sur le qualitatif – Encadrement faible dans certaines spécialités liées aux sciences humaines et sociales – Faible niveau de responsabilité sociale des institutions universitaires – Faible participation et visibilité des productions scientifiques

Opportunités	Menaces	Pays	Atouts	Faiblesses
– Développement croissant des savoirs et savoir-faire dans le domaine de la culture des droits humains (CDH) à niveau international et national. – Exigence de la compétitivité nationale et internationale en termes de standardisation des outils éducatifs et pédagogiques visant la CDH. – Ouverture de l'université marocaine sur la qualité de l'éducation et de la formation initiale et continue en lien avec l'approche CDH. – Engagements des décideurs politiques dans le processus de la mise en œuvre des stratégies CDH. – Soutien de l'université Mohammed V Rabat donné initiatives basées sur l'approche CDH.	– Eparpillement des savoirs liés à la CDH et absence d'impact sur les acteurs clés du champ éducatif. – Diminution de la masse critique des enseignants chercheurs et des administratifs formés à l'approche CDH. – Rareté des spécialistes et des professionnels de l'approche CDH. – Absence de convergence institutionnelle et de textes juridiques. – Absence d'information et de formation des personnels universitaires.	**Université Mohammad V Rabat Maroc**	– Notoriété de l'université Mohammed V Rabat en formation initiale et continue. – Enseignants qualifiés, expérimentés et engagés. – Nombre d'actions et offre de formation en lien avec l'approche CDH. – Nombre important d'actions culturelles en lien avec la CDH. – Engagement des collaborateurs administratifs et académiques.	– Absence de vision stratégique de l'approche CDH et manque de dispositif d'information, de données et d'archivage. – Manque de coordination entre les structures de formation en lien avec l'approche CDH. – Effectifs limités d'enseignants formés en approche CDH. – Eparpillement des activités, incohérence des filières et absence de visibilités du plan de formation. – Absence de coordination interuniversitaire.

Opportunités	Menaces	Pays	Atouts	Faiblesses
– Réel intérêt politique pour l'amélioration des droits de l'homme au Maroc. – Création d'institutions nationales et gouverne mentales pour la promotion des droits de l'homme (Délégation interministérielle aux Droits de l'Homme, Conseil National des Droits de l'Homme) – Ratification par le Maroc des principales conventions internationales liées aux droits de l'Homme. – Présence dans les plans d'actions sectoriels de programmes d'éducation aux droits de l'homme (mais de faible teneur) – Intérêt porté aux droits de l'homme par le Conseil Supérieur de l'Enseignement – Organisation au Maroc en Novembre 2014 de la deuxième édition du Forum Mondial des droits de l'homme	– La non-reconnaissance explicite des droits de l'homme et de leurs valeurs dans la législation nationale de l'enseignement supérieur. – Indifférence des politiques de recherches nationales de envers de la recherche liée aux droits de l'homme. – La législation nationale ne considère aucunement l'éducation sur les droits de l'homme comme un critère de sélection et de recrutement du personnel enseignant. – Inexistence de dispositifs de formation du personnel enseignant aux droits de l'homme	**Université Hassan Ii Casablanca Maroc**	– Reconnaissance de l'autonomie de l'université dans la gestion et l'élaboration de ses politiques. – Reconnaissance du respect des droits de l'homme dans la charte éthique et dans les valeurs de l'université. – Collaboration et partenariat avec des organismes et institutions œuvrant dans le champ des droits de l'homme. – Présence d'activités, de cours et d'enseignements obligatoires portant sur les DH tout au long des cursus au sein de la Faculté de Ain Sebâa – Garantie du droit à l'accès à l'information – Organisation et encouragement des initiatives et des activités spécifiques aux droits de l'homme. – Participation de l'ensemble de la communauté scientifique dans la gestion et la planification stratégique de l'établissement	– Faiblesse de la Législation universitaire sur les droits de l'Homme. – La non prise en compte de l'éducation sur les droits de l'homme dans le processus de sélection du personnel enseignant. – La politique globale de recherche de l'université ne porte que peu d'intérêt aux droits de l'homme. – Absence de formations en faveur des personnels enseignants et administratifs portant sur les droits de l'homme. – Absence de mécanisme de défense contre les éventuelles atteintes aux droits de l'homme.au sein de la faculté. – Le caractère obligatoire des enseignements et des activités des droits de l'homme.

Opportunités	Menaces	Pays	Atouts	Faiblesses
Politiques et mesures				
– Un climat politique favorable au respect des droits de l'homme. – La politique d'Etat encourage tout projet de coopération dans l'intention d'améliorer les programmes d'enseignement. – Importance du travail associatif.	– Influence de certains partis politiques sur des groupes d'étudiants. – La syndicalisation et la politisation des étudiants, enseignants et agents administratifs ont provoqué certains incidents et certaines déviations. – Le manque de moyens de l'Etat tunisien due l'instabilité politique et de la fragilité à sa politique économique (dépendance, dettes, etc.), aggravé par la crise financière internationale.	**Ipsi Université de Manouba Tunisie**	– Un projet de réforme du système d'enseignement supérieur a été lancé récemment par le ministère. – Circulaire du ministre de l'enseignement supérieur concernant l'enseignement de la matière des droits de l'homme comme module transversal (dans l'ensemble des institutions universitaires). – L'enseignement supérieur est accessible à tous en toute égalité, en fonction des capacités de chacun (y compris les personnes vulnérables). – Existence, à l'IPSI, de bonnes pratiques de démocratie et de respect des droits de l'homme (ex : possibilité de partenariat et d'échanges avec des associations ou des ONG à l'IPSI). – L'IPSI dispose d'une radio interne, d'un site électronique et d'une revue scientifique (biannuelle).	– Faible soutien matériel particulier aux groupes défavorisés / handicapés. – Quelques défauts d'équilibre et d'articulation entre les missions universitaires que sont la recherche scientifique, l'enseignement et l'ouverture sur le milieu professionnel. Et ce, malgré les relations d'échange et de coopération qui distinguent l'IPSI.

Opportunités	Menaces	Pays	Atouts	Faiblesses
Procédures et outils d'enseignement et d'apprentissage				
– Une meilleure valorisation des droits de l'homme d'une manière générale et en particulier dans l'enseignement à l'IPSI. – Une ouverture vers la vie associative et les ONG à l'échelle internationale.	– Une instabilité politique (quatre ministres se sont succédés à la tête du ministère de l'enseignement supérieur depuis la révolution du 14 janvier et cinq chefs de gouvernement). cela risque de provoquer : – Une lenteur et des hésitations dans les prises de décision – Un freinage de tout investissement dans une politique ou dans une vision à long termes.	**Ipsi Université de Manouba Tunisie**	– Enseignement, à l'IPSI, des droits de l'homme, de manière directe ou indirecte, à dans différents niveaux du cursus universitaire. – Le personnel enseignant tente de faire appel à la pédagogie différenciée de façon courante, et cherche à développer le sens critique de ses étudiants afin de favoriser l'émancipation de l'étudiant et le renforcement de son esprit d'initiative. Et cela surtout par ce que les étudiants de l'IPSI seront les journalistes et communicants de demain.	– L'enseignant, centré sur le contenu du cours, ne permet pas toujours à l'étudiant de participer et de « problématiser » le contenu dispensé par rapport à son milieu environnant. – Les références bibliographiques sur les droits de l'homme des structures universitaires en matière de disponibilité des données et de documentation, qui sont considérées comme une nécessité pour tout travail de recherche. – La quasi-absence de statistiques ou de documents officiels qui pourraient nous donner des chiffres précis concernant les pratiques ou la participation dans le domaine de l'ABDH, au sein de l'environnement d'apprentissage.
Recherche				
– Existence d'une convention de partenariat nationale et internationale (Permet de créer des liens et	– Le manque d'encouragement, la rigidité des textes et la lenteur des procédures administratives de rému-		– Existence d'un projet de réforme du système de l'enseignement supérieur.	– Peu de recherches directes sur les droits de l'homme.

Opportunités	Menaces	Pays	Atouts	Faiblesses
des réseaux qui facilitent la collaboration et l'échange). – Possibilité de création en partenariat avec d'autres institutions universitaires nationales et internationales d'écoles doctorales et des masters.	nération ont engendré le désintérêt des enseignants chercheurs et leur manque d'engagement dans la recherche scientifique. – Les enseignants-chercheurs préfèrent désormais collaborer avec des instances étrangères ou s'investir dans la formation et le consulting dont la rentabilité est plus importante et la valorisation plus considérable, surtout dans les domaines du journalisme et de la communication.		– Existence de mesures incitatives pour la mobilité scientifique.	– Pas de normes pour la promotion de l'enseignement des droits de l'homme dans le peu de recherches qu'il y a. – Pas de valorisation de la recherche sur les droits de l'homme. – Procédures de rémunération (déplacement, mobilité …) longues et compliquées.
Contexte de l'apprentissage		**Ipsi Universidad de Manouba Tunisie**		
– La réforme de l'enseignement supérieur, en cours et les structures d'évaluation sont favorables à accorder plus d'autonomie à la gestion financière, administrative et scientifique des institutions universitaires. – Climat politique favorable et ouvert à toute réforme et toute proposition afin de revoir et apporter les réformes nécessaires.	– Instabilité politique. – Ingérence des partis politiques en politisant la question des droits de l'homme. Cet aspect est accentué à l'IPSI étant donné qu'il s'agit d'une institution universitaire qui est en relation avec les médias et la communication, en l'occurrence politique.		– Existence d'une autonomie financière et administrative relative. – Existence de mécanismes d'auto évaluation. – L'IPSI est ouverte à la société civile et encourage ses étudiants à créer des liens avec les associations.	– Absence d'une approche d'évaluation « sérieuse » et cohérente par objectifs. – Les structures d'évaluation sont internes. Donc pas d'ouverture sur des instances neutres. – Autonomie limitée.

Opportunités	Menaces	Pays	Atouts	Faiblesses
Éducation et perfectionnement professionnel du personnel enseignant				
– L'IPSI est ouverte à tout projet de coopération. – Plusieurs projets de coopération internationale en cours entre l'IPSI et des institutions universitaires, des ONG et des médias. – L'IPSI entreprend des relations avec la société civile.	– Le manque d'intérêt des enseignants chercheurs pour les formations continues à l'exception de celles qui sont liées à la pédagogie. – Le ministère ne prend pas en considération la question des droits de l'homme dans la planification des formations continues des enseignants.	**Ipsi Universidad de Manouba Tunisie**	– Existence d'un intérêt pédagogique et d'un besoin pressant de l'enseignement des droits de l'homme dans le domaine du journalisme. – Existence d'un système d'aide financière à la mobilité. – Existence de programmes de coopération internationale. – Existence de formation du personnel enseignant, consacrée en partie aux droits de l'homme (dans le domaine du journalisme).	– Peu de formation continue. – La formation n'est pas considérée comme un critère de qualification, d'accréditation et d'évolution des études du personnel enseignant.
Politiques et mesures				
– Expansion de l'utilisation d'internet. – Nouvelle équipe pédagogique. – Enthousiasme et volonté des étudiants de promouvoir leur école. – Création de nouvelles associations des étudiants. – Guide du règlement intérieur disponible.	– Manque de moyens humains et matériels. – Les étudiants ne sont pas suffisamment formés à la gestion participative. – Résistance au changement à diffuser certaines informations qui sont toujours considérées comme des «secrets de l'institution».	**Intes Université de Carthage Tunisie**	– Les textes régissant l'INTES sur les missions et l'organisation sont diffusés dans le journal officiel de la république Tunisienne. – Les informations concernant le recrutement et la promotion du personnel administratif et pédagogique sont rendues publiques.	– Il n'y a pas de support pour informer les étudiants et les aider à mieux connaître l'INTES, surtout les nouveaux inscrits (dépliants par exemple, guide de l'INTES, etc.). – Absence de guide général ou par spécialité pour que les étudiants soient biens informés sur leur for-

Opportunités	Menaces	Pays	Atouts	Faiblesses
– Les projets de fin d'études et les mémoires de master.	– La syndicalisation et la politisation des étudiants et des enseignants risquent de faire des déviations dans les objectifs visés à travers la mise en place d'un système d'information pour les étudiants et les enseignants (risque d'interprétation négative =discrimination). – Manque d'un système de gestion des archives des projets de fin d'études, ce qui rend les informations sur les thèmes de recherches inaccessibles aussi bien aux-étudiants qu'aux encadreurs.	**Intes Université de Carthage Tunisie**	– Les étudiants et les enseignants de l'INTES sont représentés dans leur conseil scientifique. – l'INTES dispose d'un site électronique, d'une revue, d'un radio locale pour étudiants et de tableaux d'affichage.	mation, et leur cursus universitaire et leur perspective professionnelle. – Il n'y a pas de guide d'examen à disposition des enseignants et des étudiants, qui permet à chacun de connaitre le système d'évaluation des matières. – Certaines données restent inaccessibles aux étudiants et aux enseignants, les données relatives au budget et à la gestion du personnel administratif et pédagogique.
Processus et outils d'apprentissage				
– Nouvelle Constitution valorisant les droits de l'homme – Possibilités de révision des programmes d'enseignement à l'INTES plus valorisante et plus souple. – Plus de liberté d'expression pour les étudiants et les enseignants.	– Manque de moyens humains. – Manque de visibilité politique de l'objectif d'introduction de l'ABDH. – Instabilité au niveau des principaux organes de décision des politiques générales. – La politisation et l'instrumentalisation de la question des droits de l'homme.		– l'INTES est soumis aux normes et à la réglementation qui régissent le fonctionnement des établissements universitaires. – Une circulaire qui date de 2008 impose l'enseignement d'un module intitulé « droits de l'homme » dans toutes les universités tunisiennes durant deux semestres.	– Les cours transversaux sont soumis à l'évaluation de type « contrôle continu». – Cours enseignés par des enseignants vacataires et contractuels. – Le cours droits de l'homme est historiquement instrumentalisé politiquement puisqu'il a été introduit par l'ancien régime.

Opportunités	Menaces	Pays	Atouts	Faiblesses
– Convention entre le Ministère des Affaires Sociales et l'Institut Arabe des Droits de l'Homme.		**Intes Université de Carthage Tunisie**	– Un cours de «droits de l'homme» est intégré comme matière transversale dans toutes les spécialités. – Les cours de droit du travail et celui de la sécurité sociale sont aux cœurs des droits de l'Homme. – Les cours de spécialité en service social s'intéressent à des questions relatives aux droits de l'homme.	– Les étudiants ne perçoivent pas le lien entre le cours, leurs spécialités et la profession à laquelle ils sont en train d'être préparés. – Le contenu dispensé par des enseignants non spécialisés dans la matière droits de l'homme et non spécialises dans des disciplines proches du travail social ou du droit social. – L'approche adoptée dans l'enseignement des droits de l'homme dans l'enseignement supérieur tunisien est une approche classique basée sur des cours magistraux et non sur une pédagogie interactive, valorisant le transfert du savoir et non le développement personnel. – Il n'y a pas de projets d'innovation pédagogique centrée sur les droits de l'homme. – Il n'y a pas de programmes d'enseignement coordonnés sur les droits de l'homme.

Opportunités	Menaces	Pays	Atouts	Faiblesses
				-Aucune activité d'apprentissage pratique orientée vers la communauté n'est faite pour promouvoir la culture des droits de l'homme.
Recherche				
– Dans le cadre du système LMD, l'INTES peut créer en partenariat avec d'autres établissements une école doctorale qui pourrait être à l'origine du développement de l'activité de recherche. – L'enseignante actuellement chargée de diriger le département de recherche, dispose d'un solide réseau avec les institutions de recherche à l'échelle nationale et internationale, en particulier en France. – Le Ministère des Affaires Sociales, qui est le ministère de tutelle administrative et financière dispose d'un centre de recherche qui peut collaborer avec l'INTES pour faire des recherches communes.	– Rigidité des textes régissant la création des écoles doctorales. – La diversité des disciplines, qui est une richesse pour l'INTES, peut ne pas faciliter la création d'une école doctorale. – Le manque d'intérêt des enseignants pour la recherche dans un contexte de rareté des ressources et de manque d'encouragement. Certains enseignants préfèrent s'investir dans des activités de formation et de conseil dont la rentabilité est importante.	**Intes Université de Carthage Tunisie**	– Liberté des enseignants et des étudiants dans le choix du sujet à traiter. – Liberté pour consulter les archives et les publications scientifiques en respectant les conditions d'accès définies par les structures concernées. – Liberté d'intégration des équipes de recherche interne et externe. – L'INTES dispose d'un département de recherche. – Plusieurs enseignants font leur recherche de doctorat et d'autres préparent des travaux de recherche pour obtenir leur diplôme d'habilitation à la recherche et d'encadrement. Diversité des disciplines enseignées à l'INTES, ce qui permettrait de créer	-Manque de moyens et des finances pour la recherche et les manifestations scientifiques. -Absence d'une politique de recherche clairement définie dans la politique de l'institution. -Les enseignants consacrent la totalité de leur temps à l'enseignement pour combler le manque de personnel enseignant. – Absence de dynamique scientifique et manque d'ouverture sur les structures qui pourraient soutenir l'INTES et promouvoir ses activités de recherche. – Absence d'une base de données et de ressources bibliographiques actualisées et mise à jour.

Opportunités	Menaces	Pays	Atouts	Faiblesses
– l'INTES dispose d'un master de recherche en service social et peut mettre en place un master de recherche en droit social surtout qu'il est le seul établissement d'enseignement supérieur reconnu et spécialisé pour enseigner cette discipline.		**Intes Université de Carthage Tunisie**	des équipes de recherche pouvant aborder des sujets dans une optique interdisciplinaire.	– Non reconnaissance du temps consacré à la recherche. – Absence de mécanismes de valorisation des résultats des quelques recherches qui sont faites par les enseignants dans le cadre de leur travaux de doctorat ou dans le cadre de leur initiative individuelle.
				– Les recherches faites par certains enseignants restent des actions purement individuelles et ne peuvent être comptabilisées dans l'actif de l'institution -Il n'y a pas d'activité de recherche sur le sujet des droits de l'homme.
Environnement d'apprentissage				
– Climat politique favorable. – Réforme de l'enseignement supérieur pour accorder plus d'autonomie à la gestion des établissements universitaires. – Emergence d'une culture démocratique et d'une gestion participative.	– Instabilité politique. – Résistance au changement. – Politisation de la question des droits de l'homme. – Mauvaise manipulation des libertés qui peuvent être accordées.		– La nouvelle Constitution a prévu des dispositions relatives aux droits de l'homme. – La participation des enseignants et des étudiants à la gestion de la vie pédagogique est assurée par leurs représentants élus au	– L'INTES ne dispose pas de charte définissant les droits et les obligations de chaque acteur impliqué dans la vie universitaire. – Absence de mécanismes visant le respect des droits de l'homme. – L'ABDH de l'homme est absente dans la culture de

Opportunités	Menaces	Pays	Atouts	Faiblesses
		Intes Université de Carthage Tunisie	conseil scientifique selon les normes et les procédures définies par la réglementation en vigueur. – Absence de pratique discriminatoire dans la liberté académique.	l'institution comme dans la majorité des autres établissements. – Aucune collaboration entre l'INTES et d'autres institutions pour valoriser la protection des droits de l'homme. – Il n'y a pas de plaintes qui sont déposées dans une optique du respect des droits de l'homme. – Les acteurs de l'INTES (enseignant, administration, étudiants) ne sont pas suffisamment informés sur leurs droits de défense dans une optique de droits de l'homme.
Enseignement et perfectionnement professionnel du personnel				
– Le ministère est favorable à la formation continue des enseignants donc possibilité d'intégrer la question des droits de l'homme. – L'INTES dispose d'un département de formation continue expérimenté dans l'organisation des cours de formation continue.	– Manque d'intérêt des enseignants pour la formation continue en général. – L'intérêt pour la formation continue sur la pratique pédagogique l'emporte sur la formation en «droits de l'homme».		– L'administration de l'INTES respecte le statut professionnel du corps enseignant. – Certains enseignants de l'INTES sont actifs dans des ONG qui interviennent dans des questions relatives aux droits de l'homme.	– Il n'y pas de programmes de formation pour les enseignants. – La dimension « droits de l'homme » est absente dans la gestion du personnel enseignant.

Opportunités	Menaces	Pays	Atouts	Faiblesses
– L'INTES entreprend beaucoup de relations avec des ONG. – Quatre associations ont leurs sièges à l'INTES. – L'INTES disposent d'un ensemble de conventions de coopérations internationales		**Intes Université de Carthage Tunisie**		
– Promotion des Droits de l'Homme dans le contexte des programmes d'études et de la recherche au sein de l'Université. – Offre de cours sur les Droits de l'Homme.	– Il n'y a pas de législation concernant la qualification professionnelle du personnel de l'enseignement supérieur. – Fréquemment, les indicateurs de résultats ne sont pas disponibles ou ne suffisent pas.	**Université de Westminster**	– Autonomie universitaire. – Systèmes de contrôle de qualité (externes et internes). – Système d'information publique et accessible.	– Le système de l'Université de collecte de données statistiques ne facilite pas l'analyse comparative dans le cadre du projet.
– La Chaire Unesco comme moteur de promotion des activités pour un nombre plus important de professeurs et d'étudiants et moteur de sensibilisation et processus de monitorat plus large et constant sur les activités de l'université dans leur multiplicité. -La longue et étroite tradition de collaboration entre l'université et le territoire (entités et institutions lo-	– Le risque de voir diminuer ou disparaitre les activités le jour où les membres de la Chaire Unesco et du comité scientifique ne travailleront plus dans l'université.	**Université de Bergame**	– Autonomie de l'université dans sa gestion et organisation. – Autonomie de l'enseignement et de la recherche pour le personnel enseignant. – Reconnaissance du droit de participation à la gouvernance de l'établissement. – Référence explicite aux droits de l'homme dans le statut et dans le code éthique.	– Activité du CUG positive mais relative et très récente. -Absence de la figure du «défenseur des étudiants ». -Manque de formation et de professionnalisation du personnel enseignant (pas du personnel en tant qu'individus) dans le domaine des droits de l'homme. -Manque de référence aux droits de l'homme dans les conventions et dans les contrats.

Opportunités	Menaces	Pays	Atouts	Faiblesses
cales) pourrait se jouer autour d'un partenariat sensible aux questions relatives aux droits de l'homme dans les relations de collaboration et établirait les droits de l'homme comme base et condition pour une collaboration. – Face à une crise actuelle de financements, l'accès aux programmes européens et aux financements des entreprises ou des entités privés pourrait garantir la réalisation d'actions et d'activités spécifiques dans le domaine des droits de l'homme.		**Université de Bergame**	(Référence explicite aux droits individuels, au respect de la dignité humaine, etc.) – Investissement dans la recherche et dans la qualité de la recherche et internationalisations. – Institution du CUG depuis 2013 – Pluralité d'organes qui visent à contrôler le respect des droits (CUG, Commission paritaire, etc) – Transparence dans l'accès à l'information et à la gestion à universitaire. – Bonnes pratiques dans le secteur de la formation et la recherche dans le domaine des droits de l'homme – Présence à l'Université d'une Chaire Unesco des droits de l'homme et de l'éthique de la coopération Internationale	– Absence de référence à l'éducation sur les droits de l'homme dans la sélection du personnel.
– Réforme du système universitaire – Collaboration avec des organisations à but non lucratif	– Coupes budgétaires continues appliquées aux études, l'enseignement et à la recherche universitaire	**Université de la Corogne**	– Autonomie universitaire – Information publique – Transparence dans le processus d'enseignement/apprentissage	– Absence de règlement spécifique relatif aux droits de l'homme – Difficulté d'accès à des données concrètes

Opportunités	Menaces	Pays	Atouts	Faiblesses
– Renforcement de la collaboration communautaire – Expérience de travail en réseau avec d'autres IES.	– Faible sensibilisation de la société aux droits de l'homme – Limitations dans les processus de vérification des cursus universitaires – Restreindre l'éducation sur les droits de l'homme exclusivement aux cursus de sciences sociales et juridiques.	**Université de la Corogne**	– Disponibilité de sources bibliographiques – Perfectionnement professionnel et éducatif dans le milieu de l'apprentissage.	– Absence de programmes spécifiques en éducation sur les droits de l'homme – Inexistence d'un catalogue de recherche spécialisé en droits de l'homme
– Alliances externes et collaboration avec la structure sociale. – Projet de réforme des universités et du système national d'accréditation du personnel académique des universités qui est actuellement traité par le ministère compétent en matière d'enseignement supérieur. – Participation des chercheurs à des appels publics de projets européens, nationaux et régionaux. – Programmes de mobilité du personnel enseignant et des chercheurs.	– Diminution du financement public de l'université – Projet de réforme des universités et du système national d'accréditation du personnel académique des universités qui est actuellement traité par le ministère compétent en matière d'enseignement supérieur.	**Université de La Rioja**	– Autonomie universitaire – Participation de la communauté universitaire à la gouvernance de l'université et à la représentation – Information publique et accessible – Reconnaissance, en temps que valeur, du respect des droits de l'homme – Politiques spécifiques pour garantir l'accès à l'éducation supérieure, la formation du corps enseignant et des chercheurs et l'innovation dans l'enseignement – Méthodologie de l'enseignement basée sur les compétences	– Absence d'un plan stratégique d'université. – Faible participation des élèves aux élections des organes de gouvernance et de représentation de l'université. – Absence d'un comité d'éthique. – L'éducation sur les droits de l'homme n'est pas transversale dans les études au niveau de la licence et aux niveau supérieurs. – Absence de diplôme de licence, de masters et de doctorat en droits de l'homme. – Faible développement de compétences associées aux droits de l'homme.

Opportunités	Menaces	Pays	Atouts	Faiblesses
		Université de La Rioja	– Système de garantie de qualité des cursus universitaires – Disponibilité de bases de données et de sources bibliographiques. – Reconnaissance et mesures d'incitation à la recherche du personnel enseignant. – DIALNET – Existence de structures de recherche en ligne sur les droits de l'homme – Mesures d'attention à la diversité dans les processus d'enseignement-apprentissage. – Systèmes transparents d'évaluation des résultats de l'apprentissage. – Participation d'institutions et d'entités externes à des activités de formation non officielle. – Design et mise en marche d'activités extra officielles sur les droits de l'homme. – Contrôle de qualité des cursus universitaires.	– La reconnaissance de la recherche comme partie des tâches du personnel enseignant est peu à peu réduite et, ces dernières années, elle est associée aux ressources externes captées par le chercheur. – Crise dans la disposition de ressources motivée par la situation économique. – Nombre presque inexistant de thèses doctorales, de mémoires de masters et de travaux de fin de licence traitant spécifiquement des droits de l'homme – Absence d'appels aux projets de coopération au développement

Opportunités	Menaces	Pays	Atouts	Faiblesses
		Université de La Rioja	– Projets de recherche portant sur les droits de l'homme auxquels participent des chercheurs de l'université – Organisation de congrès, de journées et de séminaires scientifiques sur les droits de l'homme – Le respect des droits de l'homme fait partie des chartes des droits et des obligations des membres de la communauté universitaire. – Participation de la communauté universitaire à la gouvernance de l'université et à sa représentation – Défenseur des droits – Existence d'un réseau d'associations et de bénévolat qui travaille pour les droits de l'homme – Collaboration avec des institutions et des entités concernées par la défense des droits de l'homme.	

Opportunités	Menaces	Pays	Atouts	Faiblesses
– Évaluation externe (agences nationales). – Partenariats externes et coopération avec le tissu social. – Programmes de Coopération au Développement et Service de Volontariat.	– Manque de ressources économiques. – Manque de sensibilisation de la Société concernant les Droits de l'Homme. – (Les Droits de l'Homme ne sont pas perçus comme un problème).	**Université de Saragosse**	– Autonomie universitaire. – Systèmes de garantie. – Systèmes internes de contrôle de qualité. – Publicité et accessibilité. – Disponibilité de sources bibliographiques liées à la thématique faisant partie de l'étude. – Programmes de formation et innovation en matière de formation du personnel de l'enseignement.	– Bureaucratisation excessive. – Manque d' intérêt pour l'Éducation et Recherche en matière de Droits de l'Homme.
– Les possibilités que l'Espace européen d'enseignement supérieur offre dans le milieu éducatif pour générer de nouvelles études. – L'augmentation de la demande en formation faite par la société, à tous les niveaux éducatifs. – La situation privilégiée qu'elle maintient avec l'étranger, en particulier avec l'Amérique Latine, conséquence de liens historiques et culturels. – L'existence d'une politique, de la part du gouvernement régional, sensible à	– Manque de développment et de coordination entre certains services universitaires ce qui rendra difficile leur fonctionnement. – Un financement public insuffisant qui fera obstacle à la planification pluriannuelle et par conséquent au développement de certains projets éducatifs et de recherche. – La rigidité des processus administratifs qui pourrait répercuter négativement sur l'efficacité des services que l'institution doit prêter.	**Université d'Estremadure**	– Le rôle important que l'Uex joue dans le développement régional au niveau de la formation est soutenu par un grand nombre d'entreprises et d'institutions. – La taille moyenne de l'Uex qui lui permet une capacité de réponse rapide aux changements qui se produisent dans le milieu universitaire. – Les alliances internationales qu'elle maintient avec d'autres institutions d'enseignement supérieur, en particulier celles à caractère transfrontalier, qui per-	– Dispersion géographique de l'Uex sur tout le territoire d'Estrémadure. – Un manque de spécialisation en formation sur les droits de l'homme dans les études au niveau de la licence et aux niveau supérieurs. – Une distribution inégale d'effectifs entre les différents domaines de savoirs et les départements qui la composent. – L'absence d'un cadre de financement stable garantissant une stabilité économique. Une faible im-

Opportunités	Menaces	Pays	Atouts	Faiblesses
l'essor et à la revitalisation du développement, de l'innovation et de la R+D.		**Université d'Estremadure**	mettent un échange d'étudiants et de professeurs. – Des effectifs d'enseignants et de chercheurs qui augmentent et en croissance continue dans le cas des docteurs. – Une augmentation des moyens technologiques de soutien à l'enseignement et à la recherche, déjà mis en place et en développement continu. – Une augmentation des plans de formation du personnel enseignant et des chercheurs ainsi que du personnel de l'administration et des services.	plémentation de procédés d'administration électronique ce qui ne favorise pas certains processus administratifs.

Conclusions

Ana María Vega Gutiérrez
Université de La Rioja

Les informations obtenues à travers les indicateurs démontrent l'opportunité et la visibilité du projet ABDEM. Les pays et les universités du consortium ont identifié, en ce sens, une série de circonstances favorables:

a) Ils ont assumé des engagements juridiques et institutionnels par le biais de la ratification des textes internationaux sur les droits de l'homme et leur respective incorporation constitutionnelle;
b) Ils garantissent les libertés académiques fondamentales: académique, recherche et études;
c) Ils garantissent l'égalité et la non-discrimination dans l'accès à l'éducation supérieure;
d) Ils manifestent leur intérêt à consolider et à encourager des actions dans le domaine éducationnel qui contribuent à la reconnaissance et à l'assomption des droits de l'homme dans la vie quotidienne de leurs citoyens pour créer une société juste et démocratique;
e) Ils reconnaissent la capacité des professeurs à établir des relations de coopérations avec des enseignants et des centres d'enseignement supérieur étrangers;
f) Ils reconnaissent l'autonomie pour la formation du professorat;
g) Ils admettent la capacité d'inclure de nouvelles matières d'étude;
h) Ils disposent d'une capacité de gestion budgétaire qui permettrait d'assigner des ressources pour mettre en place une éducation basée sur les droits de l'homme;
i) Tous ont adapté l'application du système des ETCS et LMD (Licence/ master et doctorat), sauf le Maroc, ce qui permet un système d'équivalence et de reconnaissance de diplômes et, s'il y a lieu, de masters. En outre, toutes les institutions du consortium ont adhéré

aux programmes européens Erasmus, Mundus+, Tempus et Horizon 2020.

Toutes les institutions qui convergent sur ces facteurs positifs détectent les déficits suivants:

a) Elles considèrent nécessaire d'harmoniser des normes et la théorie des droits de l'homme avec la pratique à tous les niveaux (État, individus, groupes, minorités et société) et d'assurer plus de cohérence et de cohésion institutionnelle dans les stratégies nationales et dans l'action multisectorielle;
b) Elles constatent l'absence d'une approche globale basée sur les droits de l'homme dans leurs différents campus universitaires, qui contribuerait à une amélioration de la qualité dans l'éducation et de la gestion des centres;
c) Elles détectent des carences importantes dans la formation aux droits de l'homme du professorat et des élèves.

Lignes stratégiques

Le diagnostic réalisé par les institutions avec la méthode AFOM montre quelques lignes stratégiques qui permettraient de tirer parti de certaines opportunités et de rentabiliser les efforts pour neutraliser et/ou compenser certaines menaces et faiblesses qui pourraient rendre difficile la mise en application de l'ADBH dans leurs respectives universités. Nous soulignons les plus importantes:

a) **Préciser la vision stratégique universitaire et en faire** une priorité au niveau du projet de développement des universités:
   i. L'autonomie des universités dans la gestion et l'élaboration de ses politiques est reconnue dans ses statuts. Cet atout permet à l'université d'établir de facto des mesures promotrices de l'éducation aux droits de l'homme.
   ii. La reconnaissance du respect des droits de l'homme dans les valeurs des universités est un atout à valoriser, en faisant de chaque établissement du consortium un exemple à suivre pour les autres établissements d'enseignement supérieur et en associant le ministère de Tutelle afin qu'il accompagne ces réalisations d'une législation soucieuse des droits de l'homme;
b) **Élaborer un plan de communication et un dispositif de coordination entre les établissements porteurs de projet ABDH:** revoir l'ensemble de la législation universitaire, et l'imprégner fortement de la culture des droits de l'homme, permettrait de donner l'exemple au

niveau national et d'inciter le ministère de Tutelle à lancer un réel chantier de réformes portant sur les droits de l'homme dans l'enseignement supérieur.

c) **Assurer plus de cohérence et de cohésion institutionnelle aux niveaux de la stratégie nationale et de l'action multisectorielle:** la collaboration de l'université avec des organismes et les institutions nationales des droits de l'homme permettrait d'enrichir les curricula de l'université avec des modules, des formations et des activités spécifiques aux droits de l'homme.
   i. Élaborer une charte du travail associatif étudiant-université-instances de la société civile en matière de droits de l'homme;
   ii. Créer un partenariat public-privé et favoriser notamment l'échange de bonnes pratiques en matière de droits de l'homme.

d) **Coordonner et rationaliser les activités culturelles et scientifiques et structurer les filières concernées par l'ABDH:**
   i. L'encouragement, la participation et l'organisation d'activités spécifiques aux droits de l'homme permettraient de promouvoir et de propager les valeurs des droits de l'homme dans l'ensemble de l'université;
   ii. Cultiver la pluralité des partenaires pour une meilleure et large diffusion de la culture des droits de l'homme.

e) **Mettre en place un dispositif consacré à la promotion, à l'information, au suivi et à l'évaluation des projets portant sur l'ABDH à l'université:** la participation de l'ensemble de la communauté scientifique à la gestion et à la planification stratégique est une méthode démocratique pouvant créer et promouvoir un environnement de travail en accord avec les valeurs humanitaires.
   i. Valoriser la transparence et faciliter l'accès à l'information.
   ii. Rationnaliser les budgets/généraliser la GBO à la gestion des budgets des établissements d'enseignement supérieur.
   iii. Activer les mécanismes d'auto-évaluation au niveau des établissements d'enseignement supérieur et impliquer tous les acteurs dans toute démarche d'évaluation.
   iv. Faire de l'évaluation dans l'enseignement supérieur une activité de recherche scientifique.

f) **Intégrer la formation à l'ABDH dans tous les cycles de formation des enseignants** la mise en œuvre au niveau de l'université de modalités de sélection du personnel enseignant qui prennent en compte les droits de l'homme comme critère essentiel, permettrait d'opérer un filtrage qui écarterait les candidats peu soucieux des principes des droits de l'homme et de leur respect, et cela même si au niveau national, le ministère de Tutelle continuait de les recruter.

Profiter de l'existence d'un système d'aide financière à la mobilité de programmes de coopération internationale pour:

i. Introduire des programmes de formation continue pour les enseignants universitaires en dehors du cursus universitaire (obtention d'un diplôme à l'issue de la formation);
ii. Organiser des sessions de formation pédagogique des droits de l'homme au profit des enseignants;
iii. Organiser des stages / apprendre les bonnes pratiques pédagogiques dans l'enseignement des droits de l'homme auprès des universités et instances internationales.

g) **Promouvoir la recherche et l'expertise en matière de droits de l'homme** Encourager la recherche portant sur des problématiques en lien avec les droits de l'homme permettrait l'éclosion d'une université citoyenne et promotrice des valeurs des droits de l'homme, mais aussi une université partenaire crédible pour l'ensemble des instances en charge des droits de l'homme, aux niveaux national et international.

h) **Existence d'un intérêt pédagogique et d'un besoin pressant d'EDH dans le domaine du social.**

i. L'éducation aux droits de l'homme, respectueuse des règles et de l'ordre social et institutionnel, se situerait entre des apprentissages normatifs et comportementaux (convivance) et des apprentissages ouverts aux débats (droit de participer activement à la décision; au pouvoir), à la pluralité et à l'initiative «qui témoigne du fait que l'avenir est encore à inventer, qu'il est potentiellement pluriel».
ii. L'approche par compétences préside, en principe, à l'esprit de l'ensemble du système éducatif. Cette réalité faciliterait l'introduction de l'approche transversale et le changement de la méthode pédagogique (un apprentissage plus concret, plus actif et plus durable).

Du diagnostic à l'intervention: une proposition de formation performante pour l'éducation aux droits de l'homme dans l'éducation supérieure

Ces conclusions confirment le besoin «de tenter» une formation de formateurs universitaires à l'approche aux droits de l'homme qui tienne compte des indications signalées aux phases 2 et 3 du Programme mondial de l'enseignement aux droits de l'homme.

Conformément aux besoins détectés dans le diagnostic de la phase 1 du projet et avec une approche intégrale de l'éducation aux droits de l'homme, le **contenu de la formation** devrait inclure les aspects suivants[1]:

a) *Connaissances et compétences:* l'acquisition de connaissances sur les droits de l'homme et sur les mécanismes, et l'acquisition de compétences pour les appliquer au quotidien;
b) *Valeurs, attitudes et comportements:* développement des valeurs morales et renforcement des attitudes et des comportements qui sont à la base des droits de l'homme;
c) *Action - adoption de mesures* en vue de protéger et de promouvoir les droits de l'homme.

Cette formation devrait prendre en compte les suivantes **recommandations du Programme mondial**[2]:

- S'inspirer des principes relatifs aux droits de l'homme ancrés dans les différentes cultures et tenir compte de l'évolution historique et sociale de chaque pays;
- Faire mieux connaître les instruments et les mécanismes internationaux, régionaux, nationaux et locaux actuels en matière de protection des droits de l'homme et favoriser l'acquisition des compétences nécessaires à leur utilisation;
- Mettre en œuvre une pédagogie fondée sur la diffusion des connaissances, l'analyse critique et l'acquisition d'aptitudes utiles à la promotion des droits de l'homme et tenant compte de l'âge et des particularités culturelles des apprenants;
- Favoriser l'instauration de conditions d'apprentissage qui ne laissent pas d'espace à la crainte et à la frustration et qui soient propices à la participation, à l'exercice des droits de l'homme et au plein épanouissement de la personnalité humaine;
- Répondre aux exigences de la vie quotidienne de tous ceux qui bénéficient de cette éducation, en les incitant à se concerter sur la manière de transformer les droits de l'homme pour que ceux-ci ne soient plus seulement des normes abstraites mais s'intègrent à leur situation sociale, économique, culturelle et politique.

1. *Cfr.* UN Doc. A/HRC/27/28, paragr. 5.
2. Ibid., paragr. 9.